LES
CENT NOUVELLES
NOUVELLES

TEXTES LITTÉRAIRES FRANÇAIS

LES CENT NOUVELLES NOUVELLES

Edition critique
par
Franklin P. SWEETSER

Troisième tirage

DROZ

www.droz.org

ISBN: 978-2-600-00182-3

ISSN: 0257-4063

INTRODUCTION

Dans un inventaire, dressé en 1467, des livres de
la bibliothèque du duc de Bourgogne, se trouve la
description d'un manuscrit des *Cent Nouvelles Nouvelles* : « Ung livre tout neuf, escript sur parchemin
a deux coulombes, couvert de cuir blanc de chamois,
historié en plusieurs lieux de riches histoires, contenant cent nouvelles, tant de Monseigneur que Dieu
pardonne, que de plusieurs autres de son hostel, que-
manchant le second feuillet, après la table, en rouges
lettres : *celle qui se baignoit,* et le dernier : *lit
demanda.* » [1] Ce livre était assez différent, paraît-il,
de l'unique manuscrit connu aujourd'hui, celui de
l'université de Glasgow, n° 252 dans le fonds Hunter.
Ce dernier, selon l'éditeur le plus récent, P. Champion,
fut copié une vingtaine d'années après que les nouvelles furent réunies en un volume, en 1467, au plus
tard, date de la mort du duc Philippe de Bourgogne.
« C'est un volume de 207 feuillets de vélin non chiffrés,
mesurant 18 centimètres sur 25, écrit à longues lignes
d'une manière soignée entre 1480 et 1490. Il a été
relié dans une reliure de maroquin citron à la fin du
XVIIᵉ siècle... La table, qui remplit les deux premiers
feuillets, est incomplète... et n'est pas de la même main
que la transcription des nouvelles... Il y a une lacune

---

[1] G. Doutrepont, *La Littérature française à la cour des
ducs de Bourgogne,* p. 338, cité par P. Champion, éd. *Les
Cent Nouvelles Nouvelles,* Paris (E. Droz), 1928, p. LVII.

entre la 11ᵉ et la 97ᵉ nouvelle. De la même main est la dédicace au duc de Bourgogne (fol. 2 v°) qui porte la date erronée, mise à l'encre rouge par le rubricateur : De Dijon, l'an M. .iiijᵉ xxxii. Le texte commence au fol. 3 r°. L'écriture est large et carrée. Chaque nouvelle est précédée d'une petite miniature de 7 centimètres et demi sur 7 environ, et d'une lettre ornée. Chaque page est de 35 lignes avec une marge de 2 centimètres environ. Les noms des conteurs et le numéro des nouvelles sont rubriqués. » [2] Le manuscrit présentait quelques lacunes qu'une source inconnue a comblées au début du 17ᵉ siècle. Il est évident que la main qui a complété ces lacunes a essayé d'imiter l'écriture du xvᵉ siècle.

En plus du ms de Glasgow, *Les Cent Nouvelles Nouvelles* nous sont conservées dans une édition publiée par A. Vérard vers la fin de 1486. Tandis que la langue du ms de Glasgow contient un assez grand nombre de formes archaïsantes, des régionalismes caractéristiques du nord de la France, l'édition Vérard semble plutôt un rajeunissement, une modernisation des nouvelles, conformes à la langue écrite et parlée de la région de l'Ile-de-France à la fin du xvᵉ siècle. Les différences entre les deux versions ne sont pas importantes. Vérard allonge le texte ici, l'abrège là. Les nouvelles abrégées sont surtout dans la seconde moitié du recueil. L'ordre chronologique des nouvelles est le même que celui du ms de Glasgow, sauf pour les nouvelles 99 et 100, et le texte de Vérard présente plus de nouvelles anonymes que l'autre, surtout parmi les vingt dernières. Il est assez curieux de noter que les

---

[2] Pour une description détaillée et l'histoire du ms de Glasgow, voir Champion, *op. cit.*, pp. CXVI-VII, ainsi que J. Young et P.H. Aitken, *A Catalogue of the Manuscripts in the Library of the Hunterian Museum in the University of Glasgow.* Glasgow (Maclehose), 1908, pp. 201-3.

lacunes du ms de Glasgow comblées au XVII° siècle n'ont pas été complétées par des emprunts au texte de Vérard, ce qui semble prouver l'existence d'une source commune pour les deux versions.

———

Il est probablement inutile d'insister trop sur des sources littéraires pour ce recueil d'histoires plaisantes et grivoises. On pense surtout à un illustre prédécesseur, Boccace et à son *Décaméron,* et il semble naturel que des raconteurs, connaissant le célèbre recueil italien, aient voulu imiter, au moins en apparence, leur modèle, mais en fait, *Les Cent Nouvelles Nouvelles* françaises doivent très peu aux cent nouvelles italiennes. Nous savons que la bibliothèque de Philippe de Bourgogne contenait un exemplaire de cet ouvrage. Mais une influence plus directe semble être celle des *Facéties* du Florentin Poggio (1380-1459), collection d'histoires parfois obscènes qui ont fourni, sinon la matière, au moins les thèmes de plusieurs des *Cent Nouvelles,* mais comme l'a dit M. Desonay: « En réalité,... l'imitation de Poggio, quand imitation il y a, ne tourne jamais au plagiat. Sur un canevas d'une sobre et grêle élégance, le narrateur français brode une histoire presque nouvelle, aux détails vécus, dont l'originalité même ferait volontiers le prix. » [3] Bien qu'on n'ait pas trouvé d'exemplaire des *Facéties* dans l'inventaire du duc de Bourgogne, ces histoires plaisantes étaient très probablement connues de Philippe et de certains de ses serviteurs et gentilhommes

———

[3] F. Desonay, c.-r. de Champion, *Les Cent Nouvelles Nouvelles,* dans *Revue Belge de philologie et d'histoire,* t. 8 (1929), p. 1014.

qui avaient collaboré aux *Cent Nouvelles*. Ce qui est
sûr, c'est que le duc et ses amis connaissaient les
vieux fabliaux français, dont un recueil important se
trouvait dans sa bibliothèque. D'après des témoignages de l'époque, surtout de Chastellain, cité par
Champion, le duc portait en lui « le vice de la chair »,
il était « durement lubrique », on lui connaissait trente
maîtresses et une foule de bâtards. Tous les recueils
de contes nommés ci-dessus n'auraient donc pas man-
qué de plaire à Philippe et à son cercle. « Les *Cent
Nouvelles Nouvelles,* rédigées sur l'ordre de Philippe
le Bon, sur le type du *Décaméron,* ne sont pas autre
chose que des plaisantes histoires secrètes, racontées
par le duc et par ses serviteurs, à la suite des longs
repas où Philippe le Bon, sur la soixantaine, trouvait
un plaisir particulier.» [4] Trente-six conteurs sont
nommés comme ayant contribué aux *Cent Nouvelles
Nouvelles,* et grâce surtout aux recherches minutieuses
de P. Champion, nous sommes bien renseignés sur leur
identité. *Monseigneur* est le duc Philippe lui-même, et
tous les autres, sauf trois, sont des gens de la cour,
des serviteurs du duc et évidemment de bons amis.
A la demande de leur maître, ils ont collaboré à cette
œuvre qui, pour eux, était une forme de divertisse-
ment destiné à passer le temps agréablement, et une
distraction plaisante des affaires d'Etat et de la poli-
tique. Les trois autres collaborateurs [5] étaient des
Français attachés à la cour du dauphin, le futur roi
Louis XI, et pensionnés par Philippe, comme l'était le
dauphin lui-même.

---

[4] Champion, *op. cit.,* p. XVII.
[5] Mgr de Villiers (Nouv. 32, 35, 55, 56, 57); Beauvoir
(27, 30); Mgr de la Barde (31).

La date que porte le ms de Glasgow, DE DIJON, L'AN MIL IIIJ^e XXXII, est une faute évidente, due probablement à une confusion faite en transposant des chiffres arabes en chiffres romains. Nous savons, par des allusions dans le texte, que les nouvelles n'ont pu être racontées avant 1450, [6] et, d'après ces allusions, entre 1456 et 1461, période qui coïncide avec la présence chez Philippe des Français mentionnés ci-dessus. Donc, 1432 est une erreur, et même, selon M. Roques, une erreur « inquiétante ». Il dit : « ... si l'on doit, ce qui est certain, corriger (mais comment ? en 50 ou 60 ?) le chiffre des dizaines, l'on ne voit pas bien pourquoi l'on ferait confiance au chiffre des unités. Je tiens donc la date de 1462 pour une date moyenne, mais arbitraire, entre les dates extrêmes de 1456 et 1467. » [7] M. Watkins a proposé pour la compilation des *Cent Nouvelles Nouvelles* une date située après 1464. Il a noté, dans la nouvelle 33, l'expression *on m'a bien baillé de l'oye*, peut-être une allusion indirecte à la *Farce de Pathelin,* composée, dit-il, « almost certainly » en 1464. « Thus, having allowed enough time for *Pathelin* to be performed, its fame to spread, Philip [de Loan] to refer to it indirectly in a tale and the 'secrétaire' or compiler to write it up, we would suggest that the tales were compiled *after* 1464, but during Philip's lifetime, that is, before 1467. » [8]

---

[6] Nouv. 42, le grand pardon de Rome (1450); 55, la peste du Dauphiné (même année); la nouv. 16 situe les récits entre la guerre de Gand (1452) et la guerre d'Utrecht (1455-56).

[7] M. Roques, c.-r. de Champion, *Les CNN,* dans *Romania* 54 (1928), p. 565. Roques est revenu à cette question de la datation des *CNN* dans un article sur *Pathelin* (*Romania* 57, 1931, 548-60). Voir les notes aux nouvelles 33 et 89.

[8] John H. Watkins, dans *Modern Language Review,* t. 37 (1942), p. 485.

L'identité de « l'acteur », ou rédacteur, des *Cent Nouvelles Nouvelles* reste toujours un mystère. Qu'un écrivain de talent ait réuni toutes les histoires en un volume, il n'y a guère de doute. Le ton général du recueil, malgré une certaine diversité de thèmes, laisse paraître, à notre avis, une unité fondamentale et un point de vue, un ton qui s'impose dès le début : celui de l'ironie. Les nouvelles attribuées à l'*acteur* (51, 91, 92, 98, 99) apparaissent comme l'œuvre d'un homme qui a des connaissances littéraires (surtout dans les deux dernières, basées sur des sources latines), et qui a développé ses histoires dans la version française avec beaucoup de goût et d'art. Le fait que la 50ᵉ nouvelle soit attribuée à Antoine de la Sale — la seule personne parmi les conteurs qui ait joui d'une vraie renommée littéraire — est peut-être la raison pour laquelle les premiers éditeurs (Leroux de Lincy et Th. Wright) et d'autres érudits, dont Gaston Paris et Gustave Cohen, ont été amenés à voir dans la personne du compilateur (l'*acteur*) Antoine de la Sale lui-même. Cette hypothèse a été rejetée, notamment par Champion, et MM. Desonay et Knudson. [9] D'abord, aucun document dans les archives des provinces faisant partie du duché de Bourgogne n'atteste la présence d'Antoine de la Sale à la cour de Philippe au moment de la compilation des nouvelles, tandis que la présence de tous les autres conteurs chez le duc est bien assurée par des documents, comme Champion l'a mis en évidence. Ensuite, Antoine de la Sale avait toujours signé ses ouvrages, pourquoi pas celui-ci ? En troisième lieu, de la Sale était un écrivain de cour. « Il n'a écrit et compilé, dit Champion, que pour instruire

---

[9] Champion et Desonay, *op. cit.* ; Ch. Knudson, « Antoine de la Sale, le duc de Bourgogne et les Cent Nouvelles Nouvelles », *Romania* 53 (1927), pp. 365-73.

les princes, raconter des fêtes et des tournois, consoler de nobles femmes. Il était marié, et à une femme noble. Il vivait, non pas à Genappe et à Hesdin, mais au Châtelet-sur-Oise, près des enfants de Luxembourg. Comment aurait-il connu si parfaitement le petit cercle de bourgeois, de simples paysans, le milieu populaire en un mot de ce Brabant, de cette Bourgogne dont les conteurs célèbrent à la fois la balourdise et la gentillesse ? Car si l'on excepte les nouvelles importées par les gens de la suite du dauphin, presque toutes se passent dans les provinces septentrionales. » [10] Quatrièmement, le style des ouvrages signés par A. de la Sale diffère beaucoup de celui des *Cent Nouvelles Nouvelles*. « ... sa phrase demeure lourde souvent, chargée d'incidences ; elle se développe en périodes à la latine. Son style est celui d'un chroniqueur. Dans les *Cent Nouvelles Nouvelles,* un style vif ; des phrases claires, des conversations surtout, un dénouement rapide. L'acteur a des manies d'écrivain qui me paraissent différentes de celles d'Antoine de la Sale. Ce dernier n'a pas l'ironie constante qui caractérise l' « acteur ». [11] M. Desonay, qui a étudié à fond l'œuvre d'A. de la Sale, a remarqué : « Ce qui nous interdit d'attribuer les *Cent Nouvelles* à de la Sale c'est la langue, toute originale de ces franches « ratelées ». *A chef de peche, a fin de piece, a chef de terme,* etc., *au fort, de prinsault* ne se trouvent pas chez La Sale. » [12]

Champion, après avoir rejeté l'hypothèse selon laquelle La Sale serait l' « acteur », en a proposé une autre : Philippe Pot, nommé Monseigneur de la Roche, serait le conteur principal avec quinze nouvelles (3, 8,

---

[10] Champion, *op. cit.,* p. LIII.
[11] *Ibid.*
[12] Desonay, *op. cit.,* p. 1004.

10, 12, 15, 18, 34, 36, 37, 41, 44, 45, 47, 48, 52). [13]
Philippe le Bon était son parrain, il habitait fréquemment à Dijon, il avait un talent d'écrivain (cf. une de ses lettres publiée par Champion dans son introduction, p. LXVIII), il savait bien le latin, et connaissait Pogge ainsi que Boccace. « La dédicace au duc de Bourgogne s'explique plus naturellement et, j'oserais aussi le dire, l'absence de signature sur un livre qui demeura à l'usage d'un cercle, et d'un caractère assez libre et comme secret. » [14]

Malgré les arguments de Champion, qui, selon Roques, méritent grande considération, [15] il n'en reste pas moins que ces nouvelles ont été compilées par un rédacteur anonyme, écrivain habile doué d'une oreille très fine pour saisir le langage parlé de ses contemporains de tous les milieux sociaux. Une étude de la topographie des *Cent Nouvelles Nouvelles* montre que « c'est en Bourgogne d'abord, surtout dans les domaines du Nord, et puis en France, qu'il faut situer la scène de cette comédie aux cent actes divers, *ad usum delphini* et du puissant duc d'Occident ». [16]

Les *Cent Nouvelles Nouvelles* : s'agit-il d'un tableau véridique des mœurs du XVᵉ siècle ? de « tranches de vie » à la Maupassant et à la manière des romanciers naturalistes ? ou de gaudrioles qui pourraient choquer des âmes délicates et sensibles ? Oui, sans doute, mais cette galerie de portraits de femmes malicieuses, trompeuses et trompées, de pauvres maris souvent (et sur-

---

[13] Pour une esquisse de ce personnage, voir Champion, XIII-XV.
[14] Champion, p. LVII.
[15] M. Roques, *op. cit.*, p. 565.
[16] Desonay, *op. cit.*, p. 1022. Voir la table topographique dans l'édition Champion, p. LXIX.

tout) cocus et bernés, de clercs et de nonnains lubriques et concupiscents, de chevaliers orgueilleux, acharnés dans leur poursuite d'une aventure amoureuse, de paysans rusés d'une simplicité étonnante, même incroyable : cette galerie de portraits, enfin, si pleine de vie est avant tout destinée à provoquer le grand rire dans la meilleure tradition de l'esprit gaulois. On ne pourrait mieux faire que de citer la jolie phrase de Champion : « Les *Cent Nouvelles* ouvrent une fenêtre sur la campagne de Flandres et de Bourgogne, une porte secrète de la maison des hommes de ce temps en ces pays. » [17]

Note sur l'établissement du texte.

Nous reproduisons ici le texte des *Cent Nouvelles Nouvelles* tel qu'il se présente dans le manuscrit de Glasgow, avec les principales variantes de l'édition Vérard. Les leçons rejetées du manuscrit se trouvent également parmi les variantes. Pour des raisons de clarté, il a fallu parfois remplacer des mots, et rarement, des phrases entières du ms de Glasgow par ceux du texte de Vérard, que nous avons mis entre crochets. Si les corrections semblent mériter une remarque spéciale, nous les avons mentionnées dans les notes. Dans l'ensemble, nous avons adopté une attitude plus conservatrice que Champion, qui avait de temps en temps modifié le texte à des endroits où des changements ne s'imposent pas. Les observations et suggestions faites par Mario Roques et Fernand Desonay pour corriger certaines erreurs dans le texte de Champion nous ont été utiles.

---

[17] Champion, p. LVIII.

LES CENT NOUVELLES NOUVELLES

Sensuyt la table de ce present livre, intitulé des Cent Nouvelles, lequel en soy contient cent chapitres ou histoires, ou pour mieulx dire nouvelles.

5   Compté par Monseigneur le Duc.

La premiere nouvelle traicte d'un qui trouva façon d'avoir la femme de son voisin, lequel il avoit envoyé dehors pour plus aisément l'avoir ; et luy, retourné de son voiage, trouva celuy qui se baignoit avec sa
10 femme. Et, non sachant que ce fust elle, la volut voir ; et permis luy fut de seullement veoir le derriere : et alors jugea que ce luy sembla sa femme, mais croire ne l'osa. Et, sur ce, se partit et vint trouver sa femme a l'ostel, qu'on avoit boutée hors
15 par une posterne ; et luy compta son ymaginacion.

          Par Monseigneur le Duc

La secunde nouvelle, comptée par monseigneur le duc Philipe, d'une jeune fille qui avoit le mal de broches, la quelle creva a ung cordelier qui la vouloit
20 mediciner ung seul bon œil qu'il avoit ; et du proces qui en fut.

          Par Monseigneur de la Roche.

La tierce nouvelle, de la tromperie que fist ung chevalier a la femme de son musnier, a laquelle
25 bailloit a croire que son con luy cherroit, si luy recoingna pluseurs foiz. Et le musnier, de ce adverty,

pescha ung dyamant que la femme au chevalier avoit
perdu ; et dedans son corps le trouva, comme bien
sceut le chevalier depuis ; si l'appella pescheur, et
30 le musnier cuigneur le nomma.

Par Monseigneur.

La iiij⁰ nouvelle, d'un archier escossois qui fut
amoureux d'une belle gente damoiselle, femme d'un
eschopier, laquelle, par le commandement de son
35 mary, assigna jour audit Escossois ; et de fait y
comparut et besoigna tant qu'il voult, le dit eschopier
estant caiché en la ruelle de son lit, qui tout povoit
veoir et oyr.

Par Philipe de Loan.

40 La v⁰ nouvelle, par Philipe de Loan, de deux juge-
ments de monseigneur Talebot, c'est asavoir, d'un
François prins par ung Anglois soubz son sauf conduit, qui d'aguilectes a armer se defendit contre le
Françoys, qui d'une espée le feroit, present Talebot ;
45 et d'un qui l'eglise avoit robée, auquel il fist jurer
de non jamais plus entrer en l'eglise.

La vj⁰ nouvelle, par monsieur de Launoy, d'un
yvroigne qui au prieuré des Augustins de La Haye
en Hollendre se voult confesser, et après sa confes-
50 sion, disant que en bon estat estoit, vouloit mourir.
Et cuida avoir la teste trenchée et estre mort, et par
ses compaignons fut emporté, qui luy disoient qu'ilz
l'emportoient en terre.

La vij⁰ nouvelle, par Monseigneur, de l'orfevre de
55 Paris qui fist le charreton couscher avec luy et sa
femme ; et comment le charreton par derriere se
jouoit avec elle, dont l'orfevre se parceut et trouva ce
qui estoit ; et des parolles qu'il dist au charreton.

La viij⁰, par monseigneur de la Roche, d'un com-
60 paignon picard demourant a Bruxelles, qui engrossa
la fille de son maistre ; et a ceste cause print congié
de haulte heure et vint en Picardie se marier. Et tost
après son partement, la mere de la fille se parceut
de l'encloueure de sa fille, laquelle, a quelque mes-
65 chief que ce fust, confessa le cas tel qu'il estoit. La
mere la renvoya devers le dit compaignon ; et depuis
leur espousée, par ung accident qui au compaignon
advint le jour de ses nopces.

La ix⁰ nouvelle, par Monseigneur le duc, d'un che-
70 valier de Bourgoigne, amoureux d'une des chambrieres de sa femme. Cuidant coucher avecques celle,
cogneut que c'estoit mesmes sa femme, qui ou lieu
de sa chambriere s'estoit boutée. Et comment ung
aultre chevalier, son voisin, par son ordonnance,
75 avecques sa femme aussi avoit couschié, dont il fut
bien mal content, ja soit ce que sa femme n'en sceut
oncques riens, et ne cuidoit avoir eu que son mary.

La x⁰ nouvelle, par monseigneur de la Roche, d'un
chevalier d'Angleterre, qui, puis qu'il fut marié, voult
80 que son mignon, comme paravant son mariage, de
belles filles luy fist finance ; laquelle chose il ne voult
faire, et s'excusoit ; mais son maistre a son premier
train le ramena par le faire servir de pastés d'anguilles.

85 La xi⁰ nouvelle, par Monseigneur, d'un paillard
jaloux qui, après beaucoup d'offrandes faictes a
divers sains pour le remede de sa maudicte maladie,
fist offrir une chandelle au deable qu'on mect communement desoubz saint Michel ; et du songe qu'il
90 songea, et de ce qui luy advint au reveiller [1].

---

[1] Ce qui suit, entre crochets, est emprunté au texte de
Vérard (Bibl. Nat., Y⁰ 174 Réserve).

[La dousiesme nouvelle parle d'ung Hollandois qui nuyt et jour, a toute heure, ne cessoit d'assaillir sa femme au jeu d'amours ; et comment d'aventure il la rua par terre, en passant par ung bois, soubz un grant arbre sur lequel estoit ung laboureur qui avoit perdu son veau. Et, en faisant inventoire des beaux membres de sa femme, dist qu'il veoit tant de belles choses et quasi tout le monde ; a qui le laboureur demanda s'il veoit point son veau qu'il cherchoit, duquel il disoit qu'il lui sembloit en veoir la queue.

La tresiesme nouvelle, comment le clerc d'ung procureur d'Angleterre deceut son maistre pour luy faire accroire qu'il n'avoit nulz coillons, et a ceste cause il eut le gouvernement de sa maistresse aux champs et a la ville, et se donnerent bon temps.

La quatorsiesme nouvelle, de l'ermite qui deceut la fille d'une povre femme, et lui faisoit accroire que sa fille auroit ung filz de lui qui seroit pape, et adonc, quant vint a l'enfanter, ce fut une fille, et ainsi fut l'embusche du faulx hermite descouverte, qui a ceste cause s'enfouit du païs.

La quinsiesme nouvelle, d'une nonnain que ung moyne cuidoit tromper, lequel en sa compaignie amena son compaignon, qui devoit bailler a taster a elle son instrument, comme le marchié le portoit, et comme le moyen mist son compaignon en son lieu, et de la response que elle fist.

La xvj⁰ nouvelle, d'ung chevalier de Picardie, lequel en Prusse s'en ala ; et tandiz ma dame sa femme d'ung autre s'accointa ; et, a l'eure que son mary retourna, elle estoit couchée avec son amy, lequel, par une gracieuse subtilité, elle le bouta hois de sa chambre, sans ce que son mary le chevalier s'en donnast garde.

125   La xvij^e nouvelle, par monseigneur, d'ung president de parlement qui devint amoureux de sa chamberiere, laquelle a force, en bulletant la farine, cuida violer, mais par beau parler de lui se desarma et lui fist affubler le bulleteau de quoy elle tamisoit, puis
130 ala querir sa maistresse, qui en cet estat son mary et seigneur trouva, comme cy après vous orrez.

  La xviij^e nouvelle, racomptée par monseigneur de la Roche, d'ung gentilhomme de Bourgoingne, lequel trouva façon, moyennant dix escuz qu'il fist bailler a
135 la chamberiere, de couchier avecques elle ; mais, avant qu'il voulsist partir de sa chambre, il eut ses dix escus et se fist porter sur les espaules de la dicte chamberiere par la chambre de l'oste. Et, en passant par la dicte chambre, il fist ung sonnet tout de fait
140 advisé qui tout leur fait encusa, comme vous pourrez ouyr en la nouvelle cy dessoubz.

  La xixe nouvelle, par Philipe Vignieu, d'ung marchant d'Angleterre, du quel la femme, en son absence, fist ung enfant, et disoit qu'il estoit sien ; et com-
145 ment il s'en despescha gracieusement comme elle luy avoit baillé a croire qu'il estoit venu de neige, aussi pareillement au soleil comme la neige s'estoit fondu.

  La vingtiesme nouvelle, par Philippe de Laon, d'ung lourdault Champenois, lequel, quant il se maria,
150 n'avoit encores jamais monté sur beste crestienne, dont sa femme se tenoit bien de rire. Et de l'expedient que la mere d'elle trouva, et du soudain pleur dudit lourdault a une feste et assemblée qui se fist depuis après qu'on lui eut monstré l'amoureux mestier,
155 comme vous pourrez ouyr plus a plain cy après.

  La vingt et uniesme nouvelle, racomptée par Philippe de Laon, d'une abesse qui fut malade par faulte de faire cela que vous savez, ce qu'elle ne vouloit

faire, doubtant de ses nonnains estre reprouchée ;
160 et toutes lui accorderent de faire comme elle ; et
ainsi s'en firent toutes donner largement.

La vingt et deusiesme nouvelle racompte d'ung
gentil homme qui engroissa une jeune fille, et puis en
une armée s'en ala. Et, avant son retour, elle d'ung
165 autre s'accointa, auquel son enfant elle donna. Et le
gentil homme, de la guerre retourné, son enfant
demanda ; et elle lui pria que a son nouvel amy le
laissast, promettant que le premier qu'elle feroit sans
faulte lui donneroit, comme cy dessoubz vous sera
170 recordé.

La vingt et troisiesme nouvelle, d'ung clerc de qui
sa maistresse fut amoureuse, la quelle a bon escient
s'i accorda, pour tant qu'elle avoit passé la roye que
le dit clerc lui avoit faicte. Ce voyant son petit filz
175 dist a son pere, quant il fut venu, qu'il ne passast
point la raye : car, s'il la passoit, le clerc lui feroit
comme il avoit fait a sa mere.

La vingt et quatriesme nouvelle, dicte et racomptée
par monseigneur de Fiennes, d'ung conte qui une
180 tresbelle, jeune et gente fille, l'une de ses subjectes,
cuida decevoir par force ; et comment elle s'en
eschappa par le moyen de ses houseaux ; mais depuis
l'en prisa tresfort, et l'aida a marier, comme il vous
sera declairé cy après.

185 La vingt et cinquiesme nouvelle, racomptée et dicte
par Monseigneur de Saint Yon, de celle qui de force
se plaignit d'ung compaignon, lequel elle avoit
mesmes adrecié a trouver ce qu'il queroit ; et du
jugement qui en fut fait.

190 La vingt et siziesme nouvelle, racomptée et mise
en terme par monseigneur de Foquessoles, des amours
d'ung gentilhomme et d'une damoiselle, laquelle

esprouva la loyauté du gentil homme par une merveilleuse et gente façon, et coucha troys nuytz avec
195 lui, sans aucunement savoir que ce fust elle ; mais
pour homme la tenoit, ainsi comme plus a plain
pourrez ouyr cy après.

La vingt et septiesme nouvelle, racomptée par
monseigneur de Beauvoir, des amours d'ung grant
200 seigneur de ce royaume et d'une gente damoiselle
mariée, laquelle, affin de baillier lieu a son serviteur,
fist son mary bouter en ung bahu par le moyen de
ses chamberieres, et leans le fist tenir toute la nuyt,
tandis qu'avec son serviteur passoit le temps ; et des
205 gaigeures qui furent faictes entre elle et son dit
mary, comme il vous sera recordé cy après.

La vingt et huitiesme nouvelle, dicte et racomptée
par messire Michault de Changy, de la journée assignée a ung grant prince de ce royaume par une
210 damoiselle servante de chambre de la royne, et du
petit exploit d'armes que fist le dit prince, et des
faintises que la dicte demoiselle disoit a la royne de
sa levriere, laquelle estoit tout a propos enfermée
dehors de la chambre de la dicte royne, comme orrez
215 cy après.

La vingt et nefviesme nouvelle, racomptée par monseigneur, d'ung gentil homme qui, des la premiere
nuyt qu'il se maria, et après qu'il eut heurté ung coup
a sa femme, elle luy rendit ung enfant ; et de la
220 maniere qu'il en tint, et des paroles qu'il en dist a
ses compaignons qui lui apportoient le chaudeau,
comme vous orrez cy après.

La trentiesme nouvelle, racomptée par monseigneur
de Beauvoir, françois, de troys marchans de Savoye
225 alans en pelerinage a Saint Anthoine en Viennois,
qui furent trompez et deceuz par trois cordeliers, les-

quelz coucherent avec leurs femmes, combien qu'elles
cuidoient estre avec leurs mariz ; et comment, par le
rapport qu'elles firent, leurs maryz le sceurent et de
230 la maniere qu'ilz en tindrent, comme vous orrez cy
après.

La trente et uniesme nouvelle, mise en avant par
monseigneur, de l'escuier qui trouva la mulette de
son compaignon et monta dessus, laquelle le mena
235 a l'uis de la dame de son maistre ; et fist tant l'escuier
qu'il coucha leans, ou son compaignon le vint trou ·
ver ; et pareillement des paroles qui furent entre eulz,
comme plus a plain vous sera declairé cy dessoubz.

La trente et deusiesme nouvelle, racomptée par
240 monseigneur de Villiers, des cordeliers d'Ostelleric en
Castelongne qui prindrent le disme des femmes de la
ville ; et comment il fut sceu, et quelle punicion par
le seigneur et ses subjetz en fut faicte, comme vous
orrez cy après.

245   La trente et troisiesme nouvelle, racomptée par
monseigneur, d'ung gentil seigneur qui fut amoureux
d'une damoiselle, dont se donna garde ung autre
grant seigneur, qui lui dist ; et l'autre toujours plus
lui celoit et en estoit tout affolé ; et de l'entretene-
250 ment depuis d'eulz deux envers elle, comme vous
pourrez ouyr cy après.

La trente et quatriesme nouvelle, racomptée par
monseigneur de la Roche, d'une femme mariée qui
assigna journée a deux compaignons, lesquelz vin-
255 drent et besoingnerent ; et le mary tantost après survint ; et des paroles qui après en furent, et de la
maniere qu'ilz tindrent, comme vous orrez cy après.

La trente et cinquiesme nouvelle, par monseigneur
de Villiers, d'ung chevalier du quel son amoureuse
260 se maria, tandis qu'il fut en voyaige ; et a son retour.

d'aventure la trouva en mesnage, laquelle, pour couchier avec son amant, mist en son lieu couchier avec
son mary une jeune damoiselle, sa chamberiere ; et
des paroles d'entre le mary et le chevalier voyaigeur,
265 comme plus a plain vous sera recordé cy après.

La xxxvj° nouvelle, racomptée par monseigneur de
la Roche, d'ung escuier qui vit sa maistresse, dont il
estoit moult feru, entre deux autres gentilz hommes,
et ne se donnoit garde qu'elle tenoit chascun d'eulz
270 en ses laz ; et ung autre chevalier qui savoit son cas
le lui bailla a entendre, comme vous orrez cy après.

La trente et septiesme nouvelle, par monseigneur
de la Roche, d'ung jaloux qui enregistroit toutes les
façons qu'il povoit ouyr ne savoir dont les femmes
275 ont deceu leurs mariz, le temps passé ; mais a la fin
il fut trompé par l'orde eaue que l'amant de sa dicte
femme getta par une fenestre sur elle, en venant de
la messe, comme vous orrez cy après.

La trente et huitiesme nouvelle, racomptée par
280 monseigneur le seneschal de Guienne, d'ung bourgois de Tours qui acheta une lamproye qu'a sa
femme envoya pour appointer, affin de festoier son
curé, et la dicte femme l'envoya a ung cordelier son
amy ; et comment elle fist couchier sa voisine avec
285 son mary, qui fut bastue, Dieu sçait comment, et de
ce qu'elle fist accroire a sondit mary, comme vous
orrez cy dessoubz.

La xxxix° nouvelle, racomptée par monseigneur de
Saint Pol, du chevalier qui, en attendant sa dame,
290 besoigna troys fois avec la chambriere qu'elle avoit
envoyée pour entretenir le dit chevalier, affin que
trop ne luy ennuyast ; et depuis besoingna troys fois
avec la dame ; et comment le mary sceut tout par la
chamberiere, comme vous orrez.

295   La xle nouvelle, par messire Michault de Changy, d'ung jacopin qui abandonna sa dame par amour, une bouchiere, pour une autre plus belle et plus jeune ; et comment ladicte bouchiere cuida entrer en sa maison par la cheminée.

300   La quarante et uniesme nouvelle, par monseigneur de la Roche, d'ung chevalier qui faisoit vestir a sa femme ung haubregon quand il vouloit faire ce que savez, ou compter les dens ; et du clerc qui lui apprint autre maniere de faire, dont elle fut a pou près par 305 sa bouche mesmes encusée a son mary, se n'eust esté la glose qu'elle controuva subitement.

La xlij° nouvelle, par Meriadech, d'ung clerc de villaige estant a Romme, cuidant que sa femme fust morte, devint prestre et impetra la cure de sa ville ; 310 et, quant il vint a sa cure, la premiere personne qu'il rencontra ce fut sa femme.

La xliij° nouvelle, par Monseigneur de Fiennes, d'ung laboureur qui trouva un homme sur sa femme, et laissa a le tuer pour gaigner une somme de blé ; 315 et fut la femme cause du traictié, affin que l'autre parfist ce qu'il avoit commencé.

La xliiij° nouvelle, par monseigneur de la Roche, d'ung curé de villaige qui trouva façon de marier une fille dont il estoit amoureux, laquelle lui avoit promis, 320 quant elle seroit mariée, de faire ce qu'il vouldroit ; laquelle chose, le jour de ses nopces, il luy ramenteust, ce que le mary d'elle ouyt tout a plain, a quoy il mist provision, comme vous orrez.

La xlv° nouvelle, par monseigneur de la Roche, 325 d'ung jeune Escossois qui se maintint en habillement de femme l'espace de quatorze ans, et par ce moyen couchoit avec filles et femmes mariées, dont il fut puny en la fin, comme vous orrez cy après.

La quarante et siziesme nouvelle, racomptée par
330 monseigneur de Thienges, d'ung jacopin et de la
nonnain qui s'estoient boutez en ung preau pour faire
armes a plaisance, dessoubz ung poirier ou s'estoit
caiché ung qui savoit leur fait tout a propos, qui
leur rompit leur fait pour ceste heure, comme plus
335 a plain vous orrez cy après.

La quarante et septiesme nouvelle, par monseigneur de la Roche, d'ung president saichant la deshonneste vie de sa femme, la fist noyer par sa mulle.
la quelle il fit tenir de boire par l'espace de huit
340 jours ; et pendant ce temps lui faisoit bailler du sel
a mengier, comme il vous sera recordé plus a plain.

La quarante et huitiesme nouvelle, racomptée par
monseigneur de la Roche, de celle qui ne vouloit
souffrir qu'on la baisast, mais bien vouloit qu'on lui
345 rembourrast son bas ; et habandonnoit tous ses
membres, fors la bouche, et de la raison qu'elle y
mettoit.

La quarante et nefviesme nouvelle, racomptée par
Pierre David, de celui qui vit femme avec ung homme
350 auquel elle donnoit tout son corps entierement,
excepté son derriere, qu'elle laissoit a son mary,
lequel la fist habiller ung jour, presens ses amys,
d'une robe de bureau et fit mettre sur son derriere
une belle piece d'escarlate ; et ainsi la laissa devant
355 tous ses amys.

La cinquantiesme nouvelle, racomptée et dicte par
Anthoine de la Sale, d'ung pere qui voulut tuer son
fils pource qu'il avoit voulu monter sur sa mere grant,
et de la response du dit filz.

360 La cinquante et uniesme nouvelle, racomptée par
l'acteur, de la femme qui departoit ses enfans au lit
de la mort, en l'absence de son mary, qui siens les

tenoit ; et comment ung des plus petiz en advertit
son pere.

365   La cinquante et deusiesme nouvelle, racomptée par
monseigneur de la Roche, de troys enseignemens que
ung pere bailla a son filz, lui estant au lit de la
mort, lesquelz ledit filz mist a effet au contraire de
ce qu'il lui avoit enseigné. Et comment il se deslia
370 d'une jeune fille qu'il avoit espousée, pource qu'il la
vit couchier avec le prestre de la maison la premiere
nuyt de leurs nopces.

La liij[e] nouvelle, racomptée par monseigneur
l'amant de Brucelles, de deux hommes et deux fem-
375 mes qui attendoient pour espouser a la premiere
messe bien matin ; et, pource que le curé ne veoit
pas trop cler, il print l'une pour l'autre, et changea
a chascun homme la femme qu'il devoit avoir, comme
vous orrez.

380   La liiij[e] nouvelle, racomptée par Mahiot, d'une
damoiselle de Maubeuge qui se abandonna a ung
charreton et refusa plusieurs gens de bien ; et de la
response qu'elle fist a ung chevalier, pource qu'il lui
reprouchoit plusieurs choses, comme vous orrez.

385   La lve nouvelle, par monseigneur de Villiers, d'une
fille qui avoit l'epidimie, qui fist mourir troys hommes pour avoir la compaignie d'elle ; et comment le
quatriesme fut saulvé, et elle aussi.

La lvj[e] nouvelle, par monseigneur de Villiers, d'ung
390 gentil homme qui attrappa en ung piege qu'il fist le
curé, sa femme et sa chamberiere, et ung loup avec
eulz ; et brula tout la dedens, pour ce que le dit
curé maintenoit sa femme.

La lvij[e] nouvelle, par monseigneur de Villiers, d'une
395 damoiselle qui espousa ung bergier, et de la maniere

du traictié du mariaige, et des paroles qu'en disoit
ung gentil homme, frere de la dicte damoiselle.

La lviij⁰ nouvelle, par monseigneur le duc, de deux
compaignons qui cuidoient trouver leurs dames plus
400 courtoises vers eulx ; et jouerent tant du bas mestier
que plus ne povoient ; et puis dirent, pource qu'elles
ne tenoient compte d'eulz, qu'elles avoient comme
eulz joué du cymier, comme vous orrez cy après.

La lix⁰ nouvelle, par Poncelet, d'ung seigneur qui
405 contrefist le malade pour couchier avec sa chambre-
riere, avec laquelle sa femme le trouva.

La lx⁰ nouvelle, par Poncelet, de troys damoiselles
de Malignes qui accointées s'estoient de troys cordeliers, qui leur firent faire couronnes et vestir l'abbit
410 de religion, afin qu'elles ne fussent apperceues, et
comment il fut sceu.

La lxi⁰ nouvelle, par Poncelet, d'ung marchant qui
enferma en sa huche l'amoureux de sa femme ; et
elle y mist un(e) asne secretement, dont le mary eut
415 depuis bien a souffrir et se trouva confuz.

La lxij⁰ nouvelle, par monseigneur de Commesuram, de deux compaignons dont l'ung d'eulz laissa
ung dyamant ou lit de son hostesse et l'autre le
trouva, dont il sourdit entre eulz ung grant debat,
420 que le mary de la dicte hostesse appaisa par tresbonne façon.

La lxiij⁰ nouvelle, d'ung nommé Montbleru, lequel
a une foire d'Envers, desroba a ses compaignons
leurs chemises et couvrechiefz qu'ilz avoient baillées
425 a blanchir a la chamberiere de leur hostesse ; et
comme depuis il[z] pardonnerent tout au larron ; et
puis le dit Montbleru leur compta le cas tout au long.

La lxiiij⁰ nouvelle, par messire Michault de Changy, d'ung curé qui se vouloit railler d'ung chatreur

430 nommé Trenchecouille ; mais il eut ses genitoires
coupez par le consentement de l'oste.

La lxve nouvelle, par monseigneur de prevost de
Vuatenes, de la femme qui ouyt compter a son mary
que ung hostellier du mont Saint Michiel faisoit
435 raige de ronciner, si y alla cuidant l'esprouver ; mais
son mary l'en garda trop bien, dont elle fut trop mal
contente, comme vous orrez cy après.

La soixante et seziesme nouvelle, par Philippe de
Laon, d'ung tavernier de Saint Omer qui fist une
440 question a son petit filz, dont il se repentit après
qu'il eut ouy la response, de laquelle sa femme en
fut treshonteuse, comme vous orrez plus a plain cy
après.

La lxvij^e nouvelle, racomptée par Philippe de
445 Laon, d'ung chapperon fourré de Paris qui une cour-
douenniere cuida tromper ; mais il se trompa lui
mesmes bien lourdement, car il la maria a un barbier, et, cuidant d'elle estre despesché, se voulut
marier ailleurs ; mais elle l'en garda bien, comme
450 vous pourrez veoir cy dessoubz plus a plain.

La lxviij^e nouvelle, d'ung homme marié qui sa
femme trouva avec ung autre, et puis trouva maniere
d'avoir d'elle son argent, ses bagues, ses joyaux, et
tout jusques a la chemise ; et puis l'envoya paistre
455 en ce point, comme cy après vous sera recordé.

La lxixe nouvelle, racomptée par monseigneur,
d'ung gentil chevalier de la conté de Flandres, marié
a une tresbelle et gente dame, lequel fut prisonnier
en Turquie par longue espace, durant laquelle sa
460 bonne et loyale femme, par l'amonnestement de ses
amys, se remaria a ung autre chevalier ; et tantost
après qu'elle fut remariée, elle ouyt nouvelles que
son premier mary revenoit de Turquie, dont par

deplaisance se laissa mourir, pource qu'elle avoit fait
465 nouvelle aliance.

La septantiesme nouvelle, racomptée par monseigneur, d'ung gentil chevalier d'Alemaigne, grant
voyaigier en son temps, lequel, après ung certain
voyaige par lui fait, fist veu de jamais faire le signe
470 de la croix, par la tresferme foy et credence qu'il
avoit ou saint sacrement de baptesme, en laquelle
credence il combastit le dyable, comme vous orrez.

La lxxj⁰ nouvelle, racomptée par monseigneur,
d'ung chevalier de Picardie qui en la ville de Saint
475 Omer se logea en une hostellerie, ou il fut amoureux
de l'ostesse de leans, avec laquelle il fut tresamou-
reusement ; mais en faisant ce que savez, le mary de
la dicte hostesse les trouva, lequel tint maniere telle
que cy après pourrez ouyr.

480 La LXXij⁰ nouvelle, par monseigneur de Commesuram, d'ung gentil homme de Picardie qui fut
amoureux de la femme d'ung chevalier son voisin,
lequel gentil homme trouva façon par bons moyens
d'avoir la grace de sa dame, avec laquelle il fut
485 assiegé, dont a grant peine trouva maniere d'en yssir,
comme vous orrez cy après.

La LXXiij⁰ nouvelle, par maistre Jehan Lambin,
d'ung curé qui fut amoureux d'une sienne paroi-
chienne, avec laquelle le dit curé fut trouvé par le
490 dit mary de la gouge, par l'advertissement de ses
voisins ; et de la maniere comment le dit curé
eschappa, comme vous orrez cy après.

La LXXiiij⁰ nouvelle, par Philippe de Laon, d'ung
prestre boulenois qui eleva par deux fois le corps
495 de Nostre Seigneur, en chantant une messe, pource
qu'il cuidoit que monseigneur le seneschal de Bou-
logne fust venu tart a la messe ; et aussi comment

il refusa de prendre la paix devant monseigneur le
seneschal, comme vous pourrez ouyr cy après.

500   La septante et cinquiesme nouvelle, racomptée par
monseigneur de Talemas, d'ung gentil galant demy
fol et non gueres saige, qui en grant aventure se mist
de mourir et estre pendu au gibet, pour nuyre et
faire desplaisir au bailly, a la justice et autres plu-
505 sieurs de la ville de Troyes en Champaigne, desquelz
il estoit hay mortellement, comme plus a plain pourrez ouyr cy après.

La LXXVj° nouvelle, comptée par Philippe de Laon,
d'ung prestre chapellain a ung chevalier de Bour-
510 goingne, lequel fut amoureux de la gouge dudit chevalier ; et de l'aventure qui lui advint a cause de ses
dictes amours, comme cy dessoubz vous orrez.

La LXXVij° nouvelle, racomptée par Alardin, d'ung
gentilhomme des marches de Flandres, lequel faisoit
515 sa residence en France ; mais, durant le temps que
en France residoit, sa mere fut malade es dites marches de Flandres ; lequel la venoit tressouvent visiter,
cuidant qu'elle mourust ; et des paroles qu'il disoit
et de la maniere qu'il tenoit, comme vous orrez cy
520 dessoubz.

La septante et huitiesme nouvelle, par Jehan Martin, d'ung gentilhomme marié lequel s'avoulenta de
faire plusieurs et lointains voyaiges, durant lesquelz
sa bonne et loyale preude femme de troys gentilz
525 compaignons s'accointa que cy après pourrés ouyr ;
et comment elle confessa son cas a son mary, quand
des ditz voyaiges fut retourné, cuidant le confesser
a son curé ; et de la maniere comment elle se saulva,
comme cy après orrez.

530. La LXXix° nouvelle, par messire Michault de
Changy, d'ung bonhomme de Bourbonnois, lequel ala

au conseil a ung saige homme dudit lieu, pour son
asne qu'il avoit perdu, et comment il croioit que miraculeusement il retrouva son dit asne, comme cy après
535 pourrez ouyr.

La huitantiesme nouvelle, par messire Michault de
Changy, d'une jeune fille d'Alemaigne qui de l'aage
de XV a XVI ans, ou environ, se maria a ung gentil
galant, laquelle se complaignit de ce que son mary
540 avoit trop petit instrument a son gré, pource qu'elle
veoit ung petit asne qui n'avoit que demy an, et avoit
plus grand ostil que son mary, qui avoit XXIIII ou
XXVI ans.

La huitante et uniesme nouvelle, racomptée par
545 monseigneur de Vaulvrain, d'un gentil chevalier qui
fut amoureux d'une tresbelle jeune dame mariée,
lequel cuida bien parvenir a la grace d'icelle et aussi
d'une autre sienne voisine ; mais il faillit a toutes
deux, comme cy après vous sera recordé.

550 La huitante et deusiesme nouvelle par monseigneur de Lannoy, d'ung bergier qui fit marchié avec
une bergiere qu'il monteroit sur elle afin qu'il veist
plus loing, par tel si qu'il ne l'embrocheroit non plus
avant que le signe qu'elle mesme fist de sa main sur
555 l'instrument dudit bergier, comme cy après plus a
plain pourrez ouyr.

La huitante et troisiesme nouvelle, par monseigneur
de Vaulvrain, d'ung carme qui en ung vilaige prescha ; et comment, après son preschement, il fut prié
560 de disner avec une damoiselle ; et comment, en dis-
nant, il mist grant peine de fournir et emplir son
prepoint, comme vous orrez cy après.

La huitante et quatriesme nouvelle, par monseigneur le marquis de Rothelin, d'ung sien mareschal
565 qui se maria a la plus doulce et amoureuse femme

qui fust en tout le pays d'Alemaigne. S'il est vray
ce que je dy sans en faire grant serment, affin que
par mon escript menteur ne soye reputé, vous le
pourrez veoir cy dessoubz plus a plain.

570   La huitante et cinquiesme nouvelle, d'ung orfevre
marié a une tresbelle, doulce et gracieuse femme, et
avec ce tresamoureuse, par espicial de son curé leur
prouchain voisin, avec lequel son mary la trouva
couchée par l'advertissement d'ung sien serviteur, et
575   ce par jalousie, comme vous pourrez ouyr.

La huitante et sisiesme nouvelle racompte et parle
d'ung jeune homme de Rouen qui print en mariaige
une belle et gente jeune fille, de l'aage de quinze
ans ou environ, lesquelz la mere de la dicte fille cuida
580   bien faire desmarier par monseigneur l'official de
Rouen ; et de la sentence que le dit official en donna,
après les parties par lui ouyes, comme vous pourrez
veoir cy dessoubz plus a plain en la dicte nouvelle.

La huitante et septiesme nouvelle racompte et parle
585   d'ung gentil chevalier, le quel s'enamoura d'une tresbelle, jeune et gente fille, et aussi comment il luy print
une moult grande maladie en ung œil ; pour laquelle
cause lui convint avoir ung medecin, lequel pareillement devint amoureux de la dicte fille, comme vous
590   ourrez ; et des paroles qui en furent entre le chevalier
et le medicin, pour l'emplastre qu'il lui mist sur son
bon œil.

La LXXXViij° nouvelle, d'ung bon simple homme
païsant, marié a une plaisante et gente femme,
595   laquelle laissoit bien le boire et le mengier pour aymer
par amours ; et de fait, pour plus asseureement estre
avec son amoureux, enferma son mary ou coulombier
par la maniere que vous orrez.

La LXXXiX° nouvelle, d'ung curé qui oublia par
600   negligence, ou faulte de sens, a annuncer le karesme

a ses paroichiens, jusques a la vigille de Pasques
fleuries, comme cy après pourrez ouyr ; et de la
maniere comment il s'excusa devers ses paroichiens.

La nonantiesme nouvelle, d'ung bon marchant du
605 pays de Brebant qui avoit sa femme tresfort malade,
doubtant qu'elle ne mourust, après plusieurs remonstrances et exortacions qu'il lui fist pour le salut de
son ame, lui crya mercy, laquelle lui pardonna tout
ce qu'il povoit lui avoir meffait, excepté tant seule-
610 ment ce qu'il avoit si peu besoingnié en son ouvroir,
comme en la dicte nouvelle pourrez ouyr plus a plain.

La nonante et uniesme nouvelle parle d'ung homme
qui fut marié a une femme laquelle estoit tant luxurieuse et tant chaulde sur le potaige que je cuide
615 qu'elle fut née es estuves, ou a demye lieue près du
soleil de midy : car il n'estoit nul, tant bon ouvrier
fust il, qui la peust refroidir ; et comment il la cuida
chastier, et de la reponse qu'elle lui bailla.

La nonante et deusiesme nouvelle, d'une bourgeoise
620 mariée qui estoit amoureuse d'ung chanoine, laquelle,
pour plus couvertement aler vers le dit chanoine,
s'accointa d'une sienne voisine ; et de la noise et
debat qui entre elles sourdit pour l'amour du mestier
dont elles estoient, comme vous orrez cy après.

625 La nonante et troisiesme nouvelle, d'une gente
femme mariée qui faignoit a son mary d'aler en
pelerinaige pour soy trouver avec le clerc de la ville,
son amoureux, avec lequel son mary la trouva ; et
de la maniere qu'il tint quant ensemble les vit faire
630 le mestier que vous savez.

La nonante et quatriesme nouvelle, d'ung curé qui
portoit courte robe comme font ces galans a marier ;
laquelle cause il fut cité devant son juge ordinaire,
et de la sentence qui en fut donnée ; aussi la deffense

635 qui lui fut faicte, et des autres tromperies qu'il fist
après, comme vous orrez plus a plain.

La nonante et cinquiesme nouvelle, d'ung moyne
qui faignit estre tresfort malade et en dangier de
mort, pour parvenir a l'amour d'une sienne voisine,
640 par la maniere qui cy après s'ensuit.

La nonante et vj° nouvelle, d'ung simple et riche
curé de villaige, qui par sa simplesse avoit enterré
son chien ou cymitiere ; pour laquelle cause il fut
cité par devant son evesque ; et comme il bailla la
645 somme de cinquante escuz d'or audit evesque ; et de
ce que l'evesque lui en dist, comme pourrés ouyr cy
dessoubz.]

La iiijxx xvij° nouvelle, par monseigneur de Launoy, d'une assemblée de bons compaignons faisans
650 bonne chere a la taverne et buvans d'autant et d'autel, dont l'un d'iceulx se combatit a sa femme, quant
en son hostel fut retourné, comme vous orrez.

La iiijxx xviij° nouvelle, par l'acteur, d'un chevalier
des marches de France, lequel [1] avoit de sa femme une
655 fille, belle damoiselle eagée de xvj a xvij ans ou
environ ; mais, pour ce que son pere la vouloit marier
a ung ancien chevalier, elle s'en alla avec ung aultre
jeune chevalier, son serviteur en amours, en tout bien
et honneur. Et comment, par merveilleuse fortune, ilz
660 f[ine]rent tous deux leurs [jours] piteusement, comme vous orrez.

La iiijxx xix° nouvelle [2], par Philipe de Loan, d'un
evesque d'Espaigne qui par defaulte de poisson mengea deux perdriz en ung vendredi ; et comment il

---

1 *ms* le quelle
2 C'est en réalité la 100° du ms.

665 dist a ses gens qu'il les avoit convertiz par parolles
de char en poisson, comme cy dessous ³ vous sera
recordé.

La centiesme et derreniere de ces nouvelles ⁴, par
l'acteur, d'un riche marchant de la cité de Jennes,
670 qui se maria a une belle et jeune fille, laquelle, pour
la longue absence de son mary, et par son mesme
advertissement, manda querir ung sage clerc pour
la secourir de ce dont elle avoit mestier ; et de la
response qu'il luy donna, comme cy après pourrez
675 oyr.

---

³ *ms* dessus
⁴ C'est la 99ᵉ du ms.

A MON TRESCHIER ET TRESREDOUBTÉ SEIGNEUR

MONSEIGNEUR LE DUC DE BOURGOIGNE, DE BRABANT, ETC.

Comme ainsi soit qu'entre les bons et prouffitables
5 *passe temps, le tresgracieux exercice de lecture et*
d'estude soit de grande et sumptueuse recommenda-
cion, duquel, sans flaterie, mon tresredoubté sei-
gneur, vous estes treshaultement doé, Je, vostre tres-
obeissant serviteur, desirant, comme je doy, com-
10 *plaire a toutes voz treshaultes et tresnobles intencions*
en façon a moy possible, ose et presume ce present
petit œuvre, a vostre requeste et advertissement mis
en terme et sur piez, vous presenter et offrir ; sup-
pliant treshumblement que agreablement soit receu,
15 *qui en soy contient et traicte cent histoires assez*
semblables en matere, sans attaindre le subtil et tres-
orné langage du livre de Cent Nouvelles. Et se peut
intituler le livre de Cent Nouvelles nouvelles. Et
pource que les cas descriptz et racomptez ou dit
20 *livres de Cent Nouvelles advindrent la pluspart es*
marches et metes d'Ytalie, ja long temps a, neant-
mains toutesfoiz, portant et retenant nom de Nou-
velles, se peut tresbien et par raison fondée en assez
apparente verité ce present livre intituler de Cent
25 *Nouvelles nouvelles, jasoit que advenues soient es*
parties de France, d'Alemaigne, d'Angleterre, de
Haynau, de Brabant et aultres lieux ; aussi pource
que l'estoffe, taille et fasson d'icelles est d'assez
fresche memoire et de myne beaucop nouvelle.
30   De Dijon, l'an M.IIII*.XXXII (*sic*).

————————

[LA PREMIÈRE NOUVELLE

PAR

MONSEIGNEUR]

En la ville de Valenciennes eut nagueres ung nota-
5 ble bourgois, en son temps receveur de Haynau,
lequel entre les aultres fut renommé de large et dis-
crete prudence. Et entre ses loables vertuz celle de
liberalité ne fut par la maindre, car par icelle vint
en la grace des princes, seigneurs et aultres gens de
10 tous estaz. En ceste eureuse felicité Fortune le maintint et soustint jusques en la fin de ses jours. Devant
et après que la mort l'eust destaché de la chayne
qui a mariage l'accouploit, le bon bourgois, cause
de ceste histoire, n'estoit point si mal logé en la dicte
15 ville que ung bien grand maistre ne se tenist pour
content et honoré d'avoir ung tel logis. Et entre les
desirez et loez edifices, sa maison descouvroit sur
pluseurs rues ; et de fait avoit une petite posterne
vis a vis de laquelle demouroit ung bon compaignon,
20 qui tresbelle femme et gente avoit et encores en
meilleur point. Et, comme il est de coustume, les
yeulx d'elle, archiers du cueur, descocherent tant de
fleches en la personne dudit bourgois que sans prochain remede son cas n'estoit pas maindre que mor-
25 tel. Pour a laquelle chose seurement obvier, trouva
par pluseurs et subtiles fassons que le bon compaignon, mary de ladicte gouge, fut son amy tresprivé
et familier ; et tant que pou de disners, de souppers,
de bancquetz, de baings, d'estuves, et aultres telz

30 passetemps, en son hostel et ailleurs, ne feissent
jamais sans sa compaignie. Et a ceste occasion se
tenoit nostre compaignon bien fier, et encores autant
eureux. Quand nostre bourgois, plus subtil que ung
regnard, eust gaigné la grace du compaignon, bien
35 pou se soucya de pervenir a l'amour de sa femme.
Et en pou de jours, tant et si tresbien laboura que
la vaillant femme fut contente d'oyr et entendre son
cas. Et, pour y bailler remede convenable, ne restoit
mais que temps et lieu. Et fut a ce menée qu'elle luy
40 promist que, tantost que son mary iroit quelque part
dehors pour sejourner une nuyt, elle incontinent l'en
advertiroit. A chef de peche, ce desiré jour fut assigné, et dist le compaignon a sa femme qu'il s'en
alloit a ung chasteau loingtain de Valenciennes envi-
45 ron trois lieues, et la chargea de bien se tenir a
l'hostel et garder la maison, pource que ses affaires
ne povoient souffrir que celle nuyt il retournast. Si
elle en fut bien joyeuse, sans en faire semblant en
parolles, en maniere [1] ne aultrement, il ne le fault
50 ja demander. Il n'avoit pas cheminé une lieue quand
le bourgois sceut ceste adventure de pieça desirée.
Il fist tantost tirer les baings, chauffer les estuves,
faire pastez, tartres et ypocras, et le surplus des
biens de Dieu, si largement que l'appareil sembloit
55 ung grand desroy. Quand vint sur le soir, la posterne
fut desserrée, et celle qui pour la nuyt le guet y
devoit saillit dedans ; et Dieu scet s'elle ne fut pas
tresdoulcement receue. Je passe en bref, et espere
plus qu'ilz ne firent pluseurs devises d'entre ceulx qui
60 n'avoient pas eue ceste [2] eureuse journée a leur pre-

---

[1] *V. s. ne maniere en p.*
[2] *V. et espoire plus quilz f. p. d. daulcunes choses quilz
navoient pas en c.*

miere volunté. Après ce que en la chambre furent
descenduz, tantost se bouterent ou baing, devant
lequel le beau soupper fut en haste couvert et servy.
Et Dieu scet qu'on y beut d'autant et souvent et
65 largement. Des vins et viandes parler ne seroient que
redictes ; et, pour trousser le compte court[3], faulte n'y
avoit que du trop. En ce tresglorieux estat se passa
la pluspart de ceste doulce et courte nuyt : baisiers
donnez, baisiers renduz, tant et si longuement que
70 chacun ne desiroit que le lit. Tandiz que ceste grand
chere se faisoit, et veez cy ja retourné de son voyage
bon mary, non querant ceste sa bonne adventure, qui
hurte bien fort a l'huys de la chambre. Et, pour la
compaignie qui y estoit, l'entrée d[e] prinsault luy
75 fut refusée jusques ad ce qu'il nommast son [parain].
Il se nomma hault et cler, et bien l'entendirent et
cogneurent sa bonne femme et le bourgois. Elle fut
tant fort enserrée[4] à la voix de son mary que a pou
que son loyal cueur ne failloit ; et ne savoit ja plus
80 sa contenance, si le bourgois et ses gens ne l'eussent
reconfortée. Le bon bourgoys, tout asseuré, et de
son fait tresadvisé, la fist bien a haste couscher, et
au plus près d'elle se bouta, et luy chargea bien
qu'elle se joignist près de luy et caichast le visage
85 qu'on n'en puisse rien appercevoir. Et, cela fait au
plus bref qu'on peut, sans soy trop haster, il commenda ouvrir la porte. Et le bon compaignon sault
dedans la chambre, pensant en soy que aucun mistere y avoit, qui devant l'huys l'avoit retenu[5]. Et,
90 quand il vit la table chargée de vins et grandes
viandes, ensemble le beau baing tres bien paré, et

---

[3] *V.* p. faire le c. brief
[4] *V.* La gouge f. t. f. effrayee
[5] *V.* quant d. luys lavoient r. si longuement

le bourgois en tres beau lit encourtiné avec sa
secunde personne, Dieu scet s'il parla hault et bla-
sonna bien les armes de son bon voisin. Or l'appelle
95 ribauld, après loudier, après putier, après yvroigne ;
et tant bien le baptise que tous ceulx de la chambre
et luy avec s'en rioient bien fort. Mais sa femme a
ceste heure n'avoit pas ce loisir, tant estoient ses
levres empeschées de se joindre près de son amy
100 nouvel. « Ha ! [ha !] dist il, maistre houllier, vous
m'avez bien celée ceste bonne chere ; mais, par ma
foy, si je n'ay esté à la grande feste, si fault il bien
qu'on me monstre l'espousée. » Et a cest cop, tenant
la chandelle en sa main, se tire près du lit. Et ja
105 se vouloit avancer de hausser la couverture soubz
laquelle faisoit grand penitence en silence [6] sa tres
parfecte et bonne femme, quand le bourgois et ses
gens l'en garderent ; dont il ne se contentoit pas,
mais a force, malgré chascun, tousjours avoit la
110 main au lit. Il ne fut pas le maistre lors, ne creu de
faire son vouloir, et pour cause. Mais ung appoinctement tresgracieux et bien nouveau au fort le contenta, qui fut tel. Le bourgois fut content que luy
montrast a descouvert le derriere de sa femme, les
115 rains et les cuisses, qui blanches et grosses estoient,
et le surplus bel et honeste, sans rien descouvrir ne
veoir du visage. Le bon compaignon, tousjours la
chandelle en sa main, fut assez longuement sans dire
mot. Et, quand il parla, ce fut en loant beaucop la
120 tresgrande beaulté de ceste, sa femme. Et afferma
par ung bien grand serment que jamais n'avoit veu
chose si tresbien ressembler le cul de sa femme ; et,
s'il ne fust bien seur qu'elle fust a son hostel a ceste
heure, il diroit que c'est elle ! Elle fut tantost recou-

---

[6] *V.* p. et s.

125 verte, et il se tire arriere, assez pensif ; mais Dieu
scet si on luy disoit bien, puis l'un, puis l'autre, que
c'estoit de luy mal cogneu, et a sa femme pou d'honneur porté, et que c'estoit bien aultre chose, comme
cy après il pourra bien veoir. Pour refaire les yeulx
130 abusez de ce pouvre martir, le bourgois commenda
qu'on le feist seoir a la table, ou il reprint nouvelle
ymaginacion par boire et menger largement du
demourant du soupper de ceulx qui entretant ou lit
se devisoient a son grand prejudice. L'eure vint de
135 partir, et donna la bonne nuyt au bourgois et a sa
compaignie ; et pria moult qu'on le boutast hors de
leans par la posterne, pour plustost trouver sa maison. Mais le bourgois lui respondit qu'il ne saroit
a ceste heure trouver la clef ; pensoit aussi que la
140 ceruse[7] fust tant enrouillée qu'on ne la pourroit
ouvrir, pour ce que nulle foiz ou pou souvent s'ou-
vroit. Il fut au fort content de saillir par la porte
de devant et d'aller le grand tour a sa maison. Et,
tandiz que les gens du bourgois le conduisoient vers
145 la porte, tenans le hoc en l'eaue pour deviser, la
bonne femme fut vistement mise sur piez, et en pou
d'heure habillée et lassée de sa cotte simple, son
corset en son bras ; et venue a la posterne, ne fist
que ung sault en sa maison, ou elle attendoit[8] son
150 mary, qui le long tour viendroit, tresadvisée de son
fait et de ses manieres qu'elle devoit tenir. Veez cy
nostre homme, voyant encores la lumiere en sa maison, hurte a l'huys assez rudement. Et sa bonne
femme, qui mesnageoit par leans, en sa main tenant
155 ung ramon, demande ce qu'elle bien scet : « Qui est

---

[7] *V.* serreure
[8] *ms* attendant

ce la ? » Et il respond : « C'est vostre mary. — Mon
mary ! dist elle : mon mary n'est ce pas ; il n'est pas
en la ville. » Et il hurte de rechef et dit : « Ouvrez,
ouvrez, je suis vostre mary. — Je cognois bien mon
160 mary, dit elle ; ce n'est pas sa coustume de soy
enclorre si tard, quand il seroit en la ville ; allez
ailleurs, vous n'estes pas bien arrivé ; ce n'est point
seans qu'on doit hurter a ceste heure. » Et il hurte
pour la tierce, et l'appella par son nom, une foiz,
165 deux foiz. Et adonc fist elle aucunement semblant de
le cognoistre, en demandant dont il venoit a ceste
heure. Et pour response ne bailloit aultre que :
« Ouvrez, ouvrez ! » — « Ouvrez, dit elle, encores n'y
estes vous pas, meschant houllier ? Par la force
170 sainte Marie, j'aymeroie mieulx vous veoir noyer que
seans vous bouter. Allez couscher en mal repos dont
vous venez. » Et lors bon mary de se courroucer ; et
fiert tant qu'il peut de son pié contre la porte, et
semble qu'il doit tout abatre, et menace sa femme
175 de la tant batre que c'est rage, dont elle n'a gueres
grand paour. Mais au fort, pour abaisser[9] la noise
et a son aise mieulx dire sa volunté[10], elle ouvrit
l'huys. Et, a l'entrée qu'il fist, Dieu scet s'il fut servy
d'une chere bien rechignée, et d'un agu et bien
180 enflambé visage. Et, quand la langue d'elle eut povoir sur le cueur tresfort chargé d'ire et de courroux,
par semblant les parolles qu'elle descocha ne furent
pas mains trenchans que rasoirs de Guingant bien
affilez. Et entre aultres choses fort luy reproucha
185 qu'il avoit par malice conclu ceste faincte allée pour
l'esprouver, et que c'estoit fait d'un lasche et

---

9 *V.* apaiser
10 *V.* pensee

recreant[11] courage d'homme, indigne d'estre allyé a
si preude femme comme elle. Le bon compaignon,
jasoit ce qu'il fust fort courroucé et malmeu par
190 avant, toutesfoiz, pour ce qu'il voit son tort a l'œil
et le rebours de sa pensée, refraint son ire ; et le
courroux qu'en son cueur avoit conceu, quand a sa
porte tant hurtoit, fut tout a coup en courtois parler
converty. Car il dit pour son excuse, et pour sa
195 femme contenter, qu'il estoit retourné de son chemin
pource qu'il avoit oublyé la lettre principale touchant
le fait de son voyage. Sans faire semblant de le
croire, elle recommence sa grande legende dorée, luy
mettant sus qu'il venoit de la taverne et des estuves
200 et des lieux deshonnestes et dissoluz, et qu'il se
gouvernoit mal en homme de bien, maudisant l'eure
qu'oncques elle eut son accointance, ensemble et sa
tresmaudicte allyance. Le pouvre désolé, cognoissant
son cas, voyant sa bonne femme trop plus qu'il ne
205 voulsist troublée, hélas ! et a sa cause, ne savoit que
dire. Si se prend a meiser[12], et, a chef de sa meditacion, se tire près d'elle, plorant[13], ses genoulz tout
en bas sur la terre, et dist les beaulx motz qui s'ensuyvent : « Ma treschere compaigne et tresloyale
210 espouse, je vous requier et prie, ostez de vostre cueur
tout courroux que avez vers moy conceu, et me pardonnez au surplus que je vous puis avoir meffait.
Je cognois mon tort[14], je cognois mon cas, et viens
nagueres d'une place ou l'on faisoit bonne chere. Si
215 vous ose bien dire que cognoistre vous y cuidoye,
dont j'estoye tresdesplaisant. Et pour ce que a tort

---

[11] *V.* recreu
[12] *V.* penser
[13] *V.* ployant
[14] *manque dans V.*

et sans cause, je le confesse, vous avoir suspes-
sonnée d'estre aultre que bonne, dont me repens
amerement, je vous supplie et de rechef que tout
220 aultre passé courroux, et cest[u]icy vous obliez ;
vostre grace me soit donnée, et me pardonnez ma
folie. » Le mal talent de nostre bonne gouge, voyant
son mary en bon ploy et a son droit, ne se monstra
meshuy si aspry ne si venimeux [15] : « Comment, dist
225 elle, vilain putier, si vous venez de voz tres in-
honestes lieux et infames, est il dit pourtant que
vous devez oser penser ne en quelque fasson croire
que vostre preude femme les daignast regarder ?
— Nenny, par Dieu ; helas ! ce sçay je bien,
230 m'amye ; n'en parlez [16] plus, pour Dieu », dist le bon
homme. Et de plus belle vers elle s'encline, faisant la
requeste pieça trop dicte. Elle, jasoit qu'encores
marrye et enragée de ceste suspicion [17], voyant la
parfecte contrition du bon homme, cessa son dire.
235 Et petit a petit son troublé cueur se remist a nature,
et pardonna, combien que a grand regret, après cent
mille seremens et autant de promesses, a celuy qui
tant l'avoit grevé. Et par ce point a mains de crainte
et de regret se passa maintesfoiz depuis ladicte
240 posterne, sans que l'embusche fust jamais descouverte a celuy a quy plus touchoit. Et ce suffise quant
a la premiere histoire.

----

[15] *V.* aspre ne si venimeuse
[16] *V.* parlons
[17] *V.* m. et presque e. de c. suspection

LA SECUNDE NOUVELLE,

PAR

MONSEIGNEUR.

En la maistresse ville d'Angleterre [1], nommée
Londres, assez hantée et cogneue de pluseurs gens,
n'a pas long temps demouroit ung riche et puissant
homme qui marchant et bourgois estoit, qui entre ses
riches bagues et tresors innombrables [2] s'esjoissoit
plus enrichy d'une belle fille que Dieu luy avoit
envoyée que du bien grand surplus de sa chevance,
car de bonté, beaulté, genteté, passoit toutes les filles
d'elle plus eagées. Et ou temps que ce treseureux
bruyt et vertueuse renommée d'elle sourdoit, en son
quinziesme an ou environ, Dieu scet si pluseurs gens
de bien desiroient et pourchassoient sa grace par
pluseurs et toutes fassons en amours acoustumées,
qui n'estoit pas ung plaisir petit au pere et a la
mere d'elle. Et a ceste occasion de plus en plus croissoit en eulz l'ardent et parternel amour que a leur
tresbelle et tresamée fille portoient. Advint toutesfoiz, ou car Dieu le permist, ou car Fortune le voult [3]
et commenda, envieuse et mal contente de la prospe-
rité de celle belle fille, ou de ses parens, ou de tous
deux ensemble, ou espoir par une secrete cause et

---

[1] *V.* v. du royaume dangleterre
[2] *V.* innumerables tresors
[3] *V.* voulut

25 raison naturelle, dont je laisse inquisition aux philo-
sophes et medicins, qu'elle cheut en une desplaisante
et dangereuse maladie que communement l'on appelle
broches. La doulce maison fut treslargement troublée, quand en la garenne que plus chere tenoient
30 lesdictz parens, avoient osé lascher les levriers et
limiers [4] ce desplaisant mal, et que plus est, touché [5]
sa proye en dangereux et dommageable lieu. La
pouvre fille, de ce grand mal toute affolée, ne scet
sa contenance que de plourer et souspirer. Sa tres-
35 dolente mere est si tresfort troublée que d'elle il n'est
rien plus desplaisant ; et son tresennuyé pere destort
ses mains, ses cheveulx detire par la grand rage
de ce nouvel courroux. Que vous diray je ? toute la
grand triumphe qui en cest hostel souloit comble-
40 ment abunder est par ce cas abatue [6] et ternye, et en
amere et subite tristece a la male heure converty[e].
Or viennent les parens, amis, voisins de ce dolent
hostel visiter et conforter la compaignie ; mais pou
ou rien y prouffite, car de plus en plus est aggressée
45 et opprimée la pouvre fille de ce mal. Or vient une
matrone qui moult et trop enquiert de ceste maladie ;
et fait virer et revirer puis ça, puis la, la tresdolente
patiente, a tresgrand regret, Dieu le scet, et puis la
medicine [7] de cent mille fassons d'herbes ; mais
50 rien ; plus vient avant et plus empire. C'est force que
les medicins de la ville et d'environ soient mandez,
et que la pouvre fille descouvre [8] son trespiteux cas.
Or sont venuz maistre Pierre, maistre Jehan, maistre

---

4 *V.* avoit o. l. ses l.
5 *V.* qui p. e. touchier
6 *V.* flappye
7 *V.* p. luy baille medecines
8 *V.* d. et monstre s.

cy, maistre la, tant de phisiciens que vous vouldrez
55 qui veullent veoir la patiente ensemble, et les parties
du corps au descouvert ou ce maudit mal de broches
s'estoit, helas ! longuement embusché. Ceste pouvre
fille, autant prinse [9] et esbahie que si a la mort fust
adjugée, ne se vouloit accorder nullement qu'on la
60 meist en fasson que son mal fust apperceu, mesmes
amoit plus cher morir que ung tel secret fust a nul
homme decelé [10]. Ceste obstinée volunté ne dura pas
gramment, quand pere et mere vindrent, qui pluseurs
remonstrances luy firent, comme de dire qu'elle pour-
65 roit estre cause de sa mort, qui n'est pas ung petit
peché, et pluseurs aultres misteres trop [11] longs a
racompter. Finablement, trop plus pour a pere et a
mere obeir que [12] pour crainte de sa mort vaincue, la
pouvre fille se laissa ferrer. Et fut mise sur une
70 cousche, les dens dessoubz, et son corps tant et si
tresavant descouvert que les medicins virent apertement le grand meschef qui fort la tormentoit. Ilz
ordonnerent son regime, font faire [13] aux apothicaires clisteres, pouldres, oignemens, et le surplus
75 que bon leur sembla. Et elle prend et fait tout ce
qu'on veult [14] pour recouvrer santé. Mais rien n'y
vault. Car il n'est tour ne engin que les dictz medicins sachent pour alleger quelque pou de ce destresseux mal. En leurs livres n'ont veu ne accoustumé
80 que si tresfort la pouvre fille empire avecques l'ennuy
qu'elle s'en donne que autant semble morte que vive.

---

[9] *V.* f. fut plus surprise
[10] *V.* f. a ung h. descouvert
[11] *V.* autres y eut t.
[12] *V.* pour pere et mere que
[13] *V.* regime faire a.
[14] *V.* voulut

En ceste aspre doleur et langueur forte se passerent
mains jours. Et comme le pere et la mere, parens
et voisins s'enqueroient par tout pour allegence de
85 la fille, fut rencontré ung ancien cordelier qui borgne
estoit, et en son temps avoit veu moult de choses,
et de sa principale science se mesloit fort de medicine, dont sa presence fut plus agreable aux parens
de la patiente, laquelle helas ! a tant de regret que
90 dessus, il regarda tout a son beau loysir, et se fist
fort de la garir. Pensez qu'il fut tresvoluntiers oy,
et tant que la dolente assemblée, qui de lyesse pieça
bannye estoit, fut a ce point quelque pou consolée,
esperant l'effect sortir tel que a sa [15] parolle le tou-
95 choit. Il part de leans, et prend [16] jour a demain de
retourner pourveu et garny de medicine si tresver-
tueuse qu'elle en pou d'heure effacera la grand
doleur et le martire qui debrise et gaste [17] la pouvre
patiente. La nuyt fut beaucoup longue, attendant ce
100 jour desiré. Neantmains passerent tant d'heures a
quelque peine que ce fust, que nostre bon cordelier
fut acquicté de sa promesse par soy rendre devers
la patiente a l'heure assignée. S'il fut bien doulcement et autretant joyeusement [18] receu, pensez que oy.
105 Et quand vint l'heure qu'il voult besoigner et la
paciente mediciner, on la print comme [l']aultre foiz,
et sur la cousche tout au plus bel qu'on peut fut a
bouchons [19] couschée, et son derriere descouvert
assez avant, lequel fut incontinent par matrones
110 d'ung beau blanc drap linge garny, tapissé et armé.

---

[15] *V.* e. le fait s. t. q. sa
[16] *V.* Adonc maistre cordelier se partit de l. et print
[17] *V.* d. qui tant m. et d. la
[18] *V.* Sil fut j.
[19] *V.* bougons

Et a l'endroit du secret mal fut fait ung beau pertus,
par le quel damp cordelier le povoit apertement
choisir. Il regarde ce mal, puis d'un costé, puis
d'aultre ; maintenant le touche d'un doy tant doul-
115 cement, une aultre foiz y souffle la pouldre dont
mediciner la vouloit. Or regarde le tuyau dont il
voult souffler ladicte pouldre par dessus et dedans
le mal ; ore retourne arriere et gette l'œil de rechef
sur ce dit mal, et ne se peut saouler de assez regar-
120 der. A chef de peche, il prend sa pouldre a la main
gauche, mise en ung beau petit vaisseau plat, et
de l'aultre son tuyau que emplir vouloit de la dicte
pouldre. Et comme il regardoit tresententivement et
tresprès par ce pertus et a l'environ le destresseux
125 mal de la pouvre fille, si ne se peut elle contenir,
voyant l'estrange fasson de regarder a tout ung œil
de nostre cordelier, que force de rire ne la surprint,
qu'elle cuida longuement retenir. Mais si mal, helas !
luy advint, que ce ris a force retenu fut converty en
130 ung sonnet dont le vent retourna si tres a point la
pouldre que la pluspart il fist voler contre le visage
et sur l'œil [20] de ce bon cordelier, lequel, sentent
ceste doleur, habandonna tantost et vaissel et tuyau ;
et a peu qu'il ne cheut a la renverse, tant fut fort
135 effrayé. Et quand il reut son sang, il met tout a haste
la main a son œil, soy plaignant durement, disant
qu'il estoit homme deffait et en dangier de perdre
ung bon œil qu'il avoit. Il ne mentit pas. Car en pou
de jours la pouldre, qui corrosive estoit, luy gasta
140 et mengea l'œil, et par ce point aveugle fut et
demoura [21]. Si se fist guider et mener ung jour jus-

---

[20] *V.* et seul bon œil
[21] *V.* point lautre qui ja estoit perdu adveugle f. et ainsi
d. ledit cordelier

ques a l'ostel ou il conquist ce beau butin ; et firent
tant ses guides qu'ilz parlerent[22] au maistre de
leans, auquel il remonstra son piteux cas, priant et
145 requerant, ainsi que droit le porte, qu'il luy baille et
assigne, ainsi que a son estat appartient, sa vie
honorablement. Le bourgois luy respondit que de
ceste son adventure beaucop luy desplaisoit, combien
que en rien il n'en soit cause, n'en quelque fasson
150 que ce soit chargé ne s'en tient. Trop bien est il
content, pour pitié et aumosne, luy faire[23] quelque
gracieuse aide d'argent, pource qu'il avoit entrepris
de garir sa fille ce qu'il n'a pas fait ; car a luy ne
veult en riens estre tenu ; luy veult bailler autant en
155 somme que s'il eust sa fille en santé rendue, non pas,
comme dit est, qu'il soit tenu de ce faire. Damp cordelier, non content de ceste offre, demande qu'il luy
assigne sa vie, remonstrant tout premier comme la
fille l'avoit aveuglé en sa presence et d'aultres plu-
160 seurs, et a[24] ceste occasion estoit privé de la digne
et tressaincte consecracion du precieux corps de
Jhesus, du saint service de l'Eglise, et de la glorieuse
inquisition des docteurs que escript ilz ont sur la
saincte Escripture[25] ; et par ce point par predication
165 ne povoit servir le peuple, qui estoit sa totale des-
truction, car mendiant estoit, et non fondé sinon sur
aumosnes, que plus conquester il ne[26] povoit. Quelque chose qu'il allegue ne remonstre, il ne peut finer
d'aultre response que ceste presente. Si se tira par

---

[22] *V.* butin et parla
[23] *V.* c. luy f.
[24] *V.* sa p. et a c.
[25] *V.* theologie
[26] *V.* conquerre ne

170 devers la justice du dit Londres [27], devant lequel fut
baillé jour a nostre homme dessus dit. Et quand vint
l'heure de plaider sa cause par ung bon advocat bien
informé de ce qu'il devoit dire, Dieu scet que pluseurs se rendirent au consistoire pour oyr ce nouvel
175 proces, qui beaucop pleut aux seigneurs du dit parlement, tant pour la nouvelleté du cas que pour les
allegations et argumens des parties devant eulz
debatans, qui non accoustumées mais plaisantes
estoient. Ce procés tant plaisant et nouveau, affin
180 qu'il fust de pluseurs gens congneu, fut en suspens
tenu [28] et maintenu assez et longuement ; non pas
que a son tour de rolle ne fust bien renvoyé et mis
en jeu, mais le juger fut differé jusques [29] a la fasson
de cestes ! Et par ce point celle qui auparavant par
185 sa beauté, bonté et genteté congneue estoit de pluseurs gens, devint notoire a tout le monde par ce
mauldit mal de broches, dont en la fin fut garie,
ainsi que puis me fut compté.

---

[27] *V.* j. du parlement d.
[28] *V.* fut tenu
[29] *V.* le juge le fit differer j.

LA TROYSIESME NOUVELLE,

PAR

MONSEIGNEUR DE LA ROCHE.

En la duché de Bourgoigne eut nagueres ung
5 gentil chevalier dont l'ystoire presente passe le nom,
qui maryé estoit a une belle et gente dame. Assez
près du chasteau ou le dit chevalier faisoit sa residence demouroit ung musnier, pareillement a une
belle, gente et jeune femme marié. Advint une foiz
10 entre les aultres que comme le chevalier, pour passer
temps et prendre son esbatement, se pourmenast a
l'environ de son hostel. Et du long de la riviere sur
laquelle estoient assis lesdictz hostel et molin du dit
musnier, qui a ce coup n'estoit pas a l'ostel, mais
15 a Dijou ou a Beaune, il perceut et choisit la femme
du dit musnier portant deux cruches et retournant de
la riviere de querir de l'eaue. Si s'avança[1] vers elle
et doulcement la salua. Et elle, comme sage et bien
aprinse, luy fist honneur et la reverence, comme il
20 appartenoit. Nostre chevalier, voyant ceste musniere
tresbelle et en bon point, mais de sens assez escharsement hourdée, s'approucha[2] de bonnes et luy dist :
« Certes, ma'amye, j'apperçoy bien que vous estes
malade et en grand peril. » Et a ces parolles la
25 musniere s'approucha et dist : « Helas ! monsei-

---

[1] *ms* savancca
[2] *V.* se pensa

gneur, et que me fault il ? — Vrayement, m'amye,
j'apperçoy bien que si vous cheminez gueres avant,
que vostre devant est en tresgrand dangier de
cheoir ; et vous ose bien dire que vous ne le por-
30 terez gueres longuement qu'il ne vous chiege, tant
m'y cognois je. » La simple musniere, oyant les
parolles de monseigneur, devint tresebahie et courroucée, ebahie comment monseigneur povoit savoir
ne veoir ce meschef advenir, et courroucée d'oyr la
35 perte du meilleur membre de son corps, et dont elle
se servoit le mieulx, et son mary aussi. Si respon·
dit : « Helas ! monseigneur, et que dictes vous ? et a
quoy cognoissez vous que mon devant est en dangier
de cheoir ? Il me semble qu'il tient tant bien.
40 — Dya, m'amye, respondit monseigneur, suffise vous
a tant, et soiez seure que je vous dy la verité ; et
ne seriez pas la premiere a qui le cas est advenu.
— Helas ! dist elle, monseigneur, or suis je bien
femme deffaicte, deshonorée et perdue ; et que dira
45 mon mary, Nostre Dame ! quand il saura ce meschef ? Il ne tiendra plus compte de moy. — Ne vous
desconfortez que bien a point, m'amye, dist monseigneur ; encores n'est pas le cas advenu : aussi il y
a de beaulx remedes. » Quand la jeune musniere oyt
50 qu'on trouveroit bien remede en son fait, le sang luy
commence a revenir ; et, ainsi qu'elle scet, prie a
monseigneur, pour Dieu ! que de sa grace il luy
veille [3] enseigner qu'elle doit faire pour garder ce
pouvre devant de cheoir. Monseigneur, qui trescour-
55 tois et gracieux estoit, mesmement tousjours vers les
dames, luy dist : « M'amye, pource que vous estes
belle fille et bonne, et que j'ayme bien vostre mary,

---

[3] *V.* voulsist

il me prend pitié et compassion de vostre fait. Si
vous enseigneray comment vous garderez vostre
60 devant[4]. — Et que doy je dont faire, monseigneur ?
— M'amye, dist il, affin de garder vostre devant de
cheoir, le remede si est que plus tost et souvent que
pourrez le facez recoigner. — Recoigner, monseigneur ? et qui le saroit faire ? A qui me fauldroit il
65 parler pour bien faire ceste besoigne? — Je vous
diray, m'amye, respondit monseigneur. Pource que je
vous ay advertye de vostre meschef, qui tresprochain
et gref estoit, et aussi du remede necessaire pour
obvier aux inconveniens qui sourdre pourroient a
70 l'occasion de vostre cas, dont je suis seur que bon
gré m'en saurez[5], je suis content, affin de plus en
plus nourrir amour entre nous deux, vous recoigner
vostre devant, et le vous rendrai[6] en tel et si tresbon
estat que par tout le pourrez seurement porter, sans
75 avoir crainte ne doubte que jamais il vous puisse
cheoir ; et de ce me fais je bien fort. » Si nostre
musniere fut bien joyeuse, il ne le fault pas dire ne
demander, qui mettoit tresgrand peine du peu de
sens qu'elle avoit de souffisanment mercier monsei-
80 gneur. Si marcherent tant, monseigneur et elle, qu'ilz
vindrent au molin, ou ilz ne furent gueres sans
mettre la main a l'euvre. Car monseigneur, par sa
courtoisie, d'un oustil qu'il avoit recoigna en peu
d'heure troys ou quatre foiz le devant de nostre
85 musniere, qui treslye et joyeuse en fut. Et après que

---

[4] *Après* devant, *V ajoute* : de cheoir. Helas monseigneur
   je vous en mercye et certes vous ferez une œuvre bien
   meritoire car autant me vauldroit non estre que de vivre
   sans mon devant.

[5] a loccasion... saurez *manque dans V.*

[6] *ms* rendre

l'euvre fut ployé, et de devises ung millier, et jour
assigné d'encores ouvrer a ce devant, monseigneur
part, et tout le beau pas s'en retourna a son hostel.
Au jour nommé se rendit monseigneur vers la mus-
90 niere, et, en la fasson que dessus, le mieulx qu'il
peut il s'employa a recoigner ce devant. Et tant et
si bien y ouvra, par continuacion de temps, que ce
devant fut trestout asseuré et tenoit tresferme et
bien. Pendent le temps que nostre chevalier recoi-
95 gnoit et chevilloit [7] le devant de ceste musniere, le
musnier retourna de sa marchandise et fist grand
chere, et aussi fist sa femme. Et comme ilz eurent
devisé de leurs affaires et besoignes, la tressage
musniere va dire a son mary : « Par ma foy, sire,
100 nous sommes bien tenuz a monseigneur de ceste ville.
— Voire, m'amye, dist le musnier, en quelle fasson ?
— C'est bien raison que le vous dye, affin que ie
sachez remercier [8], car vous y estes bien tenu. Il est
vray que tantdiz qu'avez esté dehors, monseigneur
105 passoit par devant nostre maison une foiz que [9] atout
deux cruces alloye a la riviere. Il me salua ; si feis
je luy. Et comme je marchoie, il s'apperceut, ne sçay
comment, que mon devant ne tenoit comme rien, et
qu'il estoit en trop grand adventure de cheoir. Et
110 le me dist de sa grace, dont je fus si tresesbahie,
voire, par Dieu ! autant courroucée que si tout le
monde fust mort. Le bon seigneur, qui me veoit en
ce point lamenter, en eut tresgrand pitié. Et de fait
il m'enseigna ung bon remede pour me garder de
115 ce mauldit dangier. Et encores me fist il bien plus, ce
qu'il n'eust pas fait a une aultre. Car le remede

---

[7] *manque dans V.*
[8] *V.* a. que len merciez
[9] *V.* p. par cy droit a la court ainsi q.

dont il m'advertit, qui estoit de faire recoigner et
recheviller mon devant, affin de le garder de cheoir,
il mesmes le mist a execution ; qui luy fut tresgrand
120 peine, et en sua pluseurs foiz, pource que mon cas
requeroit d'estre souvent visité. Que vous diray je
plus ? il s'en est tant bien acquitté que jamais ne luy
sarions [10] desservir. Par ma foy, il m'a tel jour de
ceste sepmaine recoigné les trois, les quatre foiz, ung
125 aultre deux, ung aultre trois. Il ne m'a jamais laissée
tant que j'aye esté toute garie. Et si m'a mise en
tel estat que mon devant tient a ceste heure aussi
bien et fermement que celui de femme de nostre
ville. » Le bon musnier, oyant bonne cette adventure,
130 ne fist pas semblant par dehors tel que dedans son
cueur portoit ; mais, comme s'il fust bien joyeux, dist
a sa femme : « Or ça, m'amye, je suis bien joyeux
que monseigneur nous a fait ce plaisir. Et si Dieu
plaist, quand il sera possible, je feray autant pour
135 luy, si je puis. Mais toutesfoiz, pource que vostre cas
n'estoit pas bien honeste, gardez vous bien d'en rien
dire a personne. Et aussi, puis que vous estes bien
garie, il n'est ja mestier que vous traveillez plus
monseigneur. — Vous n'avez garde, dist la musniere,
140 que j'en sonne jamais ung mot, car aussi le me
defendit bien monseigneur. » Nostre musnier, qui
estoit gentil compaignon, ramentevoit souvent en sa
teste la courtoisie [11] que monseigneur luy avoit
faicte, et se conduisit si bien et si sagement que
145 oncques mondit seigneur ne se perceut qu'il se doubtast de la tromperie qu'il luy avoit faicte, et cuidoit
en soy mesmes qu'il n'en sceust rien. Mais, helas !

---

[10] V. sauriez
[11] V. compaignon a qui les crignons de sa teste ramente-
voyent s. et trop la c.

si faisoit, et n'avoit ailleurs son cueur, son estude,
ne tous ses pensers, que a se venger de luy, s'il
150 savoit, en fasson telle ou semblable qu'il deceust sa
femme. Et tant fist par son engin, qui point oyseux
n'estoit, qu'il advisa une maniere par laquelle bien
luy sembloit, s'il en povoit venir a chef, que monseigneur raroit beurre pour œufs. A chef de peche, pour
155 aucuns affaires qui sourvindrent a monseigneur, il
monta a cheval et print de madame congé bien pour
ung moys, dont nostre musnier ne fut pas moyennement [12] joyeux. Ung jour entre les aultres, madame
eut volunté de se baigner. Si fist tirer le baing et
160 chauffer les estuves en son hostel, a part. Ce que
nostre musnier sceut tresbien, pource qu'il estoit
assez familier leans. Si s'advisa de prendre ung beau
brochet qu'il avoit en sa fosse, et vint au chasteau
pour le presenter a madame. Aucunes femmes de
165 madame vouloient prendre le brochet, et de par le
musnier en faire present a madame ; mais le musnier tresbien les en garda, et dist qu'il le vouloit luy
mesmes a madame presenter [13], ou vraiement qu'il le
remporteroit. Au fort, pource qu'il estoit comme de
170 leans et joieux homme, madame le fist venir, qui
dedans son baing estoit. Le gracieux musnier fist son
present, dont madame le mercya, et le fist porter en
la cuisine et mectre a point pour le soupper. Et
entretant que madame au musnier devisoit, il apper-
175 ceut sur le bout de la cuve ung tresbeau dyamant et
gros qu'elle avoit osté de son doy, doubtant de l'eaue
le gaster. Si le crocqua si simplement [14] qu'il ne fut

---

12 *V.* ung peu j.
13 *V.* mais il dit que luy mesmes il le presenteroit
14 *V.* soupplement

de ame apperceu. Et quand il vit son point, il donna
la bonne nuyt a madame et a sa compaignie, et s'en
180 retourne a son molin, pensant au surplus de son
affaire. Madame, qui faisoit grand chere avecques
ses femmes, voyant qu'il estoit desja bien tard et
heure de soupper, abandonna le baing et en son lit
se bouta. Et comme elle regardoit ses braz et ses
185 mains, elle ne vit point son dyamant. Si appella ses
femmes et leur demande ce dyamant, et a laquelle
elle l'avoit baillé. Chacune dist : « Ce ne fut pas a
moy. — Ne a moy. — Ne a moy aussi. » On serche
hault et bas, dedans la cuve, sur la cuve, et partout ;
190 mais rien n'y vault, on ne le peut trouver. La queste
de ce dyamant dura longuement, sans qu'on en sceust
oyr [15] nouvelle, dont madame se donnoit bien mauvais temps, pource qu'il estoit meschantement perdu
et en sa chambre. Et aussi monseigneur luy donna le
195 jour de ses espousailles, si l'en tenoit beaucop plus
cher. On n'en savoit qui mescroire, ne a qui le
demander, dont grand dueil sourd par leans. L'une
des femmes s'advisa et dist : « Ame n'est ceans entré
que nous qui y sommes et le musnier ; si me sem-
200 bleroit bon qu'il fust mandé. » On le mande, et il y
vint. Madame, si trescourroucée et si desplaisante
que plus ne povoit, demanda au musnier s'il n'avoit
pas veu son dyamant. Et il, autant asseuré en bourdes que ung aultre a dire verité, s'excusa treshaulte-
205 ment, mesmes osa bien d[emander] [16] a madame
s'elle le tenoit pour larron. A quoy elle respondit
doulcement : « Certes [17], musnier, nenny. Aussi ce ne

---

[15] *V*. s. quelque n.
[16] *ms* dire
[17] *V*. larron. C.

seroit pas larrecin si vous aviez par esbatement mon
dyamant emporté. — Madame, dist le musnier, je
210 vous promectz par ma foy que de vostre dyamant
ne sçay je nouvelles. » Adonc fut la compaignie bien
simple, et madame specialment, qui en est si tresdesplaisante qu'elle ne scet sa contenance que de gecter
larmes a grande abundance, tant a regret a ceste
215 verge. La triste compaignie se met au conseil pour
savoir qu'il est de faire. L'une dit qu'il fault qu'il
soit en la chambre, l'aultre dit qu'elle a serché par
tout, et que impossible est qu'il y soit qu'on ne le
trouvast, attendu que c'est une chose qui ceste heure
220 bien se monstre. Le [18] musnier demande a madame
s'elle l'avoit a l'entrée du baing, et elle dit que si.
« S'il est ainsi, certainement, madame, veue la
grande diligence qu'on a faicte de le querir sans en
savoir nouvelle, la chose est bien estrange. Toutes-
225 foiz, il me semble que s'il y avoit homme en ceste
ville qui sceust donner conseil pour le retrouver, que
je seroye celuy. Et, pource que je ne vouldroye pas
que ma science fust descouverte ne cogneue de pluseurs, il seroit expedient que [19] je parlasse a vous a
230 part. — A cela ne tiendra pas », dist madame. Si fist
partir la compaignie ; et au partir que firent les femmes dirent dame Jehanne, dame Ysabeau et Katherine : « Helas ! musnier, que vous serez bon homme
si vous faictes revenir ce dyamant. — Je ne m'en
235 fays pas fort, dist le musnier ; mais j'ose bien dire,
s'il est possible de jamais le trouver, que j'en
apprendray la maniere. » Quand il se vit a part avec
madame, il luy dist qu'il se doubtoit tresfort et pen-

---

18 *V.* p. tout. Le
19 *V.* f. divulguee il s. bon q.

soit certainement, puis que a l'arriver au baing elle
240 avoit son dyamant, qu'il ne fust sailly de son doy
et cheut en l'eaue, et dedans son corps se bouté,
attendu qu'il n'y avoit ame qui le voulsist retenir.
Et la diligence faicte pour le trouver, si fist madame
monter sur son lit, ce qu'elle eust volentiers refusé si
245 ce ne fust pour mieulx faire. Et après ce qu'il l'eut
assez avant descouverte, fist comme maniere de
regarder çà et la, et dist : « Seurement, madame, le
dyamant est entré en vostre corps. — Et dictes vous,
musnier, que l'avez apperceu ? — Oy, vrayement.
250 — Helas ! dit elle, et comment le pourra l'on tirer ?
— Tres bien, madame ; je ne doubte pas que je n'en
vienne bien a chef, s'il vous plaist. — Ainsi m'ayde
Dieu, il n'est chose que je ne face pour le ravoir, dist
madame ; or vous avancez, beau musnier. » Madame,
255 encores sur le lit couschée, fut mise par le musnier
tout en telle fasson que monseigneur mettoit sa
femme quand il luy recoignoit son devant, et d'un
tel oustil fit il la tente pour querir et pescher le
dyamant. Après les reposées de la premiere et
260 deuxiesme queste que le musnier fist du dyamant,
madame demande s'il l'avoit point senty. Et il dist
que oy, dont elle fut bien joyeuse, et luy pria qu'il
peschast encores tant qu'il l'eust trouvé. Pour abreger, tant fist le bon musnier qu'il rendit a madame
265 son tresbeau dyamant, dont tresgrand joye vint par
leans. Et n'eut jamais musnier tant d'honneur ne
d'avancement que madame et ses femmes luy donnerent. Ce bon musnier, en la tresbonne grace de
madame après la tresdesirée conclusion de sa haulte
270 entreprise, part [20] de leans, et vint en sa maison,
sans soy vanter a sa femme de sa nouvelle adven-

---

[20] *V.* madame part

ture, dont il estoit plus joieux que s'il eust tout le
monde gaigné. La Dieu mercy, petit de temps après,
monseigneur revint en sa maison, ou il fut doulce-
275 ment receu et de madame humblement bienvenu.
Laquelle, après pluseurs devises qui au lit se font,
luy compta la tresmerveilleuse adventure de son dyamant, et comment il fut de son corps par le musnier
repesché ; et, pour abregier, tout du long luy compta
280 le procés, la fasson et la maniere que tint le dit
musnier en la queste du dit dyamant, dont il n'eut
gueres grand joye, mais se pensa que le musnier luy
avoit baillée belle. A la premiere foiz qu'il rencontra
le bon musnier, il le salua haultement et dist : « Dieu
285 gard, Dieu gard ce bon pescheur de dyamant ! »
A quoy le bon musnier respondit : « Dieu gard,
Dieu gard ce recoigneur de cons ! — Par Nostre
Dame ! tu dis vray, dist le seigneur ; tays toy de moy
et si feray je de toy. » Le musnier fut content, et
290 iamais plus n'en parla. Non fist le seigneur, que je
sache.

LA QUARTE NOUVELLE,

PAR

MONSEIGNEUR.

Le roy estant nagueres en sa ville de Tours, ung
gentil compaignon escossois, archier de son corps et
de sa grand garde, s'enamoura tresfort d'une tresbelle et gente damoiselle mariée et merciere. Et,
quand il sceut trouver temps et lieu, le mains mal
qu'il peut compta son tresgracieux et piteux cas,
auquel ne fut pas bien respondu a son avantage,
dont[1] il n'estoit pas trop content ne joyeux. Neantmoins, car il avoit la chose fort au cueur, ne laissa
pas sa poursuite, ainçois de plus en plus et tres-
aigrement pourchassa tant que la damoiselle, le voulant enchasser et donner le total congié, luy dist
qu'elle advertiroit son mary du pourchaz deshoneste
et damnable qu'il s'efforçoit d'[a]chever[2]. Ce qu'elle
fist tout au long. Le mary, bon et sage, preu et
vaillant, comme après vous sera compté, se cour-
roussa amerement encontre l'Escossois qui deshonorer le vouloit, et sa tresbonne femme aussi. Et, pour
bien se venger de luy et a son aise et sans reprinse,
commenda a sa femme que s'il retournoit plus a sa
queste, qu'elle luy baillast et assignast jour, et, s'il
estoit si fol d'y comparoir, le blasme qu'il luy pour-

---

[1] *V.* cas dont
[2] *ms* deschever

chassoit luy seroit cher vendu. La bonne femme,
pour obeir au bon plaisir de son mary, dist que si
feroit elle. Il ne demoura gueres que le pouvre Escossois amoureux fist tant de tours qu'il vit en place
30 nostre merciere, qui fut par luy humblement saluée,
et de rechef d'amours si doulcement priée que les
requestes du paravant devoient bien estre enterinées
par la conclusion de ceste piteuse et derreniere ; qui
le oyoit, jamais [8] femme ne fut plus loyalement obeye
35 ne servye qu'elle seroit, si de sa grace vouloit passer [4] sa treshumble et raisonnable requeste. La belle
merciere, recordant de la leczon que son mary luy
bailla, voyant aussi l'heure propice, entre aultres
devises et pluseurs excusations servans a son propos,
40 bailla journée a l'Escossois au lendemain au soir de
comparoir personnellement en sa chambre, pour en
ce lieu luy dire plus celeement le surplus de son
intencion et le grand bien qu'il luy vouloit. Pensez
qu'elle fut haultement merciée, doulcement escoutée,
45 et de bon cueur obeye de celuy qui, après ces nouvelles bonnes, laissa sa dame le plus joyeux que
jamais il avoit [5]. Quand le mary vint a l'ostel, il fut
servy de prinsault comme [6] l'Escossois fut leans, des
parolles et grandes offres qu'il fait ; et en conclusion,
50 qui mieulx vault, comment [7] il se rendra demain au
soir devers elle en sa chambre. « Or le laissez venir,
dist le mary ; il ne fist jamais si folle entreprise, que
je luy cuide monstrer avant qu'il parte, voire et son
grant tort faire confesser, pour estre exemple aux

---

[3] *V.* d. priere et quelle les voulsist ouyr et j.
[4] *V.* accepter
[5] *V.* navoit este
[6] *V.* il sceut comme
[7] *V.* o. quil fist et c.

55 aultres folz oultrecuidez et enragez comme lui ! » Le
soir du lendemain approucha tres desiré du pouvre
Escossois amoureux pour veoir et joïr de sa dame,
tresdesiré du bon mercier pour accomplir la tres-
ciminale vengence qu'il veult executer en la personne
60 de celuy qui veult estre son lieutenant ; tresredoubté
aussi de la bonne femme qui, pour obeir a son mary,
attend de veoir ung grand hutin. Au fort, chascun
s'appreste. Le mercier se fait armer d'un grand, lourd
et vieil harnois, prend sa salade, ses ganteletz, et en
65 sa main une grand hache. Or est il bien en point,
Dieu le set, et semble bien que aultresfoiz il ait véu
hutin. Comme ung champion venu sur les rencs de
bonne heure et attendant son ennemy, en lieu de
pavillon se va mectre derriere ung tapis en la ruelle
70 de son lit, et si tresbien se caicha qu'il ne povoit [8]
estre apperceu. L'amoureux malade, sentent l'heure
tresdesirée, se met au chemin devers l'ostel a la merciere ; mais il n'oblya pas sa grande, forte et bonne
espée a deux mains. Et comme il fut venu leans, la
75 dame monte en sa chambre sans faire effroy, et il la
suyt tout doulcement. Et quand il s'est trouvé leans,
il demande a sa dame si en sa chambre y avoit aultre
qu'elle. A quoy elle respondit assez laschement [9] et
estrangement, et comme non trop asseurée, que non.
80 « Dictes verité, dist l'Escossois ; vostre mary n'y
est il pas ? — Nenny, dist elle. — Or le laissez
venir ; par sainct Trignan ! [10] s'il y vient, je luy
fendray la teste jusques aux dens ; voire par Dieu !
s'il estoient trois, j'en seray bien maistre hardi-
85 ment [11]. » Et après ces criminelles parolles, vous tire

---

[8] *V.* pourroit
[9] *V.* legierement
[10] *V.* engnan
[11] *V.* troys je ne les crains jen s. b. m. Et

hors du fourreau sa grande et bonne espée, et si la
fait brandir trois ou quatre foiz, et auprès de luy
sur le lit la cousche. Et ce fait, vistement [12] baise et
accole [13], et le surplus qu'après ce ensuyt tout a son
90 aise et loisir acheva, sans ce que le pouvre coux de
la ruelle s'osast oncques monstrer, mais si grand
paour avoit que a pou qu'il ne mouroit. Nostre
Escossois, après ceste haulte adventure, prend de sa
dame congé jusques une aultre foiz, et la mercye
95 comme il scet de sa grand courtoisie, et se met au
chemin et descend les degrez de la chambre. Quand [14]
le vaillant hommes d'armes sceut l'Escossois enseur
de luy [15], ainsi effrayé qu'il estoit, sans a peine
savoir parler, sault de son pavillon, et commence a
100 tenser sa femme de ce qu'elle avoit souffert le plaisir
de l'archier. Et elle luy respondit que c'estoit sa
coulpe et sa faulte, et chargié luy avoit luy bailler
jour. « Je ne vous commenday pas, dist il, de luy
laisser faire sa volunté [16]. — Comment, dit elle, le
105 povois je refuser, voyant sa grand espée, dont il
m'eust tuée en cas de refus ? » Et a cest cop veez cy
bon Escossois qui retourne et monte arriere les
degrez de la chambre, et sault dedans et dit tout
hault : « Qu'est cecy ! » Et bon homme de se sauver,
110 et dessoubz le lit se boute pour estre plus seurement,
beaucop plus esbahy que paravant. La dame fut
reprinse et de rechef par l'amoureux enferrée tresbien et a loysir, en la fasson que dessus, tousjours
l'espée auprès de luy. Après ceste rencharge et plu-

---

12 *V.* incontinent
13 *ms* baiser et accoler
14 *V.* a chemin. Quant
15 *V.* lescossois issu hors de luys
16 *V. v.* ne son plaisir.

115 seurs aultres [17] devises entre l'Escossois et la dame,
l'heure vint de partir ; si luy donna bonne nuyt et
picque et s'en va. Le pouvre martir estant soubz le
lit, a peu s'il s'osoit tirer de la, doubtant le retourner
de son adversaire, ou, pour mieulx dire, son compai-
120 gnon. A chef de piece, il print courage, et, o l'ayde
de sa femme, la Dieu mercy, il fut remis sur piez.
S'il avoit bien tansée et villannée sa femme [18] auparavant, encores recommença il plus dure legende ;
car elle avoit consenty après sa defense le deshon-
125 neur de luy et d'elle. « Helas ! dit elle, et ou est la
femme tant asseurée qui osast dedire ung homme
ainsi eschauffé et enragé que cestuy est[oit] quand
vous, qui estes armé, embastonné et si vaillant que
c'est rage, a qui il a trop plus meffait que a moy,
130 ne l'avez [19] osé assaillir ne moy defendre ? — Ce
n'est pas response, dist il, dame ; si vous n'euss[i]ez
voulu, jamais ne fust venu a ses attainctes. Vous
estes mauvaise et desloyale. — [Mais vous, dit elle],
lasche, meschant, et reprouché homme, par qui je
135 suis deshonorée, car pour vous obeir j'assignay le
mauldit jour a l'Escossois, et oncques [20] n'avez eu
tant de courage que d'entreprendre la defense de
celle ou gist tout vostre bien et honneur. Et ne
pensez pas, j'eusse trop mieulx amé la mort que
140 d'avoir de moy mesmes consenty ne acordé ce meschef. Et Dieu scet le dueil que j'en porte et en porteray tant que je vive, quand celuy de qui je doy
avoir et tout secours attendre, en sa presence et par
son advis m'a [21] bien souffert deshonorez ! » Il fait

---

17 *V.* longues
18 *V.* tense sa f.
19 *V.* lavois
20 *V.* encores
21 *V.* en sa p. ma

145 assez a croire et penser qu'elle ne souffrit pas la
volunté de l'Escossois pour plaisir qu'elle y prensist,
mais elle fut ad ce contraincte et forcée par non
resister, laissant la resistence en la proesse de son
mary, qui s'en estoit tres bien chargé. Chacun d'eulx
150 cessa [22] son dire et sa querelle, après pluseurs argumens et repliques d'un costé et d'aultre ; mais en
son tort [23] evident fut le mary conclu [24], qui demoura
trompé de l'Escossois en la fasson et maniere que
avez oy [25].

---

[22] *V.* laissa
[23] *V.* cas
[24] *V.* deceu
[25] *V.* f. quavez ouye

LA CINQUIESME NOUVELLE,

PAR

PHILIPE DE LOAN. [1]

Monseigneur Talebot, a qui Dieu pardoint, capi-
5 taine anglois si preux, si vaillant, et aux armes si
eureux [2], comme chacun scet, fist en sa vie deux
jugemens dignes d'estre recitez et en audience et
memoire perpetuelle amenez. Et, affin que aussi en
soit fait d'iceulx jugemens, en brefs [3] motz ma pre-
10 miere nouvelle, ou renc des aultres la cinquiesme,
j'en fourniray et diray ainsi. Pendant le temps que
la mauldicte et pestilencieuse guerre de France et
d'Angleterre regnoit, et qui encores n'a prins fin,
comme souvent advient, ung François, homme d'ar-
15 mes, fut a ung aultre Anglois prisonnier ; et puis
qu'il se fut mis a finance, soubz le saufconduit de
monseigneur Talebot, devers son capitaine s'en
retournoit pour faire finance de sa renson, et a son
maistre l'envoyer ou la porter [4]. Et comme il estoit
20 en chemin, fut par un Anglois sur les champs rencontré, lequel, le voyant François, tantost luy demande dont il venoit et ou il alloit. L'autre respondit
la verité. « Et ou est vostre saufconduit ? dist l'An-

---

[1] V. Phelippe de laon
[2] V. anglois si e.
[3] V. q. de chascun diceulx j. soit faicte mencion jen vueil
raconter en b.
[4] V. ou apporter

glois. — Et il n'est pas loing », dit le François.
25 Lors tire une petite boyte pendant a sa couroye [5],
ou son saufconduit estoit, et a l'Anglois le tendit, qui
d'un bout a l'aultre le leut. Et, comme il est de
coustume de mectre en toutes lettres de saufconduit :
Reservé tout vray habillement de guerre, l'Anglois
30 note sur ces motz, et voit encores les aguilletes a
armer pendans au pourpoint du François. Si va juger
en soy mesmes qu'il avoit enfraint son saufconduit,
et que agillettes sont vray habillement de guerre, et
luy dist : « Amy, je vous fays prisonnier, car vous
35 avez rompu vostre saufconduit. — Par ma foy, non
ay, dist le François, sauve vostre grace ; vous voiez
en quel estat je suis. — Nenny, nenny, dist l'Angloys,
par saint Jehan vostre saufconduit est rompu. Rendez vous, ou je vous tueray. » Le pouvre François,
40 qui n'avoit que son paige, et qui estoit tout nu et
de ses armes desgarny, voyant l'autre armé et de
trois ou quatre archiers accompaigné pour le deffaire [6], a luy se rendit. L'Anglois le mena en une
place assez près de la et en prison le bouta. Le
45 François, voyant ce party, tout son estat a grand
haste [7] au capitaine manda ; lequel, oyant le cas de
son homme, fut a merveilles esbahy. Si fist tantost
escripre lettres a monseigneur Talebot, et par ung
herault les envoya, bien endicté et informé [8] de la
50 matiere que l'homme d'armes prisonnier avoit au
long au capitaine rescript : c'est assavoir comment
ung tel de ses gens avoit prins ung tel des siens
soubz son saufconduit. Le dit herault, bien informé

---

[5] *V.* ceinture
[6] *V.* p. le mieulx faire
[7] *V.* f. se v. ainsi mal mene a g.
[8] *V.* b. et suffisamment i.

et aprins qu'il devoit dire et faire, de son maistre
55 partit, et a monseigneur Talebot ses lettres presenta.
Il les lysit, et par ung sien secretaire, en audience
devant pluseurs chevaliers et escuiers et aultres de
sa rote, de rechef les feist relire. Si devez savoir
que tantost il monta sur son chevalet, car il avoit la
60 teste chaude et fumeuse, et n'estoit point bien content
quand on faisoit aultre chose que a point, et par
especial en matiere de guerre, et d'enfraindre son
saufconduyt il enrageoit tout vif. Pour abreger le
compte, il fist venir devant luy l'Anglois et le Fran-
65 çois, et dist au François qu'il deist son cas. Il dist
comment il avoit esté prisonnier d'ung tel de ses
gens et s'estoit mis a finance. « Et soubz vostre
saufconduit, monseigneur, je m'en aloye devers ceulx
de nostre party pour querir ma renson. J'ay encontré
70 ce gentil homme cy, aussi de voz gens ; il m'a
demandé ou je alloye, et se j'avoie saufconduyt. Je
luy dys que oy et luy monstre ; et, quand il l'eut leu,
il me dist que je l'avoye rompu, et je luy respondy
que non avoie et qu'il ne le saroit monstrer. Bref,
75 je ne peuz estre oy, et me fut force, si je ne me
vouloye laisser tuer en la place, de me rendre. Et
ne sçay cause nulle par quoy il me doive avoir
retenu ; si vous en demande justice. » Monseigneur
Talebot, oyant le Françoys, n'estoit pas bien a son
80 aise. Neantmoins, quand il eut ce dit, il dist a l'Anglois : « Que respons tu a cecy ? — Monseigneur,
dist il, [il est bien] [9] vray, comment il a dit, que
l'encontray et voulu veoir son saufconduit, lequel de
bout en bout et tout au long je leys, et perceu tan-
85 tost qu'il l'avoit enfraint et aultrement ne l'eusse
arresté. — Comment le rompit il ? dist monseigneur

---

[9] *ms en blanc*

Talebot ; dy tost. — Monseigneur, pource que en son
saufconduit a et avoit «reservé tout vray habillement de guerre » ; et il avoit et a encores ses aguil-
90 lettes a armer, qui sont ung habillement de guerre [10],
car sans elles on ne se peut armer. — Voire, dist
monseigneur Talebot, si aguillettes sont donc vray
habillement de guerre ? Et ne scez tu aultre chose
par quoy il puisse avoir enfraint son saufconduyt ?
95 — Vrayement, monseigneur, nenny, respond l'Angloys. — Voyre, villain, de par vostre dyable ! dist
monseigneur Talebot, avez vous [retenu ung gentil-
homme] sur mon saufconduyt pour ses aguillettes ?
Par saint George ! je vous feray monstrer si ce sont
100 habillemens de guerre. » Alors, tout eschaufé et de
courroux tresfort esmeu, vint au François, et de son
pourpoint print deux aguillettes et a l'Angloys les
bailla, et au François une bonne espée d'armes fist
en la main livrer, et puis la belle et bonne et sienne
105 du fourreau tira [11], et a l'Anglois va dire : « Defendez vous de cest habillement de guerre que vous
dictes, si vous savez ! » Et puis dist au François :
« Frappez sur ce villain qui vous a retenu sans
cause et sans raison ; on verra comment il se defen-
110 dra de vostre habillement de guerre. Si vous l'espergnez, je frapperay sur vostre teste, par saint George ! » Alors le François, voulsist ou non, fut contraint de ferir sur l'Anglois de l'espée toute nue qu'il
tenoit. Et le pouvre Angloys s'en couroit par la
115 chambre le plus qu'il povoit, et Talebot [12] après, qui

---

10 *V.* en son s. sont reservez tous habillemens de g. Cest
   assavoir a son parpoint ses esguillettes a. q. s. ungz
   vraiz habillemens
11 *V. ajoute* : et la tint en sa main
12 *V.* le povre a. se couvroit le mieulx quil povoit et
   couroit p. la c. et t.

tousjours faisoit ferir par le François sur l'aultre, et
luy disoit : « Defendez vous, villain, de vostre habillement de guerre. » A la verité, l'Anglois fut tant
batu que presque jusques a la mort, et crya mercy
120 a Talebot et au Françoys, qui par ce moien fut
delivré, et de sa renson par monseigneur Talebot
acquicté. Et, avecques ce, son cheval et son harnoys,
et tout son bagaige que au jour de sa prinse avoit,
luy fist rendre et bailler. Veez la le premier jugement
125 que fist le bon seigneur Talebot.

Reste a compter l'aultre, qui fut tel. Il sceut que
l'un de ses gens avoit dérobé en une eglise le
ciboire [13] ou l'on met le *corpus Domini,* et a bons
deniers contens l'avoit vendu. Je n'en sçay pas la
130 juste somme, mais il estoit bel et grand et d'argent
doré, et tresgentement esmaillé. Monseigneur Tale-
Bot, quoy qu'il fust terrible et cruel, et en la guerre
trescriminel, si avoit il en grand reverence tousjours
l'eglise, et ne voloit que nul en nesun moustier le
135 feu [14] boutast ne desrobast ; et ou il savoit qu'on le
feist, il en faisoit merveilleuse discipline de ceulx qui,
en ce faisant, son commendement trespassoient. Or
fist il devant luy mener, et vint celuy qui ce ciboire [13]
avoit en l'eglise robé. Et quand il le vit, Dieu scet
140 quelle chere il luy fist ! Il le voloit a toute force tuer,
si n'eussent esté ceulx qui entour luy estoient, qui
tant luy prierent que sa vie luy fut sauvée. Mais
neantmains si le vouloit il punir et luy dist : « Traistre ribauld, comment avez vous osé rober l'église
145 oultre mon commendement et ma defense ? — Ha !
monseigneur, pour Dieu, mercy ! dist le pouvre larron ; je vous crye mercy ; jamais ne m'adviendra.

---

13 *V.* tabernacle
14 *V.* nul en m. ne eglise le

— Venez avant, villain », dist il. Et l'autre, aussi
voluntiers qu'on va au guet, devers monseigneur
150 s'avance. Et monseigneur Talebot, de son poing, qui
estoit gros et lourd, descharge sur la teste de ce bon
pelerin, et luy disoit [15] : « Ha ! larron, avez vous
desrobé l'eglise ! » Et l'autre de crier : « Monseigneur, je vous crye mercy ; jamais ne le feray. — Le
155 ferez vous ? — Nenny, monseigneur. — Or, jurez
donc que jamais en eglise, quelle qu'elle soit, n'entrerez, jurez, villain ! — Et bien ! monseigneur »,
dist l'aultre. Et lors luy fist jurer que jamais en eglise
pié ne mettroit, dont tous ceulx qui la estoient eurent
160 grand ris, quoy qu'ilz eussent pitié du larron, pource
que monseigneur Talebot luy defendoit l'eglise et a
tousjours, et luy faisoit jurer de non jamais y entrer.
Et croiez qu'il cuidoit bien faire, et a bonne intencion le faisoit. Ainsi avez oy les deux jugemens de
165 monseigneur Talebot.

---

[15] *V. t.* de chargier sur ce pelerin de son poing q. e. g. et
l. et pareillement frape sur sa teste en lui disant

LA SIXIESME NOUVELLE,

PAR

MONSEIGNEUR DE LANNOY. [1]

En la ville de La Haye, en Hollandre [2], comme le
5 prieur des Augustins nagueres se pourmenast disant
ses heures, sur le serain, assés près de la chapelle
Saint Anthoine, située au bois près la dicte ville, il
fut rencontré d'un grand lourd Hollandois si tres-
yvre que merveilles, qui demouroit en ung village
10 nommé Stevelinghes, a deux lieues près d'illec. Le
prieur, de loing le voyant venir, cogneut tantost son
cas par les desmarches lourdes et malseures qu'il
faisoit tirant son chemin. Et, quand il vindrent pour
joindre l'un a l'autre, l'ivroigne salua premier le
15 prieur, qui luy rendit son salut tantost ; et puis passe
oultre, continuant son service, sans en aultre propos
l'arrester ne interroguer. L'yvroigne, tant oultré que
plus ne povoit, retourne et poursuit le prieur, et luy
requiert confession. « Confession ! dist le prieur ;
20 va t'en, va t'en ! tu es bien confessé. — Helas ! sire,
respond l'yvroigne, pour Dieu, confessés moy : j'ay
a ceste heure tres fresche memoire de mes pechez et
parfecte contrition. » Le prieur, desplaisant d'estre
empesché a ce coup par cest yvroigne, respond :
25 « Va ton chemin, il ne te fault aultre confession, car

---

1 *V.* lamoy
2 *V.* En une v. de hollande

tu es en tresbon estat. — « Ha dya ! dist l'yvroigne,
par la mort bieu, vous me confesserez, maistre
[prieur] ³, car j'ay devotion. » Et le saisit par la
manche et le voult arrester. Ce [prieur] ³ n'y voloit
30 entendre, mais avoit tant grand fain que merveille
d'eschapper de l'aultre ; mais rien n'y vault. Car il
s'est fermé en la ruse que d'estre ⁴ confessé, ce que
le [prieur] ³ tousjours refuse, et si s'en cuide desarmer, mais il ne peut. La devotion de l'yvroigne de
35 plus en plus s'enforce. Et, quand il voit le curé
refusant d'oyr ses peschez, il mect la main a sa
grand coustille, et de sa gayne la tira, et dist au
curé qu'il l'en tuera si bientost il n'escoute sa confession. Le [prieur] ³, doubtant le cousteau et la
40 main perilleuse qui le tenoit, ne sçet que dire. Si ⁵
demande a l'aultre : « Que veulx tu dire ? — Je [me]
veil confesser, dist il. — Or avant, je le veil, dist le
[prieur] ³, avance toy ». Nostre yvroigne, plus
estourdy ⁶ que une grive partant d'une vigne, com-
45 mença, s'il vous plaist, sa devote confession, laquelle
je passe, car le [prieur] ³ point ne la revela. Mais
vous povez bien penser qu'elle fut bien nouvelle et
estrange ! Quand le [prieur] ³ vit son point, il
couppa le chemin aux lourdes et longues parolles de
50 nostre yvroigne et l'absolucion luy donne ; et congé
luy donnant luy dist : « Va t'en, tu es bien confessé !
— Dictes vous, sire ? respond il. — Oy vrayeme-
ment, dist le curé, ta confession est tresbonne. Va
t'en, tu ne peuz mal avoir. — Et puis que je suis
55 bien confessé et que j'ay l'absolucion receue, si a

---

³ *ms* cure
⁴ *V.* il est f. en sa devocion destre
⁵ *V.* tenoit si
⁶ *V.* saoul

ceste heure je mouroye, n'yrois je pas en paradis ?
dit l'yvroigne. — Tout droit, tout droit, sans faillir,
dit le [prieur], n'en fay nulle doubte. — Puis
qu'ainsi est, dit l'yvroigne, que je suis en bon estat
60 maintenant [7], je veil morir tout des maintenant, affin
que je y aille. » Si prend et baille son cousteau a ce
[prieur], en luy priant et requerant qu'[il] luy
trench[ast] la teste, affin qu'il voise [8] en paradis.
— « Ha dya ! dit le [prieur] tout esbahy, il n'est ja
65 mestier d'ainsi faire. Tu iras bien en paradis par
aultre voye. — Nenny respond l'yvroigne, je y veil
aller tout maintenant, et cy morir par voz mains :
avancez vous et me tuez ! — Non feray pas, dit le
[prieur] ; ung prestre ne doit ame [9] tuer. — Si ferez,
70 ferez, sire, par la mort bieu, et, si bientost ne me
despeschez et ne me mettez en paradis, je [10] mesme
a mes deux mains vous occiray. » Et a ces motz
brandit son grand cousteau, et en fait monstre aux
yeulx du pouvre [prieur], tout espoenté et assimply.
75 Au fort, après qu'il eut ung peu pensé, affin d'estre
de son yvroigne despeschié, qui de plus en plus
l'aggresse et parforce qu'il luy oste la vie, il saisist
et prent le cousteau et si va dire : « Or ça, puis que
tu veulx par mes mains finer affin d'aller en paradis,
80 mectz toy a genoulz cy devant moy. » L'yvroigne ne
s'en fist gueres prescher, mais tout a coup du hault
de lui tumber se laissa. Et a chef de piece, a quelque
meschef que ce fust, sur ses genoulz se releva, et
a mains joinctes le cop de l'espée, cuidant morir,

---

[7] *V. ajoute* : et en chemin de paradis et qu'il y fait tant
   bel et tant bo*v*
[8] *V.* allast
[9] *V.* personne
[10] *V.* moy

85 actendoit. Le [prieur], du dos du cousteau, fiert au
col de l'yvroigne ung grant et pesant cop, et a terre
l'abbat bien rudement. Mais vous n'avez garde qu'il
se relieve, mesmes cuide vrayement estre en paradis [11]. En ce point le laissa le [prieur], qui, pour sa
90 seureté, n'oblia pas le cousteau. Et, comme il fut
ung peu avant, il rencontra ung chariot chargé de
gens, mesmes de la plupart (vint si bien) de ceulx
qui avoient esté presens ou nostre yvroigne se chargea [12]. Ausquelz il racompta bien au long tout le
95 mistere, en leur priant qu'ilz le levassent et en son
hostel le voulsissent rendre et conduire, et puis leur
bailla son cousteau. Ilz promisrent de l'emmener et
charger avec eulx. Et puis le [prieur] s'en va. Ilz
n'eurent gueres cheminé qu'ilz perceurent ce bon
100 yvroigne, couché comme s'il fust mort, les dens contre la terre. Et, quand ilz furent près, trestous a une
voix par son nom l'appellerent ; mais ilz ont beau
hucher, car il n'a garde de respondre ; ilz recom-
mencent a crier, mais c'est pour neant. Adonc des-
105 cendirent les aucuns de leur chariot. Si le prindrent
par teste, par piez et par jambes, et tout en air le
sourdirent [13] et tant hucherent qu'il ouvrit les yeulx.
Et quand il parla, il dist : « Laissez moy, laissez, je
suis mort. — Non estes, non, dirent ses compai-
110 gnons ; il vous en fault venir avecques nous. — Non
feray, dist l'yvroigne, ou yrois je ? Je suis mort et
desja en paradis. — Vous vous en viendrez, dirent
les aultres ; il nous fault aller boire. — Boire ! dit

---

[11] *V.* v. estre mort et c. ja en
[12] *V.* g. au mains de la pluspart. Si bien advint que ceulx
q. ... y. sestoit chargie y estoient
[13] *V.* leverent

l'autre ; jamais ne buray, car [14] je suis mort. »
115 Quelque chose que ses compaignons luy deissent ne
fissent, il ne vouloit partir ne mettre hors de sa teste
qu'il ne fust mort. Ces devises durerent beaucop, et
ne savoient trouver les compaignons fasson ne
maniere d'emmener ce fol yvroigne. Car quelque
120 chose qu'ilz dissent, tousjours respondoit : « Je suis
mort. » En la fin, ung entre les aultres s'avisa et
dist : « Puis que vous estes mort, vous ne voulez
pas demourer icy, et comme une beste aux champs
estre enfouy. Venez, venez avecques nous, si vous
125 porterons en terre [15] sur nostre chariot, ou cimitere
de nostre ville, ainsi qu'il appartient a ung cretian ;
aultrement n'yrez pas en paradis. » Quand l'yvroigne
entendit que encores le failloit enterrer, ains qu'il
montast en paradis, il fut tout content d'obeyr. Si
130 fut tantost troussé et mis dessus le chariot, ou gueres
ne fut sans dormir. Le chariot estoit bien atelé ; si
furent tantost a Stevelinghes ou ce bon yvroigne fut
descendu tout devant sa maison. Sa femme et ses
gens furent appellez, et leur fut ce bon corps saint
135 rendu, qui si tresfort dormoit que, pour le porter
du chariot en sa maison et sur son lit le gecter,
jamais ne s'esveilla ! Et la fut il ensevely entre deux
linceux sans s'esveiller bien de deux jours après.

---

[14] *V.* B. dit il. Voire dit lautre. J. je ne b. dit il c.
[15] *V.* enterrer

LA SEPTIESME NOUVELLE,

PAR

MONSEIGNEUR.

Ung orfevre de Paris, nagueres, pour despescher
5 pluseurs besoignes de sa marchandise a l'encontre
d'une feste de Lendit et d'Envers, fist large et grand
provision de charbon de saulx. Advint ung jour,
entre les aultres, que le chareton qui ceste denrée
livroit, pour la grand haste de l'orfevre, fist si grand
10 diligence qu'il amena deux voictures plus que nul
des jours paravant ; mais il ne fut pas si tost a
Paris, a sa derreniere charetée, que la porte a ses
talons ne fust fermée. Il fut tresbien venu et receu
de l'orfevre. Et, après que son charbon fut deschargé
15 et ses chevaulx mis en l'estable, il voult soupper tout
a loysir, et firent tresgrande chere, qui pas ne se
passa sans boire d'autant et d'autel. Quand la brigade fut tresbien repeue, la cloche sonna xij heures,
dont ilz se donnerent grans merveilles, tant plai-
20 samment s'estoit le temps passé à ce soupper. Chacun loa Dieu comme il savoit, faisans trespetiz yeulx,
et demandent le lit[1] ; mais, pource qu'il estoit tant
tard, l'orfevre retint au couscher son chareton, doubtant la rencontre du guet, qui l'eust en Chastellet
25 logié si a ceste heure le trouvast. Pour cest cop[2]
nostre orfevre avoit tant de gens qui pour luy

---

[1] *V*. et ne demandoient que le l.
[2] *V*. P. celle heure

ouvroient que force luy fut le chareton avec luy et sa
femme en son lit heberger. Et, comme sage et non
suspeçonneux, fist sa femme entre luy et le chareton
30 couscher. Or vous fault il dire que ce ne fut pas
sans grand mystere. Car le bon chareton refusoit de
tout point ce logis, et a toute force vouloit dessus
le bang ou en la grange couscher ; force luy fut
d'obeir. Et, après qu'il fut despoillé, dedans le lit
35 pour dormir se boute, ou quel desja estoient l'orfevre
et sa femme en la fasson que j'ay ja dicte. La
femme, sentent le chareton, a cause du froit et de
la petitesse du lit, d'elle s'approucher, tost se vira
vers son mary, et, en lieu d'aureillier, sa teste mist
40 sur sa poictrine [3], et ou giron du chareton son gros
derriere reposoit. Sans dormir ne se tint gueres l'orfevre, ne sa femme sans en faire le semblant ; mais
nostre chareton, jasoit qu'il fust las et traveillé, n'en
avoit garde. Car, comme le poulain s'eschauffe sen-
45 tant la jument, et se dresse et demaine, aussi faisoit
le sien, levant la teste contremont si tres prochain de
l'aurfavreresse [4]. Et ne fut pas en la puissance du
chareton qu'a elle ne se joignit, et de tresprès. Et
cest estat fut assez longue espace sans que la femme
50 s'esveillast, voire ou au mains qu'elle en fist semblant. Non eust pas fait le mary, si n'eust esté la
teste de sa femme sur sa poictrine reposant, qui
par l'assault et hurt de ce poulain luy donnoit si
grand branle que assez tost il s'en reveilla. Il cuidoit
55 bien que sa femme songeast, mais car trop longuement duroit, et qu'il oyoit le chareton se remuer et
tresfort souffler, tout doulcement leva sa main en
hault, et si tresbien a point en bas la rabatit qu'en

---

[3] *V.* se mist sur la p. de son dit mary
[4] *V.* de ladicte femme

dommage et en sa garenne le poulain au chareton
60 trouva, dont il ne fut pas bien content, et ce pour
l'amour de sa femme. Si l'en fist a haste saillir, et
dist au chareton : « Que faictes vous, meschant
coquart ? Vous estes, par ma foy, bien enragé, qui
a ma femme vous prenez ; n'en faictes plus, je vous
65 en prie. Par la mort bieu ! s'elle se fust a cest cop
esveillée que vostre poulain ainsi la harioit, je ne
sçay que [5] vous eussiez fait. Car je suis tout certain,
tant la cognois je, qu'elle vous eust tout le visage
egratigné, et a ses mains les yeulx de vostre teste
70 esrachez ! vous ne savez pas qu'elle est merveilleuse
depuis qu'elle entre en sa ma[lic]e, et si n'est chose
ou monde qui plus tost l'y boutast [6]. » Le chareton a
peu de motz s'excusa qu'il n'y pensoit pas. Et, quant
le jour fut, il se leva. Et, après le bon jour donné
75 a son hoste et a son hostesse [7], s'en va et au char-
roier se remect. Pensez, si la bonne femme eust sceu
le fait du chareton, qu'elle l'eust fort plus grevé que
son mary ne disoit ! Combien que depuis le chareton
le racompta en la façon que avez oye, sinon [8] qu'elle
80 ne dormoit point : non pas que le veille croire, ne
ce rapport faire bon.

---

[5] *V.* ne s. moy pencer que
[6] *V. ajoute* : Ostez vous que je vous en supplie pour
vostre bien.
[7] *V.* d. a son hostesse
[8] *V.* d. il me fut dit que assez de fois le c. la rencontra
en la propre façon et maniere quil fut trouve de
lorfevre s.

LA VIIIe NOUVELLE,

PAR

MONSEIGNEUR DE LA ROCHE.

En la ville de Bruxelles, ou maintes adventures
sont en nostre temps advenues, demouroit n'a pas
long temps a l'ostel d'un marchant[1] ung jeune compaignon picard qui servit tresbien et loyaument son
maistre assez longue espace. Et entre aultres services a quoy il obligea son dict maistres vers luy,
il fist tant par son gracieux parler, maintien et courtoisie, que si avant fut en la grace de la fille qu'il
couscha avec elle. Et par ses euvres[2] elle devint
grosse et enceincte. Nostre compaignon, voyant sa
dame en cest estat, ne fut pas si fol que d'actendre
l'heure que son maistre le pourroit savoir et appercevoir. Si print de bonne heure ung gracieux congié
pour pou de jours, combien qu'il n'eust nulle envye
de jamais retourner, faignant aller en Picardie visiter
son pere et sa mere et ses aultres parens. Et quand
il eut a son maistre et a sa maistresse dit le derrain[3]
adieu, le trespiteux fut a la fille sa dame, a laquelle
il promist tantost retourner : ce qu'il ne fist point et
pour cause. Luy estant en Picardie, en l'ostel de son
pere, la pouvre fille de son maistre devenoit si tresgrosse que son piteux cas ne se pouvoit plus celer,

---

[1] *V.* long t. ung m.
[2] *V.* e. meritoires
[3] *V. manque*

dont entre les aultres sa bonne mere, qui au mestier
se cognoissoit, s'en donna garde la premiere. Si la
tira a part et luy demanda, comme assez on le peut
penser, dont elle venoit en cest estat et qui l'y avoit
30 mise. S'elle se fist beaucop presser et menacer avant
qu'elle en voulsist rien dire[4], il ne le fault ja demander. Mais au fort en fin elle fut ad ce menée qu'elle
cogneut son piteux cas[5], et dist que le picard, varlet
de son pere, nagueres party, l'avoit seduicte et en ce
35 trespiteux point laissée. Sa mere, toute enragée, forcenée et tant marrie qu'on ne pourroit plus, la voyant
ainsi deshonorée, si prend a la tanser, et tant d'injures luy va dire que la pacience qu'elle eut de tout
escouter, sans mot sonner ne rien luy contredire[6],
40 estoit assez suffisante d'estaindre le crime qu'elle
avoit commis par soy laisser engrosser du picard.
Mais, helas ! ceste pacience n'esmeut en rien sa mere
a pitié ; mesmes luy dit : « Va t'en, va t'en ensus[7]
de moy, et fay tant que tu trouves le picard qui t'a
45 fait grosse et luy dy qu'il te defface ce qu'il t'a fait.
Et ne retourne jamais vers moy jusques ad ce qu'il
ara deffait tout ce que par ton oultrage il t'a fait ! »
La pouvre fille, en cest estat, marrie, Dieu le scet,
et desolée, part de sa cruelle et fumeuse mere et se
50 met a la queste de ce picard qui l'engrossa. Et
croiez avant qu'elle en peust oyr nouvelle ce ne fut
pas sans avoir peine et du malaise largement. En la
parfin, comme Dieu le voulut, aprés mains gistes
qu'elle fist en Picardie, elle arriva par ung jour de

---

4 *V.* p. et admonnester a ... dire ne recongnoistre il
5 *V.* quelle fut contrainte de congnoistre et confesser s
  p. fait
6 *V.* de tous coustez s... ne riens respondre
7 *V.* arriere

55 dimenche en ung gros village en Artois. Si tresbien
luy vint, ce propre jour son amy le picard faisoit ses
nopces [8], dont elle fut bien joyeuse ! Et ne fut pas
si peu asseurée pour a sa mere obeir qu'elle ne se
boutast par la presse des gens, ainsi grosse qu'elle
60 estoit, et fist tant qu'elle trouva son amy et le
salua ; lequel tantost la recogneut, et en la reco-
gnoissant [9] son salut luy rendit, et luy dist : « Vous
soyez bien venue ! Qui vous amene a ceste heure,
m'amye ? — Ma mere, dit elle, m'envoye vers vous,
65 et Dieu scet que vous m'avez fait bien tanser. Elle
m'a chargée et commendé que vous me deffacez ce
que m'avez fait ; et s'ainsi ne le faictes que jamais
je ne retourne vers elle. » L'aultre entendit tantost
la folie et au plustost qu'il peut il se deffist d'elle
70 et luy dist : « M'amye, je feray tresvoluntiers ce que
me requerez et que vostre mere veult que je face ;
c'est bien raison. Mais a ceste heure, je n'y puis
bonnement entendre : si vous prie [10] que aiez
patience meshuy, et demain je besoigneray a vous. »
75 Elle fut contente, et alors il la fist garder et en une
chambre mener, et la tresbien penser, dont elle
avoit bon mestier, a cause des grans labours et travaulx qu'elle avoit eu en ceste queste [11]. Vous devez
savoir que l'espousée se donna [12] tresbien garde et
80 perceut son mary parler a nostre fille grosse, dont
elle n'estoit [13] en riens contente, mais trestroublée
et marrye en estoit. Si garda ce courroux sans en

---

[8] *V.* p. lequel lavoit engroissee f.
[9] *V.* en rougissant
[10] *V.* p. tant comme je puis q.
[11] *V.* en son voyaige faisant c.
[12] *V.* lesp. ne tenoit pas ses yeulx en son sain mais se d.
[13] *V.* d. la pusse lui entre en loreille et nestoit

rien dire jusques ad ce que son mary s'en vint coucher. Et quand il la cuida accoler et baiser et au
85 surplus faire son devoir de gaigner le chaudeau, elle
se vire puis d'ung costé puis d'aultre, tellement qu'il
ne peut parvenir a ses attainctes, dont il est tresesbahy et courroucé, et luy va dire : « M'amye,
pourquoy faictes vous cecy ? — J'ay bien cause, dit
90 elle. Et aussi quelque maniere que vous facez, il ne
vous chault gueres de moy. Vous en avez bien d'aultres dont il vous chault [14] plus que de moy. — Et
non ay, par ma foy ! m'amye, dit il ; je n'ayme en
ce monde aultre femme que vous. — Helas ! dit elle,
95 et ne vous ay je pas bien veu après disner tenir voz
longues parolles a une femme en la sale en bas ?
On voit trop bien que c'est. vous ne vous en sariez
excuser ne sauver. — Cela [15], dit il, Nostre Dame !
vous n'avez cause de vous en rien jalouser. » Et
100 adonc luy va tout compter comment c'estoit la fille
a son maistre de Bruxelles. et qu'il coucha avecques
elle et l'engrossa. et que a ceste cause il vint par
deça ; comment aussi après son departement elle
devint si tresgrosse qu'on s'en perceut, et comme elle
105 confessa a sa mere qu'il l'avoit engrossée et qu'elle
l'envoyoit vers luy affin qu'il luy desfist ce qu'il luy
avoit fait. ou aultrement vers elle ne retournast.
Quand nostre homme eut tout au long compté [16], sa
femme ne reprint que l'ung de ses poins et dist :
110 « Comment, dit elle, dictes vous qu'elle dist a sa
mere que vous aviez couché avec elle ? — Oy, par
ma foy ! dit il, elle luy cogneut tout. — Par mon

---

14 *V.* est
15 *V.* en la s. on voyoit t. b. q. cestoit vous ne v. en s. e.
Cela
16 *V.* c. sa ratelee sa

serment ! dist elle, elle monstra bien qu'elle estoit
beste. Le charreton de nostre maison a couché avec-
115 ques moy plus de quarante nuiz, mais vous n'avez
garde que j'en deisse oncques ung seul mot a ma
mere. Je m'en suis bien gardée. — Voire, dit il, de
par le deable ! dame, estes vous telle ? [17] Le gibet y
ait part ! Or allez a vostre charreton, si vous voulez,
120 car je n'ay cure de vous ! » Si se leva tout a coup
et s'e[n] vint rendre a celle qu'il engrossa, et abandonna l'autre. Et quand lendemain on sceut ceste
nouvelle, Dieu scet la grand risée d'aucuns, et le
grant desplaisir de pluseurs, especialement du pere
125 et de la mere ! [18]

---

[17] *V.* dyable / le g.
[18] *V.* m. de ceste espousee

LA NEUFIESME NOUVELLE,

PAR

MONSEIGNEUR.

Pour continuer le propos de nouvelles histoires,
5 comme les adventures adviennent en divers lieux et
diversement, on ne doit pas taire comment nagueres
ung gentil chevalier de Bourgoigne, faisant residence
en ung sien chasteau, bel et fort, fourny de gens et
d'artillerie, comme a seigneur de son estat apparte-
10 noit, devint amoureux d'une damoiselle de son hostel,
voire et la premiere après madame sa femme. Et
car Amours si fort le contraignoit[1], jamais ne savoit
sa maniere sans elle ; tousjours l'entretenoit, tousjours la requeroit, et bref nul bien sans elle avoir
15 il ne povoit, tant estoit il au vif feru de l'amour
d'elle. La damoiselle, bonne et sage, voulant garder
son honneur, que aussi cher elle tenoit que sa propre
ame, voulant aussi garder la loyaulté que a sa maistresse elle devoit, ne prestoit pas l'oreille a son sei-
20 gneur toutesfoiz qu'il eust bien voulu. Et si aucunesfoiz force luy estoit de l'escouter, Dieu scet la tresdure response dont il estoit servy, luy remonstrant
sa tresfole entreprinse, la grand lascheté de son
cueur. Et au surplus bien luy disoit que, si ceste
25 queste il continue plus, que a sa maistresse il sera
decelé[2]. Quelque maniere ou menace qu'elle face, il

---

[1] *ms* contraignoient
[2] *V.* seroit descouvert

ne veult laisser son emprinse, mais de plus en plus
la pourchasse ; et tant en fait que force est a la
bonne fille d'en advertir bien au long sa maistresse.
30 La dicte [3], advertie des nouvelles amours de monseigneur, sans en monstrer semblant, en est tres
malcontente ; mais non pourtant elle s'advisa d'ung
tour, ainçois que rien luy en dist, qui fut tel. Elle
charge a sa damoiselle que a la premiere foiz que
35 monseigneur viendra pour la prier d'amours, que,
trestous refuz mis arriere, elle luy baille jour a lendemain se trouver devers elle dedans sa chambre et
en son lict : « Et s'il accepte la journée, dit madame,
je viendray tenir vostre place ; et du surplus laissez
40 moy faire. » Pour obeir comme elle doit a sa maistresse, elle est contente d'ainsi faire [4]. Si ne tarda
gueres après que monseigneur ne retournast a l'ouvrage ; et s'il avoit auparavant bien fort menty,
encores a ceste heure il s'en efforce beaucoup de
45 l'affermer. Et qui a ceste heure l'oyst, mieulx luy
vauldroit la mort que sans prochain remede vivre
en ce monde ! [5] Qu'en vauldroit le long compte ? La
demoiselle de sa maistresse est escollée et advoée
que mieulx on ne pourroit, baille au bon seigneur a
50 demain l'heure de besoigner, dont il est tant content
que son cueur tressault tout de joye, et dit bien en
soy mesmes qu'il ne fauldra pas a sa journée. Le
jour des armes assignées, sourvint au soir ung
gentilhomme chevalier, voisin de monseigneur et son
55 tresgrand et bon amy, qui le vint veoir ; auquel il fist
tresgrande et bonne chere, comme tresbien le savoit

---

[3] *V.* m. ce quelle fist. La dame
[4] *V.* c. et promet dainsi le f.
[5] *V.* laffermer disant que se a c. h. elle nentend a sa
priere trop m... monde plus .ne povoit.

faire ; si fait madame aussi, et le surplus de la
maison s'efforçoit fort de luy complaire, saichant
estre le bon plaisir de monseigneur et de madame.
60 Après' les tresgrandes cheres et du souper et du
bancquet, et qu'il fut heure de retraire, la bonne nuyt
donnée et a madame et a ses femmes, les deux bons
chevaliers se mettent en devises de pluseurs et diverses materes. Et entre aultres propos le chevalier
65 estrange demanda a monseigneur si en son village
avoit rien de beau pour aller courre l'aguillette, car
la devocion luy en est prinse après ces bonnes cheres
et le beau temps qu'il fait a ceste heure. Monseigneur, qui rien ne luy vouldroit celer, pour la grand
70 amour qu'il luy porte, luy va dire comment il a jour
assigné de coucher ennuyt avecques sa chambriere ;
et pour luy faire plaisir, quand il aura esté avecques
elle aucune espace, il[7] se levera tout doulcement et
le viendra querir pour le surplus parfaire. Le che-
75 valier estrange mercya son compaignon, et Dieu scet
qu'il luy tarde bien que l'heure soit venue ! L'oste
prend congé de luy et se retrait en sa garderobe,
comme il avoit de coustume, pour soy deshabiller.
Or devez vous savoir que tantdiz que les chevaliers
80 se devisoient, madame se alla mettre dedans le lict
ou monseigneur devoit trouver sa chambriere, et
droit la attendoit ce que Dieu luy vouldra envoyer.
Monseigneur mist assez longue espace a soy deshabiller tout a propos, pensant que desja madame
85 fust endormie, comme souvent faisoit, pource que
devant se couchoit. Il donne congé a son varlet de
chambre, et a tout sa longue robe s'en vint au lict
ou madame l'attendoit cuidant y trouver aultruy. Et

---

[6] *V.* m. bien conseillee si bien a point q.
[7] *V.* e. une espace de temps il

trestout coyement de sa robe se desarme, et dedans
90 le lit se boute. Et car la chandelle est estaincte et
madame mot ne sonne il cuide avoir sa chambriere.
Il n'y eut gueres esté sans faire son devoir ; et si
tres bien s'i acquitta que les trois, les quatre foiz
gueres ne luy cousterent, que madame print bien en
95 gré, qui tost après, pensant que ce soit tout, fut
endormye. Monseigneur, trop plus legier que par
avant, voyant que madame dormoit et recordant de
sa promesse, tout doulcement se leve, et puis vint
a son compaignon, qui n'actendoit que l'heure d'aller
100 aux armes, et luy dist qu'il aille tenir son lieu, mais
qu'il ne sonne mot, et qu'il retourne quand il aura [8]
bien besoigné et tout son saoul. L'aultre, plus esveillé
qu'un rat et viste comme ung levrier, part et s'en va,
et auprès de madame se loge sans qu'elle en sache
105 rien. Et quand il est tout rasseuré, si monseigneur
avoit bien besoigné, voire et a haste encores fist il
mieulx dont madame n'est pas ung peu esmerveillée,
qui après ce bel passetemps, qui aucunement traveil
luy estoit, arriere s'endormit. Et bon chevalier de
110 l'abandonner, et a monseigneur s'en retourne, qui
comme paravant emprès madame se vint relogier, et
de plus belle aux armes se ratoille [9], tant bien luy
plaist ce nouvel exercice. Tant d'heures se passerent,
tant en dormant comme en aultres choses faisant,
115 que le tresbeau jour s'apparut. Et comme monseigneur se retournoit, cuidant virer l'œil sur la chambriere, il voit et congnoist que c'est madame, qui a
ceste heure luy va dire : « N'estes vous pas bien
putier, recreant, lasche et meschant, qui, cuidant
120 avoir ma chambriere, par tant de foiz et oultre

---

[8] *V.* allast... sonnast... retournast... auroit
[9] *V.* se rallie

mesure m'avez accolée pour accomplir vostre des-
ordonnée volunté, dont vous estes, la Dieu mercy !
bien deceu, car aultre que moy, pour ceste heure,
n'aura ce qui doit estre mien. » Si le bon chevalier
125 fut esbahy et courroucé se voyant en ce train, ce [10]
n'est pas de merveilles. Et quand il parla, il dist :
« M'amye, je ne vous puis celer ma folie, dont beaucop il me poise que jamais l'entreprins ; si vous
prie qu'en soyez contente et n'y pensez plus, car jour
130 de ma vie plus ne m'adviendra. Cela vous promectz
je, et sur ma foy. Et affin que n'aiez occasion d'y
penser, je donneray congé a la chambriere qui me
bailla le vouloir d'envers vous faire [11] ceste faulte. »
Madame, plus contente d'avoir eu l'adventure de
135 ceste nuyt que sa chambriere, et oyant la bonne
repentence de monseigneur, assez legierement s'en
contenta ; mais ce ne fut pas sans grans langages et
remonstrances. Au fort trestout va bien. Et monseigneur, qui a des nouvelles estoupes en sa [12] que-
140 noille, après qu'il est levé, s'en vient devers son
compaignon, auquel il compte tout du long son
adventure, luy priant de deux choses : la premiere si
fut qu'il celast tresbien ce mistere et sa tresdesplaisante adventure ; l'aultre si est que jamais il ne
145 retourne en lieu ou sa femme sera. L'autre, tresdesplaisant de ceste male adventure, conforte le chevalier au mieulx qu'il peut, et promect d'accomplir
sa tresraisonnable requeste. Et puis monte a cheval
et s'en va. La chambriere, qui coulpe n'avoit au
150 meffait desusdit, emporta la punicion par en avoir

----

10 *V.* courrouce ce
11 *V.* v. de f.
12 *V.* n. en sa

congié. Si vesquirent depuis assez longtemps monseigneur et madame paisiblement ensemble [18], sans
qu'elle sceust jamais qu'elle eust [14] eu afaire au
chevalier estrange.

---

[13] *V.* madame e.
[14] *V.* j. avoir eu

LA DIXIESME NOUVELLE,

PAR

MONSEIGNEUR DE LA ROCHE.

Pluseurs aultres haultes et dures adventures ont
5 esté demenées [et] [1] a fin conduictes ou royaume
d'Angleterre, dont la recitation a present de la pluspart ne serviroit pas a la continuation de [ceste]
hystoire presente. Neantmains ceste presente hystoire, pour [ce] [2] propos continuer, et le nombre de
10 ces histoires accroistre, fera mencion comment ung
grand seigneur dudit royaume d'Angleterre entre les
mieulx nez, riche, puissant, et conquerant, entre les
aultres ses serviteurs avoit parfecte fiance, confidence
et amour en ung jeune et gracieux gentil homme de
15 son hostel, pour pluseurs raisons, tant pour sa
[l]eauté, diligence, subtilité et prudence, et, pour le
bien qu'en luy avoit trouvé, ne luy celoit rien de ses
amours ; mesmes par succession de temps, pour
mieulx s'entretenir en la grace de son maistre, le dit
20 gentilhomme estoit celuy qui procuroit la pluspart
des bonnes adventures qu'en amour il avoit, et ce [3]

---

[1] *V. P.* haultes diverses dures et merveilleuses a. o. e.
souvent menees
[2] *ms* son
[3] *V.* temps tant fist ledit gracieux gentilhomme par son
habilite envers ledit seigneur son maistre quil fut tellement en sa grace que tous les parfaiz secretz et adventures de ses amours mesmement les affaires embas-
sades et diligences menoit et conduisoit. Et ce

pour le temps que sondit maistre encores estoit a
marier. Advint certain espace après, que, par le conseil de pluseurs ses parens, amis et bien veillans,
25 monseigneur se marya a une tresbelle, bonne et riche
dame, dont pluseurs furent tresjoyeux ; et entre les
aultres nostre gentil homme, qui mignon se povoit
bien nommer, n'en fut pas le mains contant, sentent [1]
en soy que c'estoit le bien et honneur de son maistre,
30 qui le retireroit de plusieurs menues folies, ausquelles
espoir trop se donnoit. Si dist ung jour a monseigneur qu'il avoit si tresbelle et bonne dame espousée,
car a ceste cause il ne sera plus empesché de faire
queste ça et la pour luy, comme il avoit de coustume.
35 A quoy monseigneur respondit que pourtant ne se
remuoit droit, et [5] jasoit qu'il soit marié, si n'est il
pas pourtant du gracieux service d'Amours osté,
mesmes de bien en mieulx s'i veult employer et
donner. Son mignon, non content de ce vouloir, luy
40 respondit que sa queste en amours doit estre bien
finée quand amours l'ont party de la nonpareille des
aultres, de la plus belle, de la plus sage, de la loyalle
et toute bonne. Et quand a luy, face monseigneur ce
qu'il luy plaist, mais, de sa part, jour de sa vie a
45 aultre femme parolle ne portera au prejudice de sa
maistresse. « Je ne scay quel prejudice, dit le maistre,
mais il vous fault trop bien remectre en train mes
besoignes a telle, et a telle, et a telle, trop long temps
sans pourchaz abandonnées, et [6] ne pensez pas
50 qu'encores ne m'en soit autant que quand je vous en
feiz premier parler. — Ha dea ! monseigneur, dit le

---

[1] *V.* disant
[5] *V.* q. ce non obstant nentendoit pas du tout amours
abandonner et
[6] *V.* en t. daller a t. et a t. et

mignon, je ne me scay trop emerveiller de vostre
fait. Il [7] faut dire que vous prenez plaisir a abuser
femmes, qui par ma foy n'est pas bien fait. Car vous
55 savez mieulx que nul aultre que [8] toutes celles que
vous avez cy nommées ne sont pas a comparer en
beauté ne aultrement a madame, a qui vous fer[i]ez
mortel desplaisir s'elle savoit vostre desordonné [9]
vouloir. Et, qui plus est, vous ne povez ignorer qu'en
60 ce faisant vous ne damnez vostre ame. — Cesse ton
prescher, dit monseigneur, si va dire [10] ce que je te
commende. — Pardonnez moy, monseigneur, dit le
mignon, un mot pour tous. J'aymeroie [11] mieulx morir
que a mon pourchaz sourdist noise ou debat entre
65 vous et madame, mesmes pour vous la mort eternelle.
Si [12] vous prie estre content de moy, s'il vous plaist,
car je n'en feray rien plus. » Monseigneur, qui voit
son mignon enhurté [13], pour ce coup plus ne le
presse. Mais a chef de piece de trois ou quatre jours,.
70 sans faire en rien semblant des parolles precedentes,
entre aultres devises a son mignon demande quelle
viande il mengoit plus voluntiers. Et il luy respondit
que nulle viande tant ne luy plaisoit que pastez d'anguilles. « Saint Jehan, c'est bonne viande, ce dist le
75 maistre, vous n'avez pas mal choisy ». Cela se passa
et monseigneur se trait arriere et mande venir vers
luy ses maistres d'hostel, auxquelx il charge si cher
qu'ilz luy veulent obeir que son mignon ne soit servy

---

[7] *V*. mignon/ il
[8] *V*. s. bien q.
[9] *V*. deshonneste
[10] *V*. faire
[11] *V*. mignon/ jaymeroye
[12] *V*. q. par moy s. n. entre madame et vous. Si
[13] *V*. m. en son oppinion aheurte

d'aultre viande que de pastez d'anguille, pour rien
80 qu'il dye. Et ilz respondent et promectent d'accomplir son commendement, ce qu'ilz feirent tresbien :
car, comme le dit mignon fut assis a table pour menger en sa chambre, le propre jour du commendement,
ses gens luy apporterent largement de beaulx et gros
85 pastez d'anguilles qu'on leur delivra en la cuisine,
dont il fut bien joyeux. Si en mengea tout son saoul.
Au lendemain pareillement ; et cinq ou six jours
ensuyvans, tousjours revenoient [14] ces pastez en jeu,
dont il estoit desja tout ennuyé. Si demanda [ledit
90 mignon] a ses gens si on ne servoit leans que de
pastez. « Ma foy, Monseigneur, dient ilz, on ne vous
baille autre chose. Trop bien voyons nous servir en
sale et ailleurs d'aultres viandes ; mais pour vous, il
n'est memoire que de pastez. » Le mignon, sage et
95 prudent, qu[i] jamais sans grand cause pour sa
bouche ne feroit plainte, passa encores pluseurs jours
toujours usant de ces ennuyeux pastez, dont il n'estoit pas bien content. Si s'advisa, ung jour entre les
aultres, d'aller disner avec les maistres d'ostel, qui
100 le firent servir comme paravant de pastez d'anguilles.
Et quand il vit ce, il se ne peut plus tenir de demander la cause pour quoy on le servoit plus de pastez
d'anguilles que les aultres, et s'il estoit pasté. « Par
la mort bieu ! dist il, j'en suis si treshodé [15] que plus
105 n'en puis. Il me semble que je ne voy que pastez.
Et pour vous dire, il n'y a point de raison. Vous le
m'avez fait trop longuement. Il y a plus d'un mois
que vous me faictes ce tour, dont j'en suys tant maigre que je n'ay force ne puissance ; et ne saroye

---

[14] *V.* ramenoient
[15] *V.* hourde

110 estre content d'estre ainsi gouverné. » Les maistres
d'hostel dirent que vrayement ilz ne faisoient chose
que monseigneur n'eust commendé, et que ce n'estoit
pas par eulx. Nostre mignon, plain de pastez, ne
porta gueres sa pensée sans la deceler [16] a monsei-
115 gneur. Et luy demanda a quel propos il l'avoit fait
servir si longuement de pastez d'anguilles, et defendu·
comme disoient les maistres d'ostel, qu'on ne luy
baillast aultre chose. Et monseigneur, pour response,
luy dist : « Ne m'as tu pas dit que la viande qu'en
120 ce monde plus tu ames ce sont pastez d'anguilles ?
— Saint Jehan ! monseigneur, dist le mignon, oy.
— De quoy te plains tu donc ? dist monseigneur ;
je te fais bailler ce que tu aymes. — Ayme ! dit le
mignon, il y 'a maniere. J'ayme tresbien voirement
125 pastez d'anguilles pour une foiz, ou pour deux, ou
pour trois, ou de foiz a aultre, et n'est viande que
devant je ne preisse [17]. Mais de dire que tous les
jours les voulsisse avoir sans menger aultre chose.
par Nostre Dame, non feroye. Il n'est homme qui
130 n'en fust rompu et rebouté : mon estomac en est si
traveillé que, tantost qu'il les sent, il a assez disné.
Pour Dieu ! monseigneur, commendez qu'on me
baille aultre viande pour recouvrer mon appetit, aultrement je suis homme deffait [18]. — Ha dea, dit
135 monseigneur, et te semble il que je ne soye ennuyé,
qui veulx que je me passe de la char de ma femme.
Tu peuz penser, par ma foy, que j'en suys aussi
saoul que tu es de pastez, et que aussi voluntiers me
renouvelleroye d'une aultre, jasoit que point tant ne

---

[16] *V.* descouvrir
[17] *V.* je prinse
[18] *V.* perdu

140 l'aymasse, que tu feroies d'aultre viande que point
tant [19] n'aymes que pastez. Et, pour abreger, tu ne
mengeras jamais aultre viande jusques ad ce que tu
me serves ainsi que souloyes, et me feras avoir des
unes et des aultres, pour moy renouveller, comme tu
145 veulx changer de viande. » Le bon mignon, quand il
entendit ce mystere et la subtille comparaison que
mons[eign]eur a faicte, fut [20] tout confus et se rendit, et promect a son maistre de faire tout ce qu'il
voudra affin qu'il soit quitte de ses pastez. Et pour [21]
150 ce point monseigneur, pour changer voire et madame
espergnier, au [22] pourchaz du mignon, passa le temps
comme il souloit avecques les belles et bonnes. Et
nostre mignon fut delivré de ses pastez et a son premier mestier ratellé [23].

---

[19] *V.* qui pourtant
[20] *V.* q. son maistre lui baille fut
[21] *V.* de ses p. voire embasades et diligences comme par
avant. Et par
[22] *V.* e. ainsi que povons penser au
[23] *V.* r. et restabli.

LA XIᵉ NOUVELLE,

PAR

MONSEIGNEUR.

Ung lasche paillard et recreant jaloux, je ne dy
5 pas coulx [1], vivent a l'ayse ainsi comme Dieu scet
que les entachez de ce mal pevent sentir et les
aultres pevent appercevoir et oyr dire, ne savoit a
qui recourre ne soy rendre pour trouver garison de
sa dolente [2], miserable et bien pou plaincte maladie.
10 Il faisoit huy ung pelerinage, demain ung aultre, et
aussi le plus souvent par ses gens ses devocions et
offrandes faisoit faire, tant estoit assoté de sa maison, voire au mains du regard de sa femme, qui
miserablement son temps passoit avecques son tres-
15 maudit mary, le plus supessonneux hoignard que
jamais femme accoinstast. Ung jour, comme il pensoit qu'il fait et fait faire pluseurs offrandes a divers
sains de paradis, et entre aultres a monseigneur
saint Michel, il s'advisa qu'il en feroit une aultre a
20 l'ymage qui est dessoubz ses piez, qui est la repre-
sentacion d'un deable. Et [3] de fait commenda a ung
de ses gens qu'il luy allumast et feist offre d'une
grosse chandelle de cyre, en luy priant pour son
intencion. Son commendement fut fait et accomply

---

[1] *ms* ceulx
[2] *V.* douleur
[3] *V.* q. est soubz les p. dudit saint michel et

25 par le varlet, qui luy fist son rapport [4]. « Or ça, dist
il en soy mesmes, je verray si Dieu ou deable me
pourroit garir. » En son accoustumé desplaisir, après
ceste nouvelle offrande, se va coucher ce trespaillard
jaloux auprès de sa tresbonne femme [5]. Et, jasoit ce
30 qu'il eust en sa teste des sermons [6] largement, si le
contraignit nature qu'elle eust ses droiz, et [7] de fait
bien fermement s'endormit. Et, comme il estoit au
plus parfond de son somme, celuy a qui ce jour la
chandelle avoit fait offrir par vision a luy s'apparut,
35 qui le remercya de l'offerende que nagueres luy
envoya, affermant que pieça telle offrande ne luy fut
donnée. Dist au surplus qu'il n'avoit pas perdue sa
peine, et qu'il obtendroit ce dont il l'avoit requis. Et,
comme a l'aultre sembla, en ung doy [8] de sa main
40 ung anel y bouta, disant que, tant que cest anel y
fust, jaloux il ne seroit, ne cause aussi jamais venir
ne luy pourroit qui de ce le tentast. Après l'esvanuis-
sement de ceste vision nostre jaloux se reveilla, et si
trouva l'un des doiz de sa main bien avant ou der-
45 riere de sa femme bouté, dont il et [9] elle furent bien
esbahiz. Mais du surplus de la vie au jaloux, de ses
afferes et manieres et maintiens, ceste histoire se
taist.

---

4 *V.* Tantost s. c. f. acomply et luy fut fait s.
5 *V.* En son a. d. sen va c. aupres de sa bonne et preude
f.
6 *V.* t. fantasies et pensees l.
7 *V.* d. de repos et
8 *V.* Et c. lautre tousjours perseveroit a son somme luy
s. que a ung d.
9 *V.* se r. et cuida a lung de ses doys ledit anneau
trouver ainsi que semble luy avoit, mais au d. de sa f.
bien avant boute lung de ses dis doys ce trouva de
quoy luy et

LA XIIe NOUVELLE,

PAR

MONSEIGNEUR DE LA ROCHE.

Es metes du païs de Hollande, ung fol nagueres
5 s'advisa de faire le pis qu'il pourroit, c'est assavoir
se marier ; et, tantost qu'il fut affublé du doulx
manteau de mariage, jasoit que alors il fust yver, il
fut si fort eschaufé que on ne le savoit tenir. Les
nuiz, qui pour ceste saison duroient et neuf et dix
10 heures, n'estoient point assez suffisantes ne d'assez
longue durée pour estaindre le tresardent desir qu'il
avoit de faire lignée. Et de fait, quelque part qu'il
enconstrast sa femme, il l'abbatoit, fust en sa chambre, fust en l'estable ; en quelque lieu que ce fust,
15 tousjours avoit ung assault. Et ne dura pas ceste
maniere ung moys ou deux seullement, mais si treslonguement que pas ne le vouldroye escripre, pour
l'inconvenient qui sourdre en pourroit si la folie de
ce grant ouvrier venoit a la cognoissance de pluseurs
20 femmes. Que vous en diray je plus ? Il en fist tant
que la memoire jamais estaincte ne sera ou dit païs.
Et a la vérité, la femme qui nagueres au bailly
d'Amiens se complaignit de son mary pour le tresgrand traveil qu'il luy donnoit de semblable cas
25 n'avoit [1] pas si bien matere de soy douloir [2] que

---

[1] V. complaignit navoit
[2] V. complaindre

ceste cy. Quoy que fust, jasoit que de ceste plaisante
peine aucunes foiz se fust tresbien passée, pour obeir
comme elle devoit a son mary, jamais ne fut rebourse
a l'esperon. Advint ung jour après disner que tres-
30 beau temps faisoit, et que le soleil ses raiz envoyoit
et departoit par[3] la terre paincte et brodée de belles
fleurs. Si leur print volunté d'aller jouer au bois, eulx
deux tant seullement, et si se misrent au chemin.
Or ne vous fault il pas celer ce qui sert a l'ystoire.
35 A la foiz que noz bonnes gens eurent ceste devocion,
ung laboureur avoit perdu son veau qu'il avoit mis
paistre dedans un pré marchissant au dit[4] bois.
Lequel il vint veoir[5] et ne le trouva pas, dont il ne
fut pas moyennement courroussé[6], et se mist a la
40 queste, tant par le bois comme es prés, terres et
places voisines d'environ ; mais[7] il n'en scet trouver
nouvelle. Si s'advisa que a l'adventure il s'estoit
bouté dedans quelque busson pour paistre, ou dedans
aucun fossé herbu, dont il pourroit bien saillir quand
45 il auroit le ventre plain. Et, affin qu'il puisse mieulx
veoir et a son aise, sans aller courre ça ne la son
veau ou il est, comme il pense il choisist le plus hault
arbre et mieulx houssé du bois, et monte dessus[8].
Et quand il se trouve au plus hault de cest arbre,
50 qui toute la terre d'environ descouvroit[9], il luy est
bien advis que son veau est a moitié trouvé. Tantdiz
que ce bon laboureur gettoit ses yeulx de tous costez
après son veau, veez cy nostre homme et sa femme

---

[3] *V.* dessus
[4] *V.* prey en ung pastiz ou dit
[5] *V.* cherchier
[6] *V.* f. point trop joyeux
[7] *V.* v. de lenviron pour trouver son dit veau, mais
[8] *V.* houchie de b. quil peut trouver et m. sus
[9] *V.* couvroit

qui se boutent ou boys, chantans, jouans, et devisans,
55 et faisans feste, comme font les cueurs gaiz quand
ilz se trouvent es plaisans lieux. Et n'est pas merveille si le vouloir luy creut et desir l'enorta d'accoler
sa femme en ce lieu si plaisant et propice. Pour
executer ce vouloir a sa plaisance et a son beau loi-
60 sir, tant regarda a dextre et a senestre qu'il apperceut le tresbel arbre dessus lequel estoit le laboureur, dont il ne savoit rien ; et soubz cest arbre il
disposa et conclut ses gracieuses armes [10] accomplir.
Et quant il fut au lieu, il ne demoura gueres après,
65 la semonce de son desir tenant le lieu de mareschal,
qu'il ne mist main a la besoigne [11], et vous assault
sa femme, et la porte [12] par terre ; et car alors il
estoit bien degois [13], et sa femme aussi d'autre part,
il la voult voir devant et derriere, et de fait prend
70 sa robe et la luy osta, et en cotte simple la mect.
Après il la haussa bien haut malgré elle, comme
efforcée. Il n'est pas content de ce, mais, pour la
bien veoir a son aise et sa beaulté regarder, la
tourne, et sus son gros derriere par trois, par quatre
75 foiz sa rude main il fait descendre ; il la revire
d'aultre [14] ; et comme il avoit le derriere regardé,
aussi fait il le devant, ce que la bonne simple femme
ne veult pour rien consentir ; mesmes avec la grant
resistence qu'elle fait, Dieu scet que sa langue n'es-
80 toit pas oyseuse ! Or l'appelle malgracieux, fol et
enragé, a l'autre foiz deshoneste, et tant luy dit que
c'est merveille ; mais riens n'y vault. Il est trop plus
fort qu'elle, et si a conclu de faire inventoire de tout

---

[10] *V.* plaisances
[11] *V.* d. mais tantost mist la m. a la
[12] *V.* gette
[13] *V.* b. en ses gogues
[14] *V.* Puis lautre part la retourne

ce qu'elle a [15]. Si est force qu'elle obeisse, mieulx
85 aymant, comme sage, le bon plaisir de son mary
que par refus son desplaisir. Toute defense du costé
d'elle mise arriere, ce vaillant homme va passer
temps a ce devant regarder, et, si sans honneur on le
peut dire, il ne fut pas content si ses mains ne
90 descouvroient a ses yeulx les secrez dont il se devoit
bien passer d'enquerre. Et comme il estoit en ce parfond estude, il disoit maintenant : « Je voy cecy, je
voy cela, encores cecy, encores cela. » Et qui l'oyoit,
il voyoit [16] tout le monde, et beaucoup plus. Et, après
95 une longue pause, estant en ceste gracieuse contemplacion, dist de rechef : « Saincte Marie, et que je
voy de choses ! — Helas ! dist lors le laboureur sur
l'arbre juché, et ne veez vous pas mon veau, beau
sire ? il me semble que j'en voy la queue. » L'aultre,
100 jasoit qu'il fust bien esbahy, subitement fist sa response et dist : « Ceste queue n'est pas de ce veau. »
Et a tant part et s'en va, et sa femme le suyt. Et qui
me demanderoit qui le laboureur mouvoit a faire
ceste sa question, le secretaire de ceste histoire res-
105 pond que la barbe du devant de ladite femme estoit
assez et beaucop longue, comme il est coustume a
celles de Hollande ; si cuidoit bien que ce fust la
queue de son veau ; attendu aussy que le mary d'elle
disoit qu'il voyoit tant de choses, voire a pou tout le
110 monde, si pensoit en soy mesmes que son veau ne
povoit gueres estre esloigné, et que avec aultres
choses leans pourroit il bien estre embusché.

----

[15] *V.* porte
[16] *V.* veoit

LA XIIIe NOUVELLE,

PAR

MONSEIGNEUR DE CASTREGAT, ESCUIER DE MONSEIGNEUR. [1]

5   A Londres en Angleterre, tout dedans avoit nagueres ung procureur en parlement qui entre aultres ses
serviteurs avoit ung clerc habile et diligent et bien
escripvant, qui tresbeau filz estoit, et, qu'on ne doit
pas oblier, pour ung homme de son eage il n'en
10 estoit point de plus subtil. Ce gentil clerc, frez et
viveux, fut [2] tantost picqué de sa maistresse, gente
et gracieuse estoit. Et si tresbien luy vint, que, ainçois qu'il luy osast oncques dire son cas, le dieu
d'Amours l'avoit ad ce menée qu'il estoit le seul
15 homme ou monde qui plus luy plaisoit. Advint qu'il
se trouva en place ramonnée ; et de fait, toute crainte
mise arriere, a sa dicte maistresse son tresgracieux
et doulx mal racompta. Laquelle, pour la grand courtoisie que Dieu en elle n'avoit pas oubliée, desja
20 aussi attaincte comme dessus est dit, ne le fist gueres
languir. Car après plusieurs excusacions et remonstrances qu'elle en bref luy troussa, qu'elle eust a
aultre plus aigrement et plus longuement demené,
elle fut contente qu'il sceust qu'il luy plaisoit bien.
25 L'aultre, qui entendoit son latin, plus joyeux que
jamais n'avoit esté, s'advisa de batre le fer tantdiz

---

[1] *V.* m. lamant de brucelles
[2] *V.* c. et vigoureux f.

qu'il estoit chault, et si tresroide sa besoigne pour-
suyt qu'en pou de temps il joyt de ses amours.
L'amour de la maistresse au clerc et du clerc a elle
30 estoit et fut longtemps si tresardente que jamais
gens ne furent plus esprins [3]. Et n'estoit en la puissance de Malebouche, de Dangier, ne d'aultres telles
maudictes gens, de leur bailler ne donner destourbier. En [4] ce tresglorieux estat et joyeux passe-
35 temps [5] se passerent pluseurs jours qui gueres aux
amans ne durerent, qui tant donnez l'un a l'aultre
estoient que a pou a Dieu eussent quitté leur paradis
pour vivre au monde leur terme en ceste fasson. Et
comme ung jour ensemble estoient, après les tres-
40 haulx biens que amour leur souffrit prandre, et se
devisassent, en pourmenant par une sale, comment
ceste leur joye impareille continuer se pourroit seurement, sans [6] que l'embusche de leur dangereuse
entreprinse fust descouverte au mary d'elle, qui du
45 renc des jaloux se tiroit tresprès du hault bout,
pensez que plus d'un advis leur vint au devant, que
je passe pour [ne] plus au long escripre, la finale
conclusion et derreniere resolucion que le bon clerc
emprint sur luy de la tresbien conduire et a sa
50 seure fin emmener, a quoy point ne faillit, veez cy
comment. Vous devez savoir que l'accoinctance et
alliance que le clerc eut a sa maistresse a laquelle
diligemment servoit et complaisoit, qu'il n'estoit pas
mains diligent de servir et complaire a son maistre,
55 jasoit que en toutes fassons aultres ce fust, et ce

---

[3] *V. ajoute* : car en effect le plus souvent en perdoient
le boire et le mengier.
[4] *ms* Et
[5] *V.* tresjoyeux e. et plaisant p.
[6] *V.* j. non pareille c. seurement pourroient s.

pour mieulx couvrir son fait[7] et aveugler les jaloux
yeulx de celuy qui pas tant ne se doubtoit qu'on luy
en forgeoit bien la matere. Ung jour, nostre bon
clerc, voyant son maistre assez content de luy,
60 emprint de parler et tout seul treshumblement, et
doulcement et en grand reverence luy dist qu'il avoit
en son cueur ung secret que voluntiers luy decelast
s'il osoit[8]. Et ne vous fault pas celer que comme
pluseurs femmes ont larmes a commendement qu'elles
65 espandent toutesfoiz ou le plus souvent qu'elles veulent, si eut a cest coup nostre bon clerc. Car grosses
larmes, en parlant, luy descendoient[9] en tresgrand
abundance ; et n'est homme qui ne cuidast qu'elles
ne fussent ou de contrition, de pitié ou de tres bonne
70 intencion. Le pouvre maistre abusé, oyant son clerc,
ne fut pas ung peu esbahy n'esmerveillé, mais cuidoit bien qu'il y eust aultre chose que ce que après
il sceut. Si luy dist : « Que vous faut il, mon filz,
et qu'avez vous a plorer maintenant ? — Helas ! sire
75 et j'ay bien cause plus que nul aultre de douloir ;
mais helas ! mon cas est tant estrange, et non pas
mains piteux [ne] sur[10] tous requis d'estre celé, que
jasoit que j'aye eu vouloir de le vous dire, si m'en
reboute crainte quand j'ay au long a mon maleur
80 pensé. — Ne plorez plus, mon filz, respond le maistre, et si me dictes qu'il vous fault, et je vous
asseure, s'en moy est de vous aider, je m'y emploiray
comme je doy. — Ha ! mon maistre, dit le renard
clerc, je vous mercie ; mais j'ay bien tout regardé,
85 je ne pense pas que ma langue eust la puissance de

---

7 *V.* a son m. et tout pour tousjours m. son f. **couvrir**
8 *V.* declarast sil osast
9 *V.* p. des yeulx luy d.
10 *V.* p. ne moins sur

descouvrir la tresgrand infortune que j'ay si longue-
men portée. — Ostez moy ces propos et toutes ces
doleances, ce dist le maistre. Je suis celuy a qui rien
ne devez celer. Je veil savoir que vous avez. Avan-
90 cez vous et le me dictes. » Le clerc, sachant le tour
de son baston, s'en fist beaucop prier, et a tresgrand crainte par semblant, et a grand abundance
de larmes a volunté se laisse ferrer. Et dit qu'il dira,
mais qu'il luy veille promettre que par luy jamais
95 ame [11] n'en sçaura nouvelle, car il aymeroit autant
ou plus cher morir que son maleureux cas fust
cogneu. Ceste promesse par le maistre vouée [12], le
clerc mort et descoloré comme ung homme jugié a
pendre, si va dire : « Mon [13] tresbon maistre, il est
100 vray que jasoit que pluseurs gens et vous aussi
pourriez penser que je fusse homme naturel comme
ung aultre, ayant puissance d'avoir compaignie
avecques femme, et de faire lignée, je vous ose bien
dire et monstrer que point je ne suis tel, dont, helas !
105 trop me deulz. » Et, a ces parolles, asseurement tira
son membre a perche et luy fist monstre de la peau
ou les coillons se logent, lesquelx il avoit par industrie fait monter en hault vers le petit ventre, et si
bien les avoit caichez qu'il sembloit qu'il n'en eust
110 nulz. Or va il dire : « Mon maistre, vous veez mon
infortune, dont de rechef vous prie qu'elle soit celée.
Et oultre plus, treshumblement vous requier, pour
tous les services que jamais vous feis, qui ne sont
pas telz que j'en eusse eu la volunté, si Dieu m'eust
115 donné le povoir, que me facez avoir mon pain en
quelque monastere devot, ou je puisse le surplus de

---

[11] V. personne
[12] V. accordee
[13] V. d. son cas. Mon

mes jours au service de Dieu passer, car au monde
ne puis je de rien servir. » L'abusé et deceu maistre
remonstre a son clerc l'aspreté de religion, le pou
120 de merite qui luy en viendroit quand il se veult rendre comme par desplaisir de son infortune, et foison
d'aultres raisons luy amena, trop longues a racompter, tendans a fin de l'oster de son propos. Savoir
vous fault aussi que pour rien ne l'eust voulu aban-
125 donner, tant pour son bien escripre et diligence que
pour la fiance que doresenavant a luy adjoustera.
Que vous diray je plus ? Tant luy remonstra que ce
clerc au fort pour une espace en son estat et en
son service demourer luy promet. Et comme ouvert
130 luy avoit son secret, le sien luy voult deceler [14], et
dist : « Mon filz, de vostre infortune ne suis je pas
joyeux, mais, au fort, Dieu, qui fait tout pour le
mieulx et scet ce qui nous duyt et vault trop mieulx
que nous mesmes, en soit loé ! Vous [15] me pourrez
135 doresenavant tresbien servir, que a mon povoir vous
meriteray. J'ay jeune femme, assez legiere et volage,
et je suis, ainsi que vous veez, desja ancien et sur
eage, qui aucunement peut estre occasion a pluseurs
de la requerre de deshonneur. Et a elle aussi, s'elle
140 estoit aultre que bonne, me bailler matiere de jalousie, et, pour eviter ce danger et aultres plusieurs,
je [16] la vous baille et donne en garde. Et si vous
prie que ad ce tenez la main que je n'aye cause d'en
trouver aucune matere de jalousie. » Par grand deli-
145 beracion fist le clerc sa response. Et quand il parla,
Dieu scet s'il loa bien sa tresloyalle et bonne mais-

---

14 *V.* secret le clerc, aussi le maistre le s.
15 *V.* mieulx / vous
16 *V.* j. et plusieurs aultres choses. Je

tresse, disant que sur tous aultres il l'avoit belle et
bonne, et qu'il s'en devoit tenir content [17]. Neantmains, en service et aultres choses, il est celuy qui
150 s'i veult du tout son cueur employer. Et ne laissera,
pour rien que luy puist advenir, qu'il ne l'advertisse
de tout ce que loyal serviteur doit faire a son
maistre. Le maistre, lyé et joyeux de la nouvelle
garde de sa femme, laisse l'ostel et en la ville a ses
155 afaires va entendre. Et le bon clerc incontinent fault
a sa garde, et, le plus longuement que il et sa dame
oserent, n'espergnerent pas les membres qui en terre
pourriront ; et ne firent jamais grigneur [18] feste,
puisque la dame fut advertie de la fasson subtile
160 qui son mary abuseroit [19]. Assez et longue espace
dura [20] le joieux passetemps de ceulx qui tant bien
s'entreamoyent. Et si aucunesfoiz le bon mary alloit
dehors, il n'avoit garde d'emmener son clerc ; plustost eust emprunté ung serviteur a ses voisins que
165 l'aultre n'eust gardé l'ostel ; et si la dame avoit congié d'aller en aucun pelerinage, plustost allast sans
chambriere que sans le tresgracieux clerc. Faictes
vostre compte. Jamais clerc vanter ne se peut d'avoir
eu meilleure adventure, qui point ne vint a coignois-
170 sance, voire au mains que je sache, a celuy qui bien
s'en fust desesperé s'il en eust sceu le demené [21].

---

[17] *V.* t. seur
[18] *V.* plus grant
[19] *V.* t. depuis que ladventure fut advenue de la f. s. et
que s. m. abuseroient
[20] *V.* durant
[21] *V.* demaine

LA XIIIIe NOUVELLE,

PAR

MONSEIGNEUR DE CREQUY,
CHEVALLIER DE L'ORDRE DE MONSEIGNEUR.

5   La grande et large marche de Bourgoigne n'est
pas si despourveue de pluseurs adventures dignes de
memoire et d'escripre, que, a fournir les histoires qui
a present courent[1], je n'ose bien avant mettre et en
bruyt ce que nagueres y advint. Assez près d'un gros
10 et bon village assis[2] sur la rivière d'Ouches avoit et
encore a une montaigne ou ung hermite, tel que Dieu
scet, faisoit sa residence. Lequel soubz umbre du
doulx manteau d'ypocrisie, faisoit des choses merveilleuses qui pas ne vindrent a congnoissance ne en
15 la voix publicque du peuple, jusques ad ce que Dieu
plus ne vouloit son tresdamnable abus permettre ne
souffrir. Ce saint hermite, qui de son coup a la mort
se tiroit, n'estoit pas mains luxurieux que ung vieil
singe est malicieux ; mais la maniere du conduire
20 estoit si tressubtille qu'il fault dire qu'elle passoit les
termes des engins communs[3]. Veez cy qu'il fist. Il
regarda qu'entre aultres femmes et belles filles ses
voisines, la plus digne d'estre amée et desirée estoit

---

[1] *V. ajoute* : nen puisse et doyve faire sa part en renc
des aultres
[2] *V.* seant
[3] *V. p.* les aultres cautelles communes

la fille a une simple femme vefve, tresdevote et bien
25 aumosniere. Si va conclure en soy, si son sens ne
lui fault, qu'il en chevira bien. Ung soir environ la
mynuyt, qu'il faisoit noir[4] et rude temps, il descendit de sa montaigne et vint a ce village, et tant passa
de voies et sentiers que soubz le toict de la mere
30 a la fille, sans estre oy, seul se trouva[5]. L'ostel
n'estoit pas si grand, ne si pou de luy hanté tout en
devocion, qu'il ne sceust bien les engins. Si va faire
ung pertuys en une paroy non gueres espesse, a
l'endroit de laquelle estoit le lict de ceste simple
35 vefve ; et prent un long baston percé et creux dont il
estoit hourdé, et, sans la vefvette esveiller, auprès
de son oreille l'arresta[6] et dit en assez basse voix
par trois foiz : « Escoute moy, femme de Dieu ; je
suis ung angel[7] au Createur, qui devers toy m'en-
40 voye toy annuncer et commender, par les haulx biens
qu'il a volu en toy enter, qu'il veult par ung hoir de
ta char, c'est a savoir ta fille, l'Eglise son espouse
reunir, reformer, et a son estat deu remettre. Et veez
cy la fasson. Tu t'en yras en la montaigne devers le
45 saint hermite, et ta fille luy meneras, et bien au long
luy compteras ce que a present Dieu par moy te
commende. Il cognoistra ta fille, et d'eulx viendra
ung filz eleu de Dieu et destiné au saint siege de
Romme, qui tant de bien fera que a saint Pierre et
50 a saint Paul le pourra l'on bien comparer. Atant
m'en vois. Obeys a Dieu. » La simple femme, tresesbahie, soupprinse aussi et a demy ravye, cuida
vrayement et de fait que Dieu luy envoiast ce mes-

---

4 *V.* fort
5 *V.* s. que a lenviron de la m. et la f. s. e. oiseux se t.
6 *V.* le mist
7 *V.* ange

sage. Si dit bien en soy mesmes qu'elle ne desobeira
55 pas. Si se rendort une grand piece après, non pas
trop fermement, attendant et beaucoup desirant le
jour. Et entretant le bon hermite prend le chemin
devers son reclusage[7] en la montaigne. Ce tresdesiré
jour a chef de piece fut annuncé par les raiz du
60 soleil, qui, malgré les voirrieres des fenestres, vindrent descendre enmy la chambre, firent mere et fille
bien a haste lever[8]. Quand prestes furent et sur
piez mises, et leur pou de mesnage mis a point, la
bonne mere si demande a sa fille s'elle n'a rien oy
65 en ceste nuyt. Et elle luy respond : « Certes, mere,
nenny. — Ce n'est pas a toy, dit elle aussi, que de
prinsault ce doulx message s'adresse, combien qu'il
te touche beaucoup. » Lors luy va dire tout au long
l'angelicque nouvelle que en ceste nuyt Dieu luy
70 manda ; demande aussi qu'elle en veult dire. La
bonne fille, comme sa mere simple et devote, respond : « Dieu soit loé. Ce qu'il vous plaist, ma mere,
soit fait. — C'est tresbien dit, respond la mere. Or
en allons a la montaigne, a la semonce du bon
75 angel[9], devers le saint preudhomme. » Le bon hermite, faisant le guet quand la deceue veille sa simple
fille amenroit, la voit venir ; si laisse son huys
entreouvert, et en priere se va mettre enmy sa chambre, affin qu'en devocion fust trouvé. Et comme il
80 desiroit il advint. Car la bonne femme et sa fille,
voyans l'huys entreouvert, sans demander quoy ne
comment, dedans entrerent. Et, comme elles parceu-

[7bis] *V.* hermitaige
[8] *V.* f. par le r. du s. m. l. v. d. f. a coup descendu e.
la c. de ladicte vefve et la m. et la f. se leverent a
tresgrant haste.
[9] *V.* angle

rent l'ermite en contemplacion, comme s'il fust Dieu
l'onnorerent. L'ermite, a voix humble et casse, les
85 yeulx [10] vers la terre enclinez, de Dieu salue la
compaignie. Et la veillote, desirant qu'il sceust l'occasion [11] qui l'amenoit, le tire a part et luy va dire
de bout en bout tout le fait, qu'il savoit trop mieulx
qu'elle. Et, comme en grand reverence, faisoit son
90 rapport, le bon ermite gettoit ses yeulx en hault,
joignoit les mains au ciel ; et la veille ploroit, tant
avoit et joye et pitié [12]. Quand ce rapport fut au
long achevé dont la veillotte attendoit la response,
celui qui la doit faire ne se haste pas. Au fort, a
95 chef de piece, quand il parla ce fut : « Dieu soit loé !
Mais, m'amye, dist il, vous semble il a la vérité, et
a vostre entendement, que ce que droit cy vous me
dictes ne soit point fantosme [13] ou illusion ? Que
vous en juge le cueur ? Sachez que la chose est
100 grande. — Certainement, beau pere, j'entendiz la
voix qui ceste joieuse nouvelle apporta aussi plainement que je faiz vous, et croiez que je ne dormoye
pas. — Or bien, dit il, non pas que je veille contredire au vouloir de mon createur, si me semble il bon
105 que vous et moy dormions encores sur ce fait ; et,
s'il vous appert de rechef, vous reviendrez icy vers
moy, et Dieu nous donnera bon conseil et advis. On
ne doit pas trop legierement croire, ma bonne mere ;
le dyable, aucunesfoiz envieux d'aultruy, bien treuve
110 tant de cautelles et se transforme en angel [9] de

---

[10] *V.* et cachant l. y. et v.
[11] *V.* la chose
[12] *V. ajoute* : Et la povre fille aussi plouroit quant elle
veoit ce bon et sainct hermite en si grande devocion
prier et ne scavoit pour quoy.
[13] *V.* fantasie

lumiere. Creez, ma mere, que ce n'est pas pou de
chose de ce fait cy ; et, si je y mectz ung pou de
refus, ce n'est pas merveille. N'ay je pas a Dieu
voué chasteté ? Et vous m'apportez la rompture de
115 par luy. Retournez en vostre maison, et priez Dieu, et
au surplus demain nous verrons que ce sera ; et a
Dieu soiez. » Après ung grand tas d'agyos, se part
la compagnie de l'ermite, et vindrent a l'ostel devisant. Pour abreger, nostre hermite a l'heure accous-
120 tumée et deue, fourny du baston creux en lieu de
crochette [14], revint a l'oreille de la simple femme,
disant les propres motz, ou en substance, de la nuyt
precedente. Et, ce fait, vistement retourne en son
manoir [15]. La veille, de joye esprise, cuidant Dieu
125 tenir par les piez, [se] leve de haulte heure, a sa fille
racompte ses nouvelles sans doubte, confermans la
vision de l'autre nuyt passée. Il n'est que d'abreger :
« Or allons devers le saint homme. » Elles s'en vont,
et il les voit approcher, si va prendre son breviaire,
130 et [16] son service recommancer, et en cest estat devant
l'huys de sa maisonnette se fait des bonnes femmes
saluer. Si la vieille hier luy fist ung grand prologue
de sa vision, celuy de maintenant n'est de rien maindre, dont le preudomme se signe et emerveille,
135 disant [17] : « Et vray Dieu, qu'est cecy ? Fay de moy
tout ce qu'il plaist, combien que, si n'estoit ta large

---

[14] *V.* potense

[15] *V. f.* incontinent sans autre chose faire r. a s. hermitaige.

[16] *V. après* breviaire : faisant de lypocrite et penses que
il le faisoit en grant devocion dieu le scet. Et puis
apres son s. print a r.

[17] *V.* se s. du signe de la croix faisant grans admiracions
a merveilles d.

grace je ne suys pas digne d'executer [18] ung si grand
euvre. — Or regardez, beau pere, dist lors la bonne
femme [19], vous voiez bien que c'est a certes quand
140 de rechef a moy s'est apparu l'angel [9]. — En verité,
m'amye, ceste matere m'est si haulte et si tresdifficile
et non accoustumée que je n'en sçay bailler, dist
l'ermite, que doubtive response. Non mye affin que
vous entendez sainement [20] qu'en attendant la tierce
145 apparition je veille que vous tentez Dieu. Mais on
dit de coustume : A la tierce foiz va la luycte. Si
vous prie et requier qu'encores se peust passer ceste
nuyt sans aultre chose a faire, attendant sur ce fait
la grace de Dieu ; et, si par sa misericorde il nous
150 demonstre ennuyt, comme les aultres precedentes,
nous ferons tant qu'il en sera loé. » Ce ne fut pas
du bon gré de la bonne veille qu'on tarda tant
d'obeyr a Dieu. Mais au fort l'ermite fut creu comme
le plus sage. Comme elle fut couchée, ou profond
155 pensemens des nouvelles qui en teste luy revien-
[nen]t, l'ypocrite pervers, de sa montaigne descendu,
luy mect son baston creux a l'oreille, en luy com-
mendant de par Dieu, comme son ange [9], une foiz
pour toutes, qu'elle maine sa fille a l'ermite pour la
160 cause que dicte est. Elle n'oblya pas tantost qu'il
fust jour ceste charge. Car, après les graces a Dieu
de par elle et sa fille rendues, se mettent a chemin
par devers l'ermitage, ou l'ermite leur vient au
devant, qui de Dieu les salue et beneist. Et la bonne
165 mere, trop plus que nulle aultre joyeuse, ne luy cela
gueres sa nouvelle apparition, dont l'ermite, qui par

---

18 *V.* descouter

20 *V.* seurement
19 *V.* f. abusee et follement deceue

la main la tient, en sa chapelle l[a] [21] convoye, et la
fille les suyt, et leans font les tresdevotes oroisons a
Dieu le tout puissant, qui ce treshault mystere leur
170 a daigné monstrer. Après ung pou de sermon que fist
l'ermite touchant songes, visions, apparicions et reve-
lacions, qui souvent aux gens adviennent, il cheut en
propos de toucher [leur matiere pour laquelle
estoient assemblés. Et pensez que l'ermite les prescha
175 bien et en bonne devocion, Dieu le scet.] « Puis que
Dieu veult et commende que je face lignée papale,
voire et le daigne reveler non pas une foiz ou deux
seullement, mais bien la tierce d'abundance, il fault
croire, dire et conclure que c'est ung hault bien qui
180 de ce fait en ensuyvra. Si m'est advis que mieulx on
ne peut faire que d'abreger l'execution en lieu de
ce que trop espoir j'ay differé de bailler foy a la
saincte apparicion. — Vous dictes bien, beau pere.
Comment vous plaist il faire ? respond la veille ?
185 — Vous laisserez ceans vostre belle fille, dit l'ermite,
et elle et moi en oroisons nous mettrons, et après au
surplus ferons ce que Dieu nous apprendra. » La
bonne veille [22] fut contente, si fut sa fille pour obeir.
Quand damp [23] hermite se treuve a part avec la belle
190 fille, comme s'il la voulsist rebaptiser toute nue la
fist despoiller ; et creez qu'il ne demoura pas vestu.
Qu'en vauldroit le long compte ? Il la tint tant et si
longuement avec luy, en lieu d'aultre clerc, tant alla
aussi et vint a l'ostel d'elle, pour la doubte des gens,
195 que le ventre [24] luy commença a bourser, dont elle

---

[21] *ms* les
[22] *V.* b. femme vefve f.
[23] *V.* nostre
[24] *V.* g. et aussi pour honte quelle nosoit partir de la
maison, car bien tost apres le v.

fut si tresjoyeuse qu'on ne le vous saroit dire. Mais,
si la fille s'esjoissoit de sa portée, la mere d'elle en
avoit a cent doubles ; et le mauldit bigot faignoit
aussi s'en esjoir, mais il en enrageoit tout vif. Ceste
200 pouvre mere abusée, cuidant de vray que sa belle
fille deust faire ung tresbeau filz pour le temps
advenir de Dieu eleu pape de Romme, ne se peut
tenir que a sa plus privée voisine ne le comptast,
qui aussi esbahie en fut comme si cornes luy venis-
205 sent [25], non pas toutesfoiz qu'elle ne se doubtast de
tromperie. Elle ne cela pas longuement aux aultres
voisins et voisines comment la fille d'une telle est
grosse, par les œuvres du saint hermite, d'un filz qui
doit estre pape de Romme. « Et ce que j'en sçay,
210 dit elle, la mere d'elle le m'a dit, a qui Dieu l'a voulu
reveler. » Ceste nouvelle fut tantost espandue par les
villes voisines. Et en ce temps pendant la fille acoucha,
qui a la bonne heure d'une belle fille se delivra, dont
elle fut tresemerveillée et courroucée, et sa tressim-
215 ple mere [26] et les voisines aussi, qui attendoient
vrayement le saint Pere advenir recevoir. La nouvelle
de ce cas ne fut pas mains tost sceue que celle precedente ; et entre aultres l'ermite en fut des premiers
servy et adverty, qui tantost s'en fuyt en aultre païs,
220 ne sçay quel, une aultre femme ou fille decevoir, ou
es desers d'Egipte de cueur contrit la penitence de
son peché satisfaire. Quoy que soit ou fust, la pouvre
fille fut deshonorée, dont ce fut grand dommage, car
belle, gente et bonne estoit.

LA QUINZIESME NOUVELLE

PAR

MONSEIGNEUR DE LA ROCHE.

Au gentil pays de Brabant, lez[1] ung monastere
5 de blanc[s] moynes, est situé ung aultre de nonnains,
qui tresdevotes et charitables sont, dont l'ystoire
taist le nom et la marche particuliere. Ces deux maisons voisines estoient, comme l'on dit de coustume,
la grange et les bateurs. Car, Dieu mercy, la charité
10 de la maison des nonnains estoit si tresgrande que
pou de gens estoient esconduiz de l'amoureuse dis-
tribucion, voire si dignes estoient d'icelle recevoir.
Pour venir au fait de ceste histoire, ou cloistre des
blancs moynes avoit ung jeune et bel religieux qui
15 devint amoureux, si fort que c'estoit rage, d'une nonnain sa voisine, et[2] de fait eut bien le courage, après
les premisses dont ces amoureux scevent les femmes
abuser, luy demander[3] a faire pour l'amour de Dieu.
Et la nonnain, qui bien par renommée cognoissoit ses
20 oustilz, jasoit qu'elle fust bien courtoise, luy bailla
tresdure et aspre response. Il ne fut pas pourtant
enchassé, mais tant continua sa treshumble requeste
que force fut a la belle nonnain ou de perdre le bruyt
de sa treslarge courtoisie, ou d'accorder au moyne

---

[1] *V.* pres dung
[2] *V.* qui fut a. dune des nonnains, et
[3] *V.* p. de lui d.

30 ce que a pluseurs sans prier avoit accordé. Si luy va
dire : « En verité, vous poursuyvez et faictes grand
diligence d'obtenir ce que a droit ne sariez fournir.
Et pensez vous que je ne sache bien par oyr dire
quelz outilz vous portez ? Croiez que si faiz. Il n'y
35 en a pas pour dire grans merciz. — Je ne sçay, moy,
qu'on vous a dit, respond le moyne ; mais je ne
doubte point que vous ne soiez bien contente de moy,
et que je ne vous monstre que je suis homme comme
ung aultre. — Homme, dit elle, cela croy je assez
40 bien ; mais vostre chose est tant petit, comme l'on
dit, que, si vous l'apportez en quelque lieu, a peu on
se perçoit qu'il y est. — Il va bien aultrement, dit le
moyne ; et si j'estoye en place je feroye, par vostre
jugement, menteurs tous ceulx ou celles qui ce
45 bruyt⁴ me donnent. » Au fort, après ce gracieux
debat, la courtoise nonnain, affin d'estre quitte de
l'ennuyant poursuitte que le moyne faisoit, aussi
qu'elle sache qu'il vault et qu'il scet faire, et aussi
qu'elle n'oblye le mestier qui tant luy plaist, elle luy
50 baille jour, a douze heures de nuyt, devers elle venir
et hurter a sa treille ; dont mercyée elle fut haultement. « Toutesfoiz, dit elle, vous n'y entrerez pas
que je ne sache a la verité quelz oustilz vous portez,
et si je m'en saroie aider ou non. — Comme il vous
55 plaist, respond le moyne. » A tant s'en va et laisse
sa maistresse, et vint tout droit devers frere Conrard,
l'un de ses compaignons, qui estoit oustillé, Dieu scet
comment ! et a ceste cause avoit ung grand gouvernement ou cloistre des nonnains. Il luy compta son
60 cas tout du long, comme il a prié une telle, la response et le refus qu'elle fist, doubtant qu'il ne soit

---

⁴ *V*. ceste renommee

pas bien solier a son pié, et en la fin comment el est
contente qu'il entre vers elle, mais qu'elle sente et
sache premier de quelles lances il vouldra jouster
65 encontre son escu. « Or est il ainsi, dit il, que je
suis mal fourny de grosse lance telle que j'espere et
voy bien qu'el desire d'estre rencontrée. Si vous prie
tant que je puis que anuyt vous venez avecques moy,
a l'heure que me doy vers elle rendre, et vous me
70 ferez le plus grand plaisir que jamais homme fist a
aultre. Je sçay qu'elle vouldra, moy la venu, sentir
et taster la lance dont j'entens fournir mes armes ;
et, a la coup qui me fauldra ce faire, vous serez
derriere moy sans dire mot, et vous mettrez en ma
75 place, et vostre gros bourdon ou poing luy mettrez.
Elle ouvrera l'huys cela fait, je n'en doubte point, et
vous en yrez, et dedans j'entreray ; et du surplus
laissez moy faire. » Frere Conrard, desirant a complaire a son compaignon, accorde ce marché [5], et a
80 l'heure assignée se met avec luy par devers la nonnain ; et quand ilz sont a l'endroit de la fenestre,
maistre moyne, plus eschaufé qu'un estalon, de son
baston ung coup hurta ; et la nonnain n'attendit pas
l'autre hurt, mais ouvrit sa fenestre et dist en basse
85 voix : « Qui est ce la ? — C'est moy, dit il ; ouvrez
tost l'huys, qu'on ne nous oye. — Ma foy, dit elle,
vous ne serez pas en mon livre enregistré n'escript,
que premier ne passez a monstre, et que je ne sache
quel harnois vous portez. Approuchez près et me
90 monstrez que c'est. — Tres voluntiers, dit il. »
Adonc tire frere Conrard, qui s'avançoit pour faire

---

[5] *V*. F.c. est en grant soucy comment il pourra faire et
c. a s. c. mais toutesfois se met a ladventure et tout
ainsi quil lui avoit dit sen va et luy a accorde

son personnage, qui en la main de madame la nonnain mist son bel et trespuissant bourdon, qui gros
et long [6] estoit. Et tantost comme elle le sentit,
95 comme si nature luy en baillast la cognoissance, elle
dist : « Nenny, nenny, dist elle, je cognois bien cest
ycy ; c'est le bourdon de frere Conrard. Il n'y a nonnain ceans qui bien ne le cognoisse ; vous n'avez
garde que j'en soye deceue : je le cognois trop. Allez
100 querir ailleurs vostre adventure. » Et a tant sa fenestre referma, bien courroussée et mal contente, non
pas sur frere Conrard, mais sur l'autre moyne ; lesquelx, après ceste adventure, s'en retournerent vers
leur hostel, tous devisans de ceste advenue.

------

[6] *V*. g. l. et rond

LA SEIZIESME NOUVELLE,

PAR

MONSEIGNEUR.

En la conté d'Artoys nagueres vivoit ung gentil
5 chevalier, riche et puissant, lyé par mariage avecques
une tresbelle dame et de hault lieu. Ces deux ensemble par longue espace passerent pluseurs jours paisiblement et doulcement. Et car alors, la Dieu mercy,
le trespuissant duc de Bourgoigne, conte d'Artois, et
10 leur seigneur, estoit en paix avec tous les bons princes chrestians, le chevalier, qui tresdevot et craignant
Dieu estoit, delibera a Dieu faire sacrifice du corps
qu'il luy avoit presté, bel et puissant, assovy de taille
desirée [1] autant et plus que nul de sa contrée, excepté
15 que perdu avoit un œil en ung assault ou avec son
prince s'estoit tresvaillamment porté. Et [2] pour faire
son oblacion [3] en lieu eleu et de luy desiré, après les
congez a madame sa femme prins et de pluseurs ses
parens et amys, se mect a voye devers les bons sei-
20 gneurs de Perusse, vraiz champions et defenseurs de
la tressaincte foy chrestiane. Tant fist et diligenta
qu'en Perusse après pluseurs adventures que je
passe, sain et sauf se trouva, ou il fist assez et
largement de grans proesses en armes, dont le grand

---

[1] V. destre
[2] V. assault. Et
[3] V. obligacion

25 bruyt de sa vaillance fut tantost espandu en pluseurs
marches, tant a la relacion de ceulx qui veu
l'avoyent, en leur païs retournez, que par lectres que
les demourez rescripvoient a pluseurs qui grand gré
leur en sceurent. Or ne vous fault pas celer que
30 madame, qui demourée est, ne fut pas si rigoreuse
que a la pryere d'un gentil escuier, qui d'amours la
requist, elle ne fust tantost contente qu'il fust lieutenant de monseigneur, qui aux Sarrazins se combat.
Tantdiz que monseigneur jeune et fait penitence,
35 madame fait gogettes⁴ avecques l'escuier. Le plus
des foiz monseigneur se disne et souppe de bescuit
et de la belle fontaine, et madame a de tous les biens
de Dieu si largement que trop ; monseigneur au
mieulx se couche en la paillace, et madame en ung
40 tresbeau lit avec l'escuyer se repose. Pour abreger,
tantdiz que monseigneur aux Sarrazins fait guerre,
l'escuier a madame combat, et si tresbien s'i porte
que, si monseigneur jamais ne retournoit, elle s'en
passeroit tresbien. Et a pou de regret, voire tant
45 qu'il ne face aultrement qu'il a commencé. Monseigneur voyant, la Dieu mercy, que l'effort des Sarrazins n'estoit point si aspre que par cy devant a esté,
sentant aussi que assez longue espace a laissié son
hostel et sa femme, que moult la regrecte et desire,
50 comme par pluseurs ses lectres elle luy a fait savoir,
dispose son partement, et avec le pou de gens qu'il
avoit se mect au chemin. Et si bien exploicta a l'ayde
du grand desir qu'il a de se trouver en sa maison
et es braz de madame, que en pou de jours en Artois
55 se trouva. Il⁵, a qui ceste haste plus touche que a

---

⁴ *V.* bonne chiere
⁵ *V.* j. si trouva. Celluy

nul de ses gens, est tousjours le premier descouchez,
trestout le premier prest et le devant au chemin. Et
de fait sa trop grande diligence le fait souvent chevaucher seul devant ses gens, aucunesfoiz ung quart
60 de lieue ou plus. Advint ung jour que monseigneur,
estant au giste, environ a six lieues de sa maison
ou il doit trouver madame, se descoucha [6] si tres
matin et monta a cheval que bien luy semble que
son cheval a sa maison le rendra ains que madame
65 soit descouchée, qui rien de ceste sa venue ne scet.
Ainsi comme il le proposa il advint. Et comme il
estoit en ce plaisant chemin dist a ses gens :
« Venez tout a vostre aise, et ne vous chaille de moy
suyvir [7] ; je m'en iray tout mon train pour trouver
70 ma femme au lict. » Ses gens hodez et traveillez, et
leurs chevaulx aussi ne contredirent pas a monseigneur, qui picque son courtaut et fait tant en peu
d'heure qu'il est en la [8] basse court de son hostel
descendu, ou il trouva ung varlet qui le deffist de
75 son cheval. Ainsi housé, et tout ainsi que descendu
estoit [9], s'en va tout sans ame rencontrer, car encores
matin estoit, devers sa chambre, ou madame encores
dormoit, ou espoir faisoit ce qui tant a fait monseigneur traveiller. Creez que l'huys n'estoit pas ouvert,
80 a cause du lieutenant, qui tout fut ebahy, et madame
aussi, quand monseigneur hurta de son baston ung

---

6 *V.* leva

7 *V.* suyr

8 *Après* monseigneur, *V.* : mais sen viennent tout a leur
aise apres luy sans eux travaillier aucunement, mais
pourtant si doubtoient il de mondit seigneur lequel
sen aloit ainsi de nuyt tout seul et avoit si grant haste.
Cil sen va et fait tant quil est brief en la b.

9 *V.* Tout a. et h. et esperonne quant il fut descendu

treslourd coup : « Qui est ce ? dist madame. — C'est
moy, c'est moy ce dit monseigneur ; ouvrez, ouvrez ! » Madame qui tantost a congneu monseigneur
85 a son parler, ne fut pas des plus asseurées ; neantmains fait habiller incontinent son escuier, qui mett
peine de soy avancer le plus qu'il peut, pensant
comment il pourra eschaper sans dangier. Madame,
qui fainct d'estre encores toute endormie et non
90 recognoistre monseigneur, après le second hurt qu'il
fait a l'huys demande encores : « Qui est ce la ?
— C'est vostre mary, dame ; ouvrez bien tost,
ouvrez ! — Mon mary ! dit elle ; helas ! il est bien
loing d'icy ; Dieu le ramaine a joye et bref ! — Par
95 ma foy, dame, je suis vostre mary, et ne me cognoissez vous au parler ? Si tost que je vous oy respondre,
je cogneu bien que c'estiez vous. — Quand il viendra, je le sçaray beaucop devant, pour le recevoir
ainsi que je doy, et aussi pour mander messeigneurs
100 ses parens et amys pour le festoier et convier a sa
bien venue. Allez, allez, et me laissez dormir.
— Saint Jehan ! je vous en garderay ! ce dit monseigneur ; il fault que vous ouvrez l'huys ; et ne
voulez vous cognoistre vostre mary ? » Alors l'ap-
105 pelle par son nom. Et elle, qui voit que son amy est
ja tout prest, le fait mettre derriere l'huys, et puis
va dire : « Ha ! monseigneur, est ce vous ? Pour
Dieu, pardonnez moy, et estes vous en bon point ?
—Oy, la Dieu mercy, ce dit monseigneur. — Or loé
110 en soit Dieu ! ce dit madame ; je vien incontinent
vers vous et vous mettray dedans, mais que je soye
un peu habillée et que j'aye de la chandelle. — Tout
a vostre aise, dit monseigneur. — En verité, ce dit
madame, tout a cest coup que vous avez hurté,
115 monseigneur, j'estoye bien empeschée d'un songe qui
est de vous. -- Et quel est il, m'amye ? — Par ma

foy, monseigneur, il me sembloit a bon escient que
vous estiez revenu, que vous parliez a moy, et si
voiez tout aussi cler d'un œil comme de l'autre.
120 — Pleust ores a Dieu ! dit monseigneur. — Nostre
Dame, ce dit madame, je croy que aussi faictes vous.
— Par ma foy, dit monseigneur, vous estes bien
beste ; et comment ce seroit il ? [10] — Je tien, moy,
dit elle, qu'il est ainsi. — Il n'en est rien, non, dit
125 monseigneur, et estes vous bien si fole que de le
penser ? — Dya, monseigneur, dit elle, ne me creez
jamais s'il n'est ainsi. Et, pour la paix de mon
cueur, je vous requier que nous l'esprouvons. » Et a
cest coup el [ouvr]oit [11] l'huys, tenant la chandelle
130 ardant en sa main. Et monseigneur, qui est content
de ceste espreuve, souffrit bien [12] que madame luy
bouchast son bon œil d'une main, et de l'autre elle
tenoit la chandelle devant l'œil de monseigneur qui
crevé estoit ; et puis luy demanda : « Monseigneur,
135 ne voiez vous pas bien, par vostre foy ? — Par mon
serment, nenny, m'amye, ce dit il. » Et entretant que
ces devises se faisoient, le lieutenant de monseigneur
sault de la chambre sans qu'il fust apperceu de luy.
« Or actendez, monseigneur, ce dit elle. Et mainte-
140 nant vous me voiez bien, faictes pas ? — Par Dieu !
m'amye, nenny, dit monseigneur, comment vous
verroie je ? vous avez bouché mon dextre œil, et
l'autre est crevé passé a dix ans. — Alors, dist elle,
or voy je bien que c'estoit songe voirement qui ce
145 rapport m'a fait. Mais, toutesfoiz, Dieu soit loé et
gracié que vous estes cy ! — Ainsi soit il », ce dit

---

[10] *V. c.* ce pourroit il faire
[11] *ms* tenoit
[12] *V. e.* et si saccorde par les parolles de sa femme. Et
ainsi le pouvre homme endure b..

monseigneur. Et a tant s'entreacolerent et baiserent
moult de foiz, et feirent grand feste. Et n'oblya pas
[monseigneur] a compter comment il avoit laissé ses
150 gens derriere, et que pour la trouver ou lit, il avoit
fait telle diligence. « Et vrayement, dit madame,
encores estes vous bon mary. » Et a tant vindrent
femmes et serviteurs qui bien beneirent monseigneur
et le deshouserent, et de tous poins le deshabillerent.
155 Et ce fait se bouta ou lit avecques madame, qui le
receut [13] du demourant de l'escuier, qui s'en va son
chemin, lyé et joieux d'estre ainsi eschappé. Comme
vous avez oy fut le chevalier trompé. Et n'ay point
sceu, combien que pluseurs gens depuis le sceurent,
160 qu'il en fust jamais adverty.

---

[13] *V.* reprend

LA DIX SEPTIESME NOUVELLE,

PAR

MONSEIGNEUR. [1]

N'a gueres que a Paris presidoit en la chambre des
5 comptes ung grand clerc chevalier assez sur eage,
mais tres joyeux et plaisant homme estoit, tant en sa
maniere d'estre comme en ses devises, ou qu'il les
adressast, ou aux hommes ou aux femmes. Ce bon
seigenur avoit femme espousée desja ancienne et
10 maladive, dont il avoit belle lignée. Et entre aultres
damoiselles, chambrieres et servantes de son hostel,
celle ou nature avoit mis son entente de la faire
tresbelle, meschine estoit, faisant le mesnage commun, comme les litz, le pain et aultres telz affaires.
15 Monseigneur, qui ne jeunoit jour de l'amoureux mestier tant qu'il trouvast rencontre, ne cela gueres a la
belle meschine le grand bien qu'il luy veult, et luy
va faire ung grand prologue d'amoureux assaulx que
incessamment amour pour elle luy envoye ; continue
20 aussi ce propos, promettant tous les biens du monde,
monstrant comme il est bien en luy de luy faire tant
en telle maniere, en telle et en telle. Et qui oyoit le
chevalier, jamais tant d'eur n'advint a la meschine
que de luy accorder son amour. La belle meschine,
25 bonne et sage, ne fut pas si beste que aux gracieux
motz de son maistre ne baillast response en rien a
son avantage, mais s'excusa si gracieusement que

---

[1] *V*. m. le duc

monseigneur en son courage tresbien l'en prise, combien qu'il amast mieulx qu'elle tenist [2] aultre chemin.
30 Motz rigoreux vindrent en jeu par la bouche de monseigneur, quand il perceut que par doulceur il ne
faisoit rien ; mais la tresbonne fille et entiere, amant
plus cher morir que perdre son honneur, ne s'en
effraya gueres, ains asseurement respondit, dye et
35 face ce qu'il luy plaist, mais jour qu'elle vive de
plus près ne luy sera. Monseigneur, qui la voit ahurtée en ceste opinion, après ung gracieux adieu, laisse
ne sçay quans jours ce gracieux pourchaz de la
bouche tant seulement ; mais regards et aultres petiz
40 signes ne luy coustoyent gueres, qui trop estoient a
la fille ennuyeux. Et si elle ne doubtast mettre male
paix entre monseigneur et madame, il ne luy chauldroit guere de la [3] desloyaulté de monseigneur ; mais
au fort elle conclud se deceler au plus tard qu'elle
45 pourra. La devocion que monseigneur avoit aux sains
de sa meschine de jour en jour croissoit, et ne luy
suffisit pas de l'amer et servir en cueur seullement,
mais d'oroison, comme il a fait cy devant, la veult
arriere reservir. Si vient a elle, et de plus belle
50 recommença sa harengue en la fasson comme dessus,
laquelle il confermoit par cent mille sermens et
autant de promesses. Pour abreger, rien ne luy vault.
Il ne peut obtenir ung tout seul mot, et encores mains
de semblant qu['elle] [4] luy baille quelque pou d'es-
55 poir de jamais non pervenir [5] a ses attainctes. Et en
ce point se partit ; mais il n'oblya pas a dire a ce
partir que, s'il la rencontre en quelque lieu marchant,

2 *V.* tint
3 *V.* celeroit g. la
4 *ms* qui
5 *V.* j. p.

ou elle obeyra, ou elle fera pis. La meschine gueres
ne s'en effraya, et sans plus y gueres penser va
60 besoigner a sa cuisine ou aultre part. Ne sçay quans
jours après, par ung lundi matin, la belle meschine,
pour faire des pastez, thamisoit de la fleur. Or [6]
devez savoir que la chambrette ou se faisoit ce mestier n'estoit gueres loing de la chambre de monsei-
65 gneur, et qu'il oyoit tresbien le bruyt et la noise qui
se faisoit a ce coup. Savoit aussi tresbien que
c'estoit sa chambriere qui de thamis jouoit ; si
s'advisa qu'elle n'aroit pas seule ceste peine, mais
luy vouldroit [7] aider, voire et fera au surplus ce qu'il
70 luy a bien promis, car jamais mieulx a point ne la
pourroit trouver. Dit aussy en soy mesmes : « Quelque refus que de la bouche elle m'ayt fait, si en
cheviray je bien si je la puis a graux [8] tenir. » Il
regarda que bien matin encores estoit, et que
75 madame n'estoit pas encores eveillée [9] ; il sault tout
doulcement hors de son lit, a tout son couvrechef de
nuyt, et prend sa robe longue et ses botines, et descend de sa chambre si celeement qu'il fut dedans la
chambrette ou la meschine tamisoit [10] qu'elle oncques
80 n'en sceut rien tant qu'elle le vit tout dedans. Qui
fut bien esbahie, ce fut la pouvre chambriere, qui a
pou trembloit, tant estoit asserrée [11], doubtant que
monseigneur ne luy ostast ce que jamais rendre ne
luy saroit. Monseigneur, qui la voit effraiée, sans
85 plus parler luy baille ung fier assault, et tant fist en

---

[6] *V.* p. buletoit de la farine. Or
[7] *V.* viendra
[8] *V.* gre
[9] *V. ajoute :* dont il fut bien joyeux, et affin quil ne
lesveille il
[10] *V.* dormoit
[11] *V.* effree

pou d'heure qu'il avoit la place emportée s'il n'eust
esté content de parlamenter. Si luy va dire la fille :
« Helas ! monseigneur, je vous · cry mercy, je me
rends a vous ; ma vie et mon honneur sont en vostre
90 main, aiez pitié de moy. — Je ne scay quel honneur,
dit monseigneur, qui treseschaufé et esprins estoit ;
vous passerez par la. » Et a ce coup recommence
l'assault plus fier que devant. La fille, voyant qu'eschapper ne povoit, s'advisa d'ung bon tour, et dist :
95 « Monseigneur, j'ayme mieulx vous rendre ma place
par amours que par force ; donnez fin, s'il vous
plaist, aux durs assaulx que me livrez, et je feray
tout ce qu'il vous plaira. — J'en suis content, dist
monseigneur ; mais creez que aultrement vous n'es-
100 chapperez. — D'une chose vous requier, dist lors la
fille. Monseigneur, je doubte beaucop que madame
ne vous oye et ait oy, et [12] s'elle venoit d'adventure,
et droit cy vous trouvast, je seroie femme perdue,
car du mains elle me feroit batre ou tuer. — Elle n'a
105 garde de venir, non, dit monseigneur ; elle dort au
plus fort. — Helas ! monseigneur, je la doubte tant
que je n'en scay estre asseurée. Si vous prie et
requier, pour la paix de mon cueur et plus grande
seureté de nostre besoigne, que vous me laissez aller
110 veoir s'elle dort ou qu'elle fait. — Nostre Dame, tu
ne retournerois pas, dit monseigneur. — Si feray,
par mon serment, dit elle, trestout tantost. — Or je
le veil ! dit il, avance toy. — Ha ! monseigneur, si
vous voulez bien faire, dit elle, vous prendrez ce
115 thamis et besoignerez comme je faisoie, affin d'aventure, si madame est esveillée, qu'elle oye la noise que
j'ay devant le jour encommancée. — Or monstre ça,
je feray bon devoir, et ne demoure gueres. — Nenny,

---

[12] *V.* oye et

monseigneur ; tenez aussi ce buleteau, dit elle, sur
120 vostre teste, vous semblerez tout a bon escient estre
une femme. — Or ça, dit il, [de] pardieu ça. » Il
fut affublé de ce buleteau, et si commence a thamiser,
que c'estoit belle chose tant bien luy siet. Et entretant la chambriere monta en la chambre et esveilla
125 madame, et luy compta comment monseigneur par cy
devant d'amours l'avoit priée et qu'il l'avoit assaillie
a ceste heure ou el tamisoit. « Et s'il vous plaist
veoir comment j'en suis eschappée et en quel point
il est, venez en bas, vous le verrez. » Madame tout
130 a cop se leve, et prend sa robe de nuyt, et fut tantost
devant l'huys de la chambre ou monseigneur tamisoit
diligemment. Et quand elle le voit en cest estat, et
affublé du buleteau, elle luy va dire : « Ha ! monseigneur, et qu'est cecy ? et ou sont voz lectres, voz
135 grands honeurs, voz sciences et discrecions ? » Et
monseigneur, qui deceu [13] se voit, respondit tout
subitement : « Au bout de mon vit, dame, la ay je
tout amassé aujourd'uy. » Lors tres marry et courroucé sur la meschine se desarma du thamis [14] et du
140 buleteau, et en sa chambre remonte. Et madame le
suyt, qui son preschement recommence, dont monseigneur ne tient gueres de compte. Quand il fut prest,
il manda sa mule, et au palais s'en va, ou il compta
son adventure a pluseurs gens de bien qui en risi-
145 rent [15] bien fort. Et me dist l'on depuis, quelque
courroux que le seigneur eust de prinsault a sa belle
meschine, si l'ayda il depuis de sa parolle et de sa
chevance a marier.

---

[13] *V.* q. louyt et d.
[14] *V.* de lestamine
[15] *V.* rirent

LA XVIIIᵉ NOUVELLE,

PAR

MONSEIGNEUR DE LA ROCHE.

Ung gentil homme de Bourgoigne nagueres pour
aucuns [de] ses affaires s'en alla a Paris, et se logea
en ung tresbon hostel ; car telle estoit sa coustume
de querir tousjours les meilleurs logiz. Il n'eut gueres
esté en son logis, luy qui cognoissoit mousche en
laict, qu'il ne perceust tantost que la chambriere de
leans estoit femme qui devoit faire pour les gens.
Si ne luy cela gueres ce qu'il avoit sur le cueur, et,
sans aller de deux en trois, luy demanda l'aumosne
amoureuse. Il fut de prinsault bien rechassé des
meures : « Voire, dist elle, est ce a moy que vous
devez adrecer telles parolles ? Je veil bien que vous
sachez que je ne suis pas celle qui fera tel blasme
a l'ostel ou je demeure. » Et qui l'oyoit, elle ne le
feroit pas pour aussi gros d'or. Le gentil homme
tantost congneut que toutes ses excusacions estoient
erres pour besoigner ; si luy va dire : « M'amye, si
j'eusse temps et lieu, je vous diroye telle chose que
vous seriez bien contente, et ne doubte point que
ce ne fust grandement vostre bien ; mais pource que
devant les gens ne vous veil gueres araisonner, affin
que ne soiez de moy suspeçonnée, croiez mon homme
de ce que par moy vous dira ; et s'ainsi le faictes,
vous en vauldrez mieulx. — Je n'ay, dit elle, ne a
vous ne a luy que deviser. » Et sur ce point s'en va.
Et nostre gentil homme appella son varlet, qui estoit

30 ung galant tout [es]veillé, puis luy compta son cas
et le charge de poursuir roidement sa besoigne sans
espergner bourdes ne promesses. Le varlet, duyt et
fait a cela[1], dit qu'il fera bien son personage. Il ne
mist pas la chose en obly[2], car au plus tost qu'il
35 sceut trouver la meschine, Dieu scet s'il joa bien du
bec ![3] Et s'elle n'eust esté de Paris, et plus subtile
que foison d'aultres, son gracieux langage et les promesses qu'il fait pour son maistre l'eussent tout a
haste abatue. Mais aultrement alla. Car, après plu-
40 seurs parolles et devises d'entre elle et luy, elle luy
dist ung mot tranché : « Je scay bien que vostre
maistre veult, mais il n'y touchera ja si je n'ay dix
escuz. » Le varlet fist son rapport a son maistre, qui
n'estoit pas si large, au mains en tel cas, de donner
45 dix escuz pour joyr d'une telle damoiselle. « Quoy
que soit, elle n'en fera aultre chose, dit le varlet ;
et encores y a il bien maniere de venir en sa chambre, car il fault passer par celle a l'oste. Regardez
que vous vouldrez faire. — Par la mort bieu ! dit
50 il, mes dix escuz me font bien mal d'en ce point les
laisser aller ; mais j'ay si grant devocion au saint,
et si en ay fait tant de poursuite, qu'il fault que je
besoigne. Au deable soit[4] chicheté ! elle les ara.
— Pourtant le vous dy je, dit le varlet, voulez vous
55 que je luy dye qu'elle les aura ? — Oy, de par le
dyable ! oy, dit il. » Le vallet trouva la bonne fille
et luy dist qu'elle aura ces dix escuz, voire et encores
mieux cy après. « Trop bien, » dit elle. Pour abreger, l'eure fut prinse que l'escuier doit venir coucher

---

[1] *V.* b. Le v. d. a cela
[2] *V.* il ne loublia pas
[3] *V.* quil la trouva, pensez quil j.
[4] *ms* voit

60 avec elle. Mais avant que oncques elle le voulsist
guider par la chambre de son maistre en la sienne,
il bailla tous les dix escuz contens. Qui fut bien mal
content, ce fut nostre homme, qui se pensa, en passant par la chambre et cheminant aux nopces qui
65 trop a son gré luy coustoient, qu'il jouera d'un tour.
Ilz sont venuz si doulcement en la chambre que
maistre ne dame ne scevent rien [5] ; si se vont despoiller, et dit nostre escuier qu'il emploira son argent
s'il peut. Il se mect a l'ouvrage et fait merveille
70 d'armes, et espoir plus que bon ne luy fut. Tant en
devises que aultrement se passerent tant d'heures
que le jour estoit voisin et prochain a celuy qui plus
voluntiers dormist que nulle aultre chose feist [6]. Mais
la tresbonne chambriere luy va dire : « Or ça, sire,
75 pour le tresgrand bien, honneur et courtoisie que j'ay
oy et veu de vous, j'ay esté contente mectre en vostre
obeissance et joissance la rien [7] que plus en ce
monde doy cher tenir. Si vous prie et requier que
vistement [8] vous veillez apprester et habiller et de
80 cy partir, car il est desja haulte heure. Et, si d'adventure mon maistre ou ma maistresse venoient icy,
comme assez est leur coutume au matin, et vous
trouvassent, je seroie perdue et gastée, et vous ne
seriez pas le mieulx party du jeu. — Je ne sçay
85 quoy [9], dit le bon escuier, quel bien et quel mal en
adviendra ; mais [10] je me reposeray et dormiray tout
a mon aise et a mon beau loisir avant que j'en parte.

---

5 *V.* rien nen sceurent
6 *V.* v. eust dormy q. n. a. c. fait
7 *V.* chose
8 *V.* incontinent
9 *V.* moy
10 *V.* mal mais

Et, affin [11] que n'aye paour et que point je ne m'es-
pante, vous me ferez compaignie, s'il vous plaist. —
90 Ha ! monseigneur, dist elle, il ne se peut faire ainsi.
Par mon serment, il vous convient partir. Il sera
jour trestout en haste, et si on vous trouvoit icy, que
seroit ce de moy ? J'aymeroie mieulx estre morte
qu'ainsi en advenist. Et, si vous ne vous avancez,
95 ce que trop je doubte en adviendra. — Il ne me
chault, moy, qu'en advienne, dit l'escuier ; mais je
vous dy bien que si ne me rendez mes dix escuz, ja
ne m'en partiray, advienne ce qu'en advenir peut.
— Voz dix escus ? dit elle ; et estes vous tel, si vous
100 m'avez donné aucune courtoisie ou gracieuseté, que
vous le me vouldrez après retollir par ceste façon ?
Sur ma foy, vous monstrez mal que vous soiez gentil
homme. — Tel que je suis, dit il, je suis celuy qui
de cy ne partiray, ne vous aussi, tant que ne m'aiez
105 rendu mes dix escuz ; vous les ariez gaignez trop
aise. — Ha ! dit elle, se m'aist Dieu, quoy que vous
diez [12], je ne pense pas que soiez si mal gracieux,
attendu le bien qui est en vous et le plaisir que vous
ay fait, que fussez si pou courtois que vous m'aidis-
110 siez a garder mon honneur. Et pour ce de rechef
vous supplie que ceste ma resqueste passez et accordez et que d'icy vous partez. » L'escuier dit qu'il
n'en fera rien ; et, pour trousser le compte [13], [force]
fut a la bonne gentil femme a tel regret que Dieu
115 scet, de desbourser les dix escuz, affin que l'escuier

---

[11] *V. ajoute* : et aussi je vueil emploier mon **argent** /
penses vous avoir si tost gaignie mes dix escus / il ne
vous coustent gueres a prendre. Mais par la **mort**
bieu affin
[12] *V.* disiez
[13] *V.* p. abregier

s'en aille. Quand les dix escuz furent en la main
dont ilz partoient [14], celle qui les rendoit cuidoit bien
enrager tant estoit mal contente, et celuy qui les a
leur fait grand chere. « Or avant, dit la courroucée
120 et desplaisante, qui se voit ainsi gouverner, quand
vous estes bien joué et farsé de moy, au mains avancez vous, et vous suffise que vous seul cognoissez
ma folie, et que par vostre tarder elle ne soit cogneue
de ceulx qui me deshonoreront, s'ilz en voient l'ap-
125 parence. — A vostre honneur, dit l'escuier, point je
ne touche ; gardez le autant que vous l'amez. Vous
m'avez fait venir icy, et si vous somme que vous me
rendez et mettez au lieu dont party, car ce n'est pas
mon intencion comme de venir [15] et de retourner. »
130 La chambriere, ou rien n'avoit a [le] courroucer, non
pas mains doubtant l'esclandre de son fait que la
mort, voyant [16] aussi que le jour commence a paroir,
avec tout le desplaisir et crainte que son ennuyeux
cueur charge et empire, se hourde [17] de l'escuier et a
135 son col le charge. Et comme atout ce fardeau passoit
par la chambre de son maistre, marchant le plus
soef qu'oncques peust, le courtois gentil homme,
tenant [18] lieu de bahu sur le doz de celle qui sur son
ventre l'avoit soustenu, laissa couler ung gros son-
140 net, dont le ton et le bruyt firent l'oste eveiller, et
demanda   assez   effrayement :   « Qui   est   cela ?
— C'est vostre chambriere, dist l'escuier, qui me
porte rendre ou elle m'avoit emprunté. » A ces motz,

---

14 *V*. estoient partis
15 *V*. i. davoir les deux peines de v.
16 *V*. La c. voiant que riens navoit eu si non le courroucer
v.
17 *V*. ennuye c. portoit dudit escuier
18 *V*. fardeau le plus s. quelle o. p. le c. g. h. portoit v

la pouvre gentil femme n'eut plus cueur, puissance
145 ne vouloir de soustenir son fardeau desplaisant. Si
s'en va d'ung costé et l'escuier d'aultre. Et l'oste,
qui cognoist bien que c'est, parla [19] tresbien a l'espousée, qui, toute deceute et esclandrie, tost [20] après
se partit de leans. Et l'escuier en Bourgoigne se
150 retourna, qui aux galans et compaignons de sorte
joyeusement [21] racompta ceste son adventure dessusdicte.

---

[19] *V.* q. cest et aussy avecques ce sen doubtoit **bien p.**
[20] *V.* t. demoura d. et scandalisee et t.
[21] *V.* j. et souvent r.

LA XIXe NOUVELLE,

PAR

PHILIPE VIGNIER,

ESCUIER DE MONSEIGNEUR. [1]

5   Ardent desir de veoir pays, savoir et cognoistre
pluseurs experiences qui par le monde universel journellement adviennent, nagueres si fort eschaufa
l'atrempé cueur et vertueux courage d'un bon et riche
marchant de Londres en Angleterre, qu'il abandonna
10 sa belle et bonne femme et sa belle maignye d'enfans, parens, amis, heritages, et la pluspart de sa
chevance. Et se partit de son royaulme assez et bien
fourny d'argent content et de tres grande abundance
de marchandises dont le païs d'Angleterre peut les
15 autres servir, comme d'estains, de riz, et foison
d'aultres choses que pour bref je passe. En ce son
premier voyage vaca le bon marchant l'espace de
cinq ans, pendant lequel temps sa bonne femme
garda tresbien son corps, fist le prouffit de pluseurs
20 marchandises, et tant et si tresbien le fist que son
mary au bout desdiz cinq ans retourné, beaucop la
loa et plus que paravant l'ama. Le cuer audit marchant, non encores content, tant d'avoir veu et cogneu
pluseurs choses estranges et merveilleuses, comme
25 d'avoir gaigné largement, le feist arriere sur la mer
bouter cinq ou six mois puis son retour ; et s'en reva

---

[1] *V.* phelippe vignier.

a l'adventure en estrange terre tant de Chrestians
que de Sarrazins, et ne demoura pas si peu que les
dix ans ne furent passez ains que sa femme le revist.
30 Trop bien luy rescripvoit assez souvent, a celle fin
qu'elle sceust qu'il estoit encores en vie. Elle, qui
jeune estoit et en bon point, et qui point n'avoit de
faulte des biens de Dieu, fors seulement de la pre--
sence de son mary, fut contraincte par son trop
35 demourer de prendre ung lieutenant, qui en peu
d'heure luy fist ung tresbeau filz. Ce filz fut elevé,
nourry et conduit avec les aultres ses freres d'un
costé. Et au retour du marchant, mary de sa mere,
avoit environ sept ans. La feste fut grande, a ce
40 retour, d'entre le mary et la femme. Et, comme ilz
fussent ² en joyeuses devises et plaisans propos, la
bonne femme, a la semonce de son mary, fait venir
devant eulx tous leurs enfants, sans oblier celuy qui
fut gaigné en l'absence de celuy qui en avoit le nom.
45 Le bon marchant, voyant la belle compaignie de ses
enfans, recordant tresbien du nombre d'eulx a son
departement, le voit creu d'un, dont il est tresfort
esbahy et moult emerveillé. Si va demander a sa
femme qui estoit ce beau filz, le derrenier en rang de
50 leurs enfans. « Qui c'est ? dit elle, par ma foy, sire,
c'est nostre filz ; a qui seroit il ? — Je ne sçay, dist
il ; mais pour ce que plus ne l'avoie veu, avez vous
merveille si je le demande ? — Saint Jehan ! nenny,
dist elle, mais il est [nostre] ³ filz. — Et comment se
55 peut il faire ? dist le mary ; vous n'estiez pas grosse
a mon partement. — Non vrayement, dit elle, que je
sceusse ; mais je vous ose bien dire a la verité que

---

² *V.* furent
³ *ms* mon

l'enfant est vostre, et que aultre que vous a moy n'a
touché. — Je ne dy pas aussi, dit il ; mais toutesfoiz
60 il a dix ans que je party et cest enfant se monstre
de sept : comment doncques pourroit il estre mien ?
L'ariez vous plus porté que ung aultre ? — Par mon
serment, dit elle, je ne sçay ; mais tout ce que je
vous dy est vray. Si je l'ay plus porté qu'un aultre,
65 il n'est rien[4] que j'en sache. Et si vous ne le me
feistes au partir, je ne sçay moy penser dont il peut
estre venu, sinon que, assez tost après vostre partement, ung jour j'estoie par ung matin en nostre
grand jardin ou, tout a coup, me vint ung soudain
70 appetit de menger une fuille d'oseille qui pour l'heure
de adonc estoit couverte et soubz la neige tappie.
J'en choisy une entre les aultres, belle et large, que
je cuiday avaler ; mais ce n'estoit que ung peu de
nege blanche et dure. Et ne l'eu pas si tost avalée
75 que ne me sentisse en trestout tel estat que je me
suis trouvée quand mes aultres enfans ay porté. De
fait, a chef de terme, je vous ay fait ce tresbeau
filz. » Le marchand cogneut tantost qu'il en estoit
noz amis ; mais il n'en voult faire semblant, ainçois
80 se vint adjoindre par parolles a confermer la belle
bourde que sa femme luy bailloit, et dit : « M'amye,
vous ne dictes chose qui ne soit possible, et que a
aultres que a vous ne soit advenue. Loé soit Dieu
de ce qu'il nous envoye ! S'il nous a donné ung
85 enfant par miracle, ou par aucune secrete fasson
dont nous ignorons la maniere, il ne nous a pas oblié
d'envoier chevance pour l'entretenir. » Quand la
bonne femme voit que son mary veult condescendre
a croire ce qu'el luy dit, elle n'est moyennement

---

4 *V.* chose

90 joyeuse. Le marchant, sage et prudent, en dix ans
qu'il fut puis a l'ostel sans faire ses loingtains voyages, ne tint oncques maniere envers sa femme, en
parolles ne aultrement, par quoy elle peust penser
qu'il entendist rien de son fait, tant estoit vertueux
95 et pacient. Il n'estoit pas encores saoul de voyager ;
si le vouloit recommencer, et le dist a sa femme, qui
fist semblant d'en estre tresmarrie et mal contente.
« Appaisez vous, dit il ; s'il plaist a Dieu et a monseigneur saint George, je reviendray de bref. Et
100 pource que nostre filz que feistes a mon aultre
voyage est desja grand et habile et en point de veoir
et d'apprendre, si bon vous semble, je l'emmeneray
avecques moy. — Et par ma foy, dit elle, vous ferez
bien et je vous en prie. — Il sera fait », dit il. A
105 tant se part, et emmaine le filz dont il n'estoit pas
pere, a qui il a pieça gardé une bonne pensée. Ilz
eurent si bon vent qu'ilz sont venuz au port d'Alixandrie, ou le bon marchant tresbien se deffist de la
pluspart de ses marchandises. Et ne fut pas si beste,
110 affin qu'il n'eust plus de charge de l'enfant de sa
femme et d'un aultre, et que après sa mort ne succedast a ses biens, comme ung de ses aultres enfans,
qu'il ne le vendist a bons deniers contens pour en
faire ung esclave. Et pource qu'il estoit jeune et
115 puissant, il en eust près de cent ducatz. A chef de
piece, il s'en revint en Angleterre[5], sain et sauf,
Dieu mercy. Et n'est pas a dire la joye[6] que sa
femme luy fist quand elle [le] vit en bon point. Elle
ne voit point son filz si ne scet que penser. Elle ne
120 se peut gueres tenir qu'elle ne demandast a son mary

---

5 *V.* Quant ce fut fait il sen r. a londres
6 *V.* chiere

qu'il avoit fait de leur filz. « Ha ! m'amye, dist il,
il ne le vous fault pas celer : il luy est tresmal prins.
— Helas ! comment ? dit elle ; est il noyé ? — Nenny
vraiement, dist il ; mais il est vray que fortune de
125 mer par force nous mena en ung païs ou il faisoit
si chault que nous cuidions tous morir par la grand
ardeur du soleil qui sur nous ses raidz espandoit.
Et comme ung jour nous estions sailliz de nostre
nave, pour faire en terre chascun une fosse pour
130 nous tappir pour le soleil, nostre bon filz, qui de
neige, comme sçavez, estoit, en nostre presence, sur
le gravier, par la grand force du soleil, fut tout a
coup fondu et en eaue resolu. Et n'eussiez pas dit
unes sept seaulmes que nous ne trouvasmes plus
135 rien de luy. Tout aussi a haste qu'il vint au monde,
aussi soudainement en est party. Et pensez que j'en
fuz et suis bien desplaisant. Et ne vy jamais chose
entre les merveilles que j'ay veues dont je fusse plus
esbahy. — Or avant, dit elle, puis qu'il a pleu a
140 Dieu le nous oster, comme il le nous avoit donné,
loé en soit il ! » Si elle se doubta que la chose allast
aultrement, l'ystoire s'en taist et ne fait pas mencion,
fors que son mary lui rendit telle qu'elle luy bailla,
combien qu'il en demoura tousjours le cousin.

LA XXe NOUVELLE,

PAR

PHILIPE [1] DE LOAN.

Il n'est pas chose nouvelle que en la conté de
5 Champaigne a tousjours eu bon [a] recouvrer de
foison de gens lourds en la taille, combien qu'il
sembleroit assez estrange a pluseurs, pourtant qu'ilz
sont si près voisins a ceulx du mal [2] engin. Assez et
10 largement d'ystoires a ce propos pourroit on mettre
avant conformant la bestise des Champenois. Mais,
quant au present, celle qui s'ensuyt pourra souffire.
En la dicte conté nagueres avoit ung jeune filz orphenin, qui bien riche et puissant demoura puis le tres-
15 pas de son pere et sa mere. Et jasoit qu'il fust lourd,
tres pou sachant, et encores aussi mal plaisant, si
avoit il une industrie de bien garder le sien et conduire sa marchandise. Et a ceste cause beaucop de
gens, voire de gens de bien, luy eussent voluntiers
20 donné leur fille a mariage. Une entre les aultres
pleut aux parents et amys de nostre Champenois,
tant pour sa bonté, beaulté, chevance, etc. ; et luy
dirent qu'il estoit temps qu'il se mariast, et que
bonnement il ne povoit seul conduire son fait. « Vous
25 avez aussi, dirent ilz, desja xxiiij ans, si ne pourriez
en meilleur eage prendre cest estat. Et, si vous y

---

[1] V. phelippe
[2] V. c. du pays du m.

voulez entendre, nous avons regardé et choisy pour
vous une belle fille et bonne, qui nous semble bien
vostre fait. C'est une telle ; vous la cognoissez
30 bien. » Lors la luy nommerent. Et nostre homme, a
qui ne chaloit qu'il feist, fust maryé ou aultre chose,
mais qu'il ne tirast point d'argent, respondit qu'il
feroit ce qu'ilz vouldroient. « Et puis que ce vous
semble mon bien, conduisez la chose au mieulx que
35 savez, car je veil faire par vostre conseil et ordonnance. — Vous dictes bien, dirent ces bonnes gens.
Nous regarderons et penserons pour vous comme
pour nous mesmes ou ung de noz enfans. » Pour
abreger, a chef de piece nostre Champenois fut
40 maryé de par Dieu ; mais si tost la premiere nuyt
qu'il fut près de sa femme couché, luy, qui oncques
sur beste crestiane n'avoit monté, tantost luy tourna
le doz, après je ne sçay quants simples baisiers
qu'elle eut de luy, mais du surplus nichil au doz.
45 Qui [3] estoit mal contente, c'estoit nostre espousée,
jasoit qu'elle n'en feist nul semblant ! Ceste maudicte
maniere dura plus de dix jours et encores eust [4], si
la bonne mere a l'espousée n'y eust pourveu de
remede. Il ne vous fault pas celer que nostre homme,
50 et neuf en fasson et en mariage, du temps de feu
son pere et sa mere avoit esté bien court tenu ; et
sur toute rien [5] luy estoit et fut defendu le mestier
de la beste a deux doz, doubtant, s'il s'i esbatoit,
qu'il y despendroit sa chevance. Et bien leur sem-
55 bloit, et a bonne cause, qu'il n'estoit pas homme
qu'on deust aimer pour ses beaulx yeulx. Luy, qui

---

[3] *V.* tourna **le d. Qui**
[4] *V.* durast
[5] *V.* toutes choses

pour rien ne courroussast pere et mere, et qui n'estoit
pas trop chault sur potaige, avoit tousjours gardé
son pucellage, que sa femme eust voluntiers desrobé
60 par bonne fasson, s'elle eust sceu [6]. Ung jour se
trouva la mere a nostre espousée devers sa fille, et
luy demanda de son mary, de son estat, de ses
condicions, de son mariage, et cent mille choses que
femmes scevent dire. A toutes choses bailla et rendit
65 nostre espousée a sa mere tresbonne response, et
dist que son mary estoit tresbon homme et qu'elle ne
doubtoit point qu'elle ne se conduisist bien avecques
luy. De ce fut nostre mere bien joyeuse, et [7], pource
qu'elle savoit bien par elle mesme qu'il fault en
70 mariage aultre chose que boire et menger, elle dist
a sa fille : « Or, vien ça et me dy par ta foy, et de
ces choses de nuyt, comment t'en est il ? » Quant la
pouvre fille oyt parler de ces choses de nuyt, a pou
que le cueur ne luy faillit, tant fut marrye et des-
75 plaisante ; et ce que sa langue n'osoit respondre,
monstrerent ses yeulx, dont sailloient larmes a tresgrand abundance. Si entendit tantost sa mere que
ces larmes vouloient dire, et dist : « Ma fille, ne
plorez plus ; mais dictes moy hardiement. Je suis
80 vostre mere, a qui ne devez rien celer, et de qui ne
devez estre honteuse. Vous a il encores rien fait ? »
La pouvre fille, revenue de paumoison et ung peu
rasseurée et de sa mere confortée, cessa la grand
flotte de ses larmes, mais elle n'avoit encores force
85 ne sens de respondre. Si l'interroge encores [8] sa
mere, et luy dit : « Dy moy hardiement et oste ces
larmes. T'a il rien fait ? » A voix basse et de plours

---

[6] *V. ajoute* : par quelque honneste facon
[7] *V.* avec lui. Et
[8] *V.* arriere

entremeslée respondit la fille et dist : « Par ma foy,
ma mere, il ne me toucha oncques ; mais du surplus
90 qu'il ne soit bon homme et doulx, par ma foy, si est.
— Or, dy moy, dit la mere, scez tu point s'il est
fourny de tous ses membres ? Dy hardiement si tu
le sces. — Saint Jehan ! si est tresbien, dist elle,
J'ay pluseurs foiz senty ses denrées d'aventure, ainsi
95 que je me tourne et retourne en nostre lit, quand je
ne puis dormir. — Il souffist, dist la mere ; laisse
moy faire du surplus. Veez cy que tu feras ; demain
au matin il te convient faindre d'estre malade tresfort, et monstrer semblant d'estre tant oppressée qu'il
100 semble que l'ame s'en parte. Ton mary me viendra
ou mandera querir, je n'en doubte point, et je feray
si bien mon personage que tu sçaras tantost comment
tu fuz gaignée, car je porteray ton urine a ung tel
medicin qui donnera tel conseil que je vouldray. »
105 Comme il fut dit il fut fait, car landemain, si tost
qu'on vit du jour, nostre gouge, auprès de son mary
couschée, se commenca a plaindre et faire si tresbien la malade qu'il sembloit que une fievre continue
luy rongeast corps et ame. Noz amis, son mary estoit
110 bien esbahy et desplaisant ; si ne savoit que faire ne
que dire. Si manda tantost sa belle mere, qui ne se
fist gueres attendre. Tantost qu'il la vit : « Helas !
belle mere, vostre fille se meurt. — Ma fille ! dit elle ;
et que luy fault il ? » Lors, tout en parlant, mar-
115 cherent jusques en la chambre de la patiente. Si tost
que la mere voit sa fille, elle luy demande comment
elle fait. Et elle, bien aprinse, ne respondit pas a
la premiere foiz, mais a chef de piece dit : « Mere,
je me meurs ! — Non faictes, si Dieu plaist, fille ;
120 prenez courage ; mais dont vous vient ce mal si a
haste ? — Je ne sçay, je ne sçay, dit la fille ; vous
me paraffolez a me faire parler. » Sa mere la prent

par la main, et luy taste son poux, et son corps, et
son chef, et puis dit a son beau filz : « Par ma foy,
125 creez qu'elle est malade ; elle est plaine de feu. Si
fault pourveoir de remede. Y a il point ycy de son
urine ? — Celle de la mynuyt y est, dit une des
meschines. — Baillez la moy, » dit elle. Quand elle
eut ceste urine, fist tant qu'elle eut ung urinal et
130 dedans la bouta, et dist a son beau filz qu'il la portast monstrer a ung medicin pour savoir qu'on
pourra faire a sa fille, et si on y peut aider. « Pour
Dieu ! n'y espargnons rien, dit elle ; j'ay encores de
l'argent que je n'ayme pas tant que ma fille. — Es-
135 pergner ! dist noz amis ; creez, si on luy peut aider
pour argent je ne luy fauldray pas. — Or vous avancez, dit elle, et tantdiz qu'el se reposera ung peu
je m'en iray jusques au mesnage ; tousjours reviendray je bien, s'on a mestier de moy. » Or devez vous
140 savoir que nostre bonne mere avoit, le jour devant,
au partir de sa fille, forgé le medicin qui estoit bien
adverty de la response qu'il devoit faire. Veez cy
nostre gueux qui arrive devers nostre medicin, a
tout l'orine de sa femme ; et, quand il luy eut fait la
145 reverence, il luy va compter comment sa femme estoit
deshaitée et merveilleusement malade. « Et veez cy
son urine que a vous j'apporte, affin que mieulx
vous informez de son cas, et que plus seurement me
puissez conseiller. » Le medicin prend l'orinal et
150 contremont le leve, et tourne et retourne l'urine, et
puis va dire : « Vostre femme est fort aggravée de
chaulde maladie et en dangier de mort, s'elle n'est
prestement secourue. Veez cy son urine qui le
monstre. — Ha ! maistre, pour Dieu mercy, veillez
155 moy dire, et je vous paieray bien, qu'on luy peut
faire pour recouvrer santé, et s'il vous semble qu'elle
n'ayt garde de mort. — Elle n'a garde, si vous

luy faictes ce que je vous diray, dit le medicin ; mais,
si vous tardez gueres, tout l'or du monde ne la
160 garantira pas de [9] la mort. — Dictes, pour Dieu, dit
l'aultre, et on luy fera. — [Il faut,] dit le medicin,
qu'elle ayt compaignie d'homme, ou elle est morte.
— Compaignie d'homme ! dit l'aultre, et qu'est ce a
dire cela ? — C'est a dire, dit le medicin, qu'il fault
165 que vous montez sur elle et que vous la roncynez
tresbien trois ou quatre foiz tout a haste. Et le plus
que vous pourrez a ce premier faire sera le meilleur.
Aultrement ne sera point estaincte la grand ardeur
qui la seche et tire a fin. — Voire, dit il, et seroit ce
170 bon ? — Elle est morte, et n'y a pas de rechap [10],
dit le medicin, s'ainsi ne le faictes voire et bien tost
encores. — Saint Jehan ! dit l'aultre, j'essaieray comment je pourray faire. » Il se part de la, et vient a
l'ostel, et trouve sa femme qui se plaignoit et dolo-
175 soit tresfort. « Comment va, dit il, m'amye ? — Je
me meurs, mon amy, dit elle. — Vous n'avez garde,
si Dieu plaist, dist il. J'ay parlé au medecin, qui m'a
enseigné une medicine dont vous serez garie. » Et
durant ces devises, il se despoille et auprès de sa
180 femme se boute. Et, comme il approchoit pour executer le conseil du medicin tout en lourdoys : « Que
faictes vous, dit elle ; me voulez vous partuer ?
— Mais je vous gariray, dit il, le medicin l'a dit. »
Et ce dit, ainsi que nature luy monstra, et a l'aide
185 de la paciente il besoigna tresbien deux ou trois fois.
Et, comme il se reposoit tout esbahy de ce que
advenu luy estoit, il demande a sa femme comment
elle se porte. « Je suys ung pou mieulx, dit elle, que

---

[9] *V.* garderoit de
[10] *V.* respit

par cy devant n'ay esté. — Loé soit Dieu ! dit il ;
190 j'espere que vous n'avez garde, et que le medicin ara
dit vray. » Alors recommence de plus belles. Pour
abreger, tant et si bien le fist que sa femme revint
en santé dedans pou de jours, dont il fut tresjoyeux.
Si fut la mere quant el le sceut. Nostre Champenois,
195 après ces armes desus dictes, devint ung pou plus
gentil compaignon qu'il n'estoit par avant ; et luy
vint en courage, puis que sa femme restoit en santé,
qu'il semondroit a disner ung jour ses parens et
amys et le pere et la mere d'elle, ce qu'il fist ; et les
200 servit grandement en son patoys, a ce disner, faisoit
tresbonne et joyeuse chere. On buvoit a luy, il buvoit
aux aultres. C'estoit merveille qu'il estoit gentil compaignon. Mais escoutez qu'il lui advint. A la coup
de [11] la meilleure chere de ce disner, il commença
205 tresfort et soudainement a plorer [12], et sembloit que
tous ses amys, voire tout le monde, fussent mors,
dont n'y eut celuy de la table qui ne s'en donnast
grand merveille dont ces soudaines larmes proce-
doient ; les ungs et les aultres luy demandent qu'il
210 a ; mais a pou s'il povoit ou savoit responde, tant
le contraignoient ses folles larmes. Il parla au fort,
en la fin, et dist : « J'ay bien cause de plorer. — Et
par ma foy, non avez, ce dist sa belle mere. Que
vous fault il ? Vous estes riche et puissant et bien
215 logié, et si avez de bons amys ; et qui ne fait pas
a oublier, vous avez belle et bonne femme, que Dieu
vous a remise [13] en santé, qui nagueres fut sur le
bord de sa fosse. Si m'est advis que vous devez estre

[11] *V*. Au fort de
[12] *V*. tresfort a p.
[13] *V*. ramenee

lyé et joyeux. — Helas ! non fays, dit il. C'est par
220 moy que mon pere et ma mere, qui tant m'aymoient,
et m'ont assemblé et laissé tant de biens, ne sont
encores en vie. Car ilz ne sont mors tous deux que de
chaulde maladie ; et si je les eusse aussi bien roncynez quand ilz furent malades que j'ay fait ma femme,
225 ilz fussent maintenant sur piez. » Il n'y eut celuy de
la table après ces motz a pou qui se tenist de rire,
mais non pourtant il s'en garda qui peut. Les tables
furent ostées, et chacun s'en alla, et le bon Cham-
penoys demoura avec sa femme, laquelle, affin
230 qu'elle demourast en santé, fut souvent de luy
racolée.

LA XXIe NOUVELLE,

PAR

PHILIPE [1] DE LOAN.

Sur les metes de Normandie siet une bonne et
grosse abbaye de dames, dont l'abbesse, qui belle et
jeune et en bon point estoit, nagueres se acoucha
malade. Ses bonnes sœurs, devotes et charitables,
tantost la vindrent visiter, en la confortant et admi-
nistrant a leur povoir de tout ce qu'elles sentoient
que bon luy fust. Et quand elles parceurent qu'elle
ne se disposoit a garison, elles ordonnerent que l'une
d'elles yroit a Rouen porter son urine, et compteroit
son cas a ung medicin de grand renommée. Pour
faire ceste ambaxade, a lendemain l'une d'elles se
mist au chemin et fist tant qu'el se trouva devers
ledit medicin, auquel, après qu'il eut visité l'urine de
madame l'abbaesse, elle compta tout au long la fasson et maniere de sa maladie, comme de son dormir,
de aller a chambre, de boire, de menger. Le sage
medicin, vrayement du cas de madame informé tant
par son urine comme par la relacion de la religieuse,
voulut ordonner le regime. Et, jaosit qu'il eust de
coustume a pluseurs de leur bailler par escript [2], il
se fya bien de tant a la religieuse que de bouche luy
diroit. « Belle [3] seur, dit il, pour recouvrer la santé

---

[1] V. phelippe
[2] V. b. a plusieurs ung recipe p.
[3] V. d. ce quavoit a faire. Et lui dit b.

de madame l'abbesse, il est mestier et de necessité
qu'el ait compagnie d'homme ; et bref aultrement
elle se trouvera en pou d'espace si adicte et de mal
souprinse⁴ que la mort luy sera derrain remede. »
30 Qui fut bien esbahye d'oyr si tresdures nouvelles, ce
fut nostre religieuse, qui alla dire : « Helas ! maistre
Jehan, ne voiez vous aultre fasson pour la recouvrance de la santé de madame ? — Certes nenny, dit
il. Il n'en y a point d'aultre. Et si veil bien que vous
35 sachez qu'il se fault avancer de faire ce que j'ay dit.
Car si la maladie, par faulte d'ayde, peut prendre
son cours comme el s'efforce, jamais homme a temps
n'y viendra. » La bonne religieuse a pou s'elle osa
disner a son aise, tant avoit haste de nuncier a
40 madame ces nouvelles ; et a l'ayde de sa bonne hacquenée, et du grand desir qu'el a d'estre a l'ostel,
s'avança si bien que madame l'abbesse fut trestoute
esbahie de si tost la reveoir. « Que dit le medicin,
belle seur ? ce dist elle ; ay je garde de mort ?
45 — Vous serez tantost en bon point, si Dieu plaist,
madame, dist la religieuse messagiere ; faictes bonne
chere et prenez cueur. — Et ne m'a le medicin point
ordonné de regime ? dit madame. — Si a, dit elle. »
Lors luy va dire tout au long comment le medicin
50 avoit veu son urine, et les demandes qu'il fist de son
eage, de son menger, de son dormir, etc. « Et puis,
pour conclusion, il dit et ordonne qu'il fault que vous
aiez compaignie charnelle avecques homme⁵, [ou]⁶
bref aultrement vous estes morte : car a vostre mala-
55 die n'a point d'aultre remede. — Compaignie d'homme ! dit madame ; j'ayme plus cher morir mille foiz,

---

⁴ *V.* si de mal entechee et s.
⁵ *V.* v. a. comment quil soit c. c. a quelque h.
⁶ *ms* et

s'il m'estoit possible. » Et lors va dire : « Puis que
mon mal est incurable et mortel si je n'y pourvoy
de tel remede, loé soit Dieu, je prens la mort en gré.
60 Appellez moy bien tost tout mon couvent. » Le tymbre fut sonné. Si vindrent tantost devers madame
trestoutes ses bonnes religieuses. Et quand elles
furent en la chambre, madame, qui avoit encores la
langue a commendement, quelque mal qu'elle eust,
65 commença une grande et longue harengue devant ses
seurs, remonstrant le fait et estat de son eglise, en
quel point elle la trouva et en quel estat elle est
aujourd'uy. Et vint descendre ses parolles a parler
de sa maladie, qui estoit mortelle et incurable,
70 comme elle bien sentoit et cognoissoit, et au jugement aussi d'un tel medicin elle s'arrestoit, qui morte
l'avoit jugée. « Et pour tant, mes bonnes sœurs, je
vous recommende nostre eglise, et en voz plus
devotes prieres ma pouvre ame... » Et, a ces parolles,
75 larmes en grand abundance saillirent de ses yeulx,
qui furent accompaignées d'aultres sans nombre,
sourdans de la fontaine du cueur de son bon couvent.
Ceste plorerie dura assez longuement, et fut la le
long temps le mesnage sans parler. A chef de piece,
80 madame la prieure, qui bonne et sage estoit, print la
parole pour tout le couvent et dist : « Madame, de
vostre maladie, ce scet Dieu a qui nul ne peut rien
celer, il nous desplaist beaucop, et n'y a celle de
nous qui ne se vouldroit emploier autant que pos-
85 sible est et seroit a personne vivant a la recouvrance
de vostre santé. Si vous prions toutes ensemble que
vous ne nous espergnez en rien qui soit des biens
de vostre eglise. Car mieulx nous vauldroit, et plus
cher l'aymerions, de perdre la plus part de noz biens
90 temporelz que le prouffit espirituel que vostre presence nous donne. — Ma bonne sœur, dist madame,

je n'ay pas tant deservy que vous m'offrez, mais je
vous en mercie tant que je puis, en vous advisant et
priant derechef que vous pensez comme je vous ay
95 dit aux afferes de nostre eglise, qui me touchent près
du cueur, Dieu le scet, en accompaignant aux prieres
que ferez ma pouvre ame, qui bien mestier en a.
— Helas ! madame, dist la prieure, et n'est il possible a bon gouvernement et soigneuse medicine [7]
100 que vous puissez repasser ? — Nenny, certes, ma
bonne seur, dit elle. Il me fault mectre au reng
des trespassez, car je ne vaulx gueres mieulx, quelque langage qu'encores je pronunce. » Adonc saillit
avant la religieuse qui porta son urine a Rouen, et
105 dist : « Madame, il y a bon remede, s'il vous plaisoit.
— Creez qu'il ne me plaist pas, dit elle. Veez cy
seur Jehanne qui revient de Roen, et a monstré mon
urine et compté mon cas a ung tel medicin, qui m'a
jugée morte, voire si je ne me vouloye abandonner
110 a aucun homme et estre en sa compaignie. Et par
ce poinct esperoit il, comme il trouvoit par ses livres,
que j'en aroye garde de mort ; mais, s'ainsi ne le
faisoie, il n'y a point de ressourse en moy. Et quant
a moy j'en loe Dieu, qui me daigne appeller ainçois
115 que j'aye fait plus de pechez ; a luy me rens, et a
la mort je presente mon corps, vienne quand elle
veult. — Comment, madame, dist l'enfermiere, vous
estes de vous mesmes homicide ! Il est en vous de
vous garir et sauver, et ne vous fault que tendre la
120 main et requerre ayde, vous la trouverez preste. Ce
n'est pas bien fait. Et vous ose bien dire que vostre
ame ne partiroit point seurement, si en cet estat vous
moriez. — Ha ! belle seur, dist madame, quantesfoiz
avez vous oy prescher que mieulx vauldroit a une

---

7 *V.* s. diligence de m.

125 personne s'abandonner a la mort que commettre ung
seul peché mortel ? Et vous savez que je ne puis
ma mort fuyr n'esloignier sans faire et commettre
peché mortel ! Et que bien autant au cueur me touche, s'en ce faisant ma vie esloignoie, ne viveroys
130 je [8] pas deshonorée et a toujoursmés reprochée, et
diroit on : Veez la dame, etc... ? Mesmes vous toutes,
quelque conseil que me donnez, m'en ariez en irre-
verence et en mains d'amour, et vous sembleroit, et
a bonne cause, que indigne seroie d'entre vous pre-
135 sider et gouverner. — Ne dictes et ne pensez jamais
cela, dit madame la tresoriere ; il n'est chose qu'on
ne doye entreprandre pour eschever la mort. Et ne
dit pas nostre bon pere saint Augustin qu'il ne loist
a personne de soy oster la vie ne tollir ung sien
140 membre ? Et ne yrez directement encontre sa sentence si vous laissez a escient ce qui vous peut de
mort [9] garder ? — Elle dit bien, dit le convent en
general, Madame, pour Dieu, obeissez au medicin, et
ne soiez en vostre opinion si ahurtée qu'en la sous-
145 tenant [10] vous perdrez corps et ame, et laissez vostre
pouvre couvent, qui tant vous ayme, desolé et despourveu de pastoure. — Mes bonnes seurs, dit
madame, j'ayme mieulx a la mort volontairement
tendre les mains, soubmettre mon col et honorable-
150 ment l'embrasser, que par la fuyr je vive deshonorée.
Et ne diroit on pas : Veez la la dame qui fist ainsi et
ainsi ? — Ne vous chaille, Madame, qu'on dye, dit
la prieure ; vous ne serez ja reprouchée de gens de
bien. — Si scroie, si seroye, dit madame. » Le cou-
155 vent se alla esmouvoir, et feirent les bonnes reli-

---

[8] *V.* v. eslongerioe nen venroys je
[9] *V.* mal
[10] *V.* a. que par faulte de soustenance

gieuses entre elles ung consistoire dont la conclusion
s'ensuyt ; et porta les parolles d'icelle la prieure :
« Madame, veez cy vostre desolé couvent si tresdesplaisant que jamais maison ne fut si desolée ne
160 troublée qu'el est, dont vous estes cause ; et creez,
si vous estes si mal conseillée de vous abandonner a
la mort que fuyr vous povez, vous occirez, j'en [11]
suis bien seure. Et, affin que vous l'entendez que
nous vous amons de bonne et loyale amour, nous
165 sommes contentes et avons conclu et meurement
deliberé, toutes ensemble generalement, que, s'il
vous plaist, en sauvant vostre vie et nous [12], avoir
compaignie secretement d'aucun homme de bien,
nous pareillement le ferons comme vous, affin que
170 vous n'ayez pensée ne ymaginacion qu'en temps
advenir vous en sourdist reprouche de nulle de nous.
N'est ce pas ainsi, mes seurs ? dit elle. — Oy, oy »,
dirent elles trestoutes de bon cueur. Madame l'abbesse, oyant ce que dit est, et portant au cueur ung
175 grand fardeau d'ennuy, pour l'amour de ses seurs
se laissa ferrer [13] et s'accorda, combien que ce fut a
grand regret, que le conseil du medicin fut mis en
euvre, pourveu que ses seurs luy tiendront compaignie. Adonc furent mandez moynes, prestres et
180 clercs, qui trouverent bien a besoigner ; et le feirent [14] si tresbien que madame l'abbesse fut en pou
d'heure rappaisée, dont son couvent fut tresjoyeux,
qui par honeur faisoit ce que pour honte oncques
puis ne laissa.

---

[11] *V.* poves jen
[12] *V.* g. en s. vous et n.
[13] *V.* ferir
[14] *V.* la ouvrerent

LA XXIIᵉ NOUVELLE,

PAR

CARON.

N'a gueres que ung gentilhomme demorant a Bru-
5 ges tant et si longuement se trouva en la compaignie
d'une belle fille qu'il luy fist le ventre lever. Et droit
a la coup qu'elle s'en perceut et donna garde, monseigneur fist une assemblée de gens d'armes. Si fut
force a nostre gentilhomme d'abandonner sa dame
10 et avecques les aultres aller au service de mon dit
seigneur, ce que de bon cueur et bien il fist. Mais
avant son partement il fist garnison et pourveance
de parrains et marraines et de nourrice pour son
enfant advenir, logea la mere avecques de bonnes
15 gens, lui laissa de l'argent, et leur recommenda. Et
quand au mieulx qu'il sceut et plus bref peut ses
choses furent bien disposées, il ordonna son partement et print congé de sa dame. Et au plaisir de
Dieu promect de tantost retourner. Pensez que s'elle
20 n'eust jamais plouré, ne s'en tenist a ceste heure,
puis qu'elle voit eloigner la rien en ce monde dont
la presence plus luy plaist ! Pour abreger, tant luy
despleut ce dolent departir qu'oncques mot ne sceut
dire, tant empescherent sa doulce langue les larmes
25 sourd[antes] [1] du profond de son cueur. Au fort el
s'appaisa, puis que aultre chose estre n'en peut. Et

---

[1] *ms* soudaines

quand vint environ ung mois après le partement de
son amy, desir luy eschaufa le cueur et si luy vint
ramantevoir les plaisans passetemps qu'elle souloit
30 avoir, dont la tresdure et tresmaudicte absence de
son amy, helas ! l'avoit privée. Le dieu d'amours, qui
n'est jamais oiseux, luy mist en bouche et en termes
les haulx biens, les nobles vertuz et la tresgrand
loyaulté d'un marchant son voisin, qui par pluseurs
35 foiz, avant et puis le partement de son amy, luy avoit
presenté la bataille, et conclure luy fist que, s'il
retourne plus a sa queste, qu'il ne s'en retournera [2]
pas esconduyt ; mesmes, si la laissoit arriere, elle [3]
tiendra bien telles et si bonnes manieres qu'il enten-
40 dra bien qu'elle en veult a luy. Or vint il si bien
que au lendemain de ceste conclusion, a la premiere
euvre, Amour envoya nostre marchant devers sa
patiente, et luy presenta comme aultrefoiz chiens et
oyseaux, son corps et ses biens, et cent mille choses
45 que ces abateurs de femmes scevent tout courant et
par cueur. Il ne fut pas escondit. Car, s'il avoit bonne
volunté de combatre et faire armes, elle n'avoit
pas mains de desir de luy de lyer son emprinse
et le fournir de tout ce qu'il la vouldra requerre.
50 Sans faire long proces au prejudice de nostre gentil
homme, qui maintenant est en la guerre [4], nostre
gentil femme fournit et accomplit au bon marchant
tout ce dont la requist ; et si plus eust osé demander
elle estoit preste d'accomplir. Et tant trouva en luy
55 de bonne chevalerie, de proesse et de vertuz, qu'elle
oublya de tous poins son amy par amours, qui a

---

[2] *V.* sen yra
[3] *V.* si la voyoit es rues e.
[4] *V.* desir de lui fournir de tout ce quil vouldra. Et durant
que nostre g. h. est en g.

ceste heure gueres ne s'en doubtoit. Beaucop aussi
au bon marchant pleut la courtoisie de sa nouvelle
dame ; et tant furent conjoinctes les voluntez, desirs
60 et pensées de luy et d'elle, qu'ilz n'avoient pour eulx
deux que ung seul cueur. Si s'appenserent que, pour
[s]e⁵ bien loger et a leur aise, il souffiroit bien d'un
hostel⁶. Si troussa ung soir nostre gouge ses bagues
et habillemens, et avec elles a l'ostel du marchant⁷
65 se vint rendre, en abandonnant son premier amy, son
hoste, son hostesse et foison d'aultres gens de bien
auxquelx il l'avoit recommandée. Elle ne fut pas si
folle, quand elle se vit si bien logée, qu'el ne dist
incontinent a son marchant qu'elle se sentoit grosse,
70 qui en fut tresjoyeux, cuidant bien que ce fust par
ses euvres. Au chef de sept moys, ou environ, nostre
gouge fist ung beau filz dont le pere adoptif s'ac-
quicta tresgrandement et de la mere aussi. Advint
certain espace après que le bon gentil homme
75 retourna de la guerre et vint a Bruges ; et au plustost qu'il peut honestement print son chemin vers le
logis ou il laissa sa dame. Et luy venu leans, il la
demanda a ceulx qui en prindrent la charge de la
penser, garder et aider en sa gesine. « Comment !
80 dirent ilz, est ce ce que vous en savez ! Et n'avez
vous pas eu les lettres que vous avons rescriptes ?⁸
— Nenny, par ma foy, dit il, et quelle chose y a il ?
— Quelle chose ! saincte Marie ! dirent ilz ; Nostre
Dame ! c'est bien raison qu'on le vous dye. Vous ne
85 fustes en allé d'un mois qu'elle ne troussa pignes et
miroirs et s'en alla bouter cy devant en l'ostel d'un

---

⁵ *ms* le
⁶ *V.* h. pour leurs deux. Si
⁷ *V.* ses b. avec elle, et en lhostel du m. sen alla
⁸ *V.* l. qui v. furent escriptes

tel marchant, qui la tient a fer et a clou. Et de fait
elle a fait ung beau filz et a jeü leans, et l'a fait
le marchant chrestienner, et le tient a sien. — Saint
90 Jehan ! veez cy aultres nouvelles, dit le bon gentilhomme. Mais au fort, puis qu'el est telle, au dyable
voit [9] elle ! Je suis bien content que le marchant l'ayt
et la tienne ; mais quant est de l'enfant, il est mien,
et si le veil ravoir. » Et sur ce mot, part et s'en va,
95 et vint heurter bien rudement a l'huys du marchant.
De bonne adventure, sa dame qui fut vint a ce hurt
et ouvre l'huys, comme toute de leans qu'elle estoit.
Quand elle vit son amy oblyé et qu'il la cogneut
aussi, chacun fut esbahy. Non pourtant luy demanda
100 dont elle venoit en ce lieu. Et elle respondit que
Fortune l'y [10] avoit amenée. « Fortune ! dist il ; or
Fortune vous y tienne ! Mais je veil ravoir mon
enfant ; vostre maistre ara la vache, et j'aray le
veau, moy ! Or le me rendez bien tost, car je le veil
105 avoir, quoy qu'en adviegne. — Helas ! dit la gouge,
que diroit mon homme ? Je seroye deffaicte, car il
cuide certainement qu'il soit sien. — Ne m'en chault,
dit l'autre, dye ce qu'il vouldra, mais il n'ara pas
ce qui est mien. — Ha ! mon amy, je vous requier
110 que vous laissez cest enfant a mon marchant, et
vous me ferez grand plaisir et a luy aussi. Et pour
Dieu, si vous l'aviez veu, vous ne feriez ja presse
de l'avoir : c'est ung let et ort garson, trestout roigneux et contrefait. —Dya, dit l'aultre, tel qu'il est
115 il est mien, et si le vueil je ravoir ! — Et parlez bas,
pour Dieu, ce dit la gouge, et vous appaisez de
vostre demande, je [11] vous en supplie. Et s'il vous

_____

9 *V.* soit
10 *V.* luy
11 *V.* v. appaisiez je

plaist ceans laisser cest enfant, je vous promectz,
par ma foy, s'il vous plaist ainsi faire, je vous don-
120 neray [12] le premier que j'aray jamais. » Le gentil
homme, a ces motz, jasoit qu'il fust esmeu et courroucé [13], ne se peut tenir de soubrire. Et sans plus
dire de sa bonne dame se partit. Et tien, comme l'on
me compta, qu'il n'a plus redemandé le dit enfant [14],
125 et qu'encores le nourrist celuy qui la mere engranga
en l'absence de nostre gentil homme.

---

[12] *V.* je v. p. se ainsi le faictes de vous **donner**
[13] *V.* quil f. c.
[14] *V.* se p., ne jamais ne redemanda le

LA XXIIIe NOUVELLE,

PAR

MONSEIGNEUR DE QUIEVRAIN. [1]

N'a gueres qu'en la ville de Mons, en Haynau, ung
5 procureur de la court dudit Mons, assez sur eage et
ja ancien, entre aultres ses clercs avoit ung tresbeau
filz et gentil compaignon, du quel sa femme a chef
de piece s'enamoura tres fort ; et tres bien luy sembloit qu'il estoit mieulx taillié de faire la besoigne
10 que son mary. Et affin qu'el esprouvast si son cuider
estoit vray, elle conclut en soy mesmes qu'el tiendra
telz termes que, s'il n'est plus beste qu'un asne, il
se donnera tantost garde qu'el en veult a luy. Pour
executer ce desir, ceste vaillant femme, jeune, fresche
15 et en bon point, venoit menu et souvent couldre [2] et
filer auprès de ce clerc, et devisoit a luy de cent
mille besoignes dont la pluspart en fin sur amours
retournoient. Et devant ces devises elle n'oblya pas
de le servir de laudes, Dieu scet, largement [3]. Une
20 foiz le boutoit du coste en escripvant, une aultre foiz
luy ruoit [4] des pierrettes qui brouilloient ce qu'il faisoit, et luy failloit recommancer. Ung aultre jour
retournoit ceste feste et luy ostoit papier et parche-

---

[1] V. commesuram
[2] V. coustre
[3] V. s. daubades assez l.
[4] V. gettoit

min, tant qu'il failloit qu'il cessast l'euvre, dont il
25 estoit tresmal content, doubtant le courroux de son
maistre. Quelque semblant que la maistresse long
temps a son clerc eust monstré, qui tiroit fort au
train de derriere, si luy avoit [5] jeunesse et crainte
les yeulx si bandez que en rien il ne s'appercevoit
30 du bien qu'on luy vouloit. Neantmains enfin, par
estre beaucop hutiné, il s'apperceut aucunement qu'il
estoit bien en grace, et se pensa qu'il l'esprouveroit.
Ne demoura [6] gueres après ceste deliberation que,
nostre procureur estant hors de l'ostel, sa femme
35 vint a nostre clerc bailler l'arriere ban d'assault en
escripvant qu'elle avoit de coustume [7], voire trop
plus aigre et plus fort que nulle foiz de devant tant
de ruer, tant de bouter, tant de parler ; mesmes pour
le plus empescher et bailler destourbier, elle res-
40 pandit sur buffet, sur papier et sur sa robe, son
cornet a l'encre. Et nostre clerc, plus cognoissant et
mieulx voyant que cy dessus, saillit en piez, assault
sa maistresse et la reboute en sus de [8] luy, priant
qu'elle le laisse escripre. Et elle, qui demandoit estre
45 assaillie et combatue, ne laissa pas pourtant l'emprinse encommancée, mais de plus belle rend estire :
« Savez [9] vous qu'il y a, ce dit le clerc, ma damoiselle ? c'est force que j'escheve en haste l'escript que
j'ai encommancé ; si vous requier que vous me lais-
50 sez paisible, ou, par la mort bieu, je vous livreray
castille. — Et que me ferez vous, beau sire, ce dit
elle ; la moue ? — Nenny, par Dieu. — Et quoy

---

[5] *V.* avoient
[6] *V. N.* en la fin il parceut quil e. b. en g. et ne d.
[7] *V.* b. lassault quelle a.
[8] *V.* arriere de
[9] *V.* encommencee. Scaves

donc ? — Quoy ? — Voire quoy ? — Pour ce, dit
il, que vous avez respandu mon cornet a l'encre et
55 avez brouillé et mon escripture et ma robe, je [10]
vous pourray bien brouiller vostre parchemin ; et
affin que faulte d'encre ne m'empesche d'escripre,
je pourray bien pescher en vostre escriptoire [11].
— Par ma foy, dit elle, vous estes bien l'omme. Et
60 creez que j'en ay grand paour ? — Je ne sçay quel
homme, dist le clerc, mais tel que je suis, si vous
y rembatez plus [12], vous passerez par la. Et de fait
veez cy une raye que je vous faiz, et par Dieu, si
vous la passez, tant pou soit il, si je vous fault je
65 veil qu'on me tue. — Et par ma foy, dit elle, je ne
vous en craings, et si passeray la raye, et puis verray
que vous ferez. » Et disant ces parolles, marcha la
dureau, faisant le petit sault oultre la raye bien
avant. Et le bon clerc la prend aux grifz, sans plus
70 enquerre, et sur son banc la rue, et creez qu'il la
punit bien : car, s'elle l'avoit brouillié, il ne luy en
fist pas mains, mais ce fut en aultre fasson, car elle
le brouilla par dehors et a descouvert, et il a couvert [13] et par dedans. Et de ce cas fut le notaire
75 ung [14] jeune enfant environ deux ans, filz de leans.
Il ne fault pas demander si après ces premieres
armes de la maistresse et du clerc s'il y eut plusieurs
secretes rencontres a mains de parolles que les premieres. Il ne vous fault pas celer aussi que peu de
80 jours après ceste adventure, le dit petit enfant ou
comptouer estant ou le clerc escripvoit, le procureur

---

[10] *V.* b. mon e. je
[11] *V.* cornet
[12] *V.* je suis tel que se vous vous y esbates p.
[13] *V.* il la broulla a c.
[14] *V.* Or est il vray que la present y estoit ung

et maistre de leans survint, et marche avant pour
tirer vers son clerc, pour regarder qu'il escripvoit, ou
espoir pour aultre chose. Et comme il apperceut (de)
85 la [15] raye, que son clerc fist pour sa femme, qui
encores n'estoit effacée, son filz luy dist et crya :
« Mon pere, gardés bien que vous ne passez ceste
raye, car nostre clerc vous abateroit et huppilleroit [16]
ainsi qu'il fist nagueres ma mere. » Le procureur,
90 oyant son filz, et regardant la raye, si ne scet que
penser. Car il luy alla souvenir que folz, yvres et
enfans ont de coustume de vray dire ; mais non-
pourtant il n'en fist pour ceste heure nul semblant.
Et n'est encores venu a ma cognoissance se il differa
95 la chose ou par ignorance ou pour doubte d'esclandre.

---

15 *V*. approucha la
16 *V*. houspilleroit

LA XXIVᵉ NOUVELLE,

PAR

MONSEIGNEUR DE FIENNES.

Jasoit que es nouvelles desusdictes les noms de
5 ceulx et celles a qui elles ont touché et touchent ne
soient mis n'escripz, si me donne mon appetit grand
vouloir de nommer, en ma petite ratelée, le conte
Walerant, en son temps conte de Saint Pol, et
appellé le beau conte. Entre aultres ses seigneuries,
10 il estoit seigneur d'un village en la chastellenie de
Lisle nommé Vrelenchem, près dudit Lisle environ
d'une lieue. Ce gentil conte, de sa bonne et doulce
nature estoit et fut tout son temps amoureux. Oultre
l'enseigne, il sceut, au rapport d'aucuns ses servi-
15 teurs qui en ce cas le servoient, que au dit Vrelenchem avoit une tres belle fille, gente de corps et en
bon point. Il ne fut pas si paresseux que, assez tost
après ceste nouvelle oye, il ne se trouvast en ce
village. Et feirent tant ses serviteurs, que les yeulx
20 de leur maistre confermerent de tout point leur rapport touchant la dicte fille : « Or ça, qu'est il de
faire ? dist lors le gentil conte. C'est force que je
parle a elle entre nous deux seullement, et ne me
chault qu'il me couste. » L'un de ses serviteurs, doc-
25 teur en son mestier, dist : « Monseigneur, pour vostre
honneur et celuy de la fille aussi, il me semble qu'il
vault mieux que je lui descouvre l'embusche de
vostre vouloir ; et selon la response, j'aray advis de
parler et poursuyr. » Comme l'aultre dist, il fut fait,

30 car il vint devers la belle fille et trescourtoisement la
salua. Et elle, qui n'estoit pas mains sage ne bonne
que belle, courtoisement luy rendit son salut. Pour
abreger, après pluseurs parolles d'accointances, le
bon macquereau va faire une grand premisse tou-
35 chant les biens et les honneurs que son maistre luy
vouloit ; et de fait, si a elle ne tenoit, elle seroit
cause d'enrichir et honorer tout son lignage. La
bonne fille entendit tantost quelle heure il estoit. Si
feist sa response telle qu'elle estoit, c'est assavoir
40 belle et bonne. Car, au regard de monseigneur le
conte, elle estoit celle, son honneur saulve, qui luy
vouldroit obeir, craindre et servir en toutes choses.
Mais qui la vouldroit requerre contre son honneur,
qu'elle tenoit aussi cher que sa vie, elle estoit celle
45 qui ne le cognoissoit et pour qui elle ne feroit neant
plus que le singe pour les mauvais. Qui fut esbahy
et courroucé, ceste response oye, ce fut nostre va-
luy-dire, qui s'en revint devers son maistre a tout
ce qu'il avoit de poisson, car a char avoit il failly.
50 Il ne fault pas demander si le conte fut mal content
quand il sceut la tresfiere et dure response de celle
dont il desiroit l'accointance et joissance, et autant
et plus que de nulle du monde. A chef de piece va
dire : « Or avant, laissons la la pour ceste foiz. Il
55 m'en souviendra quant el cuidera qu'il soit oblié. »
Il se partit de la tantost après, et n'y retourna que
les six sepmaines ne furent passées. Et quand il
revint, ce fut si tressecretement que nouvelle nulle
n'en fut en la ville, tant simplement et en tapinage s'i
60 trouva. Il fist tant par ses espies [qu'il sceust] que
nostre belle fille sayoit de l'erbe au coing d'un bois,
asseulée de toutes gens ; il fut bien joyeux, et, tout
housé encores qu'il estoit, se mist au chemin devers
elle, en la compaignie de ses espies. Et quand il fut

65 près de ce qu'il queroit, il leur donna congé, et fist
tant qu'il se trouva auprès de sa dame sans ce qu'elle
en sceust nouvelle, sinon quand el le vit. S'elle fut
soupprinse et esbahie de se veoir tenue et saisie de
monseigneur le conte, ce ne fut pas merveilles ;
70 mesme el en changea coleur, mua semblant, et pour
ung peu en perdit la parolle. Car elle savoit par
renommée qu'il estoit perilleux et noiseux entre femmes. « Ha dya ! ma damoiselle, dit lors le gentil
conte, qui se trouva saisy, vous estes a merveilles
75 fiere. On ne vous peut avoir sans siege. Or pensez
bien de vous defendre, car vous estes venue a la
bataille ; et avant que de moy partez vous amenderez [1] a mon vouloir et tout a ma devise les peines
et travaulx que j'ay souffers et enduré[s] tout pour
80 l'amour de vous. — Helas ! monseigneur, ce dist la
jeune fille, toute esbahye et soupprinse qu'elle estoit,
je vous cry mercy ! Si j'ay dit ou fait chose qui
vous desplaise, veillez le moy pardonner. Et combien
que je ne pense avoir dit ne fait chose dont me devez
85 savoir mal gré, je ne sçay, moy, qu'on vous a rapporté. On m'a requis en vostre nom de deshonneur ;
je n'y ay point adjousté de foy, car je vous tiens
si vertueux que pour rien ne vouldriez deshonorer
une vostre simple subjecte que je suys, mesmes la
90 vouldriez bien garder. — Ostez ce procés, dit monseigneur, et soyez seure que vous ne m'eschaperez si
que vous auray monstré [2] le bien que je vous veil et
ce pourquoy j'envoiay par devers vous. » Et, sans
plus dire, la trousse et prend entre ses braz, et
95 dessus ung peu d'herbe mise en tas qu'elle avoit

---

1 *V.* v. en feres
2 *V.* meschapperes. Je vous ay fait monstrer

assemblé, souvyne la coucha et fort et roidde, et[3]
vistement faisoit ses preparatives d'accomplir le
desir qu'il avoit de pieça. La jeune fille, qui se veoit
en ce dangier et sur le point de perdre ce qu'en ce
100 monde treschier tenoit, s'advisa d'un bon tour, et
dist a monseigneur : « Je me rends a vous : je feray
ce qu'il vous plaira sans nulz refus ne contredictz.
Soiez plus content de prendre de moy ce qu'en vouldrez par mon accord et volunté, qui tant y puis et
105 en doy bien requerre, que malgré moy vous paroul-
trez vostre vouloir desordonné[4]. — A dya ! dit monseigneur, que vous m'eschappez, non ; que voulez
vous dire ? — Je vous requier, dit elle, puis qu'il
fault que vous obeisse, que vous me facez cest hon-
110 neur que je ne soye pas souillée de voz houseaux,
qui sont et gras et ors, et vous suffise du surplus.
— Et comment en pourray je faire ? ce dit monseigneur. — Je les vous osteray, ce dit elle, tres bien,
s'il vous plaist ; car, par ma foy, je n'aroye cueur
115 ne courage de vous faire bonne chere avec ces pail-
lards houseaulx. — C'est pou de chose des houseaulx, dit monseigneur ; mais non pourtant, puis
qu'il vous plaist, il seront ostez. » Et alors il abandonna sa prinse et se siet dessus l'erbe, et tend sa
120 jambe ; et la belle fille luy oste l'esperon et puis luy
tire l'un de ses houseaux, qui bien estroiz estoient.
Et quand il fut environ a moitié, a quoy faire elle
eut moult de peine, pour ce que tout au propos le
tira de mauvais bihès, elle part et s'en va tant que
125 piez la peuvent porter, aider et soustenir de bon
vouloir, et la laissa le gentil conte, et ne fina de

---

[3] *V.* a. soudainement la c. et f. et r. lacolla et
[4] *V.* v. que par force et malgre moy voz paroles et vostre
    v. d. soyent accomplis.

courre tant qu'elle fut a l'ostel de son pere. Le bon
seigneur, qui se trouva ainsi deceu, s'il n'enragoit,
plus n'en povoit ; et qui a ceste heure l'eust veu
130 rire, jamais n'eust eu les fievres. A quelque meschef
que se fut, se mist sur piez, cuidant parmarcher sur
son houseau et par ce l'oster de sa jambe ; mais
c'est pour neant : il estoit trop estroict ; si n'y trouva
aultre remede que de retourner vers ses gens. De
135 sa bonne adventure, il n'eut pas loing allé quand il
trouva ses bons disciples sur le bord d'un fossé qui
l'attendoient, qui ne seurent que penser quand ilz le
voyent[5] ainsi atourné. Il leur compta tout son cas
et se fist rehouser. Et qui l'oyoit, celle qui l'a trompé
140 ne seroit pas seurement en ce monde, tant luy cuide
et bien luy veult faire desplaisir. Quelque vouloir
qu'il eust pour lors, quelque malcontent qu'il fust
pour ung temps, tant qu'il fut ung peu refroidi, tout
son courroux fut converty en cordiale amour. Et qu'il
145 soit vray, depuis a son pourchaz et a ses chers
coustz et despens il la fist marier tresrichement et
bien, a la contemplacion seullement de la franchise
et loyaulté qu'en elle avoit trouvé, dont il eut la
vraye cognoissance par le refus icy dessus compté.

---

[5] *V.* veirent

LA XXVe NOUVELLE,

PAR

PHILIPE[1] DE SAINT YON.

La chose est si fresche et si nouvellement advenue
5 dont je veil fournir ma nouvelle, que je n'y puis ne
tailler, ne roigner[2], ne mettre, ne oster. Il est vray
que au Quesnoy vint une belle fille nagueres au prevost se complaindre de force et violance en elle per-
pétrée et commise par le vouloir desordonné d'un
10 jeune compaignon. [Ceste complaincte au prevost
faicte, le compaignon]encusé de ce crime fut en
l'heure prins et saisi ; et, au dict du commun peuple,
ne valoit gueres mieulx que pendu au gibet, ou sans
sa teste au vent sur une roe enmy les champs faire
15 ses monstres. La fille[3], voyant et sentant celuy dont
elle se doubtoit emprisonné, poursuyvoit roiddement
le prevost qu'il luy feist justice, et de ce que[4], oultre
son gré et vouloir, violantement et par force on
l'avoit deshonorée. Et le prevost, homme discret et
20 sage et en justice tresexpert, fist assembler les hommes et puis manda le prisonnier. Et ainçois qu'il le
feist venir devant les hommes desja tout prest pour
le juger, s'il confessoit par geheyne ou aultrement

---

[1] V. phelippe
[2] V. rongier
[3] V. t. sur u. r. mis e. l. c. La
[4] V. j. disant q.

l'orrible cas dont il estoit chargé, parla a luy a part,
25 et si le conjura de dire verité. « Veez cy telle femme,
dist il, qui de vous se complaint de force. Est il
ainsi ? L'avez vous efforcée ? Gardez que vous diez [5]
verité, car, si vous faillez, vous estes mort ; mais si
vous dictes vray, on vous fera grace. — Par ma foy,
30 monseigneur le prevost, dist le prisonnier, je ne veil
pas nyer ne celer que je ne l'aye pieça requise de son
amour. Et de fait, avant hier, après pluseurs parolles, je la ruay sur ung lict pour faire ce que vous
savez, et luy levay robe et chemise [6]. Et mon furon,
35 qui jamais n'avoit hanté larrier [7], ne savoit trouver
la douyere de son connin [8], si ne faisoit que aller
ça et la ; mais elle, par sa courtoisie, luy dressa le
chemin, et a ses propres mains le bouta tout dedans.
Je croy trop bien qu'il ne partit pas sans proye,
40 mais qu'il y eust entré a force, par mon serment, non
eust. — Est il ainsi ? dit le prevost. — Oy, par mon
serment, dit le bon compaignon. — Or bien, dist il,
nous en ferons tresbien. » Après ces parolles, le prevost se vient mettre en siege pontifical adextré et
45 environné de ses hommes, et le bon compaignon fut
mis et assis sur le petit banc ou parquet, ce voyant
tout le peuple et celle qui l'accusoit. « Or ça, m'amye,
dit le prevost, que demandez vous a ce prisonnier ?
— Monseigneur le prevost, dit elle, je me plains a
50 vous de la force qu'il m'a violée oultre mon gré et
ma volunté, et malgré moy, dont je vous demande
justice. — Que respondez vous, mon amy ? dit le

---

[5] *V*. dictes
[6] *V*. r. pourpoint et c.
[7] *V*. levrier
[8] *V* connil

prevost au prisonnier. — Monseigneur, dist il, je
vous ay ja dit comment il en va, et je ne pense pas
55 qu'elle dye au contraire. — M'amie, dit le prevost,
regardez bien que vous dictes et que vous faictes de
vous plaindre de force. C'est grand chose. Veez cy
qu'il dit qu'il ne vous fist oncques force, mesmes
avez esté consentant et pou près requerant de ce
60 qu'il a fait. Et qu'il soit vray, vous mesmes adres-
sastes et mistes son furon, qui s'esbatoit a l'entour
de vostre duyere [9], a voz deux mains ou a tout l'une,
tout dedens la duyere de vostre connin, laquelle [10]
chose il n'eust peu faire sans ceste vostre ayde ; et
65 si vous y eussez tant pou soit resisté, jamais n'en
fust venu a bout. Si son furon a fourragé l'ostel, il
n'en peut mais, car, des adonc qu'il est par [ter-
rier] [11] ou duyere, il est hors de son chastoy. — Ha !
monseigneur le prevost, dist la fille plainctive, com-
70 ment l'entendez vous ? Il est vray, je ne le veil pas
nyer, que voirement je prins son furon et le boutay
en ma duyere [12], mais pour quoy fut ce ? Par mon
serement, monseigneur, il avoit la teste tant roidde
et le museau tant dur, que je sçay tout de vray qu'il
75 m'eust fait ung grant pertus, ou deux ou trois, ou
ventre, si je ne l'eusse bien a haste bouté en celuy
qui y estoit davantage ; et veez la pourquoy je le
feiz. » Pensez qu'il y eut grand risée, après la conclusion de ce procés, de ceulx de la justice et de
80 tous les assistens. Et fut le compaignon delivré, promettant de retourner a ses journées quand sommé en
seroit. Et la fille s'en alla bien courroussée qu'on ne

---

[9] *V.* terrier
[10] *V.* d. vostre dit terrier le mistes. Laquelle
[11] *ms* eries (?)
[12] *V.* v. jadressay s. f. et le b. en mon **terrier**

pendoit bien en haste et bien hault celuy qui avoit
pendu a ses basses fourches. Mais ce courroux, ne sa
85 roidde [13] poursuite, ne dura gueres, car, a ce qu'on
me dist, tantost après par bons moyens la paix entre
eulx si fut trouvée ; et fut abandonnée au bon compaignon garenne, connin et duyere [14], toutesfoiz et
quantes que chasser y vouldroit.

---

[13] *V.* rude
[14] *V.* conniniere et terriere

LA XXVIᵉ NOUVELLE,

PAR

MONSEIGNEUR DE FOQUESSOLES, ESCUIER
DE LA CHAMBRE DE MONSEIGNEUR. [1]

5   En la duché de Brabant, n'a pas long temps que
la memoire n'en soit fresche et presente a ceste
heure, advint ung cas digne de reciter ; et pour fournir une nouvelle ne doit pas estre rebouté. Et, affin
qu'il soit enregistré et en apert congneu et declaré,
10 il fut tel. A l'ostel d'un grand baron du païs demouroit et residoit ung jeune, gent et gracieux gentilhomme, nommé Gerard [2], qui s'enamoura tresfort
d'une damoiselle de leans nommée Katherine. Et,
quand il vit son cop, il luy osa bien dire son gra-
15 cieux et piteux cas. La response qu'il eut de prinsault, chacun la peut penser et savoir, que pour
abreger je trespasse, et vien ad ce que Gerard et
Katherine par succession de temps s'entr'amerent
tant fort et si loyalement qu'ilz n'avoient qu'un seul
20 cueur et ung mesme vouloir. Ceste entiere, leale et
parfaicte amour ne dura pas si peu que les deux
ans ne furent accompliz et passez. A chef de ceste
piece de temps, Amour, qui bande les yeulx de ses
serviteurs, les bouscha si tresbien que la ou ilz cui-
25 doient le plus secretement de leurs amoureux affaires

---

1 de ... monseigneur *manque dans V.*
2 *V.* girad

conclure et deviser, chacun s'en parcevoit. Si n'y
avoit homme ne femme a l'ostel qui tresbien ne s'en
donnast garde ; mesmement fut tant la chose escriée
qu'on ne parloit par leans que des amours Gerard et
30 Katherine. Mais, helas ! les pouvres aveuglez cuidoient bien seulz estre empeschez de leur besoigne,
et ne se doubtoient gueres qu'on en tenist conseil
ailleurs qu'en leur presence, ou le troisiesme de leur
gré n'eust pas esté reccu sans leur propos changer
35 et transmuer. Tant au pourchaz d'aucuns maudictz,
detestables envieux que pour la continuelle noise de
pluseurs qui ne se scevent taire ce qui rien [3] ou pou
ne leur touche, vint ceste matiere a la congnoissance
du maistre et de la maistresse des deux amans, et
40 d'iceulx s'espandit et saillit en l'audience du pere
et de la mere de Katherine. Si luy eschet si tresbien
que par une damoiselle de leans, sa tresbonne compaigne et amye, elle fut advertie et informée du long
[et] du lé de la descouverture des amours de Gerard
45 et d'elle, tant a monseigneur son pere et a madame
sa mere comme a monseigneur et a madame de leans.
« Helas ! qu'est il de faire, ma bonne seur et
m'amye ? dit Katherine. Je suis femme deffaicte, puis
que mon cas est si manifeste que tant de gens le
50 scevent et en devisent. Conseillez moy, pour Dieu, ou
je suis femme perdue et la plus que aultre desolée et
mal fortunée ! » Et, a ces motz, larmes a tant saillirent de ses yeulx et descendirent au long de sa belle
et clere face jusques bien bas sur sa robe. Sa bonne
55 compaigne, ce voyant, fut tresmarie et desplaisante
de son ennuy, et pour la conforter luy dit : « Ma
seur, c'est folie de mener tel dueil et si grand ; car
on ne vous peut, la Dieu mercy, reproucher de chose

---

[3] *V.* noise de ce q. rien

qui touche vostre honneur, ne celuy de voz amys.
60 Si vous avez entretenu ung gentilhomme en cas
d'amours, ce n'est pas chose defendue en la court
d'honneur, mesme est la sente et la vraye adresse
de y parvenir ; et pour ce vous n'avez cause de
douloir, et n'est ame vivant qui a la verité vous en
65 puisse ou doyve charger. Mais toutesfoiz il me sembleroit bon, pour estaindre la noise de pluscurs
parolles qui courent aujourd'uy a l'occasion de vos
dictes amours, que Gerard, vostre serviteur, sans
faire semblant de rien, prensist[4] ung gracieux congié
70 de monseigneur et de madame, colorant son cas ou
d'aller en ung loingtain voyage ou en quelque guerre
apparente ; et soubz cest umbre s'en allast quelque
part soy rendre en ung bon hostel, attendant que
Dieu et Amours aront disposé sur voz besoignes ;
75 et luy arresté, vous face savoir de son estat, et par
son mesme message luy ferez savoir de voz nouvelles. Et par ce point s'appaisera le bruit qui court
a present, et vous entreamerez et entretiendrez l'un
a l'aultre par lectres[5], actendans que mieulx vous
80 vienne. Et ne pense point pourtant que vostre amour
doyve cesser, ainçois de bien en mieulx se maintiendra, car par longue espace vous n'avez eu rapport ne nouvelle, chacun de sa partie, que par la
relacion de voz yeulx, qui ne sont pas les plus
85 eureux de faire les plus seurs jugemens, mesmes a
ceulx qui sont tenuz en l'amoureux servage. » Le
gracieux et bon conseil de ceste gentil femme fut mis
en œuvre et a effect. Car au plus tost que Katherine
sceut trouver la fasson de parler a Gerard son ser-
90 viteur, elle en bref luy compta comment l'embusche
de leurs amours estoit descouverte et venue desja a

---

[4] *V.* print

la cognoissance de monseigneur son pere et de
madame sa mere, et de monseigneur et de madame
de leans. « Et creez, dit elle, avant qu'il soit venu
95 si avant, ce n'a pas esté sans passer la wart au [6]
pourchaz des rapporteurs, devant tous ceulx de ceans
et de pluseurs voisins. Et pour ce que Fortune ne
nous est pas si amye que de nous avoir permis longuement vivre si glorieusement que en notre estat
100 encommancé, et si nous menace, advise, et forge et
prepare encores plus grand destourbiers, si ne pour-
veons a l'encontre, il nous est mestier, et utile necessité d'avoir advis bon et hastif. Et car le cas beaucop me touche et plus que a vous, quant au dangier
105 qui sourdre s'en pourroit, sans vous desdire je vous
diray mon opinion. » Lors luy va compter de chef en
bout le conseil et advertissement de sa bonne compaigne. Gerard, desja ung peu adverty de ceste
maudicte adventure, plus desplaisant que [si] tout
110 le monde fut mort, mis hors de sa dame, respondit
en telle maniere : « Ma leale et bonne maistresse,
veez cy vostre humble et obeissant serviteur, qui
après Dieu n'ayme rien en ce monde si lealement que
vous. Et suis celuy a qui vous povez ordonner et
115 commender tout ce que bon vous semble, et qui vous
vient a plaisir, pour estre lyement et de bon cueur
sans contredict obeye. Mais pensez qu'en ce monde
ne me pourra pis advenir quant il fauldra que j'es-
loigne vostre tresdesirée presence. Helas ! s'il fault
120 que je vous laisse, il m'est advis [7] que les premieres
nouvelles que vous arez de moy, ce sera ma doulente
et piteuse mort adjugée et executée a cause de vostre

---

[5] *V.* lians
[6] *V.* p. grans langaiges au
[7] *ms* il ne mest pas a.

eloigner. Mais, quoy que soit, vous estes celle et la
seulle vivante que je veil obeyr, et ayme trop plus
125 cher la mort en vous obeissant qu'en ce monde vivre,
voire estre perpetuel, non accomplissant vostre
noble commendement. Veez cy le corps de celuy qui
est tout vostre : taillez, roignez, prenez, ostez, faictes
tout ce qu'il vous plaist. » Si Katherine estoit marrye
130 et desplaisante d'oyr son serviteur qu'elle amoit plus
que aultre loyalement, le voyant aussi plus troublé
que dire on ne vous pourroit, il ne le fault que penser
et non enquerre. Et, si ne fust pour la grand vertu
que Dieu en elle n'avoit pas oblyé de mectre large-
135 ment et a comble, elle se fust offerte de luy faire
compaignie en son voyage ; mais, esperant de quelque jour recouvrer ad ce que treseureusement faillit,
la ⁸ retira de ce propos. Et a chef de piece si dist :
« Mon amy, c'est force que vous eloignez ⁹ ; si vous
140 prie que vous n'obliez pas celle qui vous a fait le
don de son cueur. Et affin que vous aiez courage de
mieulx soustenir la trescrueuse et horrible bataille
que Raison vous livre et amaine a vostre doloreux
departement, encontre vostre vouloir et desir, je vous
145 promectz et asseure, sur ma foy, que tant que je
vive aultre homme n'aray espousé de ma volunté et
bon gré que vous, voire tant que me serez loyal et
entier, que j'espere que vous serez. Et en approbacion de ce, je vous donne ceste verge, qui est d'or
150 esmaillée de larmes noires. Et, si d'adventure on me
vouloit ailleurs marier, je me defendray tellement et
tiendray telz termes que vous devrez de moy estre
content, et vous monstreray que je vous veil tenir
sans faulser ma promesse. Or je vous prie que

---

⁸ *V.* le
⁹ *V.* v. en alles

155 tantost que vous serez arresté, ou que ce soit, que
m'escrivez de voz nouvelles, et je vous rescriray des
miennes. — Ha ! ma bonne maistresse, ce dist
Gerard, or voy je bien qu'il fault que je vous aban-
donne pour ung espace. Je prie a Dieu qu'il vous
160 doint plus de bien et plus de joye qu'il ne m'appartient d'en [10] avoir. Vous m'avez fait de vostre grace,
non pas que j'en soye digne, une si haulte et hono-
rable promesse, qu'il n'est pas en moy de vous en
savoir seulement et suffisamment mercier. Et encores
165 ay je mains le povoir [11] de le deservir ; mais pourtant
ne demeure pas que je n'en aye bien la parfecte
cognoissance, et si vous ose bien faire la pareille
promesse, vous suppliant treshumblement et de tout
mon cueur que mon bon et loyal vouloir me soit
170 reputé de tel et aussi grand merite que s'il partist [12]
de plus homme de bien que moy. Et adieu, ma dame !
Mes yeulx demandent leur tour [13] d'audience [14], qui
couppent a ma langue son parler. » Et a ces motz la
baisa, et elle luy tresserrément, et puis en allerent
175 chacun en leur chambre plaindre ses doleurs, Dieu
scet ! plorant des yeux, du cueur et de la teste. Au
fort, a l'heure qu'il se faillit [15] monstrer, chacun
s'efforça de faire aultre chere de semblant et de
bouche que le desolé cueur ne faisoit. Et pour abre-
180 ger, Gerard fist tant en peu de jours qu'il obtint
congé de son maistre, qui ne fut pas trop difficile a
impetrer, non pas pour faulte qu'il eust faicte, mais
a l'occasion des amours de luy et de Katherine, dont

---

[10] *V.* mappert en
[11] *V.* ay je le p.
[12] *V.* partoit
[13] *ms* leur ung t.
[14] *V.* d. a leur tour audience
[15] *V.* convint

les amys d'elle estoient mal contens, pour tant que
185 Gerard n'estoit pas de si grand lieu ne de si grande
richesse comme elle estoit ; et pour ce doubtoient
qu'il ne la fiançast. Ainsi n'en advint pas. Et si se
partit Gerard, et fist tant par ses journées qu'il vint
ou pays de Barrois, et trouva retenance en l'ostel
190 d'un grand baron du païs. Et luy arresté, tantost
manda et fist savoir a sa dame de ses nouvelles, qui
en fut tres joyeuse, et par son message mesmes luy
rescripsit [16] de son estat et du bon vouloir qu'elle
avoit et aroit vers luy tant qu'il veille [17] estre loyal.
195 Or vous fault il savoir que, tantost que Gerard fut
party de Brabant, pluseurs gentilz hommes, escuyers
et chevaliers, se vindrent accointer de Katherine,
desirans sur toutes aultres sa bienveillance et sa
grace, qui, durant le temps que Gerard servoit et
200 estoit present, ne se monstroient, n'apparoient, saichant de vray qu'il alloit devant eulx a l'offerende.
Et de fait pluseurs la requisrent a monseigneur son
pere de l'avoir en mariage. Et entre aultres y en vint
ung qui luy fut agreable. Si manda pluseurs ses
205 amis et sa fille aussi, et leur remonstra comment il
estoit desja ancien, et que ung des grans plaisirs
qu'il pourroit en ce monde avoir, ce seroit de veoir
sa fille en son vivant bien allyée. Leur dist au surplus : « Ung tel gentil homme m'a fait demander ma
210 fille. Ce me semble tres bien son fait et si vous le
me conseillez et ma fille me veille obeir, il ne sera
pas escondit en sa treshonorable et raisonable
requeste. » Tous ses amis et parens loerent et accorderent beaucop ceste alliance, tant pour lez vertuz,
215 richesses et aultres biens du dit gentil homme. Et,

---

[16] *V.* rescripvit
[17] *V.* vouldroit

quand vint a savoir la volunté de la bonne Katherine,
elle se cuidoit excuser de non soy vouloir marier,
remonstrant et allegant pluseurs choses dont elle se
cuidoit desarmer et eslonger ce mariage ; mais en la
220 parfin elle fut ad ce menée que s'elle ne vouloit estre
en la male grace de pere, de mere, de parens, de
amys, de maistre et de maistresse, qu'elle ne tiendroit la promesse qu'elle avoit faite a Gerard son
serviteur. Si s'advisa d'un tresbon tour pour conten-
225 ter tous ses parens, sans enfraindre la loyaulté
qu'elle veult tenir a son serviteur, et dit : « Mon
tresredoubté seigneur et pere, je ne suis pas celle
qui vous vouldroye en maniere du monde desobeir,
voire sans la promesse que j'aroie faicte a Dieu
230 mon createur, de qui je tiens plus que de vous. Or
est ainsi que je m'estoye en luy resolue, et proposé
et promis luy avoie en mon cueur, non pas de jamais
moy [18] marier, mais de le non faire encore, ne encore,
actendant que par sa grace enseigner me voulsist
235 cest estat, ou aultre plus seur, pour saulver ma
pouvre ame. Neantmains, pource que je suis celle
qui pas ne veil troubler, ou je puisse bonnement a
l'encontre, je suis contente d'emprandre l'estat de
mariage, ou aultre tel qu'il vous plaira, moyennant
240 qu'il vous plaise me donner congié ainçois faire ung
pelerinage a Saint Nicolas de Warengeville, lequel
j'ay voué et promis avant que jamais je change
l'estat ou je suis. » Et ce dit elle affin qu'elle puisse
veoir son serviteur en chemin et luy dire comment
245 elle estoit forcée et menée contre son veil. Le pere
ne fut pas moyennement joyeux d'oyr le bon vouloir
et la sage response de sa fille, et luy accorda sa
requeste, et prestement voult disposer de son parte-

---

[18] *ms* jamais non moy m.

ment. Et desja disoit a madame [sa femme], sa fille
250 presente : « Nous luy baillerons ung tel gentilhomme,
ung tel et ung tel ; Ysabeau, et Margarite, et Jehan-
neton, c'est assez pour son estat. — Ha ! Monseigneur, dit Katherine, nous ferons aultrement s'il vous
plaist. Vous savez que le chemin de cy a Saint Nico-
255 las n'est pas bien seur, mesmement pour gens qui
mainent estat et conduisent femmes, et a quoy on
doit bien prendre garde. Je n'y saroie [19] ainsi aller
sans grosse despence ; et aussi c'est une grande
bée [20]. Et s'il nous advenoit meschef ou d'estre prins
260 ou destroussez de biens ou de nostre honneur, que
ja Dieu ne veille ! ce seroit un merveilleux desplaisir.
Si me semble bon, sauve toutesfoiz vostre bon
plaisir, que me faissez faire ung habillement d'homme
et me baillassez en la conduicte de mon oncle le
265 bastard, chacun monté sur ung petit cheval. Nous
irons plus tost, plus seurement et a mains de despense. Et, si ainsi le vous plaist faire, je l'entrepren-
dray plus hardiement que d'y aller en estat. » Ce
bon seigneur pensa ung peu sur l'advis de sa fille
270 et en parla a madame sa femme. Si leur sembla que
l'ouverture qu'elle faisoit luy partoit d'ung grand
sens et de bon vouloir. Si furent ses choses prestes
tantost [21] pour partir. Et ainsi se misrent [22] au chemin, la belle Katherine et son oncle le bastard, sans
275 aultre compaignie, habillez a la fasson d'Alemaigne,
bien et gentement ; et estoit [23] Katherine le maistre,
et l'oncle, le varlet. Ilz firent tant par leurs journées
que leur pelerinage, voire de Saint Nicolas, fut

---

19 *V.* pourroie
20 *V.* voie
21 *V.* p. et ordonnees t.
22 *V.* meirent
23 *V.* g. estoient

acomply. Et comme ilz se mectoient au chemin de
280 retour, loans Dieu qu'ilz n'avoient encores eu que
tout bien, et devisans de pluseurs aultres choses,
Katherine va dire a son oncle : « Mon oncle, mon
amy, vous savez qu'il est a moy, la mercy Dieu, qui
suys seulle heritiere de monseigneur mon pere, de
285 vous faire beaucop de biens, laquelle chose je feray
bien voluntiers, quand a moy sera, si vous me voulez
servir en une mienne ²⁴ queste que j'ay emprise :
c'est d'aller en l'ostel d'ung seigneur de Barrois,
qu'elle luy nomma, veoir Gerard, que savez. Et affin
290 que, quant nous reviendrons, puisse compter quelque
chose de nouveau, nous demanderons leans retenance ; et, si nous la povons obtenir, nous y serons
par aucuns jours et verrons le païs. Et ne doubtez
que je n'y garde mon honneur, comme une bonne
295 fille doit faire ! » L'oncle, esperant que mieulx luy
en seroit cy après, et qu'el est si bonne qu'il n'y
fault ja guet sur elle, fut content de la servir et de
l'accompaigner en tout ce qu'elle vouldra. Il fut beaucoup mercyé, ne doubtez ; et des lors conclurent qu'il
30 appellera sa niepce Conrard. Ilz vindrent assez tost,
comme on leur enseigna, au lieu desiré, et s'adre-
cerent au maistre d'ostel du seigneur, qui estoit ung
ancien escuyer, qui les receut, comme estrangiers,
treslyement et honorablement. Conrard luy demanda
305 si monseigneur son maistre ne vouldroit pas le service d'un jeune gentil homme qui queroit adventure
et demandoit a veoir païs. Le maistre d'ostel
demanda dont il estoit, et il luy dist qu'il estoit de
Brabant. « Or bien, dist il, vous viendrez disner
310 ceans, et après disner j'en parleray a monseigneur. »
Il les fist tantost conduire en une tresbelle chambre,

---

²⁴ *V.* menue

et envoya couvrir la table et faire beau feu et apporter la souppe, et la piece de mouton, et le vin blanc,
attendant le disner. Et s'en ala devers son maistre,
315 et luy compta la venue d'un jeune gentilhomme de
Brabant, qui le vouldroit bien servir. Le seigneur fut
content, si luy semble bien son fait [25]. Pour abreger,
quand il eut servy son maistre, il s'en vint devers
Conrard pour luy tenir compaignie au disner, et
320 avec luy amena, pour ce qu'il estoit de Brabant, le
bon Girard dessus nommé, et dist a Conrard :
« Veez cy ung gentil homme de vostre païs. — Il
soit le tresbien trouvé, dist Conrard. — Et vous le
tresbien venu », ce dit Gerard. Mais creez qu'il ne
325 recognut pas sa dame, mais elle luy tresbien. Durant
que ces accointances se faisoient, la viande fut
apportée, et s'assiet [26] après le maistre d'ostel chacun en sa place. Ce disner dura beaucop a Conrard,
esperant après d'avoir de bonnes devises avec son
330 serviteur, mais aussi qu'il la recognoistra tantost,
tant a la parolle comme aux responses qu'elle luy
fera de son païs de Brabant. Mais il alla tout aultrement, car onques durant le disner le bon Gerard ne
demanda après homme ne femme de Brabant, dont
335 Conrard ne savoit que penser. Ce disner fut passé,
et après disner monseigneur retint Conrard en son
service. Et le maistre d'ostel, tressachant homme,
ordonna que Gerard et Conrard, pour ce qu'ilz sont
d'un païs, aroient chambre ensemble. Après ceste
340 retenue, Gerard et Conrard se prennent a braz et
s'en vont veoir leurs chevaulx ; mais a deable
Gerard [27] s'il parla onques ne demanda rien de

---

[25] *V.* s. se le s. estoit c. et si l. s. que ce soit s.
[26] *V.* assise
[27] *V.* m. au regard de g.

Brabant. Si se print a doubter le pouvre Conrard,
c'est assavoir la belle Katherine, qu'elle estoit remise
345 avec les pechez oubliez, et que, s'il en estoit rien a
Gerard, il ne se pourroit tenir qu'il n'en demandast,
ou au mains du seigneur et de la dame ou elle
demouroit. La pouvrette estoit, sans gueres le monstrer, en grand destresse de cueur, et ne savoit lequel
350 faire, ou de soy encores celer et le esprouver par
subtilles paroles, ou de soy prestement faire cognoistre. Au fort, elle s'arresta que encores demourra
Conrard et ne deviendra [28] pas Katherine, si Gerard
ne tient aultre maniere. Ce soir se passa comme le
355 disner, et vindrent en leur chambre Conrard et
Gerard, parlans de beaucop de choses, mais il n'y
venoit nulz propos en termes que pleussent a Conrard. Quand elle [29] vit qu'il ne dira rien si on ne luy
mect en bouche, elle luy demanda de quelz gens il
360 estoit de Brabant [30] ; et il en respondit ce que bon
luy sembla. « Et cognoissez vous pas, dit elle, ung
tel seigneur, et une telle dame, et ung tel ? — Saint
Jean ! oy dit il. » Et au derrenier elle luy nomma le
seigneur ou ilz demouroient. Et [31] il dist qu'il le
365 cognoissoit bien, sans dire qu'il y eust demouré.
« On dit, ce dit elle, qu'il y a de belles filles leens ;
en cognoissez vous nulles ? — Bien peu, dit il, et
aussi il ne m'en chault. Laissez moy dormir, je meurs
de somme. — Comment, dit elle, povez vous dormir
370 quand on parle de belles filles ? Ce n'est pas signe
que vous soiez amoureux. » Il ne respondit mot, mais

---

[28] *V.* demandera
[29] *ms* il, *ainsi que V.*
[30] *V. ajoute* : ne comment il estoit la venu, et comment on
se portoit audit pays de breban depuis quelle ny avoit
este, et
[31] *V.* seigneur / et

s'endormit comme ung pourceau. Et la pouvre Katherine se doubta tantost de ce qui estoit ; mais elle
conclud qu'elle l'esprouvera plus avant. Quant vint a
375 l'endemain, chascun s'abilla, parlant et devisant de
ce que plus luy estoit, Gerard de chiens et d'oiseaulx,
Conrard des belles filles de leens et de Brabant.
Quand vint après disner, Conrard fist tant qu'il destourna Gerard des aultres, et luy va dire que le
380 païs de Barrois desja luy desplaisoit, et que vraiement Brabant est toute aultre marche ; et en son
langage luy donna assez a cognoistre que le cueur
luy tiroit fort devers Brabant. « A quel propos ? ce
dit Girard ; que voiez vous en Brabant qui n'est icy ?
385 Et n'avez vous pas icy les belles forestz pour la
chasse, les belles rivieres, les belles plaines, tant
plaisantes que a souhaiter, pour le deduyt des
oyseaulx en temps [32] de gibier et aultre ? — Encores
n'est ce rien, ce dit Conrard : les femmes de Brabant
390 sont bien aultres, qui me plaisent bien autant et plus
que voz chasses et voleries. — Saint Jehan ! c'est
aultre chose, ce dit Girard ; vous y seriez hardyement
amoureux en vostre Brabant, je l'oz bien dire. — Par
ma foy, ce dit Conrard, il n'est ja mestier qu'il vous
395 soit celé, je y suis amoureux voirement. Et a ceste
cause m'y tire le cueur tant roiddement et si fort que
je faiz doubte que force me sera d'abandonner vostre
Barrois. Car il ne me sera possible a la longue de
longuement vivre sans veoir ma dame ! — C'est folie
400 donc, ce dit Girard, de l'avoir laissé, si vous vous
sentez si inconstant. — Inconstant ! mon amy ; et ou
est celuy qui puist mectre loy aux amoureux [33] ? Il
n'est si advisé ne si sage qui s'i sache souvent con-

---

[32] *V.* tant
[33] *V.* mestrier loyaux a.

duire. Amours bannist souvent de ses servans et sens
405 et raison [34]. » Ce propos sans plus avant le deduire
se passa, et fut heure de souper ; et ne se reatelerent
a deviser tant qu'ilz furent au lict couchez. Et creez
que de par Gerard jamais n'estoit nouvelle que de
dormir, si Conrard ne l'eust assailly de proches, qui
410 commença une piteuse, longue et doloreuse plaincte
après sa dame, que je passe, pour abreger. Et si dit
en la fin : « Helas ! Girard, et comment povez vous
avoir envye de dormir emprès de moy qui suis tant
eveillé, qui n'ay esperit qui ne soit plain de regretz,
415 l'ennuy et de soucy ? C'est merveille que vous n'en
estes ung peu touché ; et creez, si c'estoit maladie
contagieuse, vous ne seriez pas seurement si près
sans avoir des esclabotures. Helas ! je vous prie, si
vous n'en sentez nulles, aiez au mains compassion
420 de moy qui meurs sur bout si je ne voy bien bref ma
dame [35]. — Je ne vy jamais si fol amoureux, ce dit
Gerard. Et pensez vous que je n'aye [point esté
amoureux ? Certes je sçay bien que c'est, car j'ay]
passé par la, comme vous. Certes si ay ; mais je ne
425 fuz oncques si enragé que d'en perdre le dormir ne
la contenance, comme vous faictes a present. Vous
estes beste, et ne prise point votre amour ung blanc.
Et pensez vous qu'il en soit autant a vostre dame ?
Nenny, nenny. — Je suis tout seur, ce dit Conrard,
430 que si ; elle est trop loyalle pour m'oblier. — A dya,
vous direz ce que vous vouldrez, ce dit Girard, mais
je ne croiray ja que femmes soient si loyalles que
pour tenir telz termes ; et ceulx qui le cuident sont
parfaiz coquars. J'ay amé comme ung aultre [36], et

---

[34] *V.* servans et sans r.
[35] *V.* d. par amours
[36] *V.* c. vous

435 encores en ayme je bien une. Et pour vous dire mon
fait, je party de Brabant a l'occasion d'amours. Et
a l'heure de mon partement j'estoie bien avant en la
grace d'une tresbelle, bonne et noble fille, que je
laissay a tresgrand regret ; et me despleut beaucop
440 par aucuns pou de jours d'avoir perdu sa presence,
non pas que j'en laissasse le dormir, ne boire, ne
menger, comme vous. Quand je me vy ainsi d'elle
eloigné, je voulz user pour remede du conseil
d'Ovide. Car je n'eu pas si tost accointance ne entrée
445 ceans que je ne priasse une des belles filles qui y
soit ; et ay tant fait, la Dieu mercy ! qu'elle me veult
beaucop de biens, et je l'ayme beaucop aussi. Et
par ce point me suys je deschargé de celle que par
avant amoye, et ne m'en est a present non plus que
450 celle qu'oncques ne viz, tant m'en a rebouté ma dame
de present. — Et comment, ce dit Conrard, est il
possible, si vous amiez bien l'aultre, que vous la
puissiez si tost oublier et abandonner ? Je ne le sçay
entendre, moy, ne conpcevoir comment il se peut
455 faire. — Il s'est fait toutesfoiz ce dit Girard ; entendez le si vous voulez [37]. — Ce n'est pas bien gardé
loyauté, ce dit Conrard ; quant a moy, j'aymeroie
plus cher morir mille foiz, si possible m'estoit, que
d'avoir fait a ma dame si grande faulseté. Et ja
460 Dieu ne me laisse tant vivre que j'aye non pas tant
seulement le vouloir ne une seule pensée de jamais
amer ne prier aultre qu'elle. — Tant estes vous plus
beste, ce dit Girard, et si vous maintenez ceste folie,
jamais vous n'arez bien et ne ferez que songer et
465 muser, et secherez sur terre comme la belle herbe
dedans le four chault, et serez homicide de vous
mesmes ; et si n'en arez ja gré ; mesme, que plus est,

---

[37] *V.* scavez

vostre dame n'en fera que rire, si vous estes si
eureux qu'il vienne a sa cognoissance. — Comment !
470 ce dit Conrard, vous savez d'amours bien avant ; je
vous requier doncques que veillez estre mon moien
ceans ou aultre part que je face dame [par amours],
asavoir mon si je pourroie garir comme vous. — Je
vous diray, ce dit Girard, je vous feray demain devi-
475 ser a ma dame, et aussi je luy diray que nous sommes compaignons et qu'elle face vostre besoigne a
sa compaigne ; et je ne doubte point que, si vous
voulez, qu'encores n'ayons du bon temps, et que bien
bref se passera la reverie qui vous affole, voire si a
480 vous ne tient. — Si ce n'estoit faulse[r] mon serment
a ma dame, je le desireroye beaucop, [ce dit Conrard ;] mais au fort j'essaieray comment il m'en
prendra. » Et a ces motz se retourna Girard et tantost s'endormit. Et la tresbelle Katherine estoit de
485 mal tant oppressée, voyant et oyant la desloyauté de
celuy qu'elle amoit plus que tout le monde, qu'elle se
souhaitoit morte. Non pourtant elle adossa la teneur
feminine, et s'adouba de virile vertu. Car elle eut bien
la constance de longuement et largement lendemain
490 deviser avecques celle qui luy faisoit tort de la rien
au monde [38] que plus cher tenoit ; mesmes forsa son
cueur, et ses yeulx fist estre notaires de pluseurs
entretenances a son tresgrand et mortel prejudice.
Comme elle estoit en parolles avecques sa compai-
495 gne, elle apperceut la verge que au partir donna a
son desloyal serviteur, qui luy parcreut ses doleurs ;
mais elle ne fut pas si fole, non pas par convoitise
de la verge, qu'elle ne trouva bonne gracieuse fasson
de la regarder et bouter en son doy. Et sur ce point,
500 comme non y pensant, se part et s'en va. Et tantost

---

[38] *V.* q. par amours aymoit celuy·au m.

que le souper fut passé, elle vint a son oncle et luy
dit : « Nous avons assez esté Barroisiens [39], il est
temps de partir ; soiez demain prest au point du
jour, et aussi seray je. Et regardez que tout nostre
505 bagage soit bien atinté. Venez si matin qu'il vous
plaist. — Il ne vous fauldra que monter [40] », respondit l'oncle. Or devez vous savoir que tantdiz, puis
souper, que Girard devisoit avec sa dame, celle qui
fut s'en vint en sa chambre et se mect a escripre
510 unes lettres qui narroient tout du long et du lé les
amours d'elle et Girard, comme les promesses qu'ilz
s'entrefirent au departir, comment on l'avoit voulue
marier, le refus qu'elle en fist, et le pelerinage qu'elle
emprint [41] pour sauver son serment et se rendre a
515 luy, la desloyaulté dont elle l'a trouvé saisy, tant de
bouche comme d'œuvre et de fait. Et pour les causes
dessus dictes, elle se tient pour acquittée et deso-
bligée de son serment et promesse qu'elle jadiz luy
fist. Et s'en va vers son païs, et ne le quiert jamais
520 ne veoir, ne rencontrer, comme le plus desloyal qu'il
est qui jamais priast femme. Et si emporte la verge
qu'elle luy donna, qu'il avoit desja mise en main
sequestre. Et si se peut bien vanter qu'il a couché
par trois nuiz au plus près d'elle ; s'il y a que bien,
525 si le dye, car elle ne le craint. Escript de la main
de celle dont il peut bien cognoistre la lettre, et au
dessoubz : « Katherine, etc., surnommée Conrard » ;
et sur le doz : « Au desloyal Girard, etc. » Elle ne
dormit pas gueres la nuyt, et aussitost qu'on vit du
530 jour, elle se leva tout doulcement, et s'abilla sans
ce qu'oncques Girard s'en eveillast, et prend sa

---

[39] *V.* barrois
[40] *V.* monstrer
[41] *V.* entreprinst

lettre qu'elle avoit bien close et fermée et la bouta
en la manche du pourpoint de Girard ; et a Dieu
le commenda tout en basset, en plorant tendrement,
535 pour le grand dueil qu'elle avoit du tresfaux tour [42]
qu'il luy avoit joué. Girard, qui dormoit, mot ne luy
respondit. Elle s'en vint devers son oncle, qui luy
bailla son cheval, et elle monte et puis tire païs tant
qu'ilz vindrent [en Brabant] ou ilz furent receuz
540 joyeusement, Dieu le scet. Et fut bien qui leur
demanda des adventures de leur voyage ; mais [43]
quoy qu'ilz respondissent, ilz ne se vanterent pas de
la principale. Pour parler comment il advint a
Girard, quand vint le jour du partement de la bonne
545 Katherine, environ dix heures, il s'esveilla, et regarda
que son compagnon estoit levé ; si pensa qu'il estoit
tard, si sault sus tout en haste et saisit [44] son pourpoint. Et comme il boutoit son bras dedans l'une
des manches, il en saillit une lettre, dont il fut assez
550 esbahy, car il ne luy souvenoit pas que nulles y en
eust bouté. Il les releva toutesfoiz, et voit qu'elles
sont fermées ; et avoit au doz escript : « Au desloyal
Gerard. » Si par avant fut esbahy, encores le fut il
beaucop plus. A chef de piece, il les ouvrit et voit
555 la soubzcription qui disoit : « Katherine, surnommée
Conrard. » Si ne scet que penser ; il les leut [45] neantmains ; en lysant, le sang luy monte et le cueur luy
fremist, et devint tout alteré de maniere et de coleur.
A quelque meschef que ce fut, il [a]cheva [46] de lyre
560 sa lettre, par laquelle il cogneut que sa desloyaulté

---

[42] *V*. t. et mauvais t.
[43] *V*. Et penses q. l. f. b. demande des nouvelles et a. de
      leurs voyages, comment ilz si estoient gouvernez, m.
[44] *V*. chercha
[45] *V*. list
[46] *ms* escheva

estoit venue a la cognoissance de celle qui luy vouloit
tant de bien : non qu'elle sceust estre tel au rapport
d'aultruy, mais elles mesmes en personne en a la
vraye informacion ; et, qui plus près du cueur luy
565 touche, il a couché trois nuiz avec elle sans l'avoir
guerdonnée de la peine qu'elle avoit prinse de si loing
le venir esprouver. Il ronge son frain aux dens et
tout vif enrage quand il se voit en celle peleterie.
Et après beaucop d'advis, il ne scet aultre remede
570 que de la suyvir [47] ; [et bien lui semble qu'il la
rataindra. Si prent congié de son maistre, et se met
a la voye, suyvant] le froissie [48] des chevaulx de
ceulx qu'oncques ne rataindit jusques ad ce qu'ilz
fussent en Brabant, ou il vint si a point que c'estoit
575 le jour des nopces de celle qui l'a esprouvé. Laquelle
il cuida bien aller baiser et saluer, et faire une orde
excusance de ses faultes. Mais il ne luy fut pas
souffert, car elle luy tourna l'espaule, et ne sceut
tout ce jour ne oncques puis trouver maniere ne
580 fasson d'avoir devises avec elle. Mesmes il s'avança
une foiz pour la mener dancer, mais elle le refusa
plainement devant tout le monde, dont pluseurs se
prindrent garde. Ne demoura gueres après que ung
aultre gentil homme entra dedans, qui fist corner
585 les menestrielz, et s'avança par devant elle ; et elle
descendit, voyant Girard, et s'en alla dancer. Ainsi
qu'avez oy perdit le desloyal sa femme [49]. S'il en est
encores de telz, ils se doyvent mirer a cest exemple,
qui est notoire et vray et advenu depuis nagueres.

---

47 *V.* suir
48 *V.* froye
49 *V.* dame

LA XXVIIᵉ NOUVELLE,

PAR

MONSEIGNEUR DE BEAUVOIR.

Ce n'est pas chose pou accoustumée, especialement en ce royaume, que les belles dames et damoiselles se treuvent voluntiers et souvent en la compaignie des gentilz compaignons. Et a l'occasion des
bons et joyeux passetemps qu'elles ont avec eulx, les
gracieuses et doulces requestes qu'ilz leurs font ne
sont pas si difficiles a impetrer. A ce propos, n'a
pas long temps que ung tresgentil homme qu'on peut
mectre ou renc et du compte¹ des princes, dont je
laisse le nom en ma plume, se trouva tant en la grace
d'une tresbelle damoiselle qui mariée estoit, dont le
bruit n'est pas si pou cogneu que le plus grand
maistre de ce royaume ne se tenist treseureux d'en
estre retenu serviteur, [la]quelle luy voult de fait
monstrer le bien qu'elle luy vouloit. Mais ce ne fut
pas a sa premiere volunté, tant l'empeschoient les
anciens adversaires et ennemis d'Amours. Et par
especial plus luy nuysoit son bon mary, tenant le
lieu en ce cas du tresmaudit Dangier : car, si ne fust
il, son gentil serviteur n'eust pas encores a luy tollir
ce que bonnement et par honneur donner ne luy
povoit. Et pensez que ce serviteur n'estoit pas moyennement mal content de ceste longue attente, car

---

¹ *V.* couste

l'achevement de sa gente chasse luy estoit plus
grand eur et trop plus desiré que nul aultre quelconque bien qui luy povoit jamais advenir. Et a ceste
30 cause, tant continua son pourchaz que sa dame luy
dist : « Je ne suis pas mains desplaisante que vous,
par ma foy, que je ne vous puiz faire aultre chere ;
mais vous savez, tant que mon mary soit ceans,
force est qu'il soit entretenu. — Helas ! dit il, et
35 n'est il moien qui se puisse trouver d'abreger mon
dur et cruel martire ? » Elle qui, comme dessus est
dit, n'estoit pas en maindre desir de se trouver a part
avec son serviteur que luy mesme, luy dit : « Venez
ennuyt, a certaine heure qu'elle luy bailla, hurter [2]
40 a ma chambre ; je vous feray mettre dedans, et
trouveray fasson d'estre delivrée de mon mary, si
Fortune ne destourne mon emprinse [3]. » Le serviteur
n'oyt jamais chose qui mieulx luy pleust ; et, après
les merciemens gracieux et deuz en ce cas, dont il
45 estoit bon maistre et ouvrier, se part d'elle, et s'en
va attendant et desirant l'heure assignée. Or devez
vous savoir que environ une bonne heure, ou plus
ou mains, devant l'heure assignée dessus dicte,
nostre gentille damoiselle, avec ses femmes et son
50 mary, qui va derriere, pour ceste heure estoit en sa
chambre retraicte puis le souper ; et n'estoit pas,
creez, son engin oiseux, mais labouroit a toute force
pour fournir la promesse a son serviteur ; maintenant pensoit d'un, puis maintenant d'un aultre, mais
55 rien ne luy venoit a son entendement qui peust eloigner ce maudit mary ; et toutesfoiz approuchoit fort
l'heure tresdesirée. Comme elle estoit en ce profond
penser, Fortune luy fut si tresamye que mesme son

---

[2] *V.* a telle heure h.
[3] *V.* entreprinse

mary donna le tresdoulx advertissement de sa dure
60 cheance et male adventure, convertie en la personne
de son adversaire, c'est assavoir du serviteur dessus
dit, en joye non pareille, deduit, solaz et lyesse tres
accomplie. Et veez cy la fasson. Le pouvre mary,
voyant sa femme ung peu muser et ententivement
65 penser, et ne savoit a qui ne a quoy, la regardoit
tresfort, puis l'une puis l'autre des femmes de leens,
et aucunes foiz par la chambre. Tant[4] regarda sans
mot dire qu'il perceut d'adventure au pié de la couchette ung bahu qui estoit a sa femme. Et affin de
70 la faire parler et l'oster hors de son penser, demanda
de quoy servoit ce bahu en la chambre, et a quel
propos on ne le portoit ou en la garderobe ou en
quelque aultre lieu, sans en faire leans parement.
« Il n'y a point de peril, monseigneur, ce dit mada-
75 moiselle ; ame ne vient icy que nous ; aussi je l'y
ay fait laisser tout a propos pour ce qu'encores sont
aucunes de mes robes dedans ; mais n'en soiez ja
mal content, mon amy ; ces femmes l'osteront tantost. — Mal content ! dit il ; nenny, par ma foy ; je
80 l'ayme autant icy que ailleurs, puis qu'il vous plaist ;
mais il me semble bien petit pour y mectre voz robes
bien a l'aise, sans les froisser, actendu les grandes
et longues queues[5] qu'on fait aujourd'huy. — Par
ma foy, monseigneur, dit elle, il est assez grand.
85 — Il ne le me peut sembler vraiement, dit il, et le
regardez bien. — Or ça, monseigneur, voulez faire
un gage a moy ? — Oy vraiement, dit il, quel sera
il ? — Je gageray a vous, s'il vous plaist, pour une
demye douzaine de bien fines chemises encontre le
90 satin d'une cotte simple, que nous vous bouterons

---

4 *V.* liesse, regardant par la c. Tant
5 *V.* traynees

bien dedans, tout ainsi que vous estes. — Par ma
foy, dit il, je gage que non. — Et je gage que si.
— Or avant, ce dirent les femmes, nous verrons qui
le gaignera. — A l'esprouver le scera l'on, dit mon-
95 seigenur. » Et lors s'avance et fist tirer du bahu les
robes qui dedans estoient ; et quand il fut wide,
madamoiselle et ses femmes a quelque peine firent[6]
tant que monseigneur fut dedans tout a son aise.
Et a cest coup fut grande la noise, et autant
100 joyeuse ; et madamoiselle alla dire : « Or, monseigneur, vous avez perdu la gaigeure, vous le cognoissez [bien], faictes pas ? — Ma foy, oy, dit il, c'est
raison. » Et, [en] disant ces parolles, le bahu fut
fermé, et tout jouant, riant et esbatant, prindrent
105 toutes ensemble homme et bahu, et l'emporterent en
une petite garderobe assez loing de la chambre, et
la le laisserent. Et il crye et se demaine, faisant
grand noise ; mais c'est pour neant, car il fut la
laissé toute la belle nuyt, pense, dorme, face du
110 mieulx qu'il peut : car il est ordonné par madamoiselle et son estroit conseil qu'il n'en partira meshuy,
pource qu'il a tant empesché le lieu de celuy qu'elle
ayme beaucop mieulx que luy. Pour[8] retourner a la
matere de nostre propos encommancé, nous lairrons
115 nostre homme ou bahu, et dirons de madamoiselle,
qui actendoit son serviteur avec ses femmes, qui
estoient telles, si bonnes et si secretes, que rien ne
leur estoit celé de ses affaires. Lesquelles savoient
bien que le bien amé serviteur, si a luy ne tenoit,
120 tiendra la nuyt le lieu de celuy qui ou bahu fait

6 *V.* q. meschief que ce fust f.
7 *V.* chambre, et il
8 *V.* lieu. Pour

maintenant sa penitence. Ne demoura gueres que le
bon serviteur, sans faire effroy ne bruyt, vint hurter
a la chambre[9] ; et au hurt qu'il fist on le cogneut
tantost. Et la fut bien qui le bouta dedans. Il fut
125 receu joyeusement et lyement, et aultre tant doulcement de madamoiselle et sa compaignie. Et ne se
donna garde qu'il se trouva tout seul avec sa dame,
qui luy compta bien au long la bonne fortune que
Dieu leur a donnée : c'est assavoir comment elle fist
130 la gaigeure a son mary d'entrer ou bahu, comment
il y entra, et comment elle et ses femmes l'ont porté
en une garderobe. « Comment ! ce dit le serviteur,
je ne cuidoye point qu'il fust ceens ; par ma foy, je
pensoie, moy, que vous eussiez trouvé aucune fasson
135 de l'envoier ou faire aller dehors, et que j'eusse icy
meshuy tenu son lieu. — Vous n'en yrez pas pourtant dehors, dit elle, il n'a garde d'yssir dont il est,
et si a beau crier, il n'est ame de nulz sens qui le
puist oyr ; et croiez qu'il y demourra meshuy par
140 moy ; si vous le voulez desprisonner, je m'en rapporte a vous. — Nostre Dame, dist il, s'il ne sailloit
tant que je l'en feisse oster, il aroit bel actendre.
— Or faisons donc bonne chere, et n'y pensons
plus. » Pour abreger, chacun se despoilla, et se
145 coucherent les deux amans dedans le tresbeau lit,
bras a bras, et firent ce pourquoy ilz estoient assemblez, qui mieulx vault estre pensé des lysans qu'estre
noté de l'escripvant. Quant vint au point du jour, le
gentil serviteur se partit de sa dame au plus secrete-
150 ment qu'il peut, et vint a son logis dormir espoir ou
desjeuner : car de tous deux avoient besoing. Madamoiselle, qui n'estoit pas mains subtille que sage et

---

9 *V.* porte
10 *V.* entretenu

bonne, quand il fut heure, se leva et dist a ses
femmes : « Il sera desormais heure de oster nostre
155 prisonnier ; je vois oyr[11] qu'il dira et s'il se vouldra
mettre a finance. — Mettez tout sur nous, ce dirent
elles, nous l'appaiserons bien. — Creez, que si feray
je », dit elle. Et a ces motz se seigne et s'en va ; et
comme non pensant ad ce qu'elle faisoit, tout d'aguet
160 et a propos entra dedans la garderobe ou son mary
encores estoit dedans le bahu clos. Et quant il l'oyt,
il commença a faire grand noise et crier a la volée :
« Qu'est ce cy ! me lairra l'on cy dedans ? » Et sa
bonne femme, qui l'oyt ainsi demener, respondit
165 effrayement et comme craintivement, faisant l'igno-
rante : « Emy ! qu'est ce la que j'oy crier ? — C'est
moy, de par Dieu, c'est moy ! dit le mary. — C'est
vous, dit elle, et dont venez vous a ceste heure ?
— Dont je viens ? dit il ; et vous le savez bien,
170 madamoiselle, il ne fault ja qu'on le vous die ; mais
[comme] vous faictes de moy, au fort je feray
quelque jour de vous. » Et s'il eust enduré, ou osé,
il se fust tres voluntiers courroucié et eust dit villannie a sa femme. Et elle, qui le cognoissoit luy
175 couppa la parolle et dist : « Monseigneur, pour Dieu,
je vous crye mercy ; par mon serment, je vous
asseure que je ne vous cuidoie pas icy a ceste heure ;
et creez que je ne vous y eusse pas quis, et ne me
sçay assez esbahir dont vous venez[12] a y estre
180 encores : car je chargé hier soir a ces femmes
qu'elles vous missent dehors, tantdiz que je diroye[13]
mes heures, et elles me dirent que si feroient elles.
Et de fait l'une me vint dire que vous estiez dehors,

---

[11] *V.* veoir
[12] *ms* vous y v.
[13] *V.* disoie

et desja allé en la ville, et que ne reviendriez meshuy.
185 Et a ceste cause, [je] me couchay assez tost après
sans vous attendre. — Saint [Jehan !] dit il, vous
veez qu'est ce ; or vous avancez de moy tirer d'icy,
car je suis tant las que je n'en puis plus. — Cela
feray je bien, monseigneur, dit elle, mais ce ne sera
190 pas devant que vous ayez promis de moy paier de
la gaigeure qu'avez perdue ; et pardonnez moy toutesfoiz, car aultrement ne le puis faire. — Et avancez vous, de par Dieu, dit il ; je le paieray voirement.
—Et ainsi vous le promettez ? — Oy, par ma foy ! »
195 Et ce procés finy, madamoiselle defferma le bahu et
monseigneur yssit dehors, lassé, froissé et traveillé.
Et elle le prend a braz et baise et accole tant doulcement qu'on ne pourroit plus, en luy priant pour
Dieu qu'il ne soit point mal content. Et le pouvre
200 cocquard dit que non est il, puisqu'elle n'en savoit
rien ; mais il punyra trop bien ses femmes, s'il y
peut advenir. « Par ma foy, monseigneur, dit elle,
elles se sont bien vengées de vous ; je ne doubte
point que vous ne leur ayez aucune chose meffait [14].
205 — Non ay, certes, que je sache ; mais creez que le
tour qu'elles m'ont joé leur sera cher vendu. » Il
n'eut pas finé ce propos quand toutes ces femmes
entrerent dedans, qui si tresfort rioyent, et de si
grand cueur, qu'elles ne sceurent mot dire grand
210 piece après. Et monseigneur, qui devoit faire merveilles, quand il les vit rire en ce point, ne se peut
tenir de les contrefaire. Et madamoiselle, pour luy
faire compaignie, ne s'i faignoit point. La veissez
une merveilleuse risée, et d'un costé et d'aultre, mais
215 celuy qui en avoit le mains cause ne s'en pouvoit

———————

14 *V.* a. fait quelque chose.

ravoir. A chef de piece ce passetemps cessa, et dist
monseigneur : « Mes damoiselles, je vous mercye
beaucop de la courtoisie que m'avez ennuyt faicte.
— A vostre commendement, respondit l'une, encores
220 n'estes vous pas quicte : vous nous avez fait et
faictes tousjours tant de peine et de meschef que
nous vous avons gardé ceste pensée ; et n'avons
aultre regret que plus n'y avez esté. Et si n'eussions
sceu de vray qu'il n'eust pas bien pleu a madamoi-
225 selle, encores y fussez vous. Et prenez en gré. — Est
ce cela ? dit il. Or bien, bien : vous verrez comment
il vous en prendra ; et par ma foy je suis bien gouverné, quand avec tout le mal que j'ay eu l'on ne me
fait que farser ; et encores, qui pis est, il me fault
230 paier la cotte simple de satin ! Et vrayement je ne
puis a mains que d'avoir les chemises de la gaigeure,
en recompensacion de la peine qu'on m'a fait ! — Il
n'y a, par Dieu, que raison, dirent les damoiselles ;
nous voulons en ce estre pour vous, monseigneur, et
235 vous les arez ; n'ara pas, madamoiselle ? — Et a quel
propos, dit elle ? il a perdu la gaigeure. — Dya, nous
savons bien cela, il ne les peut avoir de droit ; aussi
ne les demande il pas a ceste intencion, mais il les a
bien deservies en aultre maniere. — A cela ne tiendra
240 pas, dit elle, je feray voluntiers finance de la toille ;
et vous, mesdamoiselles, qui tant bien procurez pour
luy, vous prendrez bien la peine de les coudre. — Oy
vrayement, oy, madamoiselle. » Comme ung chien [15],
qui ne fault que escourre la teste au matin quand il
245 se leve qu'il ne soit prest, estoit monseigneur ; car il
ne luy fallit que une secousse de verges a nettoier sa
robe et ses chausses qu'il ne fut prest. Et ainsi a la

---

[15] *V. C.* celluy

messe s'en va ; et madamoiselle et ses femmes le
suyvent, qui faisoient de luy, je vous asseure, [grans
250 risées] ; et creez que la messe [16] ne se passa pas
sans foison de ris soudains, quand il leur souvenoit
du giste que monseigneur a fait ou bahu, lequel ne
le scet, encores qui fut celle nuyt enregistré ou livre
qui n'a point de nom. Et si n'est que vienne d'adven-
255 ture ceste histoire entre ses mains, jamais n'en aura,
si Dieu plaist, la cognoissance, ce que pour rien je
ne vouldroye. Si prye aux lisans qui le cognoissent
qu'ilz se gardent bien de luy monstrer,

---

[16] *ms* meisse

LA XXVIIIe NOUVELLE,

PAR

MESSIRE MICHAULT DE CHAUGY, GENTILHOMME
DE LA CHAMBRE DE MONSEIGNEUR. [1]

5   Se au temps du tresrenommé et eloquent Boccace
l'adventure dont je veil fournir ma nouvelle fust
advenue et a son audience ou cognoissance parvenue,
je ne doubte point qu'il ne l'eust adjoustée et mise
ou reng du compte des nobles hommes mal fortunez.
10 Car je ne pense pas que noble homme eust jamais
pour ung coup gueres fortune plus dure a porter que
le bon seigneur, que Dieu pardoint, dont je vous
compteray l'adventure. Et se sa male fortune n'est
digne d'estre ou dit livre de Boccace, j'en fais juges
15 tous ceux qui l'orront racompter. Le bon seigneur
dont je vous parle fut en son temps ung des beaulx
princes de son royaulme, garny et adressié de tout
ce qu'on saroit loer et priser [en] ung noble homme.
Et entre aultres ses proprietez, il estoit tel destiné
20 que entre les dames jamais homme ne le passa de
gracieuseté. Or luy advint que, au temps que ceste
sa renommée et destinée florissoit, et qu'il n'estoit
bruyt que de luy, [Amours] [2], qui seme ses vertuz ou
mieux luy plaist et bon luy semble, fist allyance a
25 une jeune fille, belle, gente, gracieuse et en bon point

---

[1] G. ... Mons. *manquent dans* V.
[2] *ms.* au mains

en sa fasson, ayant bruyt autant et plus que nulle
de son temps, tant par sa grande et non pareille
beaulté comme par ses tres loables[3] meurs et vertuz ; et, qui pas ne nuysoit au jeu, tant estoit en la
30 grace de la royne du pays qu'elle estoit son demy
lit, les nuyz que point ne couchoit avec le roy. Ces
amours que je vous dy furent si avant conduictes
qu'il ne restoit que temps et lieu pour dire et faire,
chascun a sa partie, la chose au monde que plus luy
35 pourroit plaire. Ilz ne furent pas pou de jours pour
adviser et elire lieu et place convenables ad ce faire ;
mais en la fin celle qui ne desiroit pas mains le bien
de son serviteur que la salvacion de son ame, s'advisa d'un bon tour, dont tantost l'advertit, disant[4]
40 ce qui s'ensuit : « Mon tres loyal amy, vous savez
comment je couche avec la royne, et que nullement
m'est possible, si je ne vouloie tout gaster, d'abandonner cest honneur et avancement, dont la plus
femme de bien de ce royaume se tiendroit pour bien
45 eureuse et honorée ; combien que par ma foy je vous
vouldroye complaire, et faire autant de plaisir[5] et
d'aussi bon cueur que a elle. Et qu'il soit vray, je
le vous monstreray de fait, toutesfoiz sans abandonner celle qui me fait et peut faire tout le bien et
50 l'onneur du monde. Je ne pense pas aussi que vous
voulsissez que aultrement je feisse ? — Non, par ma
foy m'amye, respondit le bon seigneur ; mais toutesfoiz, je vous prie qu'en servant vostre maistresse,
vostre loyal serviteur ne soit point arriere du bien
55 que faire luy povez, qui ne luy est pas maindre que

---

3 *V*. belles
4 *ms* disant ladvertit
5 *V*. f. vostre p.

mieulx y vouldroit et desire parvenir que gaigner [6]
le surplus du monde. — Veez cy que je vous feray,
dit elle, monseigneur ; la royne a une levriere, comme
vous savez, dont elle est beaucop assotée, et la fait
60 coucher en sa chambre ; je trouveray fasson ennuyt
de l'enclorre hors de la chambre sans qu'elle en sache
rien ; et quand chacun sera retrait, je feray ung
sault jusques en la chambre de parement, et deffer-
meray l'huys, et le lairay ouvert [7]. Et quand vous
65 penserez que la royne sera couchée [8], vous viendrez
tout secretement, et entrerez en la dicte chambre et
fermerez l'huys ; vous y trouverez la levriere, qui
vous cognoist assez ; si se lairra bien approucher
de vous ; vous la prendrez par les oreilles et la ferez
70 bien hault crier ; et quand la royne l'orra, elle la
cognoistra tantost : si ne me doubte point qu'elle ne
me face lever incontinent pour la mettre dedans. Et
en ce point viendray je vers vous ; si n'y faillez point
si jamais vous voulez parler a moy. — Ha ! ma tres-
75 chere et loyale amye, dit monseigneur, je vous mercye tant que je puis ; pensez que je n'y fauldray
pas ! — Et a tant se part et s'en va, et sa dame
aussi, chacun pensant et desirant d'achever ce qui
est proposé. Qu'en vauldroit le long compte ? La
80 levriere se cuida rendre, quand il fut heure, en la
chambre de sa maistresse, comme elle avoit accoustumé ; mais celle qui l'avoit condemnée dehors la
fist retraire en la chambre au plus près. Et la royne
se coucha sans ce qu'elle s'en donnast garde ; et
85 assez tost après luy vint faire compaignie la bonne
damoiselle, qui n'actendoit que l'heure d'oyr crier la

---

[6] *V.* m. chose de a vostre grace et amour parvenir q. de g.
[7] *V.* laisseray entre o.
[8] *V.* r. pourra estre au lit

levriere et la semonce de bataille. Ne demoura gueres
que le gentil seigneur se mist sur le[s] rengs, et
tant fist qu'il se trouva en la chambre ou la levriere
90 se dormoit. Il la quist tant au pié et a la main qu'il
la trouva, et puis la print par les oreilles, et la fist
hault crier deux ou trois foiz. Et la royne, qui l'oyt,
congneut tantost que c'estoit sa levriere, et pensa
qu'elle vouloit estre dedans ; si appella sa damoiselle
95 et dist : « M'amye, veez la ma levriere qui se plaint
la hors ; levez vous, si la mettez dedans. — Voluntiers, madame », ce dist la damoiselle. Et jasoit
qu'elle attendist la bataille dont elle mesme avoit
l'heure et le jour assigné, si ne s'arma elle que de
100 sa chemise ; et en ce point s'en vint a l'huys et l'ouvrit, ou tantost luy vint a l'encontre celuy qui l'attendoit. Il fut tant joyeux et tant surpris, quand il vit
sa dame si belle et en si bon point, qu'il perdit force,
sens et advis ; et ne fut oncques en sa puissance
105 de tirer sa dague pour esprouver et savoir s'elle
pourroit prendre sur ses cuirasses. Trop bien de
baiser, d'accoler, de manier le tetin, et le surplus,
faisoit il assez diligence ; mais du parfait, nichil !
Si fut force a la gente damoiselle qu'elle retournast
110 sans luy laisser ce que avoir ne povoit, se par force
d'armes ne le conqueroit. Et ainsi qu'elle vouloit partir, il la cuidoit retenir par force et par belles [9]
parolles, mais elle n'osoit demourer. Si luy ferma
l'huys au visage et s'en revint par devers la royne,
115 qui luy demanda s'elle avoit mise sa levriere dedans.
Et elle dit que non, car oncques ne l'avoit sceu trouver, et si avoit beaucop regardé. « Or bien, dit la
roine, toujours l'ara on ; couchez vous. » Le pouvre
amoureux estoit a celle heure, Dieu scet ! bien mal

---

[9] *V.* doulces

120 content, qui se voit ainsy deshonoré et adneanty ; et
se cuidoit auparavant bien tant en sa force qu'en [10]
mains d'heure qu'il n'avoit esté avecques sa dame
il en eust bien combatu telles troys, et venu au
dessus d'elles a son honneur. Au fort il reprint cou-
125 rage et dit bien a soy mesmes, s'il est jamais si
eureux que de trouver sa dame en si belle place,
elle ne partiroit pas comme elle a fait l'aultre foiz.
Et ainsi animé et aguillonné de honte et de desir,
il reprend la levriere par les oreilles, et la tira si
130 rudement, tout courroucé qu'il estoit, qu'il la fist crier
beaucop plus hault qu'elle n'avoit fait devant. Si
hucha arriere a ce cry la royne sa damoiselle, qui
revint ouvrir l'huys comme devant ; mais elle s'en
retourna devers sa maistresse sans conquester ne
135 plus ne mains qu'elle fit l'autre foiz. Or revint a la
tierce foiz que ce pouvre gentil homme faisoit tout
son pouvoir de besoigner comme il avoit le desir :
mais au deable de l'omme s'il peut oncques trouver
maniere de fournir une pouvre lance a celle qui ne
140 demandoit aultre chose, et qui l'attendoit de pié coy !
Et quand elle vit qu'elle n'aroit point son panier
percé, et qu'il n'estoit pas a l'aultre de seulement
mettre sa lance en son arrest, quelque avantage
qu'elle luy feist, tantost cogneut qu'elle aroit a la
145 jouste failly, dont elle tint beaucop mains de bien [11]
du jousteur. Elle ne voulut ne osa la plus demourer,
pour acquest [12] qu'elle y feist ; si voulut entrer en
la chambre, et son amy la retiroit a force et disoit :
« Helas ! m'amye, demourez encores ung peu, je vous
150 en prie. — Je ne puis, dit elle, je ne puis, laissez

---

[10] *V.* en sa f. se fioit quen
[11] *V.* compte
[12] *V.* conqueste

moy aler ; je n'ay que trop demouré pour chose que
j'aye prouffité. » Et a tant se retourne vers la chambre, et l'autre la suyvoit, qui la cuidoit retenir. Et
quand elle vit ce, pour le bien payer, et la royne
155 contenter, elle alla dire tout en hault : « Passez,
passez, orde caigne que vous estes ; par Dieu, vous
n'y entrerez meshuy, meschante beste que vous
estes ! » Et en ce disant, ferma l'huys. Et la royne,
qui l'oyt, demanda : « A qui parlez vous, m'amye ?
160 — C'est a ce paillard chien, madame, qui m'a fait
tant de peine de le querir ; il s'estoit bouté soubz
un banc la dedans et caiché tout de plat le museau
sur la terre, si ne le savoye trouver. Et quand je l'ay
eu trouvé, il ne s'est oncques daigné lever, quelque
165 chose que je luy aye fait. Je l'eusse tresvoluntiers
bouté dedans, mais il n'a oncques daigné lever la
teste ; si l'ay laissé la dehors tout par despit et
fermé l'huys a son visage. — C'est tresbien fait,
m'amye, dit la royne ; couchez vous, couchez vous,
170 si dormirons. » Ainsi que vous avez oy, fut tresmal
fortuné ce gentil seigneur ; et pour ce qu'il ne peut,
quand sa dame voulut, je tien, moy, quand il eut
depuis bien la puissance a commendement, le vouloir
de sa dame fut hors de ville.

———

LA XXIXᵉ NOUVELLE,

PAR

MONSEIGNEUR.

N'a pas cent ans d'huy que ung gentilhomme de
5 ce royaume voulut savoir et esprouver l'aise qu'on
a en mariage ; et, pour abreger, fist tant que le tres
desiré jour de ses nopces fut venu. Après les bonnes
cheres et aultres passetemps accoustumez, l'espousée
fut couchée, et il, a chef de piece, la suyvit et se
10 coucha au plus près d'elle. Et sans delay bailla
l'assault incontinent a sa forteresse, et tellement
qu'en peu d'heure, a quelque meschef que ce fust, il
entra ens et la gaigna. Mais vous devez entendre
qu'il ne fist pas ceste conqueste sans faire foison
15 d'armes qui longues seroient a racompter. Car ainçois qu'il venist au donjon du chastel, force luy fut
de gaigner et emporter boulevars, bailles[1], et aultres
plusieurs fors dont la place estoit bien garnye,
comme celle qui jamais n'avoit esté prinse, dont fust
20 encores nouvelle, et que nature avoit mis a defense.
Quand il fut maistre de la place, il rompit seulement
une lance[2], et lors cessa l'assault et ploya l'œuvre.
Or ne fait pas a oublier que la bonne damoiselle, qui
se vit en la mercy de ce gentil homme son mary,
25 qui desja avoit fourragié la pluspart de son manoir,

---

[1] V. bellevres baublieres
[2] V. r. sa l.

luy voulut monstrer ung prisonnier qu'elle tenoit en
ung tressecret lieu encloz et enserré [3]. Et pour parler
plain, elle se delivra, cy prins cy mis, après ceste
premiere course, d'ung tresbeau filz, dont le pouvre
30 mary se trouva si honteux et tant esbahy qu'il ne
savoit sa maniere, si non de soy taire. Et pour
honesteté et pitié de ce cas, il servit la mere et l'enfant de ce qu'il savoit faire. Mais creez que la
pouvre gentil femme a cest coup getta ung bien
35 hault et dur cry, qui de pluseurs fut clerement oy et
entendu, qui cuidoient a la verité qu'elle gettast ce
cry a la despuceler, comme c'est la coutumes en ce
royaume. Pendant ce temps, les gentilz hommes de
l'ostel ou ce nouvel marié demouroit vindrent hurter
40 a l'huys de ceste chambre et apporterent le chaudeau.
Ilz hurterent beaucop sans ce que ame respondist.
L'espousée en estoit bien excusée, et l'espousé n'avoit
pas cause de trop hault caqueter : « Et qu'est ce cy ?
dirent ilz, et n'ouvrirez vous pas l'huys ? Par ma foy,
45 si vous ne vous hastez, nous le romperons ; le chaudeau que nous vous apportons sera tantost tout
froit. » Et lors commencerent a rehurter de plus belle.
Et le nouveau maryé n'eust pas dit ung mot pour
cent francs, dont ceulx de dehors ne savoient que
50 penser, car il n'estoit pas muet de coustume. Au fort
il se leva, et print une robe longue qu'il avoit, et
laissa ses compaignons entrer dedans, qui tantost
demanderent si le chaudeau estoit gaigné, et qu'ilz
l'apportoient a l'adventure. Et lors fut ung d'entre
55 euix qui couvrit la table et mist le beau bancquet
dessus, car ilz estoient en lieu pour ce faire, et ou
rien n'estoit espergné en tel cas et aultres semblables. Ilz s'assirent tous au menger, et bon mary print

---

[3] *V.* enferme

sa place en une chaize a. doz assez près de son lit,
60 tant simple et tant piteux qu'on ne le vous saroit
dire. Et quelque chose que les autres dissent, il ne
sonnoit pas ung mot, mais se tenoit comme une
droicte statue ou ung idole entaillé : « Et qu'est
cecy ? dit l'un, et ne prenez vous point garde a la
65 bonne chere que nous fait nostre hoste ? encores a il
a dire ung seul mot. — A dya, dit l'autre, ses bourdes sont rabaissées. — Par ma foy, dit le tiers,
mariage est chose de grant vertu : regardez quand
pour une heure qu'il a esté marié il a ja perdu la
70 force de sa langue ! S'il l'est jamais longuement, je
ne donneroye pas maille du surplus. » Et a la verité
dire, il estoit auparavant ung tresgracieux farseur,
et tant bien luy seoit que merveilles ; et ne disoit
jamais une parolle puis qu'il estoit de gogues qu'elle
75 n'apportast sa risée avec elle ; mais il en est a ceste
heure bien rebouté. Ces gentilz hommes buvoient
d'autant et d'autel, et a l'espousé et a l'espousée.
Mais au dyable des deux s'il[s] avoi[en]t fain de
boire : l'un enragoit tout vif et l'autre n'estoit pas
80 mains en malaise : « Je ne me cognois en ceste
maniere, dist ung gentil homme, il nous fault festoier
de nous mesmes. Je ne vy jamais, moy, homme de si
hault esternu si tost rassis pour une femme. J'ay veu
qu'on n'oyst pas Dieu tonner en une compaignie ou il
85 fust ; et il se tient plus coy que ung feu couvert. A
dya ! ses haultes parolles sont bien bas entonnées
maintenant. — Je boy a vous, noz amys » [4], disoit
l'autre. Mais il n'estoit pas plegé : car il jeunoit de
boire, de menger, de bonne chere faire, et de parler.
90 Non pourtant a chef de piece, quand il eut bien esté

---

[4] *V*. v. espouse d.

ramponné [5] sur ce et rigolé de ses compaignons, et,
comme ung sanglier mis au abaiz de tous costez,
il dit : « Messeigneurs, quant je vous ay bien entendu
qui se me semonnez de parler, je veil bien que vous
95 sachez que j'ay bien cause de beaucop penser, et de
me taire trestout coy. Et si suis seur qu'il n'y a
nul de vous qui n'en fist autant s'il en avoit le pourquoy comme j'ay. Et, par la mort bieu, se J'estoie
aussi riche que le roy, que monseigneur, et que tous
100 les princes chrestians, si ne saroye je fournir ce que
m'est apparent d'avoir a entretenir. Veez cy pour
un pouvre coup que j'ay accolée ma femme, elle m'a
fait ung enfant. Or regardez, si a chacune foiz que
je recommenceray elle en fait autant, de quoy je
105 pourray nourrir le mesnage ? — Comment ! ung
enfant ! dirent ses compaignons. — Voire, vrayement
ung enfant, dit il ; veez cy de quoy, regardez. » Et lors
se tourne vers son lit et leve la couverture et leur
monstre et la mere et l'enfant. « Tenez [6], dit il, veez
110 la vache et le veau : suis je pas bien party ? » Pluseurs de la compaignie furent bien esbahiz et pardonnerent a leur hoste sa simple chere et s'en allerent
chacun a sa chacune. Et le pouvre nouveau marié
habandonna ceste premiere nuyt la nouvelle acou-
115 chée. Et, doubtant que elle n'en fist une aultre foiz
autant, oncques depuis ne s'i trouva.

---

5 *V.* reprouve
6 *V.* monstre / tenez

LA XXXe NOUVELLE,

PAR

MONSEIGNEUR DE BEAUVOIR.

Il est vray comme l'Evangile que trois bons mar-
5 chans de Savoye se mirent a chemin avecques leurs
trois femmes pour aller en pelerinage a Saint
Anthoine de Viennois. Et pour y aller plus devotement et rendre a Dieu et a monseigneur saint
Anthoine leur voyage plus agreable, ilz conclurent
10 entre eulx et avec leurs femmes, des le partir de leurs
maisons, que tout le voyage ilz ne coucheroient pas
avec elles, mais en continence yront et viendront. Ilz
arriverent ung soir en la ville de Chambery et se
logerent en ung tresbon logis, et feirent au soupper
15 tresbonne chere, comme ceulx qui avoient tresbien de
quoy, et qui tresbien le sceurent faire. Et croy et
tiens fermement que, si n'eust esté le veu du ² voyage,
que chacun d'eulx eust couché avec sa chacune. Toutesfoiz ainsi n'en advint pas ; car quand il fut heure
20 de soy retraire, les femmes donnerent la bonne nuyt
a leurs mariz et les laisserent, et se bouterent en
une chambre au plus près, ou elles avoient fait couvrir chacune son lit. Or devez vous savoir que ce
soir propre arriverent leans trois cordeliers qui s'en
25 alloient a Geneve, qui furent ordonnez a coucher en

---

¹ *V.* mindrent
² *V.* se ne feust la promesse du

une chambre non pas trop loingtaine de la chambre
aux marchandes. Lesquelles, puis qu'elles furent
entre elles, commencerent a deviser de cent mille
propos. Et sembloit, pour trois qu'il en y avoit, de
30 quoy on oyoit la noise qu'il souffiroit oïr d'un quarteron. Ces bons cordeliers, oyans ce bruit de femmes, saillirent de leur chambre sans faire effroy ne
bruit, et tant approucherent de l'huys sans estre oïz,
qu'ils perceurent par les pertus ces [3] trois belles
35 damoiselles, qui se coucherent chacune a par elle en
ung beau lit assez grand et large pour le deuxieme
recevoir d'aultre costé ; puis se virerent, et entendirent leurs mariz qui se couchoient en l'autre chambre. Cela fait, ils rentrerent en leur chambre, et
40 puis [4] dirent que fortune et honneur a ceste heure
leur court sus, et qu'ilz ne sont pas dignes d'avoir
jamais bonne adventure, si ceste, qu'ilz n'ont pas
pourchassée, par lascheté leur eschappoit. « De fait,
dit l'un, il ne fault aultre deliberacion en nostre fait ;
45 nous sommes trois et elles trois, chacun prenne sa
place quand elles seront endormies. » S'il fut dit,
aussi fut il fait. Et si bien vint a ces bons freres
qu'ilz trouverent la clef de la chambre aux femmes
dedans l'huys ; si l'ouvrirent si tres souef qu'ilz ne
50 furent de ame oïz. Ilz ne furent pas si folz, quand
ilz eurent gaigné ce premier fort, pour plus seurement assaillir l'aultre, qu'ilz ne tirassent la clef
dedans et resserrerent tresbien l'huys. Et puis après,
sans plus enquerre, chacun print son quartier, et
55 commencerent a besoigner chacun du mieux qu'ilz
peurent. Mais le bon fut. Car l'une cuidant avoir son
mary parla et dist : « Et que voulez vous faire, ne

---

[3] *V.* parceurent ces
[4] *V.* lautre chambre et p.

vous souvient il de vostre veu ? » Et le bon cordelier
ne disoit mot, mais faisoit ce pour quoy il vint de si
60 grand cueur, qu'elle ne se peut tenir de luy aider a
parfournir. Les aultres deux, d'aultre part, n'estoient
pas oiseux ; et ne savoient que penser ces bonnes
femmes, qui mouvoit[5] leurs mariz de si tost rompre
et casser leur promesse. Neantmains toutesfoiz, elles
65 qui doivent obeir, le prindrent bien en pacience, sans
dire mot, chacune doubtant estre oye de sa compaigne. Car il n'y avoit celle, a la vérité, qui ne
cuidast ce bien avoir seulle et emporter. Quand ces
bons cordeliers eurent tant fait que plus ne povoient,
70 ilz se partirent sans dire mot, et retournerent en leur
chambre, chacun comptant son adventure. L'ung avoit
rompu trois lances, l'aultre quatre, l'aultre six. Oncques gens ne furent tant eureux[6]. Ilz se leverent par
matin, pour toute seureté ; si tirerent pays. Et ces
75 bonnes femmes, qui pas n'avoient toute la nuyt
dormy, ne se descoucherent[7] pas trop matin, car sur
le jour sommeil les print, qui les fist lever sur le
tard. D'aultre costé leurs mariz, qui avoient assez
bien beu le soir, et qui s'attendoient a l'appeau de
80 leurs femmes, dormoyent au plus fort a l'heure que
es aultres jours avoient ja cheminé deux lieues. Au
fort elles se leverent après le repos du matin, et
s'abillerent au plus radde qu'elles peurent, non point
sans parler. Et entre elles celle qui avoit la langue
85 plus preste alla dire : « Entre vous, mes damoiselles,
comment avez vous passé la nuyt ? Voz mariz vous
ont ilz reveillées comme a fait le mien ? Il ne cessa
ennuyt de faire la besoigne. — Saint Jehan ! dirent

---

[5] *V.* menoit
[6] *La phrase manque dans V.*
[7] *V.* leverent

elles, si vostre mary a bien besoigné ennuyt, les
90 nostres n'ont pas esté oiseux. Ilz ont tantost oublié
ce qu'ilz promisrent au partir, et creez qu'on ne leur
oblyra pas a dire. — J'en adverty trop bien le mien,
dist l'une, quand il commença, mais il n'en laissa [8]
oncques pourtant l'euvre : car, comme ung homme
95 affamé, pour deux nuiz qu'il a couché sans moy, il
a fait rage de diligence. » Quand elles furent prestes,
elles vindrent trouver [9] leurs mariz, qui desja estoient
comme tous prestz et en pourpoint : « Bon jour, bon
jour a ces dormeurs, dirent elles. — La vostre mercy,
100 dirent ilz, qui nous avez si bien huchez. — Ma foy,
dit l'une, nous avons plus de regret a vous appeller
matin que vous n'avez fait ennuyt de conscience de
rompre et casser vostre veu ? — Quel veu ? dit l'un.
— Le veu que vous feistes au partir, dit elle, de
105 point coucher avec vostre femme. — Et qui y a
couché ? dit il. — Vous le savez bien, dit elle, et
aussi fais je. — Et moy aussi, dit sa compaigne ;
veez la mon mary, qui ne fut pieça si rude qu'il fut
la nuyt passée ; et s'il n'eust si bien fait de son
110 devoir je ne seroye pas si contente de la ronture de
son veu ; mais au fort je le passe, car il a fait
comme les jeunes enfans, qui voulent employer leur
bature quand ilz ont deservy le punir. — Saint
Jehan ! si a fait le mien, dit la tierce, mais au fort
115 je n'en feray ja procés ; si mal y a, il en est cause.
— Et je tien par ma foy, dit l'un, que vous radoub-
tez [10], et que vous estes yvres de dormir. Quant est
de moy, j'ay icy couché tout seul et n'en party
ennuyt. — Non ay je moy, dit l'aultre. — Ne moy,

---

8 *V.* cessa
9 *V.* troubler
10 *V.* rever

120 par ma foy, dit le tiers. Je ne vouldroye pour rien
avoir enfrainct mon veu, et si cuide estre seur de mon
compere, qui cy est, et de mon voisin, qu'ilz ne l'eussent pas promis pour si tost l'oblyer. » Ces femmes
commencerent a changer coleur, et se doubterent de
125 tromperie, dont l'un des mariz d'elles tantost se
donna garde, et luy jugea le cueur la verité du fait.
Si ne leur bailla pas induce de respondre ; ainçois,
faisant signe a ses compaignons, dist en riant : « Par
ma foy ! mes damoiselles, le bon vin de seans et la
130 bonne chere du soir passé nous ont fait oublier
nostre promesse ; si n'en soiez ja mal contentes. A
l'adventure, se Dieu plaist, nous avons fait ennuyt,
a vostre ayde, chascun ung bel enfant, qui est chose
de si hault merite qu'elle sera suffisante d'effacer la
135 faulte du cassement de nostre veu. — Or, Dieu le
veille, dirent elles. Mais ce que si affermement disiez
que vous n'aviez pas esté vers nous nous a fait ung
petit doubter. — Nous l'avons fait tout au propos,
dit l'autre, affin d'oyr que vous diriez. — Et vous
140 avez double peché, comme de faulser vostre veu et
de mentir a esscient, et nous mesmes avez beaucop
troublées. — Ne vous chaille non, dit il, c'est pou
de chose, mais allez a la messe et nous vous suy-
vrons. » Elles se mirent [11] au chemin devers l'eglise,
145 et leur mariz ung pou demourerent sans les suyvir
trop radde. Puis dirent tous ensemble, sans en mentir
de mot : « Nous sommes trompez, ces dyables de
cordeliers nous ont deceuz. Ilz se sont mis en nostre
place et nous ont monstré nostre folie. Car, si nous
150 ne voulions pas coucher avecques noz femmes, il
n'estoit ja mestier de les faire coucher hors de nostre
chambre. Et s'il y avoit dangier de lictz, la belle

---

[11] *V.* misdrent

paillasse est en saison. — Dya ! dit l'un d'eulx, nous
en sommes chastiez pour une aultre foiz ; et au fort
155 il vault mieulx que la tromperie soit seulement sceue
de nous que de nous et d'elles. Car le dangier y est
bien grand s'il venoit a leur cognoissance. Vous oyez
par leur confession que ces ribaulx moynes ont fait
merveilles d'armes, et espoir plus et mieulx que nous
160 ne savons faire. Et s'elles le savoient, elles ne se
passeroient pas pour ceste foiz seulement. S'en est
mon conseil que nous l'avalons sans mascher.
— Ainsi m'aist Dieu, ce dit le tiers, mon compere
dit tresbien. Et quant a moy je rappelle mon veu, et
165 n'ay pas intencion de plus me mettre en ce dangier.
— Puis que vous le voulez, dirent les deulx autres,
et nous vous ensuyvrons. » Ainsi coucherent tout le
voyage et femmes et mariz ensemble, dont ilz se garderent trop bien de dire la cause qui ad ce les mou-
170 voit. Et quand les femmes virent ce, ce ne fut pas
sans demander la cause de ceste raherce. Et ilz respondirent, par couverture, puis qu'ilz avoient commencé de leur veu entrerompre, il ne restoit que du
parfaire. Ainsi furent les trois marchans deceuz [12]
175 des trois bons cordeliers, sans ce qu'il venist a la
cognoissance de celles qui bien en fussent mortes de
dueil s'elles en sceussent [13] la vérité, comme on en
voit tous les jours morir de maindre cas et a mains
d'achoison [14].

---

[12] *V.* trompes
[13] *V.* eussent sceu
[14] *V.* doccasion

LA XXXIᵉ NOUVELLE,

PAR

MONSEIGNEUR DE LA BARDE.

Ung gentilhomme de ce royaume, escuyer bien
renommé et de grand bruit, devint amoureux, a
Rouen [1], d'une tresbelle damoiselle, et fist toutes ses
diligences de parvenir a sa grace. Mais Fortune luy
fut si contraire, et sa dame si mal gracieuse, qu'enfin
il abandonna sa queste comme par desespoir. Il n'eut
pas trop grand tort de ce faire, car elle estoit ailleurs
pourveue, non pas qu'il en sceust rien, combien qu'il
s'en doubtast. Toutesfoiz celuy qui en joissoit, qui
chevalier et homme de grand autorité estoit, n'estoit pas si peu privé de luy qu'il n'estoit gueres chose
au monde qu'il ne se fust bien a luy descouvert, sinon
de ce cas. Trop bien luy disoit il souvent : « Par ma
foy, mon amy, je veil bien que tu saches que j'ay
ung retour en ceste ville dont je suis beaucop assoté ;
car quand je suis par force de travail si rebouté
qu'on ne tireroit point de moy une lyeuette de chemin, si je me treuve vers elle, je suis homme pour
en faire trois ou quatre, voire les deux tout d'une
alaine. — Et n'est il requeste, ne priere, disoit
l'escuier, que je vous sceusse faire, que je sceusse
tant seulement le nom de celle ? — Nenny, par ma
foy, dist l'autre, tu n'en sceras plus avant. — Or
bien, dist l'escuier, quand je seray si eureux que

---

[1] *V.* rohan

d'avoir rien de beau, je vous seray aussi pou privé
que vous m'estes estrange. » Advint ce temps pen-
30 dant que ce bon chevalier le prya de souper au
chasteau de Rouen [1] ou il estoit logé ; et il y vint, et
firent tresbonne chere. Et quand le souper fut passé
et aucun pou de devises après, le gentil chevalier
qui avoit heure assignée d'aller vers sa dame, donna
35 congé a l'escuier, et dist : « Vous savez que nous
avons beaucop demain a besoigner, et qu'il nous
fault lever matin pour telles materes, et pour telles,
qu'il vous fault expedier ; c'est bon de nous coucher
de bonne heure, et pour ce je vous donne la bonne
40 nuyt. » L'escuier, qui estoit subtil, ce voyant, se
doubta tantost que ce bon chevalier vouloit aller
courre [2], et qu'il se couvroit des besoignes de lendemain pour luy donner congié ; mais il n'en fist quelque semblant, ainçois dist en prenant congié, et don-
45 nant la bonne nuyt : « Monseigneur, vous dictes bien,
levez vous matin et aussi feray je. » Quand ce bon
escuier fut en bas descendu, il trouva une petite
mulette [3] au pié des degrez du chasteau, et ne vit
ame qui la gardast. Si pensa tantost que le page
50 qu'il avoit encontré en descendant alloit querir la
housse de son maistre, et aussi faisoit. « Ha ! dit il
en soy mesmes, mon hoste ne m'a pas donné congé
de si haulte heure sans cause. Veez cy sa mulette qui
n'attent aultre chose que je soie en voye, pour porter
55 son maistre ou [4] l'on ne veult pas que je soye. Ha !
mulette, dist il, si tu savoies parler que tu diroies de
bonnes choses ! Je te pry que tu me maines ou ton
maistre veult estre. » Et a cest coup il se fist tenir

---

[2] *V.* coucher
[3] *V.* mallette
[4] *V.* pour aler ou

l'estrief par son paige, [et monta dessus] et luy mist
60 la rene sur le col, et la laissa aller ou bon luy sembla
tout le beau pas. Et la bonne mule le mena par rues
et ruelles, deça et dela, tant qu'elle se vint arrester
au devant d'un petit guichet qui estoit en une rue
oblicque ou son maistre avoit acoustumé de venir,
65 qui estoit l'huys du jardin de la damoiselle qu'il avoit
tant amée et par desespoir abandonnée. Il mist pié
a terre, et puis hurta ung petit coup au guichet. Et
une damoiselle qui faisoit le guet par une faulse
treille, cuidant que ce fust le chevalier, s'en vint en
70 bas et ouvrit l'huys, et dist : « Monseigneur, vous
soiez bien venu, veez la madamoiselle en sa chambre
qui vous attend. » Et ne le cogneut pas, pource qu'il
estoit tard, et avoit une cornette de veloux devant
son visage. Et le bon escuier respondit : « Je vois
75 vers elle. » Et puis dit a son paige tout bas en
l'oreille : « Va t'en bien a haste, et remaine la
mulette ou je la prins, et puis t'en va coucher. — Si
feray je, monseigneur, dit il. » La damoiselle res-
serra le guichet, et s'en retourna en sa chambre. Et
80 nostre bon escuier, tresfort pensant a sa besoigne,
marche tresasseurement[5] vers la chambre ou sa
dame estoit, laquelle il trouva desja mise en sa cotte
simple, la grosse chayne d'or au col. Et comme il
estoit gracieux, courtois, et bien emparlé, la salua
85 bien honorablement ; et elle, qui fut tant esbahie que
si cornes luy venissent, de prinsault ne sceut que
respondre, sinon a chef de piece elle luy demanda
qu'il queroit leens, et dont il venoit a ceste heure, et
qui l'avoit bouté dedans. « Madamoiselle, dit il, vous
90 povez assez penser que si je n'eusse eu aultre aide
que moy mesmes je ne fusse pas icy. Mais, la Dieu

---

5 *V.* tresserreement

mercy, ung qui plusgrant pitié de moy que vous
n'avez encores eu, m'a fait cest avantage. — Et qui
vous a amené, sire ? dit elle. — Par ma foy, mada-
95 moiselle, je ne le vous quier ja celer : ung tel seigneur, c'est assavoir son hoste du soupper, m'y a
envoyé. — Ha ! dit elle, le traistre et desloyal chevalier qu'il est se trompe il en ce point de moy ?
Or bien, bien, j'en seray vengée quelque jour !
100 — Ha ! madamoiselle, ce n'est pas bien dit a vous.
Car ce n'est pas traïson de faire plaisir a son amy,
et luy faire secours et service quand on le peut faire.
Vous savez bien la grand amytié qui est despieça
entre luy et moy, et qu'il n'y a celuy qui ne dye a
105 son compaignon tout ce qu'il a sur le cueur. Or est
ainsi qu'il n'y a pas long temps que je luy comptay
et confessay tout le long la grant amour que je vous
porte, et que a ceste cause je n'avoie ung seul bien
en ce monde ; et si par aucune fasson je ne parve-
110 noye a vostre bonne grace, il ne m'estoit pas possible
de longuement vivre en ce doloreux martire. Quand
le bon seigneur a cogneu a la verité que mes parolles
n'estoient pas fainctes, doubtant le grant inconvenient qui m'en pourroit sourdre, a esté bien content
115 de[6] moy dire ce qui est entre vous deux ; et ayme
mieulx vous abandonner en me sauvant la vie, qu'en
me perdant maleureusement vous entretenir. Et si
vous estiez telle que vous devriez, vous n'euss[i]ez
pas tant attendu de bailler confort et garison a moy,
120 vostre obeissant serviteur, qui savez certainement
que je vous ay loyaument servie et obeye. — Je vous
requier, dit elle, que vous ne me parlez plus de cela,
et si vous en allez d'icy. Maudit soit celuy qui vous
y fist venir ! — Savez vous qu'il y a, madamoiselle ?

---

[6] *V.* a fait bien de

125 dit il ; ce n'est pas mon intencion de partir d'icy qu'il
ne soit demain. — Par ma foy, dit elle, si ferez, tout
maintenant. — Par la mort bieu, non feray, car je
coucheray avec vous. » Quand elle vit que c'estoit
a bon escient et qu'il n'estoit pas homme d'enchasser
130 par rudes parolles, elle luy cuida donner congié par
doulceur, et luy dist : « Je vous prie tant que je puis,
allez vous en pour meshuy ; et par ma foy une aultre
foiz je feray ce que vous vouldrez. — Dya, dit il,
n'en parlez plus, car je coucheray ceans. » Et[7] lors
135 commence a soy despoiller, et prend la damoiselle
et la baise et la[8] maine bancqueter, et fist tant, pour
abreger, qu'elle se coucha et luy d'emprès elle. Il
n'eurent gueres esté couchez, et plus couru d'une
lance, quand veezcy bon chevalier qui va venir sur
140 sa mulette, et vient hurter au guichet. Et bon
[escuier][9] qui l'oyt le cogneut tantost. Si commence
a grouiller[10], contrefaisant le chien tresfierement.

Le chevalier, quant il l'oyt, fut bien esbahy, et
autant courroucé. Si rehurte de plus belle très rude-
145 ment au guichet, et l'autre de recommencer a grouiller[10] plus fierement que devant. « Qui est ce la qui
grouille ?[11] dist celuy de dehors ; par la mort bieu !
je le saray. Ouvrez l'huys, ouvrez, ou je le porteray
en la place. » Et la bonne gentil femme, qui enra-
150 geoit toute vive, saillit a la fenestre en sa chemise[12]
et dist : « Estes vous la, faulx chevalier et desloyal ?
Vous avez beau hurter, vous n'y entrerez pas.
— Pourquoy n'y entreray je pas ? dit il. — Pource,

---

7 *V.* je c. ennuyt avecques vous. Et
8 *V.* p. la d. et la m.
9 *ms* ch'lr
10 *V.* glappir
11 *V.* grongne
12 *V.* cotte simple

dit elle, que vous estes le plus desloyal que jamais
155 femme accointast, et n'estes pas digne de vous trouver avecques gens de bien. — Madamoiselle, dist il,
vous blasonnez tres bien mes armes ! Je ne sçay qui
vous meut, car je ne vous ay pas fait desloyauté, que
je sache. — Si avez, dist elle, et la plus grande que
160 jamais homme fist a femme. — Non ay, par ma foy,
mais dictes moy qui est la dedans ? — Vous le savez
bien, traistre mauvais, dit elle, que vous estes. » Et
a cest coup le bon escuier qui ou lit estoit commença
groullier [10], contrefaisant le chien, comme par avant.
165 « A dya, dist celuy de dehors, je n'entens point cecy,
et ne sceray point qui est ce groulleur ? [13] — Saint
Jehan ! si ferez », dist il [14]. Et il sault sus d'emprès
sa dame, et vint a la fenestre, et dist : « Que vous
plaist il, monseigneur ? vous avez tort de nous ainsi
170 reveiller. » Le bon chevalier, quand il cogneut qui [15]
parloit a luy, fut tant esbahy que merveilles. Et
quand il parla il dist : « Et dont viens tu cy ? — Je
vien de soupper de vostre maison pour coucher
ceans. — A male faute », dit il. Et puis adressa sa
175 parolle a la damoiselle et dist : « Madamoiselle,
hebergez vous telz hostes ceans ? — Oy [16], monseigneur, dit elle, la vostre mercy qui le m'avez envoyé.
— Moi ! dit il ; saint Jehan ! il n'en est rien. Je suys
mesme venu pour y tenir [17] ma place, mais c'est trop
180 tard. Et au mains je vous prie, puis que je n'en puis
avoir aultre chose, ouvrez moy l'huys, si buray une
foiz. — Vous n'y entrerez ja, par Dieu ! dit elle.
— Saint Jehan ! si fera », dit l'escuier. Et lors des-

---

[13] *V.* grongneur
[14] *V.* d. lescuier
[15] *V.* quelle
[16] *V.* nenny
[17] *V.* trouver

cendit et ouvrit l'huys, et s'en vint recoucher, et elle
185 aussi, Dieu scet bien honteuse et mal contente ; mais
il luy convenoit obeir pour ceste heure. Quand le bon
seigneur fut dedans, et il eut alumé de la chandelle,
il regarda la belle compaignie dedans le lict, et dist :
« Bon preu vous face, madamoiselle, et a vous aussi,
190 mon escuier — Bien grand mercy, monseigneur »,
dist il. Mais la damoiselle, qui plus ne povoit si le
cueur ne luy sailloit du ventre, ne peut oncques dire
ung seul mot et cuidoit tout certainement que l'escuier fust leans arrivé par l'advertissement et con-
195 duicte du chevalier ; si luy en vouloit tant de mal
qu'on ne le vous saroit dire : « Et qui vous a enseigné la voye de ceans, mon escuier ? dist le chevalier.
— Vostre mulette, monseigneur, dist il, que je trouvay en bas, au chasteau, quant j'eu souppé avecque
200 vous. Elle estoit la, seule et esgarée ; si luy deman-
day qu'elle attendoit, et elle me respondit qu'elle
n'attendoit que sa housse, et vous. — Et pour ou
aller ? dis je. — Ou nous avons de coustume, dist
elle. — Je sçay bien, dys je, que ton maistre n'yra
205 meshuy dehors, car il va se coucher ; mais maine
moy la ou tu scez qu'il va de coustume, et je t'en
prie. » Elle en fut contente, si montay sus, et elle
m'adressa ceans, la sienne bonne mercy. « Dieu
mecte en mal an l'orde beste qui m'a encusé, dist le
210 bon seigneur. — Ha ![18] que vous le valez loyaulment,
dit la damoiselle, quant elle peut [prendre] la peine
de parler. Je voy bien que vous trompez de moy, mais
je veil bien que vous sachez que vous n'y arez gueres
d'honneur. Il n'estoit ja mestier, si vous n'y vouliez
215 plus venir, d'y envoier aultruy soubs umbre de vous.
Mal vous cognoist qui oncques ne vous vit. — Par

---

[18] *V.* encuse IIa

la mort bieu ! je ne l'y ay pas envoyé, dist il ; mais
puis qu'il y est, je ne l'en chasseray pas ; et aussi
il en y a assez pour nous deux. N'a pas, mon com-
220 paignon ? — Oy, monseigneur, oy, dit il, tout a butin.
Et je le veil. Si nous fault boire du marché. » Lors
se tourna vers le dressouer [19], et versa du vin en une
grande tasse qui y estoit, et dist : « Je boy a vous,
mon compaignon. — Je vous plege, dit l'autre, mon
225 compaignon ». Et puis fist verser de l'autre vin a la
damoiselle, qui ne vouloit nullement boire. Mais en
la fin, voulsit ou non, elle baisa la tasse. « Or ça,
dist le gentil chevalier, mon compaignon, je vous
lairray cy besoigner bien, c'est vostre tour aujour-
230 duy, le mien sera demain, si Dieu plaist. Si vous prie
que vous me soiez aussi gracieux, quand vous m'y
trouverez, que je vous suys maintenant. — Nostre
Dame, mon compaignon, si seray je, ne vous doubtez. » Ainsi s'en alla le bon chevalier, et la laissa
235 l'escuier, qui fist le mieulx qu'il peust cette premiere
nuyt. Et advertit la damoiselle de tout point de toute
la verité de son adventure, dont elle fut ung peu plus
contente que si l'aultre l'y eust envoyé. Ainsi que
avez oy fut la belle damoiselle deceue par la mulette,
240 et contraincte d'obeyr au chevalier et a l'escuier,
chacun a son tour, dont en la fin elle s'accoustuma
et tresbien le print en patience. Mais tant de bien y
eut, que si le chevalier et l'escuier s'entramoyent bien
par avant ceste adventure, l'amour d'entre eulx deux
245 a ceste occasion en fut redoublée, qui entre aucuns
mal conseillez eust engendré discord et mortelle
hayne.

---

[19] *V.* dressoir

LA XXXIIᵉ NOUVELLE,

PAR

MONSEIGNEUR DE VILLIERS.

Affin que ne soye seclus du treseureux et hault
5 merite deu a ceulx qui traveillent et labourent a
l'augmentacion et accroissement des histoires de ce
present livre, je vous racompteray en bref une
adventure nouvelle par laquelle l'on me tiendra pour
acquitté[1] d'avoir fourny la nouvelle dont j'ay nague-
10 res esté sommé. Il est notoire verité que en la ville
d'Ostelleric en Casteloigne nagueres arriverent pluseurs freres mineurs, qu'on dit de l'observance,
eschassez et deboutez par leur mauvais gouvernement et faincte devocion du royaume d'Espaigne, et
15 trouverent fasson d'avoir accès et entrée devers le
seigneur de la dicte ville, qui desja ancien et chargé
d'ans estoit. Et[2] tant firent, pour abreger, qu'il leur
fonda et fist une tresbelle eglise et couvent, et les
maintint et entretint toute sa vie le mieulx qu'il peut.
20 Regna après son filz aisné, qui ne leur fist pas mains
de bien que son bon pere. Et de fait ilz prospererent
en pou d'ans, si tresbien qu'ilz avoient suffisanment
tout ce qu'on saroit demander par raison en ung
couvent de mandians. Et affin que vous sachez qu'ils
25 ne furent pas oyseux pendant le temps qu'ilz acquis-

---

[1] V. t. excuse
[2] V. d. estoit ancien et

rent ces biens, ilz se misrent a prescher tant en la
ville que par les villages voisins, et gaignerent tout
le peuple, et tant firent qu'il n'estoit pas bon crestian
qui ne s'estoit a eulx confessé, tant avoient grand
30 bruyt et bon los de bien savoir remonstrer aux
pecheurs leurs defaultes. Mais qui que les loast et
eust bien en grace, les femmes estoient du tout don-
nées a eulx, tant les avoient trouvés sainctes gens
de grand charité et de profunde devotion. Or enten-
35 dez la deception mauvaise et horrible traïson que ces
faulx ypocrites pourchasserent a ceulx et celles qui
tant de biens de jour en jour leur faisoient. Ils
feirent[3] entendre a toutes les femmes generalement
de la ville qu'elles estoient tenues a Dieu de rendre
40 la disme de tous leurs biens, « comme au seigneur
de telle chose et de telle, a vostre parroisse et curé
telle chose et telle ; et a nous vous devez rendre le
disme du nombre des foiz que vous couchez charnellement avecques voz mariz. Nous ne prenons sur
45 vous aultre disme, car, comme vous savez, nous ne
portons point d'argent ; et si n'en querons point,
car[4] il ne nous est rien des biens temporelz et tran-
sitoires de ce monde. Nous querons et demandons
seulement les biens espirituelz. La disme que nous
50 devez et que nous vous demandons, elle n'est pas
des biens temporelz ; elle est a cause du saint sacrement que vous avez receu, qui est une chose divine
et espirituelle ; et de celuy n'appartient a nul recevoir
le disme que a nous seullement, religieux de l'obser-
55 vance. » Les pouvres simples femmes, qui mieulx
cuidoient ces bons freres estre anges que hommes
terriens, ne refuserent pas ce disme a paier. Il n'y

---

[3] *V.* baillerent
[4] *V.* dargent / car

eut celle qui ne le paya a son tour, de la plus haulte
jusques a la maindre ; mesmes la dame du seigneur
60 n'en fust pas excusée. Ainsi furent toutes les femmes
de la ville appaties a ces vaillans moynes. Et n'y
avoit celuy d'eulz qui n'eust a sa part de XV a XVI
femmes le disme a recevoir. Et a ceste occasion, Dieu
scet les presens qu'ilz avoient d'elles, tout soubz
65 umbre de devocion. Ceste maniere de faire dura
beaucop et longuement sans qu'elle venist a la
cognoissance de ceulx qui se fussent bien passez de
ceste disme nouvelle. Elle fut toutesfoiz en la fin
descouverte en la maniere qui s'ensuyt. Ung jeune
70 homme nouvellement marié fut prié de soupper a
l'ostel d'un de ses parens, et luy et sa femme. Et
comme ilz retournoient de ce convive, passans⁵ par
devant l'eglise des bon cordeliers desus ditz, la cloche de l'*Ave Maria* sonna tout a ce coup, et le bon
75 homme s'enclina sur la terre pour dire ses devocions.
et sa femme luy dist : « S'il vous plaisoit, j'entreroye
voluntiers dedans ceste eglise pour dire ung *Pater
noster* et ung *Ave Maria.* — Que⁶ ferez vous la
dedans a ceste heure ? dist le mary ; vous y revien-
80 drez bien quand il sera jour, demain ou [une] aultre
foiz. — Je vous requier, dit elle, que je y aille ; par
ma foy, je retourneray tantost. — Nostre Dame, dist
il, vous n'y entrerez ja maintenant. — Par ma foy,
dit elle, c'est force, il m'y convient aller. Je ne
85 demoureray rien ; si vous avez haste d'aller a l'ostel,
allez tousjours devant, je vous suyvray tout a ceste
heure. — Picquez, picquez devant, dit il, vous n'y
avez pas tant a faire. Si vous voulez dire. *Pater*

—————

⁵ *V.* r. en passant
⁶ *V.* eglise. Et q.

noster ne *Ave Maria,* il y a assez place a l'ostel, et
90 vous vauldra autant la le dire que maintenant en
ce moustier [7], ou l'on ne voit goutte. — A dya ! dit
elle, vous direz ce qu'il vous plaira ; mais, par ma
foy, il fault necessairement que j'entre ung petit
dedans. — Et pourquoy ? dit il ; dame, voulez vous
95 aller coucher avecques les freres de leans ? » Elle,
qui cuidoit a la verité que son mary sceust bien
qu'elle payoit le disme, luy respondit : « Nenny, je
n'y veil pas aller coucher mais je veil aller payer.
— Quoy paier ? dit il. — Vous le savez bien, dit elle,
100 et si le demandez. — Que scay je bien ? dit il ; je
ne me mesle pas de voz debtes. — Au mains, dit elle,
savez vous bien qu'il me fault paier le disme. — Quel
disme ? — [Al]ors [8], dit elle, c'est ung jamés ; et
le disme de nuyt de vous et de moy ? Vous avez bon
105 temps, il fault que je le paye pour nous deux. — Et
a qui le payez vous ? dit il. — A frere Eustace. Allez
tousjours a l'ostel ; si m'y laissez aller que j'en
soye quitte. C'est si grant peché que de le non point
paier que je ne suis jamais aise quand je ne luy doy
110 rien. — Il est meshuy trop tard, dit il, il est couché
passé une heure. — Ma foy, ce dit elle, je y ay esté
ceste année beaucop plus tard ; puis qu'on veult
paier on y entre a toutes heures. — Allons, allons,
dit il, une nuyt n'y fait rien. » Ainsi s'en retournerent
115 le mary et la femme mal contens tous deux, la femme
qu'on ne l'a pas laissée paier son disme, et le mary,
qui se voit ainsi deceu, estoit tout esprins d'ire et
de maltalent, qui encores luy redoubloit sa peine
qu'il ne l'osoit monstrer. A chef de piece toutesfoiz

---

7 *V.* monastere
8 *ms* hahors ; *V.* Ha hay d.

120 ilz se coucherent. Le mary, qui estoit subtil, interroga
sa femme de longue main, si les aultres de la ville
ne payoient pas aussi bien ce disme qu'elle fait.
« Quoy donc ? dit elle ; par ma foy, si font. Quel
privilege aroyent elles plus que moy ? Nous sommes
125 encores seze ou vingt qui le payons a frere Eustace.
Ha ! il est tant devot ! et creez que ce luy est une
grant peine et une bien meritoire pacience [9]. Frere
Bartholomeu en a autant ou plus, et, entre aultres,
madame est de son nombre. Frere Jacques aussi en a
130 beaucop, et frere Anthoine aussi. Il n'y a celuy d'eulx
qui n'ayt son nombre. — Saint Jehan, dit le mary,
ils n'ont pas œuvre laissée. Or cognois je bien qu'ilz
sont beaucop plus devotz qu'ilz ne semblent. Et
vrayement je les veil avoir ceans pour trestous l'un
135 après l'autre les festoier et oyr leurs bonnes devises.
Et pource que frere Eustace reçoit le disme de
ceans [10], faictes que nous ayons demain bien a disner, car je l'amainray. — Tres voluntiers, dit elle ;
au mains ne me fauldra il pas aller en sa chambre
140 pour payer. Il le recevra bien ceans. — Vous dictes
bien, dit il. Or dormons. » Mais creez qu'il n'en avoit
garde, et si luy tardoit beaucop qu'il fust jour ; et
en lieu de dormir il pensa tout a son aise ce qu'il
vouloit a lendemain executer. Ce disner vint, et frere
145 Eustace, qui ne savoit pas l'intencion de son hoste,
fist assez bonne chere dessoubz son chaperon. Et
quand il veoit son point, il prestoit ses yeulx a
l'ostesse, sans espargner par dessoubs la table le
gracieux jeu des piez, de quoy se percevoit et don-
150 noit tres bien garde l'oste, sans en faire semblant,
combien que ce fust a son prejudice. Après les

---

9 *V.* est u. grande pacience.
10 *V. ajoute :* ce sera le premier

graces, il appella frere Eustace et luy dist qu'il luy
vouloit monstrer une ymage de Nostre Dame et une
belle oroison qui estoit en sa chambre. Et il res-
155 pondit qu'il la verroit voluntiers. Ilz entrerent dedans,
et l'oste ferma l'huys, et puis saisit une [11] grande
hache, et dist a nostre cordelier : « Par la mort bieu,
beau pere, vous ne saulterez a jamais d'icy sinon les
piez devant, se vous ne confessez verité. — Helas !
160 mon hoste, dist frere Eustace, je vous cry mercy, et
que me demandez vous ? — Je vous demande, dit il,
le disme de la disme que vous avez prins sur ma
femme. » Quand le cordelier oyt parler du disme,
il se pensa bien que ses besoignes n'estoient pas
165 bonnes ; si ne sceut que respondre, sinon de crier
mercy, et de s'excuser le plus beau qu'il povoit : « Or
me dictes, dist l'oste, quel disme est ce que vous
prenez sur ma femme et sur les aultres ? » Le pouvre
cordelier estoit tant esserré [13] qu'il ne savoit parler,
170 et ne respondoit mot. « Dictes moy, dist l'oste, la
chose comment elle va, par ma foy je vous lairray
aller, et ne vous feray ja mal ; si non je vous tueray
tout roidde. » Quand l'autre se vit [14] asseuré, il ayma
mieulx confesser verité et son peché [15] et celuy de
175 ses compaignons et eschapper, que le celer et tenir
clos et estre en dangier de perdre sa vie. Si dist :
« Mon hoste, je vous cry mercy, je vous diray la
verité. Il est vray que mes compaignons et moy avons

---

11 *V.* lhuis dessus eulx que il ne peust sortir et puis
    empoigna u.
12 *V.* partirez
13 *V.* effroye
14 *V.* ouyt
15 *V.* c. son p.

fait acroire a toutes les femmes de ceste ville qu'elles
180 doivent le disme des foiz que vous couchez avec
elles ; elles nous ont creuz. Si le payent et jeunes et
vieilles ; puisqu'elles sont mariées, il n'en y a pas
une qui en soit excusée. Madame mesmes la paye
comme les aultres, ses deux niepces aussi, et gene-
185 ralement nulle n'en est exemptée. — Ha dya, dist
l'oste, puis que monseigneur et tant de gens de bien
le payent, je n'en doy pas estre quicte, combien que
je m'en passasse bien. Or vous en allez, beau pere,
par tel fin que vous me quicterez le disme que ma
190 femme vous doit. » L'autre ne fut oncques si joyeux
quand il se fut sauvé dehors ; si dist que jamais n'en
demanderoit rien, comme non fist il, ainsi que vous
orrez. Quand l'oste du cordelier fut bien informé de
sa femme et de son dismeur de ceste [16] nouvelle
195 disme mise sus, il s'en vint a son seigneur et luy
compta tout du long le cas du disme, comme il est
touché cy dessus. Pensez qu'il fut bien esbahy et
dist : « Oncques ne me pleurent ces papelars, et si
me jugeoit bien le cueur qu'ilz n'estoient pas telz par
200 dedans qu'ilz se monstroient par dehors. Ha, maudictes gens qu'ils sont ! maudicte soit l'heure qu'onques monseigneur mon pere, a qui Dieu pardoint, les
accoincta ! Or sommes nous par eulx gastez et deshonorez. Et encore feront ilz pis s'ils durent longue-
205 ment. Qu'est il de faire ? — Par ma foy, monseigneur, dit l'autre, s'il vous plaist et semble bon,
vous assemblerez tous vos subjectz de ceste ville :
la chose leur touche, comme a vous ; si leur declarez
ceste adventure, et puis arez advis avec eulx de
210 pourveoir au remede, combien que ce soit tard [17]. »

---

16 *V*. f. de c.
17 *V*. dy p. et remedier avant quil s. plus t.

Monseigneur le voult ; si manda tous ses subjectz
mariez tant seullement, et ilz vindrent vers luy ; et
en la grand sale de son hostel, il leur declara tout
au long la cause pourquoy il les avoit assemblez.
215 Si monseigneur fut bien esbahy de prinsault, quand
il sceut premier ces nouvelles, aussi furent toutes ces
bonnes gens qui la estoient. Les uns disoient : Il les
fault tuer ; les aultres : Il les fault pendre ; les
aultres : noyer. Les aultres disoient qu'ilz ne pour-
220 roient croire que ce fust verité, et qu'ilz sont trop
devotz et de saincte vie. Ainsi dirent longuement les
uns d'un et les aultres d'aultre. « Je vous diray, dist
le seigneur : nous manderons icy nos femmes, et ung
tel maistre Jehan, etc., lequel fera une petite colla-
225 cion, laquelle enfin cherra a parler des dismes, et leur
demandera au nom de nous tous s'elles s'en acquic-
tent, car nous voulons qu'elles soient paiées ; nous
orrons leur response. » Et après advis sur cela, ilz
s'accorderent tous au conseil et a l'oppinion de mon-
230 seigneur. Si furent toutes les femmes mariées de la
ville mandées. Si vindrent en la sale ou tous leurs
mariz estoient. Monseigneur mesme fist venir madame, qui fut toute esbahie de veoir l'assemblée de
ce peuple. Ung sergent de par monseigneur com-
235 menda faire silence. Et maistre Jehan se mist ung
peu au dessus des aultres, et commença sa petite
collacion comme il s'ensuyt : « Mes dames et mes
damoiselles, j'ay la charge de par monseigneur qui
cy est, et ceulx de son conseil, vous dire en bref la
240 cause pourquoy vous estes icy mandées. Il est vray
que monseigneur, son conseil et son peuple qui cy
est, ont tenu a ceste heure ung petit chapitre du fait
de leurs consciences ; la cause si est qu'ilz ont
volunté, Dieu devant, dedans bref temps de faire
245 une belle procession et devote a la loange de Nostre

Seigneur Jhesucrist et de sa glorieuse mere. Et a
icelluy jour se mettre trestous en bon estat, affin
qu'ilz soient mieulx exaulsez en leurs plus devotes
prieres et que les œuvres qu'ils feront soient a celuy
250 jour a Dieu plus agreables. Vous savez assez que,
la mercy Dieu, nous n'avons eu nulles guerres de
nostre temps, et noz voisins en ont esté terriblement
persecutez de pestilence [et] de famine. Quand les
aultres en ont esté examinez, nous avons peu dire
255 et encores disons [18] que Dieu nous en a preservez.
C'est bien raison que nous cognoissons que ce vient
non pas de noz propres vertuz, mais de la seulle
large et liberale grace de noste benoist redemp-
teur [19], [qui] huche, appelle, et invite au son des
260 devotes prieres qui se font en nostre eglise paro-
chiale, et ou nous adjoustons tres grand foy et
tenons ferme devocion. Le devot convent des cordeliers de ceste ville nous a beaucop valu et vault a
la conservation des biens dessus dictz. Au surplus
265 nous voulons savoir de vous si vous acquictez a
faire ce a quoy vous estez tenues. Et combien que
nous tenons assez estre en vostre memoire l'obligacion qu'avez a l'eglise, il ne vous desplaira pas pour
plus grand seureté si je vous en touche [20] aucuns des
270 plus gros poincts. Quatre foiz l'an, c'est assavoir a
quatre nataulx, vous devez confesser [a vostre curé]
du mains a quelque ung prestre ou religieux ayant
sa puissance ; et si a chacune foiz receviez vostre
createur, ce seroit tresbien fait. Deux foiz ou une
275 foiz l'an du mains, le devez vous faire. Allez a l'offrande tous les dimenches, et a chacune messe, celles

---

[18] *V.* faisons
[19] *V.* b. createur et r.
[20] *V.* il ne v. d. p. se je v.

qui en ont la puissance, paiez loyaument [21] les dismes
a Dieu, comme de fruiz de poulles, d'aigneaulx, de
cochons, et aultres telz usages accoustumez. Vous
280 devez aussi ung aultre disme aux devotz religieux
du convent de saint Françoys, [que] nous voulons
expressement qu'il soit payé ; c'est celuy qui plus
nous touche au cueur, et dont nous desirons plus
l'entretenance ; et pourtant s'il a y nulles de vous
285 qui en ait fait son devoir aultrement que bien, soit ou
par sa negligence, ou par faulte de le demander, de
le payer s'avance [22]. Vous savez que ces bons religieux ne pevent venir en voz hostelz querir leur
disme, ce leur seroit trop grand peine et trop grand
290 destourbier ; il doit bien souffire s'ilz prenent la
peine de le recevoir [en leur couvent]. Veez la partie
de ce que je vous ay a dire ; reste a savoir celles qui
ont paié et celles qui doivent. » Maistre Jehan n'eut
pas sitost finé son dire que plus de vingt femmes,
295 toutes a une voix, commencerent a crier : « J'ay paié,
moy. J'ay paié, moy. Je ne doy rien. Ne moy. Ne
moy ! » D'aultre costé dirent ung cent d'aultres, et
generalement toutes, qu'elles ne devoient rien. Mesmes saillirent avant quatre ou six belles jeunes
300 femmes qui dirent qu'elles avoient si bien payé qu'on
leur devoit sur le temps advenir, a l'une quatre foiz,
a l'autre six, a l'autre dix. Il y avoit aussi d'autre
costé je ne sçay quantes veilles qui ne disoient mot.
Et maistre Jehan leur demanda s'elles avoient bien
305 payé leur disme, et elles respondirent qu'elles avoient
faict traicté avec les cordeliers. « Comment, dit il, ne

---

[21] *V.* v. createur a chascune fois vous feriez bien, a tout
le mains le devez vous faire une fois lan. A. a
loffrande t. l. d. et payez l.
[22] *V.* de le d. ou autrement si savance de le dire.

paiez vous pas ? vous devriez semondre et contrain-
dre les aultres de ce faire, et vous mesmes faictes
la faulte ! — Dya, ce dit l'une, ce n'est pas par moy ;
310 je me suis pluseurs foiz presentée de faire mon
devoir, mais mon confesseur n'y veult jamais entendre ; il dit tousjours qu'il n'a loisir. — Saint Jehan !
dirent les aultres veilles, nous avons converty par [23]
traicté fait avec eulx le disme que devons en toille,
315 en drap, en coussins, en bancquiers, en oreilliers, et
en aultres telles bagues ; et ce par leur conseil et
advertissement. Car nous amerions mieulx a paier
comme les aultres. — Nostre Dame ! dist maistre
Jehan, il n'y a point de mal, c'est tresbien fait.
320 Elles s'en pevent bien aller quand leur plaira, monseigneur, dist maistre Jehan [24]. Ne font pas ? — Oy,
dit il ; mais quoy que soit, que ce disme ne soyt
pas oublyé. » Quand elles furent toutes hors de la
sale, l'huys fut serré ; si n'y eut celuy des demourez
325 qui ne regardast son compaignon. « Or ça, dist monseigneur, qu'est il de faire ? Nous sommes acertenez
de la traïson que ces ribaulx moynes nous ont faicte
par l'un [25] d'eulx et par noz femmes. Il ne nous fault
plus de tesmoings. » Après pluseurs et diverses opi-
330 nions, la finale et derreniere resolucion si fut, qu'ilz
yront bouter le feu ou convent, et brulleront et moynes et moustier. Si descendirent en bas en la ville,
et vindrent au monastere ; et osterent hors le *Corpus
Domini,* et aucuns aultres reliquaires, et l'envoyerent
335 en la paroisse ; et puis, sans plus enquerre, bouterent
le feu en divers lieux leens, et ne s'en partirent tant

---

[23] *V.* n. composons p.
[24] *V.* b. aler dit m. a m. Ouy
[25] *V.* f. par la deposicion de lun

que tout fut consumé, et moynes, et conve{nt], et
eglise, et dorteur, et le surplus des edifices, dont il
avoit foison leens. Ainsi acheterent bien cherement
340 les pouvres cordeliers le disme non accoustumé qu'ilz
misrent [26] sus. Dieu mesmes, qui n'en povoit mais,
en eut bien sa maison brullée.

_____

[26] *V.* midrent sur

LA XXXIIIe NOUVELLE,

PAR

MONSEIGNEUR.

Ung gentil chevalier des marches de Bourgoigne,
5 sage, vaillant, et tres bien adrecié, digne d'avoir
bruit et los, comme il eut tout son temps, entre les
mieulx et plus renommez, se trouva tant et si bien
en la grace d'une belle damoiselle qu'il en fut retenu
serviteur. Et d'elle obtint a chef de piece tout ce que
10 par honneur donner luy povoit ; et au surplus, par
force d'armes ad ce la mena que refuser ne luy peut
nullement ce que pluseurs devant et après ne peurent
obtenir [1]. Et de ce se print et donna tresbien garde
ung tres gentil et gracieux seigneur, tresclervoyant
15 dont je passe le nom et les vertuz, lesquelles, si en
moy estoit de les racompter, n'y a celuy de vous qui
tantost ne cogneust de quoy ce compte se [2] feroit ;
ce que pas ne vouldroye. Ce gentil homme que je
vous dy, qui se perceut des amours du chevalier [3]
20 dessus dit, quand il vit son point, luy demanda s'il
estoit point amoureux [4] d'une telle damoiselle, c'est
assavoir de celle dessus dite. Et il luy respondit que
non ; et l'autre, qui savoit bien le contraire, luy dist

---

[1] *V.* ce que par d. et a. ne peust o.
[2] *ms* le
[3] *V.* vaillant homme
[4] *V.* p. en grace

qu'il cognoissoit tresbien que si. Neantmains, quel-
25 que chose qu'il luy dist ou remonstrast, qu'il ne luy
devoit pas celer ung tel cas, et que si il luy estoit
advenu semblable, ou beaucop plus grand, il ne luy
celeroit ja, si ne luy voult oncques confesser ce qu'il
savoit certainement et bien. S[i] [5] se pensa qu'en
30 lieu d'aultre chose faire, et pour passer temps, s'il
scet trouver voye ne fasson, en lieu que celuy [qui]
luy est tant estrange et prend si peu de fiance en luy,
il s'accointera de sa dame et se fera privé d'elle. A
quoy il ne faillit pas, car en peu d'heure il fut vers
35 elle si tres bien venu, [comme] [6] celuy qui le valoit,
qu'il se povoit vanter d'en avoir autant [7] obtenu,
sans faire gueres grand queste ne poursuite, que
celuy qui mainte peine et foison de travaulx en soustint [8]. Et si avoit ung bon point, [qu']il n'en estoit
40 en rien feru. Et l'aultre, qui ne pensoit point avoir
compaignon, en avoit tout au long du bras ou autant
qu'on en pourroit entasser a force ou cueur d'un
amoureux. Et ne vous fault pas penser qu'il ne fust
entretenu de la bonne gouge autant et mieulx que
45 par avant, qui le faisoit plus avant bouter et entretenir en sa fole amour. Et affin que vous sachez que
ceste vaillant gouge n'estoit pas oiseuse, qui en avoit
a entretenir deux du mains, lesquelz elle eust a
grand regret perduz, et specialement le derrenier
50 venu, car il estoit de plus haulte estoffe et trop
mieulx soulier a son pié que [9] le premier venu. Et
elle leur bailloit et assignoit tousjours heure de venir

---

5 *ms* Sil ; *V.* Adonc
6 *ms* que
7 *ms* aultre
8 *V.* en avoit soustenu
9 *V.* m. garny au pongnet q.

vers elle l'un après l'aultre, comme l'un aujourd'uy
et l'aultre demain. Et de ceste maniere de faire savoit
55 bien l'occasion le derrenier venu, mais il n'en faisoit
nul semblant ; et aussi a la vérité il ne luy en challoit
gueres, si non que ung pou luy desplaisoit la folie
du premier venu, qui trop fort a son gré se boutoit
en chose de petite value. Et de fait se pensa qu'il
60 l'en advertiroit tout du long, ce qu'il fist. Or savoit il
bien que les jours que la gouge luy defendoit de
venir vers elle, dont il faisoit trop bien le mal content, estoient gardez pour son compaignon le premier
venu. Si fist le guet par pluseurs nuiz ; et le veoit
65 entrer vers elle par le mesme lieu et a celle heure
que es aultres ses jours faisoit. Si luy dist ung jour
entre les aultres : « Vous m'avez beaucop celé les
amours d'une telle et de vous ; et n'est serment que
vous ne m'ayez fait au contraire, dont je m'esbahis
70 bien que vous prenez si peu de fiance en moy, voire
quand je sçay davantage et veritablement ce qui est
entre vous et elle. Et affin que vous sachez que je
sçay qui en est, je vous ay veu entrer devers elle
par pluseurs foiz a telle ¹⁰ heure et a telle ; et de
75 fait hier, n'a pas plus loing, je teins sur vous, et
d'un lieu ou j'estoye, je vous y vy entrer ¹¹ ; vous
savez bien si je dy vray. » Le premier venu, quand il
oyt si vives enseignes tant notoires, il ¹² ne sceut que
dire ; si luy fut force de confesser ce qu'il eust tres
80 voluntiers celé, et qu'il cuidoit que ame ne sceust que
luy. Et dist a son compaignon le derrenier venu que
vrayement il ne luy peut plus ne veult celer qu'il en
soit bien amoureux, mais il luy prie qu'il n'en soit

---

¹⁰ *V*. entrer vers e. a t.
¹¹ *V*. arriver
¹² *V*. Quant le p. v. ouyt si v. e. il

nouvelle. « Et que diriez vous, dit l'autre, si vous
85 aviez compaignon ? — Compaignon ! dist il, quel
compaignon ? En amours, je ne le pense pas, dit il.
— Saint Jehan ! dist le derrenier venu, et je le sçay
bien ; il ne fault ja aler de deux en trois, c'est moy.
Et pour ce que je vous voy plus feru que la chose
90 ne vaille [13], vous ay je pieça voulu advertir, mais
vous n'y avez voulu entendre. Et si je n'avoie plus
grant pitié de vous que vous mesmes n'avez, je vous
lairroye en ceste folye ; mais je ne pourroye souffrir
que une telle gouge se trompast et de vous et de
95 moy si longuement. » Qui fut bien esbahy de ces
nouvelles, ce fut le premier venu, car il cuidoit tant
estre en grace que merveilles [14] : si ne savoit que
dire ne penser [15]. Au fort, quand il parla, il dist :
« Nostre Dame ! on m'a bien baillé de l'oye [16], et si
100 ne m'en doubtoie gueres ; si en ay esté plus aisié a
decevoir. Le dyable emport la gouge quand elle est
telle ! — Je vous diray, dit le derrenier venu, elle se
cuide tromper de nous, et de fait elle a desja tresbien
commencié, mais il la nous fault mesmes tromper.
105 — Et je vous en prie, dist le premier venu, le feu
de saint Anthoine l'arde quand oncques je l'accointay ! — Vous savez, dist le derrenier venu, que nous
allons vers elle tour a tour. Il fault qu'a la premiere
foiz que vous yrez, ou moy, ainsi qu'il viendra, que
110 vous dictes que vous avez bien cogneu et apperceu
que je suis amoureux d'elle, et que vous m'avez veu
entrer et vers elle venir, a telle heure, et ainsi

---

13 *V.* vault
14 *V. ajoute* : voire et si croioit fermement que la dicte
    gouge naymoit autre que lui
15 *V. ajoute* : et fut longue espace sans mot dire.
16 *V.* loignon

habillé ; et que par la mort bieu, si vous m'y trouvez
plus, vous me tuerez tout roidde, quelque chose qui
115 vous en doibve advenir. Et je diray pareillement de
vous ; et nous verrons sur ce qu'elle fera et dira et
arons advis du surplus. — C'est tres bien dit, et je
le veil », dit le premier venu. Comme il fut dit il en
fut fait. Car je ne sçay quans jours après, le derre-
120 nier venu eut son tour d'aller besoigner ; si se mist
au chemin et vint au lieu assigné. Quand il se trouva
seul avecques la gouge, qui le receut tres doulcement
et de grand cueur, comme il sembloit, il faindit,
comme bien le savoit faire, une sure et matte [17] chere,
125 et monstra semblant de courroux. Et elle, qui avoit
accoustumé de le voir tout aultre, ne sceut que
penser ; si luy demanda qu'il avoit et que sa maniere
monstroit que son cueur n'estoit pas a son aise.
— « Vrayement, madamoiselle, dist il, vous dictes
130 vray, et j'ay bien cause d'estre mal content et
desplaisant, la vostre mercy toutesfoiz qui le
m'avez pourchassé. — Moy, dist elle, Helas ! non
ay que je sache ; car vous estes le seul homme
en ce monde a qui je vouldroye faire plus de
135 plaisir, et de qui plus près me toucheroit l'ennuy
et le desplaisir. — Il n'est pas damné qui ne
le croit, dit il. Et pensez vous que je ne me soye
bien apperceu que vous entretenez [18] ung tel, c'est
assavoir le premier venu. Si faiz, par ma foy,
140 je l'ai trop bien veu parler a vous a part ; et
que plus est, je l'ay espié et veu entrer ceans.
Mais, par la mort bieu, si je l'y trouve jamais,
son derrenier jour sera venu, quelque chose qu'il
en doyve ou puisse advenir ; que je souffrisse ne

---

[17] *V.* f. u. mathe c.
[18] *V.* v. avez tenu

145 peusse [10] veoir qu'il me fist ce desplaisir, j'aymeroye mieulx a morir mille foiz, s'il m'estoit
possible ! Et vous estes aussi bien desloyalle, qui
savez certainement et du vray que, après Dieu,
je n'ayme rien tant que vous, qui, a mon tres
150 grant prejudice,. le voulez entretenir. — Ha ! monseigneur, dit elle, et qui vous a fait ce rapport ? Par
ma foy, je veil bien que Dieu et vous sachez que la
chose va tout aultrement, et de ce je le prens a
tesmoignage qu'oncques en jour de ma vie je ne
155 tins termes a cestuy dont vous parlez, ne a aultre,
quel qui soit, tant que vous ayez tant soy peu de
cause d'en estre mal content. Je ne veil pas nyer
que je n'aye parlé et parle a luy tous les jours, et
a pluseurs aultres, mais qu'il y ait entretiennement [20],
160 rien ; ains tiens que ce soit la maindre de ses pensées, et aussi, par Dieu, il s'abuseroit. Ja Dieu ne
me laisse tant vivre que aultry que vous ait une
part ne demye en ce qui est tout entier vostre.
— Madamoiselle, dit il, vous le savez tres bien dire,
165 mais je ne suis pas si beste de le croire. » Quelque
malcontent qu'il y eust, il fist [21] ce pourquoy il estoit
venu, et au partir luy dist : « Je vous ay dit et de
rechef vous faiz savoir que si je m'apperçoy jamais
que l'aultre y vienne [22], je le mettray ou feray mettre
170 en tel point qu'il ne courroussera jamais ne moy ne
aultre. — Ha ! monseigneur, dit elle, par Dieu vous
avez tort de prendre vostre ymaginacion sur luy.
Et croiez que je suis seure qu'il n'y pense pas. »
Ainsi departit nostre derrenier venu. Et au lendemain

---

19 *V.* seuffre ne puisse
20 *V.* entretenance
21 *V.* elle sceust
22 *V.* v. ceans

175 son compaignon, le premier venu, ne faillit pas a son
lever pour savoir des nouvelles. Et il luy en compta
largement et bien au long le demené, comment il fist
le courroucié, comment il la menasse de tuer, et les
responses de la gouge. « Par mon serment, c'est bien
180 joué. Or laissez moy avoir mon tour : si je ne fays
bien mon personnage, je ne fuz oncques si esbahy. »
A chef de piece son tour vint, et se tourna²³ vers la
gouge, qui ne luy fist pas mains de chere qu'elle avoit
de coustume, et que le derrenier venu en avoit
185 emporté nagueres. Si l'aultre son compaignon, le
derrenier venu, avoit bien fait du mauvais cheval et
en maintien et en parolles, encores en fist il plus ;
et comme celuy qui sembloit plus courroucié qu'oncques homme ne fut joyeux, dist en telle maniere :
190 « Je doy bien maudire l'heure et le jour qu'oncques
j'eu vostre accointance ; car il n'est pas possible a
Dieu ne au monde tous ensemble d'amasser²⁴ plus
de doleurs, regretz, et de amers desplaisirs²⁵ au
cueur d'un pouvre amoureux que j'en trouve aujour-
195 d'uy dont le mien est environné et assiegé. Helas !
je vous avoye entre aultres choisie comme la non
pareille en [be]aulté²⁶, genteté, et gracieuseté, et
que je y trouveroye largement et a comble la tresnoble vertu de loyauté. Et a ceste cause m'estoye
200 de mon cueur defait, et du tout l'avoye mis en vostre
mercy, cuidant a la verité que plus noblement ne en
meilleur lieu asseoir ne le pourroie. Mesmes m'avez
ad ce mené que j'estoye prest et délibéré d'attendre
la mort, ou plus, si possible eust esté, pour vostre

---

²³ *V.* trouva
²⁴ *V.* p. au m. damasser
²⁵ *V.* a. plaisirs
²⁶ *ms* loyaulte

205 honneur sauver. Et quand j'ay cuidié estre plus seur
de vous, que je n'ay pas seullement sceu par estrange
rapport, mais a mes yeulx mesmes perceu ung aultre
venu de costé, qui me tost et rompt tout l'espoir que
j'avoye en vostre service d'estre de vous tout le plus
210 cher tenu. — Mon amy, dist la gouge, je ne sçay
qui vous a troublé, mais vostre maniere et voz
parolles portent et jugent qu'il vous fault quelque
chose, que je ne saroie penser ne inferer que[27] ce
peut estre, si vous n'en dictes plus avant, si non ung
215 peu de jalousie qui vous tourmente, ce me semble,
de laquelle, si vous estiez bien sage, n'ariez cause
de vous accointer. Et la ou je saroye je ne vous en
vouldroye pas bailler l'occasion. Et si vous pensez
bien a tout, vous[28] n'estes pas si peu accoinct de
220 moy que je ne vous aye monstré la chose au monde
qui plus vous en peut donner et bailler cause d'asseverance, a quoy vous me feriez tantost avoir regret,
par me servir de telz parolles. — [Je ne suis pas
homme, dit le premier venu, que vous doyez contenter
225 de paroles], car excusance n'y vault rien. Vous ne
povez nyer que ung tel, c'est asavoir le derrenier
venu, ne soit de vous entretenu. Je le sçay bien, car
je m'en suis donné garde, et si ay bien fait le guet
que je l'ay veu venir vers vous hier, n'a pas plus
230 loing ; il y vint a telle heure et ainsi habillé. Mais je
voue a Dieu qu'il en a prins ses quaresmeaux, car je
tendray sur luy ; et fust il plus grand maistre cent
foiz, si je l'y puis rencontrer je luy osteray la vie du
corps, ou luy a moy, ce sera l'un des deux ; car je
235 ne pourroie vivre voyant ung aultre joïr de vous.

---

27 *V.* penser que
28 *V.* loccasion. Toutesfois v.

Et vous estes bien faulse et desloyale, qui m'avez en
ce point deceu. Et non sans cause maudiz je l'heure
qu'oncques vous accointay, car je sçay certainement
que c'est ma mort, si l'aultre scet ma volunté, et
240 espere que oy. Et par vous je sçay de vray que je
suis mort ; et s'il me laisse vivre, il aguise le cousteau qui sans mercy a ses derrains jours le mainra.
Et s'ainsi en advient, le monde n'est pas assez grand
pour moy sauver que morir ne me faille. » La gouge
245 n'avoit pas moyennement a penser pour trouver sou-
daine et suffisante excuse pour contenter celuy qui
est si mal content. Toutesfoiz pas ne demoura qu'elle
ne se mist en ses devoirs de l'oster hors de ceste
melencolie. Et pour assiete en lieu de cresson, elle
250 luy dist : « Mon amy, j'ay bien au long entendu
vostre grand ratelée qui, a la verité dire, me baille
a cognoistre que je n'ay pas esté si sage que je
deusse, et que j'ay trop tost adjousté foy a voz semblans et decevables [20] parolles, et qu'elles m'ont
255 conclud et rendue en vostre obeissance ; vous en
tenez a present trop mains de bien de moy. Aultre
raison aussi vous meut, car vous savez et cognoissez
de fait que je suis prinse et que amours m'ont ad ce
menée que sans vostre presence je ne puis vivre ne
260 durer. Et a ceste cause, et pluseurs aultres qu'il ne
fault ja dire, vous me voulez tenir vostre subjecte et
esclave, sans avoir loy de parler de deviser a autre
que a vous. Puis qu'il vous plaist, au fort j'en suis
contente, mais vous n'avez nulle cause de moy sus-
265 pessonner en rien de personne qui vive, et si ne fault
aussi ja que m'en excuse. Verité, qui tout vaint,
m'en defendra, si luy plaist. — Par Dieu, m'amye,
dist le premier venu, la verité est telle que je vous

---

20 *V.* decevantes

ay dicte, qui vous sera quelque jour prouvée et cher
270 vendue pour aultry et pour moy, si aultre provision
de par vous n'y est mise. » Après ces parolles et
aultres trop longues a racompter, se partit le premier
venu, qui pas n'oblya lendemain tout au long
racompter a son compaignon le derrain [30] venu. Et
275 Dieu scet les risées et joyeuses devises qu'a ceste
cause ilz eurent entre eulx deux. Et la gouge en ce
lieu avoit bien des estouppes en sa quenoille, qui
veoit et savoit tres bien que ceulx qu'elle entretenoit
se doubtoient et percevoient chacun de son compai-
280 gnon. Mais pourtant ne laissa pas de leur bailler
tousjours audience, chacun a sa foiz, puis qu'ilz la
requeroient, sans en donner a nul congié. Trop bien
les advertissoit qu'ilz venissent bien secretement vers
elle, affin qu'ilz ne fussent de quelque ung apper-
285 ceuz [31]. Mais vous devez savoir, quand le premier
venu avoit son tour, qu'il n'oblioit pas a faire sa
plaincte comme dessus ; et n'estoit rien de la vie
de son compaignon, s'il le povoit rencontrer. Pareillement le derrenier, le jour de son audience, s'efforçoit
290 de monstrer semblant plus desplaisant que le cueur
ne luy donnoit ; et ne valoit son compaignon, qui
oyoit son dire, gueres mieulx que mort, s'il le treuve
en belles. Et la subtille et double damoiselle le [32]
cuidoit abuser de parolles, qu'elle avoit tant a main
295 et si prestes, que ses bourdes sembloient autant veritables comme l'Euvangile. Et se cuidoit bien en son
sens tant, quelque doubte ne suspicion qu'ilz eussent,
que jamais la chose ne fust plus avant efforcée [33],

---

[30] *V.* derrenier
[31] *V.* de nulz perceuz.
[32] *V.* les
[33] *V.* c. ne seroit p. a. enfonsee

et qu'elle estoit aussi bien femme pour les fournir
300 tous deux et mieulx trop que nesung d'eulx [34] a part
n'estoit pour la seulle servir a gré. La fin fut aultre.
Car le derrenier venu, qu'elle craignoit beaucop a
perdre, quelque chose qu'il fust de l'autre, luy dist
ung jour trop bien sa leçzon. Et de fait dist qu'il n'y
305 retourneroit plus ; et aussi ne fist il grand piece
après, dont elle fut tresdesplaisante et malcontente.
Or ne fait pas a oublyer, affin qu'elle eust encores
mieulx le feu, il envoya vers elle ung gentilhomme
de son estroict conseil, affin de luy remonstrer bien
310 au long le desplaisir qu'il avoit d'avoir compaignon
en son service ; et bref et court, si elle ne luy donne
congé il n'y reviendra jour qu'il vive. Comme vous
avez oy dessus, elle n'eust pas voluntiers perdu son
accointance : si n'estoit saint ne saincte qu'elle ne
315 parjurast, soy excusant de l'entretenance du premier.
Et enfin comme toute forcenée dit a l'escuier : « Et
je monstreray a vostre maistre que je l'ayme ; et me
baillez vostre cousteau. » Quand elle l'eut, elle se
desatourna, et couppa tous ses cheveulx de ce cous-
320 teau, non pas bien a l'ung [35]. L'aultre print ce present, qui bien savoit toutesfoiz la verité du cas, et
s'offrit de faire le mieulx qu'il pourroit et du present
faire devoir, ainsi qu'il fist. Tantost après, le derrenier venu receut ce present qu'il destroussa et
325 trouva les cheveulx de sa dame, qui beaulx estoient
et beaucop longs. Si ne fut gueres aise tant qu'il
trouva son compaignon, au quel il ne cela pas l'ambassade qu'on a mise sus a luy envoyer [36], et les
gros presens qu'on luy envoie, qui n'est pas pou de

---

[34] *V.* trop mieulx que lung deux
[35] *V.* b. uniment
[36] *V.* s. et a lui envoiee

330 chose. Et lors monstra les beaulx cheveulx : « Je
croy, dit il, que je suis bien en grace ; vous n'avez
garde qu'on vous en face autant. — Saint Jean, dit
l'aultre, veez cy aultre nouvelle. Or voy je bien que
je suis frict. C'est fait, vous avez bruyt tout seul.
335 — Sur ma foy, fist le derrenier venu, je tien, moy,
qu'il n'en est pas encores une telle [37] ; je vous
requier, pensons qu'il est de faire ? Il luy fault
monstrer a bon escient que nous la cognoissons telle
qu'elle est. — Et je le veil », dit l'aultre. Tant pen-
340 serent et contrepenserent qu'ilz s'arresterent a faire
ce qui s'ensuyt. Le jour ensuyvant, ou tost après, les
deux compaignons se trouverent en une chambre
ensemble ou leur loyale dame avec plusieurs aultres
estoit. Chacun s'assist et print sa [38] place ou mieulx
345 luy pleut, le premier venu auprès de la bonne damoiselle a laquelle, tantost après pluseurs devises, il
monstra les cheveux qu'elle avoit envoyez a son
compaignon. Quelque chose qu'elle en pensast, elle
n'en monstra nul semblant d'effroy ; mesme disoit
350 qu'elle ne les cognoissoit et qu'ils ne venoient point
d'elle — « Comment, dist il, sont ilz si tost changez
et descogneuz ? — Je ne scay, dit elle, qu'ilz sont,
mais je ne les cognois. » Et quand il vit ce, il se
pensa qu'il estoit heure de jouer son jeu. Si fist
355 maniere de vouloir mectre son chapperon, qui sur son
espaule estoit, dessus sa teste ; et [39] en ce faisant,
tout au propos luy fist hurter si rudement a son atour
qu'il l'envoya par terre, dont elle fut bien honteuse
et malcontente ; et ceulx qui la estoient apperceurent
360 bien que ses cheveulx [estoient] couppez, et assez

---

[37] *V.* foy je croy fermement ... une pareille, je
[38] *V.* c. saisit sa
[39] *V.* estoit et

lourdement. Elle saillit sus bien a haste, et si reprint
son atour et s'en entra en une aultre chambre pour
se aller ratourner, et il la suyt. Si la trouva toute
marrie et courroucée, voire bien fort plorant de dueil
365 qu'elle avoit d'estre desatournée. Si luy demanda
qu'elle avoit a plorer, et a quel jeu elle avoit perdu
ses cheveulx ? Elle ne savoit que respondre, tant
estoit a celle heure prinse, soupprinse. Et il, qui ne
se peut plus tenir de executer la conclusion prinse
370 entre son compaignon et luy, luy dist : « Faulse et
desloyale que vous estes, il n'a pas tenu a vous que
ung tel et moy ne nous sommes entretuez et deshonorez ! Et je tien, moy, que vous l'eussiez bien
voulu, a ce que vous en avez monstré, pour en
375 racointer deux aultres nouveaulx ; mais Dieu mercy,
nous n'en avons garde. Et affin que vous sachez que
je sçay son cas, et luy le mien [40], veez cy voz cheveulx que luy avez envoyez, dont il m'a fait present.
Ne pensez pas que nous soyons si bestes que nous
380 avez tenuz jusques cy. » Lors se part d'elle, et il
appelle [41] son compaignon, et il y vint : « J'ay rendu
a ceste bonne damoiselle ses cheveulx, et si luy ay
commencé a dire comment de sa grace elle nous a
bien tous deux entretenuz ; et combien que a sa
385 maniere de faire elle a bien monstré qu'il ne luy
challoit se nous deshonnorions l'un l'autre, Dieu nous
en a gardez. — Saint Jehan, ce a mon », dit il. Et
alors adressa sa parolle mesmes a la gouge. Et Dieu
scet s'il parla bien a elle, en luy remonstrant sa tres
390 grand lascheté et desloyauté de cueur. Et ne pense
pas que gueres oncques femme fust mieulx capitulée

---

[40] *V.* s. son cas et le m.
[41] *V.* L. appella

qu'elle fut pour adonc, puis [42] de l'un puis de l'aultre.
A quoy elle ne savoit que dire ne respondre, comme
prinse en meffait evident, sinon de larmes, que point
395 elle n'espargnoit. Et ne pense pas qu'elle eust oncques gueres plus de plaisir en les entretenant tous
deux qu'elle avoit a ceste heure de desplaisir. La
conclusion fut telle toutesfoiz qu'ilz ne l'abandonne-
roient point, mais par accord doresenavant chacun
400 a son tour ira [43]. Et s'ilz y viennent tous deux ensemble, l'un fera place a l'autre, et bons amys comme
devant, sans plus jamais parler de tuer et de batre.
Ainsi en fut il fait. Et maintindrent les deux compaignons assez longuement ceste vie et plaisant passe-
405 temps, sans ce que la gouge les osast oncques desdire. Et quand l'un aloit a sa journée, il le disoit a
l'autre ; et quand d'adventure l'un esloignoit la marche, et le lieu demouroit a l'autre, tres bon faisoit
oyr les recommendacions qu'il faisoit [14] au partir.
410 Mesmes firent de tres bons rondeaulx, et pluseurs
chansonnettes, qu'ilz manderent et envoyerent l'un a
l'autre, dont il est aujourd'uy bruyt, servans au propos de leur matere dessus dicte, dont je cesseray le
parler, et donneray fin au compte.

---

[42] *V*. f. a leure p.
[43] *V*. c. aura son t.
[44] *V*. quilz faisoient

LA XXXIVᵉ NOUVELLE,

PAR

MONSEIGNEUR DE LA ROCHE.

J'ay cogneu en mon temps une notable et vaillant
5 femme, digne et de memoire et de recommendacion,
et car[1] ses vertuz ne doivent estre celées n'estainctes,
mais en commune audience publiquement blasonnées,
vous orrez en bref, s'il vous plaist, en la deduction
de ceste nouvelle, la chose de quoy j'entens amplier
10 et accroistre[2] sa treseureuse renommée. Ceste vail-
lante preude femme, par saint Denis, mariée a ung
tout oultre noz amys, avoit pluseurs serviteurs en
amours, pourchassans et desirans sa grace, qui
n'estoit pas trop difficile de conquerre, tant estoit
15 doulce et piteable celle qui la vouloit et povoit departir largement par tout ou bon et mieulx luy sembloit.
Advint ung jour que les deux vindrent devers elle,
comme ilz avoient de coustume, non sachans l'un de
l'autre, demandans lieu de cuyre et leur tour d'au-
20 dience. Elle, qui pour deux ne pour trois n'eust reculé
ne desmarché, leur bailla jour et heure de se rendre
vers elle, comme [a] lendemain, l'un a huyt heures
du matin, et l'autre a neuf ensuyvant, chargeant a
chacun par expres et bien acertes qu'il ne faille pas
25 a son heure assignée. Ilz promisrent sur foy et hon-

---

[1] V. une n. f. et digne de m. car
[2] V. jentens parler cest dacroistre

neur, s'ilz n'ont mortel exoine, qu'ilz se rendront au
lieu au terme limité. Quand vint au lendemain, environ vj heures du matin, le mary de ceste vaillant
femme se leve, habille, et mect en point ; et la huche
30 et appelle pour [se] lever, mais il ne fut pas obey[3],
ains refusé tout plainement : « Ma foy, dit elle, il
m'est prins ung tel mal de teste que je ne saroye
tenir sur piez, si ne me pourroye encores lever pour
morir, tant suis et foible et traveillée. Et que vous
35 le sachez, je ne dormy ennuyt. Si vous prie que me
laissez icy, espoir quand je seray seulle je prendray
quelque pou de repos. » L'aultre, combien qu'il se
doubtast, n'osa contredire ne repliquer, mais s'en alla,
comme il avoit charge, besoigner en la ville, tantdiz
40 que sa femme ne fut pas oiseuse a l'ostel. Car huit
heures ne furent pas si tost sonnées que veez cy bon
compaignon, du jour devant a ce point assigné, qui
vint hurter a l'huis[4] ; et elle le bouta dedans. Il eut
tantost sa longue robe despoillié, et le surplus de ses
45 habillemens, et puis vint faire compaignie a madamoiselle, affin qu'elle ne s'espantast. Tant furent
entre eulx deux bras a braz et aultrement que le
temps se coula et passa, et ne se donnerent garde
qu'ilz[5] oyrent assez rudement hurter a l'huys. « Ha,
50 dist elle, par ma foy, veez cy mon mary, avancez
vous bien tost, prenez vostre robe. — Vostre mary,
dit il, et le cognoissez vous a hurter ? — Oy, dit elle,
je sçay bien que c'est il ; abregez vous qu'il ne vous
trouve icy. — Il fault bien, se c'est il, qu'il me voye ;
55 je ne me saroye ou sauver. — Qu'il vous voye, dit
elle, non fera, si Dieu plaist, car vous seriez mort,

---

[3] *V.* ne lui fut accorde
[4] *V.* lostel
[5] *V.* bras quilz o.

et moy aussi ; il est trop merveilleux. [Montez en
hault,] en ce petit grenier, et vous tenez tout coy,
sans mouvoir, qu'il ne vous voye. » L'autre monta,
60 comme elle luy dist, et se vint trouver en ce petit
garnier, qui estoit d'ancien edifice, tout desplanché,
delaté et pertuisé en pluseurs lieux. Et madamoiselle
le sentent tout la dessus, fait ung sault jusques a
l'huys, tres bien sachant que ce n'estoit pas son
65 mary ; et mist dedans celuy qui ce jour avoit a IX
heures promis devers elle se rendre. Ilz vindrent en la
chambre, ou pas ne furent longuement debout, mais
tout de plat s'entreaccolerent et baiserent [6] en la
mesme ou semblable fasson que celuy du grenier
70 avoit fait ; lequel par ung pertuis veoit a l'œil la
compaignie, dont il n'estoit pas trop content. Et fut
grand piece en [7] son courage, asavoir si bon estoit
qu'il parlast ou si mieulx luy valoit le taire. Il conclud toutesfoiz tenir silence et nul mot dire jusques
75 ad ce qu'il verra mieulx son point. Et pensez qu'il
avoit belle pacience ! Tant actendit, tant regarda sa
dame avecques le survenu [8], que bon mary vint a
l'ostel pour savoir de l'estat et santé de sa tres bonne
femme, ce qu'il estoit tresbien tenu de faire. Elle
80 l'oyt tantost, si n'eut aultre loisir de faire subitement
lever sa compaign[i]e. Et car elle ne savoit ou le
sauver, pour ce que ou grenier ne l'eust jamais
envoyé, elle le fist bouter en la ruelle du lit, et puis
le couvrit de ses robes, et luy dist : « Je ne sçay
85 ou mieulx loger, prenez en pacience ! » Elle n'eut pas
finé son dire que son mary entra dedans, qui aucunement ce luy sembloit avoit noise entreoye. Si

---

[6] *V.* embrasserent
[7] *V.* fist g. proces en
[8] *ms* souvenir

trouva le lit tout desfroissié et despillié, la couverture mal honnye et d'estrange byhès ; et sembloit
90 mieulx le lit d'une espousée que couche de femme
malade. La doubte qu'il avoit auparavant, avecques
l'apparence de present, luy fist sa femme appeller
par son nom, et dist : « Paillarde, meschante que
vous estes, je n'en pensoye pas mains huy matin,
95 quand vous contrefeistes la malade ! Ou est vostre
houllier ? Je voue a Dieu, si je le trouve, [qu']il aura
mal finé, et vous aussi ! » Et lors mist la main a la
couverture, disant : « Veez cy pas bel appareil ? il
semble que les pourceaulx y ayent couchié. — Et
100 qu'avez vous, meschant yvroigne, ce dist elle, fault il
que je compare le trop de vin que vostre gorge a
entonné ? Est ce la belle salutacion que vous me
faictes de m'appeller paillarde ? Je veil bien que vous
le sachez que je ne suis pas telle ; mais trop bonne
105 et trop loyale pour ung tel paillard que vous estes ;
et n'ay aultre regret que si bonne vous ay esté, car
vous ne le valez pas. Et ne sçay qui me tient que
je ne me leve et vous egratigne le visage par telle
fasson qu'[a] [9] tousjourmés aurez memoire de
110 m'avoir sans cause [10] villennée. » Et qui me demanderoit comment elle osoit en ce point respondre, et
a son mary parler, je y trouve deux raisons : la premiere si est le bon droit qu'elle avoit en la querelle,
et l'aultre car elle se sentoit la plus forte en la place.
115 Et fait assez a penser que, si la chose fust venue
jusques aux horions, celuy du grenier et l'aultre de
la ruelle l'eussent [11] servy et secouru. Le pouvre mary
ne savoit que dire, qui oyoit le dyable sa femme ainsi

---

9 *m*s que
10 *V.* ainsi
11 *V.* lautre leussent

tonner. Et, pource qu'il veoit que hault parler ne
120 fort t[an]cher [12] n'avoit pas lors son lieu, il remist [13]
le procés tout en Dieu, qui est juste et droiturier. Et
a chef de sa meditacion, entre aultres parolles, et
dist : « Vous vous excusez beaucop de ce dont sçay
tout le voir ; au fort, il ne m'en chault pas tant
125 qu'on pourroit bien dire ; je n'en quier jamais faire
noise ; celuy qui est la hault paiera tout. » Et par
celuy de la hault il entendoit Dieu, comme s'il voulsist dire : « Dieu, qui rend a chacun ce qui luy est
deu, vous paiera de vostre desserte. » Mais [14] le
130 galant qui estoit ou grenier, qui oyoit ces parolles,
cuidoit a bon escient que l'autre l'eust dit pour luy,
et qu'il fust menacié de porter la paste au four pour
le meffait d'aultry. Si respondit tout en hault :
« Comment, sire, il souffist bien que j'en paye la
135 moitié ; celuy qui est en la ruelle peut bien paier
l'autre ! il y [15] est autant tenu que moy. » Qui fut
bien esbahy, ce fut l'oste [16]. Car il cuidoit que Dieu
parlast a luy. Et celuy de la ruelle ne savoit que
penser, car il ne savoit rien de l'aultre. Il se leva
140 toutesfoiz, et l'aultre descendit, qui le cogneut. Si se
partirent ensemble, et laisserent la compaignie bien
troublée et mal contente, dont gueres ne leur chaloit,
et a bonne cause.

---

12 *ms* toucher
13 *V.* print
14 *V.* entendoit dieu mais
15 *V.* lautre moitie car certainement je croy quil y
16 *V.* laultre

LA XXXVe NOUVELLE,

PAR

MONSEIGNEUR DE VILLIERS.

Ung gentilhomme, chevalier de ce royaume, tresvertueux et de grand renommée, grand voyagier et
aux armes trespreu, devint amoureux d'une tresbelle
damoiselle. Et a chef de piece fut si avant en sa
grace que rien ne luy fut escondit de ce qu'il osa
demander. Advint, ne sçay combien après ceste
alliance, que ce bon chevalier, pour mieulx valoir et
honneur acquerre et embrasser, se partit de sa marche, tresbien en point et accompaignié, portant
emprinse [1] d'armes du congé de son maistre. Et s'en
alla es Espaignes et en divers lieux, ou il se conduisit tellement que a grand triumphe a son retour
fut receu. Pendant ce temps, sa dame fut mariée a
ung ancien chevalier, qui gracieux et sachant homme
estoit, qui tout son temps avoit hanté a court, et
pour vray dire estoit le vray registre d'honneur. Et
n'estoit pas ung petit dommage qu'il n'estoit mieulx
allyé, combien toutesfoiz qu'encores n'estoit pas descouverte l'encloueure [2] de son infortune si avant que
d'estre commune, comme elle fut depuis, ainsi comme
vous orrez. Ce bon chevalier amoureux [3] dessusdit,

---

[1] V. entreprinse
[2] V. lembusche
[3] V. aventureux

25 retournant d'accomplir ses armes, comme il passoit
païs, arriva d'aventure a ung soir au chasteau ou sa
dame demouroit. Et Dieu scet la bonne chere que
monseigneur son mary et elle luy feirent, car de pieça
avoit grand accointance et amytié entre eulx. Mais
30 vous devez savoir que tantdiz que le seigneur de
leens pensoit et s'efforçoit de faire finance de pluseurs choses pour festoier son hoste, l'oste se devisoit a sa dame qui fut et s'efforçoit de la festoyer
et conjoyr comme il avoit fait ainçois que monsei-
35 gneur [fust son mary]. Elle, qui ne demandoit aultre
chose, ne s'excusoit en rien sinon du lieu. « Mais il
n'est pas possible qu'il se puisse⁴ trouver. — Ha !
madame, dist il, par ma foy, si vous voulez bien,
il n'est maniere qu'on ne treuve. Et que scera vostre
40 mary, quand il sera couché et endormy, si vous me
venez veoir jusques en ma chambre ? ou si mieulx
vous plaist et bon vous semble, je viendray bien vers
vous. — Il ne se peut certes ainsi faire, ce dit elle,
car le dangier y est trop grand. Car monseigneur
45 est de trop legier somme, et ne s'esveille jamais qu'il
ne taste après moy ; et s'il ne me trouvoit point,
pensez que ce seroit ! — Et quand il s'est en ce
point trouvé, dit il, que vous fait il ? — Aultre chose,
dit elle, point ; il⁵ se vire d'aultre costé. — Ma foy,
50 dit il, c'est ung tresmauvais mesnagier, il vous est
bien venu que je suis arrivé pour vous secourir,
et luy aider a parfournir⁶ ce qui n'est pas bien
en sa puissance d'achever. — Si m'aist Dieu, dit
elle, quand il besoigne une foiz en ung moys, c'est
55 au mieulx venir. Il ne fault ja que j'en face la petite

---

⁴ *V.* p. de le povoir t.
⁵ *V.* d. elle il
⁶ *V.* parfaire

bouche ; creez que je prendroye bien mieulx. — Ce
n'est pas merveille, dit il, mais regardez comment
nous ferons.

    — Il n'est maniere que je voye, dit elle, comment
60 il se puisse faire. — Et comment, dit il, n'avez
vous femme ceens en qui vous osassiez [7] fier de
luy deceler nostre cas ? — J'en ay, par Dieu, une,
dit elle, en qui j'ay bien tant de fiance que de
luy dire la chose en ce monde que plus vouldroye
65 estre celée, sans avoir suspicion ne doubte que jamais
par elle fust descouverte. — Que nous fault il donc
plus ? dit il, regardez vous et elle du surplus. » La
bonne dame, qui bien avoit la chose au cueur, appella
ceste damoiselle et luy dist : « M'amye, c'est force
70 ennuyt que tu me serves, et que tu m'aydes a achever
une des choses au monde qui plus au cueur me
touche. — Madame, dist la damoiselle, je suis preste,
et contente comme je doy, de vous servir et obeir en
tout ce qui me sera possible ; commendez, je suis
75 celle qui accompliray vostre commendement. — Et
je te mercye, m'amye, dist madame, et soies seure
que tu n'y perdras rien. Veez cy le cas. Ce chevalier,
qui ceens est, est l'homme ou monde que je plus
ayme ; et ne vouldroye pour rien qui fust qu'il se
80 partist de moy sans aultrement avoir parlé a luy.
Or ne me peut il bonnement dire ce qu'il a sur le
cueur, sinon entre nous deux et a part ; et je ne m'y
puis trouver si tu ne vas tenir ma place devers monseigneur. Il a de coustume, comme tu scez, de se
85 virer par nuyt vers moy, et me taster ung peu, et
puis me laisse et se rendort. — Je suis contente de
faire vostre plaisir, madame ; il n'est rien que a

---

[7] *V.* ousissiez

vostre commendement ne face [8]. — Or bien, m'amye,
dit elle, tu te coucheras comme je faiz, assez loin
90 de monseigneur ; et garde bien que, quelque chose
qu'il face, que tu ne dies ung tout seul mot ; et quelque chose qu'il vouldra faire, seuffre tout. — A
vostre plaisir, madame, et je le feray. » L'heure du
soupper vint, et n'est ja mestier de vous compter du
95 service. Ce seullement vous suffise qu'on y fist tresbonne chere, et qu'il y avoit bien de quoy. Après le
soupper, la compaignie s'en alla a l'esbat ; le chevalier estrangier [9] tenant madame par le braz, et
aucuns aultres gentilz hommes tenans le surplus des
100 damoiselles de leens. Et le seigneur de l'ostel venoit
derriere ; et enqueroit des voyages de son hoste a
ung ancien gentil homme qui avoit conduit le fait de
sa despense en son voyage. Madame n'oblya pas de
dire a son amy que une telle de ses femmes tiendra
105 ennuyt sa place, et elle viendra vers luy. Il en fut
tresjoyeux, et largement la mercya, tresdesirant que
l'heure fust venue. Il se misrent au retour et vindrent
en la chambre a parer, ou monseigneur donna la
bonne nuyt a son hoste, et madame aussi. Et le che-
110 valier estrange s'en vint en sa chambre, qui estoit
belle a bon escient, bien mise a point ; et estoit le
beau buffet fourny d'espices, de confictures, et de
bon vin de pluseurs façons. Il se fist tantost deshabiller, et beut une foiz ; puis fist boire ses gens et
115 les envoya coucher, et demoura tout seul, actendant
sa dame, laquelle estoit avec son mary, qui tous deux
se despoilloient et se mettoient en point pour entrer
ou lit. La damoiselle estoit en la ruelle, qui tantost
que monseigneur fut couché, se vint mectre en la

---

[8] *V.* fisse
[9] *V.* estrange

120 place de sa maistresse ; et elle qui aultre part avoit
le cueur, ne fist que ung sault jusques a la chambre
de celuy qui l'attendoit de pié coy. Or est chacun
logé, monseigneur avec sa chambriere, et son hoste
avec madame. Et fait a penser qu'ilz ne passerent
125 pas toute la nuyt a dormir. Monseigneur, comme il
avoit de coutume, une heure environ devant le jour,
se reveilla, et vers sa chambriere se vira, cuidant
estre sa femme, et au taster qu'il fist hurta sa main
d'aventure a son tetin, qu'il sentit tresdur et poi-
130 gnant ; et tantost cogneut que ce n'estoit point celuy
de sa femme, car il n'estoit pas si bien troussé. « Ha,
dit il en soy mesmes, je voy bien que c'est. On m'a
joué d'un tour, et j'en [10] bailleray ung aultre. » Il
se vire vers ceste belle fille, et a quelque meschef
135 que ce fust, il rompit une seulle lance, mais elle le
laissa faire sans dire ung seul mot, ne demy. Quand
il eut ce fait, il commence a appeller tant qu'il peut
celuy qui couchoit avecques sa femme : « Hau, monseigneur de tel lieu, ou estes vous ? parlez a moy. »
140 L'aultre, qui se oyt appeller, fut beaucop esbahy ;
et la dame fut tant esperdue, qu'elle ne savoit sa
maniere. « Helas ! dit elle, nostre fait est descouvert,
je suis femme perdue. » Et bon [11] mary de rehucher :
« Hau ! monseigneur, hau, mon hoste, parlez a moy. »
145 Et l'aultre s'adventura de respondre et dist : « Que
vous plaist, monseigneur ? — Je vous feray tousjours
ce change quand vous vouldrez. — Quel change ?
dist il. — D'une vieille ja toute passée, deshonneste
et desloyale, a une belle, bonne et fresche jeune
150 fille ; ainsi m'avez vous party, la vostre mercy. » La
compaignie ne sceut que respondre ; mesme la pou-

---

10 *V.* cest et jen
11 *V.* esperdue. Et b.

vre chambriere estoit tant soupprinse que s'elle fut
a la mort condemnée, tant pour le deshonneur et
desplaisir de sa maistresse que pour le sien mesmes
155 qu'elle avoit meschamment perdu. Le chevalier
estrange se departit de sa dame au plus tost qu'il
sceut, sans mercier son hoste, et sans dire adieu. Et
oncques puis ne s'i trouva, et car il ne scet encores
comme la chose se conduit puis [12] avec son mary,
160 plus avant je ne vous en puis dire.

---

[12] *V.* c. elle se c. depuis

LA XXXVIᵉ NOUVELLE,

PAR

MONSEIGNEUR DE LA ROCHE.

Ung tresgracieux gentilhomme, desirant d'emploier
son service et[1] son temps en la tresnoble court
d'Amours, soy sachant[2] de dame improveu, pour
bien choisir et son temps employer, donna cueur,
corps et biens a une belle damoiselle et bonne, qui
mieulx vault ; laquelle, faicte et duicte de façonner
gens, l'entretint bel et bien assez longuement. Et trop
bien luy sembloit qu'il estoit bien avant en sa grace ;
et a dire la vérité, si estoit il voire comme les aultres,
dont elle avoit pluseurs. Advint ung jour que ce bon
gentilhomme trouva sa dame d'adventure a la fenestre d'une chambre, ou mylieu d'un chevalier et d'un
escuyer, auxquelx elle se devisoit par devises communes. Aucunesfoiz parloit a l'un a part, sans ce
que l'aultre en oyst rien ; d'aultre costé faisoit a
l'autre la pareille, pour chacun contenter. Mais, quel
que fust bien a son aise, le pouvre amoureux enrageoit tout vif, qui n'osoit approucher la compaignie.
Et si n'estoit en luy d'esloigner, tant fort desiroit la
la presence de celle qu'il amoit mieulx que le surplus
des aultres. Trop bien luy jugeoit le cueur que ceste
assemblée ne se despartiroit point sans conclure ou

---

[1] *ms* en
[2] *V.* sentant

procurer aucune chose a son prejudice ; dont il
n'avoit pas tort de ce penser et dire. Et s'il n'eust eu
les yeulx bandez et couvers, il povoit veoir apertement ce dont ung aultre a qui rien ne touchoit se
30 perceut a l'œil. Et de fait luy monstra, et veez cy
comment. Quand il cogneut et perceut a la lettre que
sa dame n'avoit loisir ne volunté de l'entretenir, il se
bouta sur une couche et se coucha ; mais il n'avoit
garde de dormir, tant estoient ses yeulx empeschez
35 de veoir son contraire. Et comme il estoit en ce point,
survint ung gentilhomme qui salua la compaignie,
lequel voyant que la damoiselle avoit sa charge, se
tira devers l'escuyer, qui sur la couche n'estoit pas
pour dormir. Et entre aultres devises luy dist l'es-
40 cuyer : « Par ma foy, monseigneur, regardez a la
fenestre, veez la gens bien aises. Et ne veez vous
pas comment ilz se devisent [3] plaisamment ? — Saint
Jehan, tu diz voir, dist le chevalier. Encores font ilz
bien aultre chose que deviser. — Et quoy ? dit l'au-
45 tre. — Quoy ? dit il ; et ne voiz tu pas comment elle
tient chacun d'eulx par la resne. — Par la resne !
dit il. — Voire vrayement pouvre beste, par la resne.
Ou sont tes yeulx ? Mais il y a bien chois des deux,
voire quant a la façon, car celle qu'elle tient de
50 gauche n'est pas si longue ne si grande que celle qui
emplist [4] sa dextre main. --- Ha ! dist l'escuyer, par
la mort bieu ! vous dictes voir. Saint Anthoine arde
la louve ! » Et pensez qu'il n'estoit pas bien content.
« Ne te chaille, dit le chevalier, porte ton mal le
55 plus bel que tu peux. Ce n'est pas icy que tu doiz
dire ton courage, force est que tu faces de necessité
vertuz. » Aussi fist il. Et veez cy bon chevalier qui

---

[3] *V.* demainent
[4] *V.* ample

s'approuchoit [5] de la fenestre ou la galée estoit, si
perceut d'adventure que le chevalier a la resne gau-
60 che se lieve en piez, et regardoit que faisoient et
disoient la damoiselle gracieuse et l'escuier son compaignon. Si vint a luy et luy dist, en luy donnant ung
petit coup sur le chapeau : « Entendez a vostre
besoigne, de par le dyable, et ne vous soussyez des
65 aultres. » L'aultre se retira et commença de rire. Et
la damoiselle, qui n'estoit pas femme a effrayer de
legier, ne s'en mua oncques. Trop bien tout doulcement laissa sa prinse, sans rougir ne changer coleur.
Regret eut elle assez en soy mesmes d'abandonner de
70 la main ce que aultre part luy eust bien servy ? Et
fait assez a croire que par avant et depuis n'avoit
celuy des deulx qui ne luy fist tres voluntiers service.
Si eust bien fait, qui eust voulu, le dolent amoureux
malade qui fut contraint d'estre notaire du plus
75 grand desplaisir que au monde advenir luy pourroit,
et dont la seule pensée en son pouvre cueur remirée [6]
estoit assez et trop puissante de le mettre en desespoir, si raison ne l'eust a ce besoing secouru, qui luy
fist tout abandonner, et aultre part sa queste en
80 amours commencer. La quelle il puisse aultrement
achever, car [7] de ceste cy on ne pourroit ung seul
bon mot a son avantage compter.

LA XXXVIIᵉ NOUVELLE,

PAR

MONSEIGNEUR DE LA ROCHE.

Tantdiz que les aultres penseront et a leur
memoire remainront aucuns cas advenuz et perpetrez,
habilles et suffisans d'estre adjoustez a l'ystoire presente, je vous compteray, en brefz termes, en quelle
façon fut deceu le plus jaloux de cest royaume pour
son temps. Je croy assez qu'il n'a pas esté seul enta-
ché de ce mal ; mais toutesfoiz, car il le fut oultre
l'enseigne, je ne le saroie passer sans vous faire
savoir le gracieux tour qu'on luy fist. Ce bon jaloux,
dont je vous compte, estoit tres grand historien et
avoit beaucoup veu, leu et releu de diverses histoires ; mais la fin principale a quoy tendoit son
exercice et tout son estude estoit de savoir et
cognoistre les façons et manieres et quoy et comment
femmes pevent decepvoir leurs mariz. Et car, la Dieu
mercy, les histoires anciennes comme Matheolet,
Juvenal, les Quinze Joyes de mariage, et aultres pluseurs dont je ne scay le compte, font mencion de
diverses tromperies, cauteles, abusions et deceptions
en cest estat advenues, nostre jaloux les avoit tousjours entre ses mains, et n'en estoit pas mains
assotté qu'un follastre de sa massue ¹. Toutesfoiz
lysoit, tousjours estudioit, et d'iceulx livres fist ung

---

¹ V. fol de sa marote

petit extraict pour luy, ou quel estoient emprinses [2],
descriptes et notées pluseurs manieres de tromperies,
au pourchaz et emprinses [3] de femmes, et es per-
30 sonnes de leurs mariz executées. Et ce fist il tendant
afin d'estre mieulx premuny et sur sa garde si sa
femme a l'adventure vouloit user de telles querelles
en son livre croniquées [4] et registrées. Qu'il ne gardast sa femme d'aussi près comme ung jaloux Yta-
35 lien, si faisoit, et si n'estoit il pas encores bien
asseuré, tant estoit fort feru du maudit mal de
jalousie. En cest estat et aise delectable fut ce bon
homme trois ou quatre ans avecques sa femme,
laquelle pour tout passetemps n'avoit aultre loisir
40 d'estre hors de sa presence infernale, sinon allant et
retournant de la messe, accompaignée d'une vieille
serpente qui d'elle avoit la charge. Ung gentil compaignon, oyant la renommée de ce gouvernement,
vint rencontrer ung jour ceste bonne damoiselle, qui
45 gracieuse, belle [et amoureuse] a bon escient estoit,
et luy dist le plus gracieusement que oncques peut [5]
le bon vouloir qu'il avoit de luy faire service, plaignant et souspirant pour l'amour d'elle sa maudicte
fortune, d'estre allyée au plus jaloux que la terre
50 soustiene, et disant au surplus qu'elle estoit la seule
en vie pour qui plus vouldroit faire. « Et pource que
je ne vous puis par icy dire combien je suis a vous,
et pluseurs aultres choses dont j'espere que ne serez
que contente, s'il vous plaist, je le mettray par
55 escript et demain le vous bailleray, vous suppliant

---

2 *V.* comprinses
3 *V.* entreprinses
4 *V.* g. de sa f. selle lui en bailleroit point de telles qui
   en son livret estoient c.
5 *V.* sceust

que mon petit service, partant de bon vouloir et
entier, ne soit pas reffusé.» Elle l'escouta voluntiers ; mais, pour la presence du dangier, qui trop
près estoit, gueres ne respondit ; toutesfoiz elle fut
60 contente de veoir ses lettres quand elles viendront.
L'amoureux print congé, assez joyeux et a bonne
cause. Et la damoiselle, comme elle estoit doulce et
gracieuse, le congya. Mais la vieille qui la suyvoit ne
faillit pas de demander quel parlement avoit esté
65 entre elle et celuy qui s'en va. « Il m'a, dit elle,
apporté nouvelles de ma mere, dont je suis bien
joyeuse, car elle est en bon point. » La vieille n'enquist plus avant ; si vindrent a l'ostel. L'aultre au
lendemain, garny d'unes lettres Dieu scet comment
70 dictées, vint rencontrer sa dame, et tant subitement
et subtilement les luy bailla que oncques le guet de
la vieille serpente n'en eut la cognoissance. Ces
lettres furent ouvertes par elle qui voluntiers les vit
quand elle fut a part. Le contenu en gros estoit com-
75 ment il estoit esprins de l'amour d'elle, et que jamais
ung seul jour de bien n'aroit si temps et loisir
prestez ne luy sont pour plus au long l'en advertir,
requerant en conclusion qu'elle luy veille de sa grace
jour et lieu assigner convenable a ce faire, ensemble
80 et responce a ce contenu. Elle ^a fist unes lettres par
lesquelles tres gracieuesment s'excusoit de vouloir en
amours entretenir aultre que celuy auquel elle doit
et foy et loyauté. Neantmains toutesfoiz, pourtant
qu'il est tant fort esprins d'amours a cause d'elle,
85 qu'elle ne vouldroit pour rien qu'il n'en fust guerdonné, elle seroit tres contente d'oyr ce qu'il luy
vouldroit dire, si nullement povoit ou savoit ; mais
certes nenny, tant près la tient son mary, qu'il ne la

---

^a *V.* c. pour ce f. Elle

laisse d'ung pas sinon a l'heure de la messe, qu'elle
90 vient a l'eglise, gardée et plus que gardée par la plus
pute veille qui jamais aultry destourba. Ce gentil
compaignon, tout aultrement habillé [et] en point
que le jour precedent [7], vint rencontrer sa dame, qui
tres bien le cogneut ; et au passer qu'il fist assés près
95 d'elle receut de sa main sa lettre dessus dicte. S'il
avoit faim de veoir le contenu, ce n'estoit pas de
merveille. Il se trouva en ung destour ou tout a son
aise et beau loisir vit et cogneut l'estat de sa
besoigne, qui luy sembloit estre en bon train. Si
100 regarda qu'il ne luy fault que lieu pour venir au
dessus et a chef de sa bonne entreprinse, pour laquelle
achever il ne finoit ne nuyt ne jour de adviser et
penser comment il se pourroit conduire. Il s'advisa
d'un tresbon tour en la parfin, qui ne fait pas a
105 oublier : car il s'en vint a une sienne bonne amye qui
demouroit entre l'eglise ou sa dame alloit a la messe
et l'ostel d'elle ; et luy compta sans rien celer le fait
de ses amours, luy priant que a ce besoing luy veille
aider et secourir. « Ce que je pourroye faire pour
110 vous, dist elle, ne pensez pas que je ne m'y employe
de tresbon cueur. — Je vous mercye, dit il ; et seriez
vous contente qu'elle venist ceans parler a moy ?
— Ma foy, dit elle, pour l'amour de vous, il me plaist
bien. — Et bien ! dit il, s'il est en moy de vous faire
115 autant de service, pensez que j'aray cognoissance de
ceste courtoisie. » Il ne fut onques aise tant qu'il
eust [8] rescript a sa dame et baillé ses lettres, qui
contenoient qu'il avoit tant fait a une telle « qui est
ma [9] tres grande amye, femme de bien, loyalle et

---

[7] *V*. passe
[8] *V*. o. si aise ne jamais ne cessa t.
[9] *V*. t. quelle estoit sa t.

120 secrete, et qui vous ame et cognoist bien, qu'elle nous
baillera sa maison pour deviser. Et veez cy que j'ai
advisé : je seray demain en la chambre d'en hault,
qui descouvre sur la rue, et si auray emprès de moy
ung grand seau d'eaue et de cendres entremeslées,
125 dont je vous affubleray tout a coup que vous passerez. Et si seray en habit si descogneu que vostre
veille ne ame du monde n'ara garde de moy
cognoistre. Quand vous serez en ce point atournée,
vous ferez bien de l'esbahie et vous sauverez en ceste
130 maison ; et par vostre Dangier manderez querre une
aultre robe ; et tantdiz qu'elle sera au chemin, nous
parlerons ensemble. » Pour abreger, ces lettres furent
baillées, et la response fut rendue par celle qui fut
contente. Or fut venu ce jour, et la damoiselle affu-
135 blée par son serviteur du seau d'eaue et de cendres,
voire par telle façon que son couvrechef, sa robe et
le surplus de ses habillemens furent tous gatez et
percez. Et Dieu scet qu'elle fist bien de l'esbahie et
de la malcontente ; et comme elle estoit es[c]ollée [10],
140 elle se bouta en l'ostel, ignorant d'y avoir cognoissance. Tantost qu'elle vit la dame, elle se plaindit de
son meschef, et n'est pas a vous dire le dueil qu'elle
menoit de ceste adventure. Maintenant plaint sa
robe, maintenant son couvrechef, et a l'aultre foiz
145 son tixu. Bref, qui l'oyoit, il sembloit que le monde
fust finé. Et Dangier sa meschine, qui enrageoit d'angaigne, avoit ung coulteau en sa main dont elle
nestaioit sa robe le mieulx qu'elle savoit. « Nenny,
nenny, m'amye, vous perdés vostre peine, ce n'est
150 pas chose a nettoyer si en haste. Vous n'y sariez
faire chose maintenant qui valust [11] rien. Il fault que

---

10 *V.* e. ainsi atournee
11 *V.* vaulsist

j'aye une aultre robe et ung aultre couvrechef. Il
n'y a point d'aultre remede. Allez a l'ostel et les
m'apportez, et vous avancez de retourner, que nous
155 ne perdons la messe avecques tout nostre mal. » La
vieille, voyant la chose estre necessaire, n'osa desdire sa maistresse. Si print et robe et couvrechef
soubz son manteau, et a l'ostel s'en va. Elle n'eut
pas si tost tourné les talons que sa maistresse ne fut
160 guidée en la chambre ou son serviteur estoit, qui
voluntiers la vit en cotte simple et en cheveulx. Et
tantdiz qu'ilz se deviserent, nous retournerons a parler de la vieille qui revint a l'ostel, ou elle trouva son
maistre, qui n'attendit pas qu'elle parlast, mais
165 demanda incontinent : « Qu'avez vous fait de ma
femme, et ou est elle ? — Je l'ay laissée, dit elle,
sus une telle, et en tel lieu. — Et a quel propos ? »
dit il. Lors elle luy monstra la robe et le couvrechef,
et luy compta l'adventure de la tyne d'eaue et des
170 cendres, disant qu'elle vient querir aultres habillemens, car en ce point sa maistresse n'osoit partir
dont elle estoit. « Est ce cela ? dit il. Nostre Dame,
ce tour n'estoit pas en mon livre ! Allez, allez, je
voy bien que c'est. » Il eust voluntiers dit qu'il estoit
175 coux. Et creez que si estoit il a ceste heure, et ne
l'en sceut oncques garder livre ne brevet ou pluseurs
tours estoient enregistrez. Et fait assez a penser
qu'il retint si bien ce derrenier qu'oncques depuis
de sa memoire ne partit, et ne luy fut nesung [12]
180 besoing que a ceste cause il l'escripsist, tant en eut
fresche souvenance le pou de bons jours qu'il vesquit.

---

[12] *V.* nul

LA XXXVIIIe NOUVELLE,

PAR

MONSEIGNEUR DE LOAN.

N'a gueres que ung marchant de Tours, pour fes-
5 toyer son curé et aultres gens de bien, achatta une
belle et grosse lemproye, et l'envoya a son hostel, et
chargea tresbien sa femme de la mettre a point, ainsi
qu'elle savoit bien faire. « Et faictes, dist il, que le
disner soit prest a XII heures, car j'ameneray nostre
10 curé, et aucuns aultres qu'il luy nomma. — Tout sera
prest, dit elle, amenez qui vous vouldrez. » Elle mist
a point ung grand tas de bon poisson. Et quand
vint a la lemproie, elle la souhaicta aux Cordeliers, a
son amy, et dist en soy mesmes : « Ha, frere Ber-
15 nard, que n'estez vous cy ! Par ma foy, vous n'en
partiriez tant qu'auriez tasté de la lemproye, ou si
mieulx vous plaisoit, vous l'emporteriez en vostre
chambre ; et je ne fauldroye pas de vous y faire
compaignie. » A tresgrand regret mettoit ceste bonne
20 femme la main a ceste lemproye, voire pour son
mary, et ne faisoit que penser comment son cordelier
la pourroit avoir. Tant pensa et advisa qu'elle conclud de luy envoyer par une vieille qui savoit de son
secret. Ce qu'elle fist, et luy manda qu'elle viendroit
25 ennuyt soupper et coucher avecques luy. Quand
maistre cordelier vit telle belle lemproie et entendit
la venue de sa dame, pensez qu'il fut joyeux et bien
aise ; et dist bien a la vieille, s'il peut finer de bon

vin, que la lemproye ne sera pas frustrée [1] du droit
30 qu'elle a, puis qu'on la mengeue. La vieille retourna
de son message et dist sa charge. Environ XII heures,
veez cy nostre marchant venir, le curé et aucuns
aultres bons compaignons, pour devorer ceste lemproye, qui estoit bien hors de leur commendement.
35 Quand ilz furent trestous en l'ostel du marchant, il
les mena trestous en la cuisine pour leur monstrer [2]
la grosse lemproye dont il les veult festoier. Et
appella sa femme, et luy dist : « Monstrez nous
nostre lemproye, je veil savoir a ces gens si j'ay eu
40 bon marché. — Quelle lemproye ? dit elle. — La
lemproye que je vous fiz bailler pour nostre disner,
avecques cest aultre poisson. — Je n'ai point veu
de lemproye, dit elle. Je cuide, moy, que vous songez.
Veez cy une carpe, deux brochez et je ne scay quelx
45 aultres poissons ; mais je ne viz aujourd'uy lemproye. — Comment, dit il, et pensez vous je soye
yvre ? — Ma foy ouy, dirent lors et le curé et les
aultres. Nous n'en pensasmes [3] aujourd'uy mains ;
vous estes ung peu trop chiche pour acheter lem-
50 proye maintenant. — Par Dieu, dist la femme, il se
farse de vous, ou il a songé d'une lemproye. Car
seurement je ne vy de cest an lemproye. » Et bon
mary de soy courroucer, et dit : « Vous avez menty,
paillarde, ou vous l'avez mengée, ou vous l'avez
55 cachée quelque part ; je vous promectz qu'oncques si
chere lemproye ne fut pour vous. » Puis se vira vers
le curé et les aultres, et juroit la mort bieu et ung
cent de sermens qu'il avoit baillée a sa femme une
lemproye qui luy cousta ung franc. Et ilz, pour

---

[1] *V.* fraudee
[2] *V.* p. veoir
[3] *V.* vous nen pensiez pas a.

60 encores plus le tourmenter et faire enrager, faisoient
semblant de le non croire, et tenoient termes comme
s'ilz fussent mal contens, et disoient : « Nous estions
priez de disner cheux ung tel et cheux ung tel, et
si avons tout laissé pour venir icy, cuidans menger
65 de la lemproye ; mais ad ce que nous voyons, elle ne
nous fera ja mal. » L'oste, qui enrageoit tout vif,
print ung baston et marchoit vers sa femme pour la
tresbien frotter, si les aultres ne l'eussent tenu, qui
l'emmenerent a force hors de son hostel, et misrent
70 peine de le rappaiser le mieulx qu'ilz sceurent, quand
ilz le virent ainsi troublé. Puis qu'ilz eurent failly a
la lemproye, le curé mist la table et firent la meilleure
chere qu'ilz sceurent. La bonne damoiselle a la lemproye manda l'une de ses voisines qui vefve estoit,
75 mais belle femme et en bon point, et la fist disner
avec elle. Et, quand elle vit son point, dist : « Ma
bonne voisine, il seroit bien en vous de me faire ung
service et ung tressingulier plaisir. Et si tant vouliez
faire pour moy, il vous seroit tellement par moy des-
80 servy que vous en devriez estre contente. — Et que
vous plaist il que je face ? dit l'aultre. — Je le vous
diray, dit elle : mon mary est si tresrade a ses besoignes de nuyt que [4] c'est grand merveille ; et de fait,
la nuyt passée, il m'a tellement retrouvée [5] que, par
85 ma foy, je ne l'oseroye bonnement ennuyt attendre.
Si vous prie que vous veillez [6] tenir ma place. Et si
jamais puis rien faire pour vous, me trouverez preste
de corps et de biens. » La bonne voisine, pour luy
faire plaisir et service, fut contente de tenir son lieu,
90 dont elle fut beaucop et largement mercyée. Or devez

---

[4] *V.* si tresardant de ces b. que
[5] *V.* retournee
[6] *V.* voulez

vous savoir que nostre marchant a la lemproye,
quand il vint puis le disner, il fist tresgrande et
grosse garnison de bonnes verges de boul qu'il [7]
apporta secretement en sa maison ; et auprès de son
95 lit il les caicha, disant en soy mesmes que sa femme
ennuyt en sera trop bien servie. Il ne sceut ce faire
si celeement [8] que sa femme ne s'en donna tresbien
garde, qui n'en pensoit pas mains, cognoissant assez
par longue experience la cruaulté de son mary, lequel
100 ne souppa pas a l'ostel, mais tarda tant dehors qu'il
se pensa bien qu'il la trouveroit nue et couchée. Mais
il faillit a son emprinse [9]. Car quand vint sur le soir
et tard, elle fit despouiller sa voisine et coucher en
sa place, en la chargeant expressement que elle ne
105 responde mot a son mary quand il viendra, mais
contreface la muette et la malade. Et si fist encores
plus, car elle estaindit tout le feu de leens, tant en
la cuisine comme en la chambre. Et ce fait, a sa
voisine chargea que tantost que son mary sera levé
110 le matin, qu'elle s'en voise en sa maison. Elle lui
promist que si feroit elle. La voisine ainsi logée et
couchée, aux Cordeliers s'en va la vaillant femme
pour menger la lemproye et gaigner les pardons,
comme assez avoit de coustume. Tantdiz qu'elle se
115 festiera leens, nous dirons du marchant, qui après
soupper s'en vint a son hostel, esprins d'ire et de
maltalent a cause de la lamproye. Et pour executer
ce qu'en son pardedans avoit conclud, il vint saisir
les verges et en sa main les tient, serchant par tout
120 de la chandelle, dont il ne sceut oncques recouvrer ;

---

[7] *V.* v. quil
[8] *V.* secretement
[9] *V.* entreprinse

mesmes en la cheminée faillit il au feu trouver.
Quand il vit ce, il se coucha sans dire mot, et dormit
jusques sur le jour, qu'il se leva et s'abilla, et print
ses verges et baptit tant la lieutenante de sa femme
125 que a pou qu'il ne la cravanta, en luy ramentevant la
lamproye ; et la mist en tel point qu'elle saignoit de
tous costez, mesmes les draps du lit estoient tant
sanglans qu'il sembloit que ung beuf y fut escorché [10] ; mais la pouvre martire n'osoit pas dire ung
130 mot ne monstrer le visage. Ses verges luy faillirent,
et fut lassé. Si s'en alla hors de l'ostel. Et la pouvre
femme, qui s'attendoit d'estre festoyée de l'amoureux
jeu et gracieux passetemps, s'en alla tantost a sa
maison plaindre son mal et son martire, non pas
135 sans menacer et sa voisine bien maudire. Tantdiz
que le mary estoit dehors, revint des Cordeliers sa
bonne preude femme, qui trouva sa chambre de verges toute jonchée, son lit desrompu et desfroissié et
ses draps tous ensanglantez. Si cogneut bien tantost
140 que sa voisine avoit eu afaire de son corps, comme
elle pensoit bien. Et sans tarder ne faire arrest refist
son lit, d'aultres beaulx draps et frez le rempara et
sa chambre nettoya, et puis vers sa voisine s'en alla,
qu'elle trouva en piteux point ; et ne fault pas dire
145 qu'elle ne trouva bien a qui parler. Au plus tost
qu'elle peut en son hostel s'en retourna, et de tous
poins se deshabilla, et ou beau lit qu'elle avoit mis
a point se coucha, et dormit tresbien jusques ad ce
que son mary retourna de la ville comme sanchié [11]
150 de son courroux, pource qu'il s'en estoit vengé, et
vint a sa femme, qu'il trouva ou lit faisant la dorme-

---

10 *V.* acore
11 *V.* changie

veille : « Et qu'est ce cy, madamoiselle, dist il, n'est
il pas temps de lever ? — Emy, dit elle, et est il
jour ? Par mon serment, je ne vous ay pas oy lever.
155 J'estoye entrée en ung songe qui m'a tenu[e] ainsi
longuement. — Je croy, dit il, que vous songiez de la
lemproye, [ne] faisiez pas ? Ce ne seroit pas trop
grand merveille, car je la vous ay bien ramantue a
ce matin. — Par Dieu, dit elle, il ne me souvenoit de
160 vous ne de vostre lemproye. — Comment, dit il,
l'avez vous si tost oublyée ? — Oublyée, dit elle, ung
songe ne m'arreste rien. — Et a ce esté songe, dit il,
de ceste poignée de verges que j'ay usée sur vous
n'a pas deux heures ? — Sur moy ? dit elle. — Voire
165 vrayement, sur vous, dit il. Je sçay bien qu'il y
appert largement, et aux draps de nostre lit avecques. — Par ma foy, beaulx amys, dit elle, je ne
sçay que vous avez fait ou songé, mais quant a moy
il me souvient tres bien que aujourd'uy, au matin,
170 vous feistes de tresbon appetit le jeu d'amours.
Aultre chose ne sçay je. Aussi bien povez vous avoir
songé de m'avoir fait aultre chose, comme vous
feistes hier de m'avoir baillé la lamproye. — Ce
seroit ung estrange songe, dit il ; monstrez vous ung
175 peu que je vous voye. » Elle osta la couverture et
renversa, et toute nue se monstra, sans tache ne
blesseure quelconque. Voit aussi les draps beaulx et
blancs sans souilleure ne tache. Si fut plus esbahy
qu'on ne vous saroit dire, et se print a muser et lar-
180 gement penser ; et en ce point longuement se contint.
Mais toutesfoiz a chef de piece il dist : « Par mon
serment, m'amye, je vous cuidoye a ce matin avoir
tresfort jusques au sang batue, mais je voy bien qu'il
n'en est rien. Si ne sçay qu'il m'est advenu. — Dya,
185 dit elle, ostez vous hors d'ymaginacion de ceste baterie, car vous ne me touchastes oncques, vous le povez

veoir [12] ; faictes vostre compte, vous l'avez songé.
— Je cognois, dist il lors, que vous dictes voir. Si
vous requier qu'il me soit pardonné, car je sçay bien
190 que j'euz hier tort de vous dire villannie devant les
estrangiers que j'amenay ceans. — Il vous est legierement pardonné, dit elle, mais toutesfoiz advisez
bien que ne soyez plus si legier ne si hastif en vos
affaires [13]. — Non seray je, dit il, m'amye. » Ainsi
195 qu'avez oy fut le marchant par sa femme trompé,
cuidant avoir songé avoir acheté la lamproye et le
surplus fait ou compte dessus dit.

---

[12] *V.* p. presentement v. et appercevoir
[13] *V. ajoute* : comme vous aves de coustume.

LA XXXIXᵉ NOUVELLE,

PAR

MONSEIGNEUR DE SAINT POL.

Ung gentil chevalier des marches de Haynau,
5 riche, puissant, vaillant, et tresbeau compaignon, fut
amoureux d'une tresbelle dame assez et longuement ;
fut aussi tant en sa grace, et si privé d'elle, que toutesfoiz que bon luy sembloit se rendoit en ung lieu
de son hostel a part et destourné, ou elle luy venoit
10 faire compaignie ; et la devisoient tout a leur beau
loisir de leurs gracieuses amours. Et[1] n'estoit ame
qui rien sceust de leur tresplaisant passe temps, si
non une damoiselle qui servoit ceste dame, qui bonne
bouche treslonguement porta. Et tant les servoit a
15 gré en tous leurs affaires qu'elle estoit digne d'ung
grand guerdon en recevoir. Elle avoit aussi tant de
vertu que non pas seullement sa maistresse avoit
gaignée par la servir comme dit est, et aultrement,
mais le mary de sa dame ne l'amoit pas mains que
20 sa femme, tant la trouvoit loyalle, bonne et diligente.
Advint ung jour que ceste dame sentent son serviteur
le chevalier dessusdit en son hostel, devers lequel elle
ne povoit aller si tost qu'elle eust bien voulu, a
cause de son mary qui les destournoit, dont elle
25 estoit desplaisante, s'advisa de luy mander par la
damoiselle qu'il eust encores ung peu de pacience,

---

[1] V. loisir et

et que au plustost qu'elle saroit se desarmer de son
mary qu'elle viendra vers luy. Ceste damoiselle vint
vers le chevalier qui sa dame attendoit, et dist sa
30 charge. Et il, qui gracieux estoit, la mercya beaucop
de ce messaige, et la fist seoir auprès de luy, puis
la baisa deux ou trois foiz tres doulcement ; elle
l'endura voluntiers, qui bailla courage au chevalier
de proceder au surplus, dont il ne fut pas refusé.
35 Cela fait, elle revint a sa maistresse, et luy dist que
son amy n'attendoit qu'elle : « Helas ! dit elle, je
sçay qu'il est vray, mais monseigneur ne se veult
coucher. Ilz sont cy je ne sçay quelz gens que je ne
puis laisser. Dieu les maudye ! j'aymasse mieulx
40 estre vers luy. Il luy ennuye bien, fait pas, d'estre
ainsi seul ? — Par ma foy, creez que oy, dit elle,
mais l'espoir de vostre venue le conforte, et attend
tant plus aise. — Je vous en croy, mais toutesfoiz
il est la seul, et sans chandelle, et sont plus de deux
45 heures qu'il y est. Il ne peut estre qu'il ne soit beaucop ennuyé. Si vous prie, m'amye, que vous retournez encores vers luy une foiz pour m'excuser, et luy
faictes compaignie ung espace ² ; et entretant, si
Dieu plaist, le dyable emportera ces gens qui nous
50 tiennent cy. — Je feray ce qu'il vous plaira, madame;
mais il me semble qu'il est si content de vous qu'il
ne vous [fault] ja excuser, et aussi si je y alloye
vous demourriez icy toute seule de femmes, et pourroit monseigneur demander pour moy, et l'on ne me
55 saroit ou trouver. — Ne vous chaille de cela, dist
elle, j'en feray bien s'il vous mande. Il me desplaist
que mon amy est seul. Allez veoir qu'il fait, je vous
en prie. — Je y vois, puis qu'il vous plaist », dist
elle. S'elle fut bien joyeuse de ceste ambassade, il

---

² *V.* une piece

60 ne le fault ja demander ; mais pour couvrir sa
volunté, elle en fist l'excusance et le refus a sa maistresse. Elle fut tantost vers le chevalier attendant,
qui la receut joieusement ; si luy dist : — « Monseigneur, madame m'envoie encores icy s'excuser
65 devers vous pource que tant vous fait attendre, et
creez qu'elle en est la plus courroucée. — Vous luy
luy direz, dit il, qu'elle face tout a loisir, et qu'elle
ne se haste de rien pour moy [3], car vous tiendrez
son lieu. » Lors de rechef la baise et accole, et ne la
70 souffrit partir tant qu'il eut besoigné deux foiz, qui
gueres ne luy cousterent ; car alors il estoit frez et
jeune et homme fort a cela. Ceste damoiselle print
bien en pacience sa bonne adventure, et eust bien
voulu avoir souvent une telle rencontre, sans le pre-
75 judice de sa maistresse. Et quand vint au partir, elle
pria au chevalier que sa maistresse n'en sceust rien.
« Vous n'avez garde, dit il. — Je vous en requier »,
dist elle. Et puis s'en vint a sa maistresse, qui
demanda tantost que fait son amy. « Il est la, dit
80 elle, et vous attend. — Voire, dit elle, et est il point
mal content ? — Nenny, dit elle, puis qu'il a compaignie. Il vous scet tresbon gré que vous m'y avez
envoyée. Et si ceste attente estoit souvent a faire,
il seroit content m'avoir pour deviser et passer
85 temps. Et par ma foy je y voys volunters, car c'est
le plus plaisant homme de jamais. Et Dieu scet qu'il
le fait bon oyr maudire ces gens qui vous retiennent,
excepté monseigneur : a luy ne vouldroit il toucher.
— Saint Jehan ! dit elle, je voudroye que luy et la
90 compaignie fussent en la riviere, et je fusse dont
vous venez. » Tant se passa le temps que monsei-
seigneur se deffist de ses gens, vint en sa chambre,

---

[3] *ms* quoy

se deshabilla et coucha. Madame se mist en cotte
simple, print son attour de nuyt et ses heures en sa
95 main, et commence devotement, Dieu le scet, a dire
sept pseaulmes et paternostres. Mais monseigneur,
qui estoit plus esveillé q[u]'un rat, avoit grand faim
de deviser ; si vouloit que madame laissast ses oroisons jusques a demain, et qu'elle parle a luy : « Ha !
100 monseigneur, dit elle, pardonnez moy. Je ne puis
vous entretenir maintenant. Dieu va devant, vous le
savez. Je n'aroye meshuy bien, ne de sepmaine, si
je n'avoie dit le tant pou de service que je luy sçay
faire ; et encores de mal venir je n'eu pieça tant
105 a dire que j'ay maintenant. » Alors dist [4] monseigneur : « Vous m'affolez bien de ceste bigoterie. Et
est ce a faire a vous de dire tant d'heures ? Ostez,
ostez, laissez les dire aux prestres. Dy je pas bien,
Jehannette ? » dit il a la damoiselle dessus dicte.
110 — « Monseigneur, dit elle, je n'en sçay que dire,
sinon, puis que madame est accoustumée de servir
Dieu, qu'elle parface. — A dya, dit madame, monseigneur, je voy bien que vous estes avoyé de plaider, et j'ay volunté d'achever mes heures ; si ne som-
115 mes pas bien d'un accord. Si vous lairray Jehannette
qui vous entretiendra, et je m'en iray en ma chambrette la derriere tancer a Dieu. » Monseigneur fut
content ; si s'en alla madame les grans galotz vers
le chevalier son amy, qui la receut Dieu scet en
120 grand liesse et reverence, car l'onneur qu'il luy fist
n'estoit pas maindre que a genoux ployez bas et
enclinez jusques a terre. Mais vous devez savoir que
tantdiz que madame achevoit ses heures avec son
amy, monseigneur son mary, ne sçay de quoy il lui
125 sourvint, prya Jehannette, qui luy faisoit compaignie,

---

4 *V.* Ha hay d.

d'amours a bon escient. Et pour abreger, tant fist par
promesses et par beau langage, qu'elle fut contente
d'obeyr. Mais le pis fut que madame, au retour de
son amy, qui l'accola deux foiz a bon escient avant
130 son partir, trouva monseigneur son mary et Jehannette sa chambriere en tel ouvrage et semblable
qu'elle venoit de faire, dont elle fut bien esbahye, et
encores plus monseigneur et Jehannette, qui se trouverent ainsi sourprins. Quand madame vit ce, Dieu
135 scet comment elle salua la compaignie, jasoit qu'elle
eust bien cause de se taire. Et se print a la pouvre
Jehannette par si tres grand courroux qu'il sembloit
bien qu'elle eust ung dyable ou ventre, tant luy disoit
de villainnes parolles. Encores fist elle plus et pis.
140 Car elle print ung grant baston et l'en chargea tresbien le doz. Voyant [ce] monseigneur, qui en fut mal
content et desplaisant, se leva sur piez et battit tant
madame qu'elle ne se povoit sourdre. Et quand elle
vit qu'elle n'avoit puissanuce que de sa langue, Dieu
145 scet s'elle la mist en œuvre, mais adressoit la plus
part de ses motz venimeux sur la pouvre Jehannette,
qui n'en peut plus souffrir. Si dit a monseigneur le
gouvernement de madame, et dont elle venoit a ceste
heure de dire ses oroisons, et avec quy. Si fut la
150 compaignie bien troublée, monseigneur tout le premier, qui se doubtoit assez, et madame, qui se trouve
affolée et batue et de sa chambriere accusée. Le surplus du gouvernement du mesnaige [5] bien troublé
demoure en la bouche de ceulx qui le scevent. Si n'en
155 fault ja plus avant enquerir.

---

[5] *V.* s. de ce m.

LA XLe NOUVELLE,

PAR

MESSIRE MICHAULT DE CHAUGY. [1]

Il advint nagueres a Lille que ung grand clerc et
5 prescheur de l'ordre saint Dominicque convertit, par
sa sainte et doulce predication, la femme d'un bou-
chier, par telle et si bonne façon qu'elle l'amoit plus
que tout le monde, et n'avoit jamais au cueur ne en
soy parfaicte liesse s'elle n'estoit emprès luy. Mais
10 maistre moyne en la parfin s'ennuya d'elle, et estoit
sur son corps defendant, ce qu'il luy feist grand piece
après, et eust [2] tres bien voulu qu'elle se fust depor-
tée de si souvent le visiter ; dont elle estoit tant mal
contente que plus ne povoit. Mesmes le reboutement
15 qu'il luy faisoit trop plus avant en son amour l'enra-
cinoit. Damp moyne, ce voyant, luy defendit sa chambre, et chargea bien expressement a son clerc qu'il
ne la souffrist plus entrer dedans, quelque chose
qu'elle luy dye. S'elle [3] fut plus mal contente que
20 par avant, ce ne fut pas de merveille, car elle estoit
ainsi que forcenée. Et si vous me demandez a quel
propos damp moyne ce faisoit, je vous respons que
ce n'estoit pas par devocion ne pour vouloir [4] qu'il
eust de devenir chaste ; mais la cause est qu'il en

---

1 *V.* changy
2 *V.* delle et tant que plus nullement ·nen vouloit et e.
3 *V.* s. plus. Selle
4 *V.* voulente

25 avoit racointée une plus belle, plus jeune beaucop,
et plus riche, qui desja estoit tant privée qu'elle avoit
la clef de sa chambre. Tant fist toutesfoiz que la
bouchiere ne venoit plus vers luy comme elle avoit
de coustume. Si avoit trop meilleur et plus seur
30 loysir sa dame nouvelle de venir gaigner les pardons
en sa chambre et paier le disme, comme les femmes
d'Osteleric, dont cy dessus est touché. Ung jour fut
prest⁵ de faire bonne chere en la chambre de maistre
moyne, après disner⁶, ou sa dame promist de com-
35 paroir et faire apporter sa porcion, tant de vin
comme de viande. Et car aucuns de ses freres de
leens estoient assez de son mestier, il en invita deux
ou troys tout secretement ; et Dieu scet la grand
chere qu'on fist a ce disner, qui ne se passa point
40 sans boire d'autant. Or devez vous savoir que nostre
bouchiere cognoissoit assez les gens de ces pres-
cheurs, qu'elle veoit passer devant sa maison, qui
portoient puis du vin, puis des pastez, puis des tartes,
et tant de choses que merveilles. Si ne se peut tenir
45 de demander quelle feste on fait en leur hostel. Et
il luy fut respondu que ces biens sont pour ung tel,
c'est assavoir son moyne, qui a gens de bien au
disner. « Et qui sont ilz ? dit elle. — Ma foy je ne
scay, dit il. Je porte mon vin jusques a l'huys tant
50 seullement, et la vient nostre maistre qui me descharge. Je ne sçay qui y est. — Voire, dit elle, c'est
la secrete compaignie. Or bien allez vous en et les
servez bien. » Tantost [après] passa ung aultre serviteur qu'elle interroga parcillement, qui luy dist
55 comme son compaignon, mais plus avant, car il dit :
« Je pense qu'il y a une damoiselle qui ne veult pas

---

⁵ *V.* prins
⁶ *V.* c. a ung diner en la c. de m. m.

estre veue ne cogneue. » Elle pensa tantost ce qui
estoit. Si cuida bien enrager, tant estoit mal contente,
et disoit en soy mesmes qu'elle fera le guet sur celle
60 qui luy fait tort de son amy, et qui luy a baillé le
bont, et s'elle la peut rencontrer, ce ne sera pas sans
luy dire sa leçon, et egratigner le visage. Si se mist
au chemin en intencion d'executer ce qu'elle avoit
conclud. Quand elle fut venue au lieu desiré, moult
65 luy tardoit de rencontrer celle qu'elle hayt plus que
poison[7]. Si n'eut pas tant de constance que d'attendre qu'elle saillist de la chambre ou elle avoit fait
maintes bonnes cheres, mais s'advisa de prendre une
eschalle que ung couvreur avoit laissée lez[8] son
70 ouvrage tantdiz qu'il estoit allé disner. Elle dressa
ceste echelle a l'endroit de la cheminée de la cuisine
de l'ostel, ou elle vouloit estre pour saluer la compaignie. Car bien savoit que aultrement n'y pourroit
entrer. Ceste eschelle mise a point comme elle la
75 voulut avoir, elle monta jusques a la cheminée, a
l'entour de laquelle elle lya tres bien une moyenne
corde qu'elle trouva d'adventure. Et cela fait, tresbien, comme luy sembloit, elle se bouta dedans la[9]
dicte cheminée, et se commença a descendre et ung
80 pou avaler ; mais le pis fut qu'elle demoura en chemin, sans se povoir ravoir, ne monter, ne avaler,
quelque peine qu'elle y mist, et ce a l'occasion de
son derriere qui estoit beaucop gros et pesant, et
de sa corde qui rompit, par quoy ne se povoit res-
85 sourdre[10] ; et si estoit, Dieu scet, en merveilleux desplaisir, et ne savoit que faire ne que dire. Si s'advisa

---

[7] *V.* personne
[8] *V.* pres de
[9] *V.* dedans le bouhot de la
[10] *V.* p. en nulle maniere monter ne r.

qu'elle attendroit le couvreur et qu'elle se mettroit en
sa mercy, et l'appellera quand il viendra querre son
eschelle et sa corde. Elle fut bien trompée, car le
90 couvreur ne vint a l'œuvre jusques au lendemain
bien matin, pource qu'il fist trop grand pluye, dont
elle eut bien sa part, car elle fut toute percée [11].
Quand vint sur le soir, bien tart, nostre bouchiere
oyt [12] gens deviser en la cuisine. Si commença a
95 hucher, dont ilz furent bien esbahiz et effraiez, et
ne savoient qui les huchoit ne ou elle estoit. Toutesfoiz, quelque esbahiz qu'ilz fussent [13], il entendirent [14] encores ung peu, s'ilz oyrent la voix du par
avant arriere les hucher tres aigrement ; si cuiderent
100 que ce fut ung esperit, et le vindrent annuncer a leur
maistre, qui estoit en dortouer, et ne fut pas si vaillant d'y venir veoir que c'estoit, mais mist tout a
demain. Pensez la belle pacience que ceste bonne
femme eut, qui fut toute la nuyt en ceste cheminée ;
105 et de sa bonne adventure, et ne pleut long temps
aussi fort, ne si bien [15]. Lendemain, assez matin,
nostre couvreur revint a l'œuvre pour recouvrer la
perte que la pluye luy fist le jour devant. Il fut tout
esbahy de veoir son eschelle ailleurs qu'il ne la
110 laissa [16], et la cheminée lyée de sa corde : si ne savoit
qui ce avoit fait ne a quoy. Si s'advisa d'aller querre
sa corde, et monta a mont son eschelle, et vint
jusques a la cheminée, et destacha sa corde ; et de
bien venir [17], bouta sa teste dedans la cheminée [9], ou

---

[11] *V. ajoute* : et baignee jusques a la peau.
[12] *V. b.* estant en la cheminee o.
[13] *V. q.* esbahyssement ne paour quilz eussent
[14] *V.* escouterent
[15] *V. ajoute* : quil fist celle nuyt.
[16] *V.* lavoit laissee
[17] *V.* et comme dieu voulut

115 il vit nostre bouchiere plus simple q[u]'un chat baigné, dont il fut tres esbahy. « Et que faictes vous
icy, dame ? dit il ; voulez vous desrober les pouvres
religieux de ceans ? -- Helas ! mon amy, dist elle,
par ma foy, nenny. Je vous requier, aidez moy a
120 saillir d'icy, et je vous donneray ce que me vouldrez
demander. — Je m'en garderay bien, dist le couvreur,
si je ne sçay dont vous y venez. — Je le vous diray,
puis qu'il vous plaist, dit elle ; mais je vous prie,
qu'il n'en soit nouvelle. » Lors luy compta tout
125 du long les amours d'elle et du moyne, et la cause
dont elle venoit la. Le couvreur eut pitié d'elle, si
fist tant, a quelque [18] meschef que ce fut, moyennant sa
corde, qu'il la tira dehors, et l'amena en bas. Et elle
luy promist que, s'il tenoit [19] bonne bouche, elle luy
130 donneroit de la char [20] et de mouton pour fournir son
mesnage [21] pour toute ceste année ; ce qu'elle fist. Et
l'autre tint si secret son cas que chacun en fut
adverty.

---

18 *V*. c. ouyant ces paroles eut ... tant a **quelque peine**
et q.
19 *V*. portoit
20 *V*. chier
21 *V*. mesaige

LA XLIᵉ NOUVELLE,

PAR

MONSEIGNEUR DE LA ROCHE.

Ung gentil chevalier de Haynau, sage, subtil et
5 tresgrand voyageur, après la mort de sa tresbonne
femme et sage, pour les biens qu'il avoit trouvez en
mariage ne sceut passer son temps sans soy lyer
comme il fut par avant. Car il espousa une tresbelle
et gente damoiselle, non pas des plus subtiles du
10 monde ; car, a la vérité dire, elle estoit ung peu
lourde en la taille, et c'estoit en elle qui plus plaisoit
a son mary, pource qu'il esperoit par ce point mieulx
la duyre et tourner a la fasson qu'avoir la vouldroit.
Il mist sa cure et son estude a la fassonner, et de
15 fait elle luy obeissoit et complaisoit comme il le desiroit, si bien qu'il ne sceut mieulx demander. Et entre
aultres [1] choses, toutesfoiz qu'il vouloit faire l'amoureux jeu, qui n'estoit pas si souvent qu'elle eust bien
voulu, il luy faisoit vestir ung tres beau jaserant [2],
20 don[t] elle estoit bien esbahie ; et de prinsault
demanda bien a quel propos il la faisoit armer. Et
il luy respondit qu'on ne se doit point trouver a
l'assault amoureux sans armes. Et fut contente de
vestir ce jaserant [2] ; et n'avoit aultre regret que mon-
25 seigneur n'avoit l'assault plus au cueur, combien que

---

[1] *ms* aultrefoiz choses
[2] *V.* haubregon

ce luy estoit assez grand peine s'aucun plaisir n'en
fust ensuy. Et si vous demandez a quel propos son
seigneur ainsi la gouvernoit, je vous respons que la
cause qui a ce faire le mouvoit estoit affin que
30 madame ne desire pas tant l'assault amoureux, pour
la peine et empeschement de ce jaserant [2]. Mais combien qu'il fust bien sage, il s'abusoit de trop. Car si
le jaserant [2] a chacun assault luy eust cassé et dos
et ventre, si n'eust elle pas refusé le vestir, tant luy
35 estoit et doulx et plaisant ce qui s'ensuyvoit. Ceste
maniere de faire dura beaucop, et tant que monseigneur fut mandé pour servir son prince en la guerre,
et en aultre assault que le dessusdit. Si print congié
de madame et s'en alla ou il fut mandé. Elle demoura
40 a l'ostel en la garde et conduicte d'un ancien gentil
homme et d'aucunes damoiselles qui la servoient. Or
devez vous savoir qu'en cest hostel avoit gentil compaignon clerc, qui tresbien chantoit et jouoit de la
harpe, et avoit la charge de la despense. Et après
45 disner s'esbatoit voluntiers de la harpe. A quoy
madame prenoit tresgrand plaisir, et se rendoit souvent vers luy au son de la harpe. Tant y alla et tant
s'i trouva que le clerc la pria d'amours ; et elle,
desirant de vestir son jaserant [2], ne l'escondit pas,
50 ainçois luy dist : « Venez vers moy a telle heure et
en telle chambre, et je vous feray response telle que
vous serez content. » Elle fut beaucop merciée, et a
l'heure assignée, nostre clerc ne faillit pas de venir
hurter ou madame luy dist, qui l'attendoit de pié coy,
55 le bon jaserant [2] en son doz. A l'ouvrir [3] la chambre,
le clerc la vit armée ; si cuida que ce fust aultry [4]
qui fust embusché leens pour luy faire desplaisir ;

---

[3] *V.* Elle ouvrit
[4] *V.* aucun

dont il fut si treseffrayé que [5], de la grand paour
qu'il eut, il cheut a la renverse et descompta ne sçay
60 quants degrez si tresroiddement qu'a pou qu'il ne se
rompit le col. Mais toutesfoiz il n'eut garde, tant bien
luy aida Dieu et sa bonne querelle. Madame, qui le
vit en ce point et dangier, fut tres desplaisante et mal
contente. Si vint en bas et luy aida a sourdre, et
65 luy demanda dont luy venoit ceste paour. Et il luy
compta et dist que vrayement il cuidoit estre deceu.
« Vous n'avez garde, dit elle, je ne suis pas armée
pour vous faire mal. » Et en ce disant, monterent
arriere les degrez, et entrerent en la chambre.
70 « Madame, dit le clerc, je vous pry, dictes moy, s'il
vous plaist, qui vous meut de vestir ce jaserant [2]. »
Et elle, comme ung peu faisant la honteuse, luy respondit : « Et vous le savez bien. — Par ma foy,
sauf vostre grace, madame, dit il, se je le sceusse
80 je ne le demandasse [6] pas. — Monseigneur, dit elle,
quand il me veult baiser et parler d'amours me fait
en ce point habiller. Et je sçay bien que vous venez
icy a ceste cause ; et pour ce me suys mise en point.
— Madame, dit il, vous avez raison ; et aussi vous
85 me faictes souvenir que c'est la maniere des chevaliers d'en ce point faire adouber leurs dames. Mais
les clercs ont tout aultre maniere de faire, qui a mon
advis est trop plus belle et plus aisée. — Et quelle
est elle, dist la dame, je vous prie ? — Je la vous
90 monstreray », dit il. Lors la fist despoiller de son
jaserant [2] et du surplus de ses habillemens jusques
a la belle chemise, et il pareillement se deshabilla, et

---

[5] *V.* d. et a ceste occasion il f. sy tressubitement feru
et espovente q.

[6] *V.* demandisse

misrent a point le beau lit qui la estoit, et se coucherent tout dedans et se desarmerent de leurs che-
95 mises et passerent temps deux ou trois heures bien
plaisamment. Et avant partir, le gentil clerc monstra
bien a madame la coustume des clercs qu'elle beaucop loa et trop plus que celle des chevaliers. Assez
et souvent se rencontrerent depuis en la fasson des-
100 susdicte, sans qu'il en fust nouvelle, quoy que
madame fust [pou] subtille. A chef de piece, monseigneur retourna de la guerre, dont madame ne fut
pas trop joyeuse en son pardedans, quelque semblant
qu'elle montrast au pardehors. Et a l'heure de disner,
105 et car el savoit sa venue, il fut servy, Dieu scet comment. Ce disner se passa. Et quand vint a dire
graces, monseigneur se mist en son reng, et madame
print son quartier. Tantost que graces furent achevées et dictes, monseigneur, pour faire du bon mes-
110 nagier et du gentil compaignon, dist a madame :
« Allez tost en nostre chambre et vestez vostre jaserant ². » Et elle, recordant du bon temps qu'elle avoit
eu avec son clerc, respondit tout subit : « Ha ! monseigneur, la coustume des clercs vault mieulx. — La
115 coustume des clercs ! dit il. Et savez vous leur coustume ? » Si se commença a fumer, et coleur changer,
et se doubta de ce qui estoit, combien qu'il n'en
sceut oncques rien, car il fut tout a coup mis hors
de sa doubte. Madame ne fut pas si beste [qu'elle
120 n'aperceust] bien que monseigneur n'estoit pas content de ce qu'elle avoit dit ⁷. Si s'advisa de trouver ⁸
le ver : « Monseigneur, je vous ay dit que la cous-

---

⁷ *ms* Madame ne fut pas si beste que monsg^r n'estoit pas
content de ce quelle avoit dit tres bien ne s'apperceut
si sadvisa, etc.
⁸ *V.* changier

tume des clercs vault mieulx, et encores le vous dy
je. — Et quelle est elle ? dit il. — Ilz boivent après
125 graces. — Voire dya, dit il, saint Jehan ! vous dictes
vray, c'est leur coustume voirement, qui n'est pas
mauvaise ; et pource que vous la prisez tant, nous la
tiendrons doresenavant. » Si firent apporter du vin
et beurent ; et puis madame alla vestir son jaserant [2],
130 dont elle se fust bien passée. Car le gentil clerc luy
avoit monstré aultre fasson de faire qui trop mieulx
luy plaisoit. Comme vous avez oy fut monseigneur
par madame en sa response abusé. Et fault dire que
le sens subit qui luy vint a memoire a ce coup luy
135 descendit en la vertu du clerc, qui depuis luy monstra
foison [9] d'aultres tours, dont monseigneur en la fin
se trouva noz amis.

---

[9] *V*. m. la façon

LA XLIIᵉ NOUVELLE,

PAR

MERIADECH.

L'an cinquante dernier passé, le clerc d'u[n] village du diocese de Noyon, pour impetrer et gaigner
les pardons que furent a Romme, qui sont tels que
chascun sçait, se mist a chemin, en la compaignie
de plusieurs gens de bien de Noyon, de Compiegne,
et des lieux voisins. Mais avant son departement
disposa de ses besoignes bien et surement. Premierement de sa femme et de son mesnage, et le fait de
sa coustrerie recommenda a ung jeune gentil clerc
pour la deservir jusques a son retour. En assez bref
temps il vint a Romme, lui et sa compaignie, et feirent
chacun leur devocion et pelerinage le mains mal
qu'ilz sceurent. Mais vous devez savoir que nostre
clerc trouva d'adventure a Romme ung de ses compaignons d'escole du temps passé, qui estoit ou service d'un grand cardinal, et en grand autorité, qui
fut tresjoieux de l'avoir trouvé, pour l'accointance
qu'il avoit a luy. Et luy demande de son estat. Et
l'autre luy compta tout du long. Tout premier comment il estoit, helas ! maryé, son nombre d'enfans, et
comment il estoit clerc d'une paroiche. « Ha ! dit son
compaignon, par mon createur, il me [desplaist] [1]
bien que vous estes maryé. — Pourquoy ? dit l'autre.

---

[1] ms semble

— Je le vous diray, dit il. Ung tel cardinal m'a chargé
expressement que je luy trouve un serviteur pour estre
son notaire, qui soit de nostre marche. Et croiez que
30 ce seroit tresbien vostre fait, pour estre tost et largement pourveu [2], si ce ne fust vostre mariage, qui vous
fera repatrier, et espoir plus grand bien perdre que
vous n'y arez. — Par ma foy, dit le clerc, mon mariage
n'y fait rien, mon compaignon ; car, a vous dire
35 verité, je me suis party de nostre païs soubz umbre
du pardon qui est a present icy. Mais creez que ce
n'a pas esté ma principale intention. Car j'ay conclud
d'aller jouer deux ou trois ans par pays. Et pendant
ce temps, si Dieu vouloit prendre ma femme, jamais
40 ne fu si eureux. Et pourtant je vous requier que vous
soyez mon moyen vers ce cardinal que je le serve ;
et, par ma foy, je feray tant que vous ne avrez ja
reprouche pour moy. Et s'ainsi le faictes, vous me
fairez le plus grand service que jamais compaignon
45 fist a autre. — Puis que vous avez ceste volunté, dist
son compaignon, je vous servir[ay] [3] a ceste heure,
et vous logeray pour avoir bon temps, se a vous ne
tient. — Et, mon amy, je vous mercie », dit l'autre.
Pour abreger, nostre clerc fut logié avecques ce car-
50 dinal, laquelle chose il manda a sa femme ensemble
et son intencion, qui n'est pas de retourner pardela
si tost qu'il luy dist au partir. Elle se conforta, et luy
rescripst qu'elle fera le mieulx qu'elle pourra. Ou
service de ce cardinal se maintint et conduisist gen-
55 tement nostre bon clerc. Et fist tant a chef de piece
qu'il gaigna son [4] maistre, lequel n'avoit pas pou de

---

[2] *ms* prouveu
[3] *ms* servirez et
[4] *V.* g. de largent avec s.

regret qu'il n'estoit habile a tenir benefices, car largement l'en eust pourveu. Pendant le temps que
nostre dict clerc estoit ainsi en grace que dit est, le
60 curé de son village alla de vie a mort, et ainsi vaca
son benefice, qui estoit ou mois du pape, dont le
coustre, tenant le lieu de son compaignon estant a
Romme, se pensa qu'au plus tost qu'il pourroit il
courroit a Romme et feroit tant a l'ayde de son com-
65 paignon qu'il aura ceste cure. Il ne dormit pas, car
en pou de jours, après maintes peines et travaulx,
tant fist qu'il se trouva a Romme, et n'eut oncques
bien tant qu'il eust trouvé son compaignon, le clerc
servant le cardinal[5]. Après grosses recognoissances
70 et d'un costé et d'aultre, le clerc demanda de sa
femme ; et l'autre, esperant de luy faire ung tresgrand[6] plaisir, et affin que la besoigne dont il le
veult requerre en[7] vaille mieulx, luy respondit qu'elle
estoit morte, dont il mentoit. Car je tien qu'a ceste
75 heure elle saroit bien tanser son mary. « Dictes vous
doncques que ma femme est morte, dit le clerc, et je
prie a Dieu qu'il luy pardoint ses pechez. — Oy
vrayement, dit l'autre, la pestilence de l'année passée
avecques aultres pluseurs l'emporta. » Or faindoit il
80 ceste bourde, qui depuis luy fut cher vendue, pource
qu'il savoit que ce clerc ne s'estoit party de son païs
qu'a l'occasion[8] de sa femme, qui estoit trop peu
paisible, et que plus plaisant nouvelle d'elle ne luy
pourroit on apporter que de sa mort. Et a la verité
85 ainsi en estoit il, mais le rapport fut faulx. « Et qui
vous amaine en ce païs ? dist il, après pluseurs et

---

[5] *V. c.* lequel serviroit ung c.
[6] *V.* singulier
[7] *V.* requerir aucunement en
[8] *V.* lintencion

diverses devises. — Je le vous diray, mon compaignon et mon amy. Il est vray que le curé de nostre
vile est trespassé ; si vien vers vous pour, par vostre
90 bon moien, parvenir a son benefice. Si vous prie tant
que puis que me veillez aider a ce besoing. Je sçay
bien qu'il est en vous de le me faire avoir, a l'aide
de monseigneur vostre maistre. » Le clerc, pensant
sa femme estre morte et la cure de sa ville vacquer,
95 conclud en soy mesmes qu'il happera ce benefice, et
aultres encores, s'il y peut parvenir. Mais toutesfoiz
il ne le dit pas a son compaignon, ainçois luy dist
qu'il ne tiendroit pas a luy qu'il ne soit curé de leur
ville, dont il fut beaucop mercyé. Tout aultrement
100 alla. Car au lendemain nostre saint pere, a la
requeste du cardinal maistre de nostre clerc, luy
donna ceste cure. Si s'en vint ce clerc a son compaignon, quand il sceut ces nouvelles, et luy dist :
« Ha ! mon amy, par ma foy, vostre fait est rompu,
105 dont me desplaist bien. — Et comment ? dit l'autre.
La cure de nostre ville est donnée, dit il, mais je ne
sçay a qui. Monseigneur mon maistre vous a cuide
aider, mais il n'a pas esté en sa puissance de faire
vostre fait. » Qui fut bien mal content, ce fut celuy
110 qui estoit venu de si loing perdre sa peine et despendre son argent, dont ce ne fut pas dommage. Si
print congié bien piteux de son compaignon, et s'en
retourna en son païs, sans soy vanter de la bourde
qu'il a semée. Or retournons a nostre clerc, qui estoit
115 plus gay que une mitaine de la mort de sa femme,
et de la cure de leur ville que nostre saint Pere, a [9]
la requeste de son maistre, luy avoit donnée pour
recompense ; et disons comment il devint prestre a

---

[9] *V.* p. le pape a

Romme, et y chanta sa bien devote premiere messe.
120 Et print congié de son maistre pour ung espace de
temps, a venir par deça a leur ville prendre posses-
sion de sa cure. A l'entrée qu'il fist de leur ville,
de son bon eur la premiere personne qu'il rencontra
ce fut sa femme, dont il fut bien esbahy, je vous
125 asseure, et encores beaucop plus courroucé. « Et
qu'est ce cy, dist il, m'amye ? et on m'avoit dit que
vous estiez trespassée. — Je m'en suis bien gardée,
dit elle. Vous le dictes, ce croy je, pource que vous
l'eussez bien voulu ; et vous l'avez bien monstré, qui
130 m'avez laissée l'espace de cinq ans a tout ung grant
tas de petiz enfans. — M'amye, dit il, je suis bien
joyeux de vous veoir en bon point, et en loe Dieu de
tout mon cueur. Maudit soit qui m'en apporta aultres
nouvelles ! — Ainsi soit, dit elle. — Or je vous diray,
135 m'amye. Je ne puis arrester pour maintenant. Force
est que je m'en aille hastivement devers monseigneur
de Noyon, pour une besoigne qui luy touche ; mais
au plus bref que je pourray je vous verray [10]. » Il
se partit de sa femme et prend son chemin devers
140 Noyon. Mais Dieu scet s'il pensa au chemin a son
pouvre fait : « Helas ! dit il. Or suis je homme deffait
et deshonoré : prestre, clerc, et maryé ! Je [11] croy
que je suis le premier maleureux de cest estat. »
Il vint devers monseigneur de Noyon, qui fut bien
145 esbahy d'oyr son cas, et ne le sceut conseiller. Si le
renvoya a Romme. Quand il y fut venu, il compta
a son maistre, du long et du lé, toute la verité de
son adventure, qui en fut tresamerement desplaisant.
Au lendemain il compta a nostre saint Pere, en la

---

10 *V.* je retorneray
11 *V.* m. tout ensemble je

150 presence du college des cardinaulx et de tout le
conseil, l'adventure de son homme qu'il avoit fait
curé. Si fut ordonné qu'il demourra prestre et maryé
et curé aussi. Et demourra avec sa femme en la
façon que ung homme maryé honorablement et sans
155 reprouche et seront ses enfans legitimez et non bas-
tards, ja soit que le pere soit prestre. Mais au surplus, s'il est trouvé qu'il aille aultre part que a sa
femme, il perdra son benefice. Ainsi que avez oy fut
le galant [12] puny par faulx [13] donner a entendre de
160 son compaignon ; et fut contraint [14] de venir demourer sur son benefice, et qui plus et pis est, avecques
sa femme, dont il se fust bien passé si l'eglise ne
l'eust ordonné.

---

[12] *V.* ce povre clerc
[13] *V.* p. par la facon que dit est et par le f.
[14] *V.* content

LA XLIIIe NOUVELLE,

PAR

MONSEIGNEUR DE FIENNES.

N'a gueres que ung bon homme, laboureur et marchant et tenant sa residence en ung bon village de
la chastellenie de Lille, trouva façon et maniere, au
pourchaz de luy et de ses bons amis, d'avoir a femme
une tresbelle jeune fille qui n'estoit pas des plus
riches ; et aussi n'estoit son mary, mais tresconvoi-
teux estoit et homme[1] de grand diligence, et qui fort
tiroit d'acquerre et gaigner. Et elle d'aultre part mettoit peine d'entretenir[2] le mesnage selon le desirier
de son mary, qui a ceste cause l'avoit beaucop en
grace, lequel a mains de regret alloit souvent es
affaires de sa marchandise, sans avoir doubte ne
suspicion qu'elle feist aultre chose que bien. Mais le
pouvre homme sur ceste fiance tant y alla et tant la
laissa seule que ung gentil compaignon s'approucha ;
et pour abreger fist tant en pou de jours qu'il fut son
lieutenant, dont gueres ne se doubtoit celuy qui cuidoit avoir du monde la meilleur femme, et qui plus
pensast[3] a l'accroissement de son honneur et de sa
chevance. Ainsi n'estoit pas. Car elle abandonna tost
l'amour qu'elle luy devoit, et ne luy challut du
prouffit ne du dommage. Ce seullement luy suffisoit

---

[1] V. mais estoit h.
[2] V. daccroistre
[3] V. pensoit

qu'elle se trouvast avecques son amy, dont il en
advint ung jour ce qui s'ensuyt. Nostre bon marchant
dessusdit estant dehors, comme il avoit de coustume,
sa femme le fist tantost savoir a son amy, qui n'eust
30 pas failly voluntiers a son mandement, mais vint tout
incontinent. Et affin qu'il ne perdist temps, au plustost qu'oncques peut ne sceut s'approucha de sa
dame, et luy mist en terme pluseurs et divers propos
amoureux. Et pour conclusion, le desiré plaisir ne
35 luy fut pas escondit neant plus que aultresfoiz⁴, dont
le nombre n'estoit pas petit. De mal venir, tout a ce
beau cop que ses amours se⁵ faisoient, veez bon
mary d'arriver, qui trouve la compagnie en besoigne,
dont il fut bien esbahy, car il n'eust pas pensé que
40 sa femme fust telle. « Qu'est ce cy ? dist il. Par la
mort bieu, ribauld, je vous tueray tout roidde. » Et
l'aultre, qui se trouve surprins et en meffait present
achopé, ne savoit sa contenance ; mais car il le
savoit diseteux et fort souffreteux⁶, il luy dist tout
45 subit : « Ha ! Jehan, mon amy, je vous cry mercy,
pardonnez moy si je vous ay rien meffait, et par ma
foy je vous donray six rasures de blé. — Par Dieu,
dit il, je n'en feray rien ; vous passerez par mes
mains et auray la vie de vostre corps, si je n'en ay
50 douze raisieres. » Et la bonne femme, qui oyoit ce
debat, pour y mettre le bien comme elle estoit tenue,
s'avança de parler et dist a son mary : « Et Jehan,
beau sire, laissez luy achever ce qu'il a commencé,
je vous en requier, et vous aurez VIII rasieres. N'ara
55 pas ? dist elle, en se virant vers son amy. — J'en suis

---

4 *V.* q. es autres
5 *V.* v. et pour une partie et pour lautre tout a ceste belle
heure q. ces armes se
6 *V.* convoiteux

content, dit il, mais, par ma foy, c'est trop, ad ce que
le blé est cher. — Est ce trop ? dist le vaillant
homme ; et par la mort bieu, je me repens bien que
je n'ay dit plus hault, car vous avez forfait une
emende, s'il venoit a la cognoissance de la justice,
60 qui vous seroit beaucop plus tauxée ; pourtant
faictes vostre compte, j'en aray XII rasieres ou vous
passerez par la. — Et vrayement, [dit sa femme],
Jehan, vous avez tort de me desdire. Il me semble
que vous devez estre content, de ces huit rasieres et
65 pensez y c'est un grand tas de blé. — Ne m'en parlez
plus, dit il, j'en auray douze, ou je le tueray, et vous
aussi ! — A dya, dit le compaignon, vous estes ung
fort marchant ; et au mains, puis qu'il fault que
vous aiez tout a vostre dict, j'aray terme de paier.
70 — Cela veil je bien, mais j'aray mes douze rasieres. »
La noise s'appaisa, et fut prins jour de paier a deux
termes, les six rasieres au lendemain, et les aultres
a la Saint Remy prochainement venant, et ce par
l'ordonnance de sa femme comme moien, qui dist a
75 son mary : « Or ça, vous estes content, n'estes pas,
de recevoir vostre blé, comme j'ay dit. — Oy, vrayement, dit il. — Or vous en allez, dit elle, tant qu'il
ayt achevé ce qu'il avoit encommencé quand vous
sourvenistes ; aultrement son marché seroit nul, que
80 vous l'entendez. Car je l'ay mis en devise, s'il vous
en soubvient. — Saint Jehan ! il est ainsi, dit le bon
compaignon. Je n'yray pas a l'encontre de mon mot,
dist le bon marchand. Ja Dieu ne veille que en marché que je face on me trouve trompeur ne menson-
85 gier. Vous acheverez ce qu'avez entreprins, et j'aray
mes XII rasieres de blé aux termes dessusdictz. Veez
la nostre marchié, n'est pas ? — Oy, vrayement, dit
sa femme. — Et adieu donc, dist il ; mais toutesfoiz
qu'il n'y ait pas faulte que je n'aye demain six

90 rasieres de blé. — Ne vous doubtez, dit l'autre, je
vous tiendray promesse. » Ainsi [7] se partit le vaillant
homme de sa maison, joyeux en son courage, pour
ces douze rasieres de blé qu'il doit avoir. Et sa
femme et son amy recommencerent de plus belle. Du
95 payer soit a l'adventure, combien toustefoiz qu'il me
fut dit depuis que le blé fut payé et délivré au jour
et terme dessus dictz.

———

———

[7] *V. abrège* : p. venant par tel convenant quil leur laissa
achever ce quilz avoient encommence. Ainsi

LA XLIIIIe NOUVELLE,

PAR

MONSEIGNEUR DE LA ROCHE.

Comme il est aujourd'uy largement de prestres et
5 curez qui sont si gentilz compaignons que nulles des
folies que font et commettent les gens laiz ne leur
sont impossibles ne difficiles, avoit nagueres en ung
bon village de Picardie ung maistre curé qui faisoit
rage d'amer par amours. Et entre autres femmes et
10 belles filles de sa parroiche, il choisit et enoeilla [1]
une tresbelle jeune et gente fille a marier ; et ne fut
pas si peu hardy qu'il ne luy comptast tout du long
son cas. De fait, son bel et asseuré langage, cent
mille promesses et autretant de bourdes, la menerent
15 ad ce qu'elle estoit assez comme contente d'obeyr a
ce curé, qui n'eust pas esté ung petit dommage, tant
estoit belle et gente et de plaisans manieres ; et
n'avoit en elle que une faulte, c'estoit qu'elle n'estoit
pas des plus subtilles du monde. Toutesfoiz je ne
20 sçay dont luy vint cest advis ne maniere de respondre. Elle dist ung jour a son curé, qui chaude-
ment poursuyvoit sa besogne, qu'elle n'estoit pas
conseillée de faire ce qu'il requeroit tant qu'elle fust
a marier [2]. Car si par adventure, comme il advient
25 chacun jour, elle faisoit ung enfant, elle seroit a tous-

---

[1] *V*. f. il c. et chercha
[2] *V*. f. mariee

joursmés femme deshonorée et reprouchée de son
pere, de sa mere, [de] ses freres et de tout son
lignage. Laquelle chose elle ne pourroit souffrir, et
n'a pas cueur pour soustenir et porter le desplaisir
30 et ennuy qu'endurer luy conviendroit a[3] ceste occasion. « Et pourtant hors de ce propos, si je suis
quelque jour mariée, parlez a moy, je feray ce que
je pourray pour vous, et non aultrement ; affin que
vous ne vous y actendez point, je le vous dy, et m'en
35 creez une foiz pour toutes. » Monseigneur le curé ne
fut pas trop joyeux de ceste response absolue ; et ne
scet penser de quel courage, ne a quel propos elle
part. Toutesfoiz, luy [qui] estoit prins ou las
d'amours et feru bien a bon escient, ne veult pas
40 pourtant sa queste abandonner. Si dit a sa dame :
« Or ça, m'amye, estez vous en ce fermée et conclue
que de rien faire pour moy si vous n'estes mariée ?
— Certes oy, dit elle. — Et si vous estiez mariée,
dit il, et j'en estoie le moien et la cause, en ariez vous
45 après cognoissance, en moy tenant loyaument sans
faulseté ce que m'avez promis ? — Par ma foy, dit
elle, oy, et de rechef le vous promectz. — Or bien
grand mercy, dit il, faictes bonne chere, et je vous
promectz seurement qu'il ne demourra pas a mon
50 pourchaz ne a ma chevance que vous ne le soiez,
et bref. Car je suis seur que vous ne le desirez pas
tant que je faiz. Et affin que vous voiez a l'œil que
je suis celuy qui veil emploier et corps et biens en
vostre service, vous verrez comment je me conduiray
55 en ceste besoigne. — Or bien, dit elle, monseigneur
le curé, l'on verra comment vous ferez. » Sur ce se
fist la despartie. Et bon curé, qui avoit le feu

---

[3] *V.* le d. que porter lui fauldroit a
[4] *V.* et non a. je

d'amours, ne fut depuis gueres aise tant qu'il eut
trouvé le pere de sa dame et se mist en langage
60 avecques luy de pluseurs et diverses materes. Et en
la fin il vint et cheut a parler de sa fille, et luy va
dire bon curé : « Mon voisin, je me donne grand
merveille, si font aussi pluseurs voz voisins et amys,
que vous ne mariez vostre fille, et a quel propos vous
65 la tenez tant d'emprès vous. Et si savez toutesfoiz
que la garde est perilleuse. Non pas, Dieu me veille
garder, que je dye ou voulsisse⁵ dire qu'elle ne soit
toute bonne ; mais vous en voiez tous les jours mes-
advenir puis qu'on les tient oultre le terme deu. Par-
70 donnez moy toutesfoiz que si fiablement vous ouvre
et descouvre mon courage. Car l'amour que je vous
porte, la foy aussy que je vous doy, en tant que je
suis vostre pasteur indigne, me semonnent et obligent
de ce faire. — Par Dieu ! monseigneur le curé, dist
75 le bon homme, vous ne dictes chose que je ne
cognoisse estre vraye ; et tant que je puis je vous
mercye ; et ne pensez pas ce que [je] la tiens si
longuement avecques moy, c'est malgré moy⁶. Car
quand son bien viendra, par ma foy, je me traveil-
80 leray pour elle, comme je doy. Vous ne voulez pas
que⁷ je luy pourchasse ung mary. Mais s'il en vient
ung qui soit homme de bien, je feray comme ung
bon pere doit faire. — Vous dictes tresbien, dit le
curé, et par ma foy, vous ne povez mieulx faire que
85 de vous en despescher, car c'est grand chose de veoir
ses enfans allyez en sa plaine vie. Et que diriez vous
d'un tel, le filz de tel, vostre voisin ? par ma foy, il
me semble bon homme, bon mesnagier, et ung grand

---

⁵ *V.* vueille
⁶ *V.* cest a **regret**
⁷ *V.* p. aussi n'est ce pas la coustume q.

laboureur. — Saint Jean, dit le bon homme, je n'en
90 dy que tout bien. Quant a moy je le cognois pour
ung bon jeune homme et bon laboureur ; son pere et
sa mere et tous ses parents sont gens de bien. Et
quand ilz feroient cest honneur a ma fille que de la
requerre a mariage pour luy, je leur en respondroye
95 tellement qu'ilz devroient estre contens par raison.
— Ainsi m'aist Dieu, dit le curé, l'on ne dist jamais
mieulx ; et pleust a Dieu que la chose en fust ores
bien faicte, ainsi comme je le desire. Et pource que
je sçay a la verité que ceste allyance seroit le bien
100 des parties, je m'y veil emploier ; et sur ce adieu
vous dy. » Si se maistre curé avoit bien fait son
personnage au pere de sa dame, il ne le fist pas
mains mal au pere du jeune homme qu'il avoit mis
en bouche a son beau pere qui sera s'il peut. Et luy
105 va faire ung grand premisse, que son filz estoit en
eage de marier, et qu'il le deust pieça estre. Et cent
mille raisons luy amene par lesquelles il dit et veult
conclure que le monde est perdu si son filz n'est
tantost [8] marié. « Monseigneur le curé, dit ce segond
110 bon homme, je scay que vous dictes au plusprès de
verité ; et [9] en ma conscience, si je fusse aussi bien
a l'avantage [10] que j'ay esté puis ne sçay quants ans,
il ne fust pas encores a marier ; car c'est une des
choses en ce monde que plus je desire ; mais faulte
115 d'argent l'en a retardé, et est force qu'il ait encores
pacience jusques ad ce que Nostre Seigneur nous
envoye plus de biens que encores n'avons. — A dya,
dit le curé, je vous entens bien, il ne vous fault que
de l'argent. — Par ma foy non, dit il. Si j'en eusse

---

[8] *V.* hastivement
[9] *V.* de mon couraige et
[10] *V.* a lavant

120 comme aultresfoiz ay eu, je luy querroye tantost une
femme. — J'ay regardé en moy, dit le curé, pource
que je vouldroye le bien et avancement de vostre filz,
que la fille d'un tel (c'est assavoir sa dame) seroit [11]
trop bien s'a charge ; elle est belle et bonne, et a
125 son pere bien de quoy, et tant en sçay je il luy veult
tresbien aider, et qui n'est pas pou de chose ; c'est
ung sages homs, de bon conseil, et bon amy, et a
qui vous et vostre filz ariez ung grand retour et tresbon secours. Qu'en dictes vous ? — Certainement, dit
130 le bon homme, pleust a Dieu que mon filz fust si
eureux que d'avoir allyance en si bon hostel. Et
certes si je pensoye en [12] aucune fasson qu'il y peust
parvenir, et je fusse fourny d'argent aussi bien que
je ne suis mye, je y emploiroye tous mes amis. Car
135 je sçay tout de vray qu'il ne saroit en ceste marche
mieulx trouver. — Je n'ay pas donc, dit le curé, mal
choisy. Et que diriez vous se je parloie de ceste
besoigne au pere, et je la conduisoie tellement qu'elle
sortist effect desiré. Et je vous [13] faisoie encores,
140 avecques ce, le plaisir que de vous prester jusques
a vingt frans jusques a ung terme que nous devi-
serions ? [14] — Par ma foy, dit le bon homme, monseigneur le curé, vous m'offrez plus de biens que je
ne vaulz ne qu'en moy n'est du deservir. Mais
145 s'ainsi le faisiez, vous m'obligeriez a tousjoursmés
a vostre service. — Et vrayement, dit le curé, je
ne vous ay dit chose que je ne face. Et faictes
bonne chere, car j'espere bien ceste besoigne mener
a fin. » Pour abreger, maistre curé, esperant de

---

[11] *V.* tel s.
[12] *V.* et croyez que se je sentoye en
[13] *V.* s. a l. ainsi que la chose le requiert et v.
[14] *V.* adviserons

150 joïr de sa dame quand elle seroit mariée, conduisit
les besoignes en tel estat, et par le moien des
vingt francs qu'il presta, ce mariage fut fait et
passé, et vint le jour des nopces. Or est il de coustume que l'espousé et l'espousée se confessent a tel
155 jour. Si vint l'espousé premier, et se confessa a ce
curé ; et quand il eut fait, il se tire ung petit arriere
de luy, disant ses oroisons et paternostres. Et veez cy
l'espousée qui se mect a genoux devant le curé et
se confesse. Quand elle eut tout dit, il parla voire
160 si hault que l'espousé, qui n'estoit pas loing, l'entendit tout du long, et dist : « M'amye, je vous prie
qu'il vous souvienne maintenant, car il est heure, de
la promesse que me feistes n'a gueres ; vous me pro-
mistes que quand vous seriez mariée que je vous
165 chevaucheroye ; or l'estes vous, Dieu mercy, par
[mon] moien et mon pourchaz, et moyennant mon
argent que j'ay presté. — Monseigneur le curé, dit
elle, je vous tiendray ce que je vous ay promis, si
Dieu plaist, n'en faictes nulle doubte. — Je vous en
170 mercie », dit il. Puis luy bailla l'absolucion, après
ceste devote confession, et la laissa courre. Mais
l'espousé, qui avoit oy ces parolles, n'estoit pas bien
a son aise. Toutesfoiz il n'estoit pas heure de faire
le courroucié. Après que toutes les solennitez de
175 l'eglise furent passées, et que tout fut retourné a
l'ostel, et que l'heure de coucher approuchoit, l'espousé vint a ung sien compaignon qu'il aimoit tresbien, et[15] luy pria qu'il luy feist garnison d'une
grosse poignée de verges, et qu'il la mist secretement
180 soubz le chevet de son lit, et l'autre le fist. Quand[16]

---

15 *V.* quil avoit et
16 *V.* lit. Quant

il fut heure, [l'espousée] fut couchée, comme il est de
coustume, et tint le coing du lit, sans mot dire. L'espousé vint assez tost après, et se mect a l'autre bort
du lit, sans l'approucher ne mot dire. Et a lendemain
185 se leve sans aultre chose faire, et caiche ses verges
dessoubz son lit. Quand il fut hors de la chambre,
veez cy bonnes matrones qui viennent, et trouvent
l'espousée ou lit, et ne fut pas sans demander comment c'est portée la nuyt, et qu'il luy semble de son
190 mary. « Ma foy, dit elle, veez la sa place, la loing »,
monstrant le bort du lit, « et veez cy la mienne. Il
n'approucha ennuyt de plus près et aussi n'ay je
de luy. » Elles furent bien esbahies et plus y penserent les unes que les aultres. Toutesfoiz s'accor-
195 derent elles ad ce qu'il l'a laissié par devocion, et
n'en fut plus parlé pour ceste foiz. La deuxiesme
nuyt vint, et se coucha l'espousée en sa place du jour
devant, et le mary arriere en la sienne, fourny de
ses verges, et ne luy fist aultre chose, dont elle
200 n'estoit pas contente. Et ne faillit pas de le dire au
lendemain a ses matrones, qui ne scevent que penser.
Les aucunes disoient : « Espoir qu'il n'est pas
homme. Il le fault esprouver, car jusques a la IIIJ^e
nuyt il a continué ceste maniere. Si fault dire qu'il
205 y ait a dire en son fait. Pourtant si la nuyt qui vient
il ne vous fait aultre chose, dirent elles a l'espousée,
[tirez] vers luy, si l'accolez et le baisez, et luy
demandez si on ne fait aultre chose en mariage. Et
s'il vous demande quelle chose vous voulez qu'il vous
210 face, dictes que vous voulez qu'il vous chevauche, et
vous orrez qu'il vous dira. — Je le feray », dit elle.
Elle ne faillit pas. Car quand elle fut couchée en sa
place de tousjours, le mary reprint son quartier et
ne s'avançoit aultrement qu'il avoit fait les nuiz pas-
215 sées. Si se vira tost vers luy et le print a bon braz

de corps et luy commence a dire : « Et venez ça, mon
mary, est ce la bonne chere que vous me ferez ?
Veez cy ja la cinquiesme nuyt que je suis avecques
vous, et si ne m'avez daigné approucher. Et par ma
220 foy, si je ne cuidasse qu'on feist aultre chose en
mariage, je ne m'y fusse ja boutée. — Et quelle
chose, dist lors, vous a l'on dit que l'on face en
mariage ? — On m'a dit, dit elle, qu'on y chevauche
l'un l'autre ; si vous prie que vous me chevauchez.
225 — Chevaucher, dit il, cela ne vouldroye je pas faire
encores, ne suis je pas si mal gracieux. — Helas, je
vous prie que vous si facez, car on le fait en mariage.
— Le voulez vous ? dit il. — Je vous en requier, dit
elle ; et en ce disant le baisa tresdoulcement. — Par
230 ma foy, dit il, je le faiz a grand regret. Mais puis
que vous le voulez le feray, mais je sçay bien que
vous ne vous en loerez ja. » Lors prend, sans plus
mot dire, ses verges de garnison, et descouvre madamoiselle et l'en batit tresbien et dos et ventre, jambes
235 et cuisses, tant[17] que le sang en sailloit de tous
costez. Elle crie, elle plore, elle se demaine, c'est
grand pitié que de la veoir. Elle maudit qui oncques
luy fist requerre d'estre chevauchée : « Je le vous
disoye bien », dit lors son mary. Après la prend entre
240 ses braz, et la roncina tresbien, qui luy fist oublier
la doleur des verges. « Et comment appelle on, dit
elle, ce que vous m'avez maintenant fait ? — On
l'appelle, dit il, souffle en cul. — Souffle en cul ! dit
elle, le nom n'est pas si beau que de chevaucher ;
245 mais la maniere du faire vault trop mieux d'assez, et
puisque[18] je le sçay, je sceray bien doresenavant

---

17 *V.* v. tant
18 *V.* myeulx que de chevauchier, cest assez p.

duquel je vous doy requerre. » Or devez vous savoir
que monseigneur le curé tendoit tousjours l'oreille
quand sa nouvelle mariée viendroit a l'eglise, pour
250 luy ramantevoir ses besoignes, et luy [faire] souvenir de sa promesse. Le jour qu'elle y vint, se pourmenoit et se tenoit près du benoistier. Et quand elle
fut près, il luy bailla de l'eaue beneite, et luy dist
assez bas : — « M'amye, vous m'avez promis que
255 je vous chevaucheroie quand vous seriez mariée.
Vous l'estes, Dieu mercy, si seroit heure de penser
quand ce pourroit estre. — Chevaucher ? dit elle,
j'aymeroie par Dieu mieulx que vous fussez noyé,
voire pendu ; ne me parlez point de chevaucher. Mais
260 je suis contente que vous me soufflez ou cul, si vous
voulez. — Et je feray, dit le curé, voz fievres quar-
taines, paillarde que vous estes, qui tant estes et
orde et sale et malhonneste ! Ay je tant fait pour
vous que d'estre guerdonné pour vous souffler ou
265 cul ? » Ainsi mal content se partit monseigneur le
curé de la nouvelle mariée, qui se va mettre en son
siege pour oyr la devote messe que le bon curé vouldra dire. En la fasson qu'avez oy dessus perdit monseigneur le curé son adventure de joïr de sa dame,
270 dont il fut cause et non aultre, pource qu'il parla
trop hault a elle le jour qu'il la confessa. Car son
mary qui l'oyt l'empescha en la fasson que dessus,
par faire acroire a sa femme que la fasson de ron-
cyner s'appelle souffle en cul.

LA XLVe NOUVELLE,

PAR

MONSEIGNEUR DE LA ROCHE.

Combien que nulle des histoires precedentes[1]
n'ayent touché ou racompté aucun cas advenu es
marches d'Ytalie, mais seullement face mencion des
advenues en France, Alemaigne, Angleterre, Flandres
et Brabant, si s'estendra elle toutesfoiz, a cause de
la fresche advenue, a ung cas a Romme nagueres
advenu et connus, qui fut tel. A Romme avoit ung
Escossois de l'eage d'environ vingt a XXIJ ans, lequel
par l'espace de XIIIJ ans se maintint et conduisit en
l'estat et habillement de femme, sans ce que dedans
le dit terme il fust venu a la cognoissance publicque
qu'il fust homme[2] ; et se faisoit appeller donne Margarite. Et n'y avoit gueres bon hostel en la ville de
Romme a rate de temps ou[3] il n'eust son tour et
cognoissance, et specialement estoit il bien venu des
femmes, comme entre les chambrieres, meschines de[4]
bas estat, et aussi des aucunes des plus grandes de
Romme. Et affin de vous descouvrir l'industrie de ce
bon Escossois, il trouva fasson d'apprendre a blanchir les draps linges, et s'appelloit la lavendiere. Et
soubz cest umbre, hantoit, comme dessus est dit, par

---

1 *ms* et
2 *V.* p. des hommes
3 *V.* romme ou
4 *V.* m. et aultres femmes de

25 tout es bonnes maisons de Romme, car il n'y avoit
femme qui sceust l'art de blanchir draps comme il
faisoit. Mais vous devez savoir qu'encores savoit il
bien plus. Car puis qu'il se trouvoit en quelque part
a descouvert avecques quelque belle fille, il luy mons-
30 troit qu'il estoit homme. Il demouroit bien souvent
[au coucher] 5, a cause de faire la buée, ung jour et
deux jours, es maisons dessus dictes ; et le faisoit on
coucher avecques la chambriere et aucunes foiz avecques la fille. Et bien souvent et le plus, la maistresse,
35 si son mary n'y estoit, vouloit bien avoir sa compaignie. Et Dieu scet s'il avoit bien le temps, et moyennant le labour de son corps, il estoit bien venu par
tout ; et n'y avoit bien souvent meschine ne chambriere qui ne se combatist pour luy bailler la moitié
40 de son lit. Les bourgois mesmes de Romme, a la
relacion de leurs femmes, le v[c]oient tres voluntiers
en leurs maisons. Et s'ilz alloient quelque part
dehors, tresbien leur plaisoit que donne Margarite
aidast a garder le mesnage avecques leurs femmes ;
45 et qui plus est la faisoient coucher avecques elles,
tant la sentoient bonne et honeste, comme dessus est
dit. Par l'espace de XIIIJ ans continua donne Margarite sa maniere de faire. Mais fortune bailla la
cognoissance de l'abus 6 de son estat dessus dit par
50 la bouche d'une jeune fille, qui dist a son pere qu'elle
avoit couché avec elle, et luy dist qu'elle l'avoit
assaillie, et luy dist veritablement qu'elle estoit
homme. Ce pere feist preuve a la relacion de sa fille
de donne Margarite. Elle 7 fut regardée par ceulx de
55 la justice, qui trouverent qu'elle avoit tous telz

---

5 *ms* bien j(?)ouscher
6 *V.* lembusche
7 *V.* f. prendre done m. a la r. de sa f. elle

membres et oustilz que les hommes portent, et que
vrayement elle estoit homme, et non pas femme. Si
ordonnerent qu'on le mectroit sur ung chariot et
qu'on le mainroit par la ville de Romme, de quarre-
60 four en quarrefour, et la monstreroit on, voyant chacun, ses genitoires. Ainsi en fut fait. Et Dieu scet
que la pouvre donne Margarite estoit honteuse et
soupprinse ! Mais vous devez savoir que comme le
chariot venist en ung quarrefour, et qu'on faisoit
65 ostension des denrées de donne Margarite, ung
Rommain qui le vit dist tout hault : « Regardez quel
galiofle : il a couché plus de vingt nuiz avecques
ma femme. » Et le dirent aussi pluseurs aultres
comme luy. Pluseurs ne le dirent point qui bien le
70 savoient, mais pour leur honneur ilz s'en teurent. En
la fasson que vous oyez fut puny nostre pouvre
Escossois qui la femme contrefist. Et après ceste
punicion il fut banny de Romme, dont les femmes
furent bien desplaisantes. Car oncques si bonne
75 lavendiere ne fut, et avoyent bien grand regret [8] que
si meschantement l'avoient perdu.

---

8 *V.* deul

LA XLVIᵉ NOUVELLE,

PAR

MONSEIGNEUR DE THIENGES. [1]

Ce n'est pas chose estrange que les moynes hantent
voluntiers les nonnains. A ce propos il advint
nagueres que ung maistre jacobin tant hanta, visita
et frequenta en une bonne maison de dames de religion de ce royaume, qu'il parvint a son intencion,
laquelle estoit de coucher avec une des dames de
leens. Et Dieu scet puis qu'il eut ce bien s'il estoit
diligent et soigneux de se trouver vers elle qu'il
amoit plus que tout le demourant du monde. Et tant
y continua sa hantise que l'abbesse de leens et pluseurs des religieuses se parceurent de ce qui estoit,
dont elles furent bien malcontentes. Mais toutesfoiz,
pour eviter esclandre, elles n'en dirent mot, voire au
religieux, mais trop bien chanterent la leczon a la
religieuse nonnain, laquelle se sceut bien excuser.
Mais l'abbesse qui veoit cler et estoit bien percevant,
cogneut tantost a ses responses et excusances, aux
manieres qu'elle tenoit et aux apparences qu'elle
avoit veues, qu'elle estoit coulpable du fait ; si voulut
pourvoir de remede, car elle fist tenir bien de court,
a cause de ceste religieuse, toutes les aultres, fermer
les huys des cloistres et des aultres lieux de leens,
et tellement fist que le pouvre jacobin ne povoit plus

---

[1] *V.* thieurges

venir veoir sa dame. Si luy en desplaisoit, et a elle
aussi, il ne le fault pas demander. Et vous dy bien
qu'ilz pensoient, et jour et nuyt, par quelle façon
30 et moien ilz se pourroient rencontrer ; mais ilz n'y
savoient engin trouver, tant faisoit faire le guet sus
eulx madame l'abbesse. Advint toutesfoiz ung jour
que une des niepces de madame l'abbesse se marioit,
et faisoit sa feste a l'abbaye ; et y avoit grosse
35 assemblée de gens du païs ; et estoit madame l'abbesse fort empeschée de festoyer les gens de bien qui
estoient venuz a la feste faire honneur a sa niepce.
Si s'advisa bon jacobin qu'il viendroit veoir sa dame,
et que a l'adventure pourroit il estre si eureux que
40 de la trouver en belle. Il y vint, comme il proposa,
et de fait trouva ce qu'il queroit. Et a cause de la
grosse assemblée, et de l'empeschement que l'abbesse
et ses guectes avoient, il eut bien loisir de dire a sa
dame ses doleances et regretter le bon temps passé.
45 Et elle, qui beaucop l'amoit, le vit tresvoluntiers, et
si en elle eust esté elle luy eust fait aultre chere.
Entre aultres parolles il luy dist : « Helas ! m'amye,
vous savez qu'il a ja long temps que point ne sommes devisez [2] ainsi que nous soulions. Je vous
50 requier, s'il est possible, tantdiz que l'ostel de ceens
est fort donné a aultre chose(s) que a nous guetter,
que vous me diez ou je pourray parler a vous a part.
— Ainsi m'aist Dieu, dit elle, mon amy, je ne le
desire pas mains que vous. Mais je ne sçay penser
55 ne lieu ne place ou ce se puisse faire ; car tout le
monde est par ceens, et ne seroit pas en moy d'entrer
en ma chambre, tant y a d'estrangiers logez qui sont
venuz a ceste feste. Mais je vous diray que vous

---

[2] *V.* fumes deviser

ferez. Vous savez bien le grand jardin de ceens,
60 faictes pas ? — Saint Jehan ! oy, dit il. — Au coing
de ce jardin, dit elle, a ung tresbeau preau bien
enclos de belles hayes, fortes et espesses, et au
milieu ung grand poirier, qui rendent le lieu umbragé
et couvert. Vous en yrez la et m'actendrez ; et tantost
65 que je pourray eschapper je feray ma diligence de
me trouver bientost vers vous. » Elle fut beaucop
merciée, et dit bien maistre jacobin qu'il s'i en va
tout droit. Or devez vous savoir que ung jeune galant
venu a la feste n'estoit gueres loing de ces deux
70 amans qui oyt et entendit toute leur conclusion. Si
s'advisa, car il savoit le preau, qu'il s'i viendra embuscher pour veoir les armes qui s'i feront. Il[3] se
mist hors de la presse, et tant que piez le peurent
porter, il s'en court devers ce preau et fist tant qu'il
75 y fut devant le jacobin. Et luy la venu, il monte sur
ce beau poirier qui estoit large et ramu, tresbien
vestu de fueilles et de poires, et s'i embuscha si bien
qu'il n'estoit pas aisié a veoir. Il n'y eut gueres esté
que veez cy bon jacobin qui attrotte, regardant der-
80 riere luy si ame le suyvoit. Et Dieu scet qu'il fut
bien joyeux de se trouver en ce beau lieu, et se garda
bien de lever les yeulx contre mont le poirier ; car[4]
jamais ne se fust doubté qu'il y eust quelque ung :
mais tousjours avoit l'œil vers le chemin qu'il estoit
85 venu. Tant regarda qu'il vit sa dame venir le grand
pas, qui fut tost d'emprès luy. Si se firent grand
feste ; et bon jacobin d'oster sa gonne et son sca-
pulaire[5], et de baiser et accoller bien serrément la

---

[3] *V.* sadvisa et proposa en soy de sen aler e. p. v. le
deduit et l. a. quilz avoient entreprins de faire. Il
[4] *V.* c. car
[5] *V.* son manteau et son capullaire

belle nonnain. Ilz vouldrent[6] faire ce pour quoy ilz
90 estoient venuz : et se mist chacun en point, et en ce
faisant commence a dire la nonnain : « Pardieu,
mon amy frere Aubry, je veil bien que vous sachez
que vous avez aujourd'uy a dame et en vostre commendement ung des beaulx corps de nostre religion ;
95 et je vous en fais juge. Vous le voiez : regardez quelz
tetins, quel ventre, quelles cuisses, et du surplus il
n'y a que dire. — Par ma foy, dist frere Aubry, seur
Jehanne m'amye, je cognois ce que vous dictes. Mais
aussi vous povez dire que vous avez a serviteur ung
100 des beaulx religieux de tout nostre ordre, aussi bien
fourny de ce que ung homme doit avoir que nul de
ce royaume[7]. » Et a ces motz mist la main au baston
dont il vouloit faire ses armes, et le brandissoit
voyant sa dame, en luy disant : « Qu'en dictes vous ?
105 que vous en semble ? n'est il pas beau ? vault il pas
bien une belle fille ? — Certes oy, dit elle. — Et
aussi l'arez vous. — Et vous arez, dist lors celuy
qui estoit dessus le poirier, sur eulx, tous des meilleures poires du poirier. » Lors prend a ses deux
110 mains les branches du poirier, et fait tumber en bas
sur eulx et ou preau des poires treslargement, dont
frere Aubry fut t[an]t[8] effraié que a peu s'il eut
sens ne loisir de reprendre sa gonne[9]. Si s'en picque
tant qu'il peut sans attendre[10], et ne fut oncques
115 asseur tant qu'il fut hors de leens. Et la nonnain, qui
fut autant ou plus effrayée que luy, ne sceut si tost
se mectre au chemin que le galant qui estoit sur le

---

6 *V.* voulurent
7 *V.* nul autre
8 *ms* tout
9 *V.* son manteau
10 *V.* arrester

poirier ne fut descendu, qui la va prandre par la
main et luy defendit le partir, et luy dist : « M'amye,
120 ainsi n'en yrez vous ; il [11] vous fault bien premier
paier le fruictier. » Elle, qui estoit prinse et soupprinse, vit bien que le refus n'estoit pas de saison,
et fut contente que le [fruictier] [12] fist ce que frere
Aubry avoit laissié en train.

---

[11] *V.* mamye il
[12] *ms en blanc*

LA XLVIIe NOUVELLE,

PAR

MONSEIGNEUR DE LA ROCHE.

En Provence avoit nagueres ung president de
5 haulte et bien eureuse renommée, qui tresgrand clerc
et prudent estoit, vaillant aux armes, discret en conseil ; et en bref dire, en luy estoient tous les biens
de quoy l'on pourroit jamais loer homme. D'une
chose tant seulement estoit noté dont il n'estoit pas
10 cause, mais estoit celuy a qui plus en desplaisoit ; et
la raison y estoit bonne. Et pour dire la note que de
luy estoit, c'estoit qu'il estoit coupault[1] par faulte
d'avoir femme aultre que bonne. Le bon seigneur
veoit et cognoissoit la desloyauté de sa femme, et la
15 trouvoit encline de tous poincts a sa puterie. Et
quelque sens que Dieu luy eust donné, il ne savoit
remede a son cas, fors de soy taire et faire du mort ;
car il n'avoit pas si peu leu et veu en son temps
qu'il ne sceust vrayement que correction n'a point de
20 lieu a femme de tel estat. Toutesfoiz vous povez
penser que ung homme de courage et vertueux,
comme cestuy estoit, ne vivoit pas bien a son aise ;
mais fault dire et conclure que son dolent cueur
portoit la paste au four de ceste maladie infortune.
25 Et car au pardehors avoit maniere et semblant de
rien savoir et percevoir le gouvernement de sa femme,

---

[1] *V.* coux

ung de ses serviteurs le vint trouver ung jour en sa
chambre, a part, et luy va dire par grand sens :
« Monseigneur, je suis celuy qui vous vouldroye
30 advertir, comme je doy, de tout ce qui peut especialement toucher a vostre honneur. Je me suis prins et
donné garde du gouvernement de madame vostre
femme, mais je vous asseure qu'elle vous garde tresmal la loyauté qu'elle vous a promise : car seurement
35 un tel (qui luy nomma) tient vostre lieu bien souvent. » Le bon president, sachant aussi bien ou
mieulx l'estat de sa femme que son serviteur qui
faisoit ce rapport, luy² respondit tresfierement :
« Ha ! ribauld, je sçay bien que vous mentez de tout
40 ce que me dictes. Je cognois trop ma femme : elle
n'est pas telle, non. Et vous ay je nourry pour me
rapporter une telle bourde, voire de celle qui tant est
bonne et loyale ? Et vrayement vous ne m'en ferez
plus : dictes que je vous doy, et vous en allez tost,
45 et ne vous trouvez jamais devant moy, si cher que
vous amez vostre vie ! » Le pouvre serviteur, qui cuidoit faire grand plaisir a son maistre, de son
adve[rtance]³, dist [ce] qu'il luy devoit⁴. Il le
receut et s'en alla. Nostre president, voyant encores
50 de plus en plus rafresch[i]r⁵ la desloyauté de sa
femme, estoit tant mal content et si tresfort troublé
qu'on ne pourroit plus. Si ne savoit que penser ne
ymaginer par quelle façon il s'en pourroit honestement descharger. Si s'advisa, comme Dieu le voult,
55 ou comme Fortune le consentit, que sa femme devoit
aller a unes nopces assés tost ; et si ce qu'il pense

---

² *V.* s. bien lestat de sa f. lui
³ *ms* adventure
⁴ *V. ajoute*: Le president lui baille, et
⁵ *ms* rafrescher

peut advenir, il sera du monde le mieulx fortuné. Il
vint a ung varlet qui la garde avoit de ses chevaulx,
et d'une belle mule qu'il avoit, et luy dit : « Garde
60 bien que tu ne bailles a boire a ma mule de nuyt
ne de jour, tant que je le te diray ; et a chacune foiz
que tu luy donneras son avene, si mectz parmy une
bonne poignée de sel ; et garde que n'en sonnez mot.
— Non feray je, dit le varlet, et si feray ce que me
65 commendez. » Quand le jour des nopces de la cousine de madame la presidente approucha, elle dist
au bon president : « Monseigneur, si c'estoit votre
plaisir, je me trouveroye voluntiers aux nopces de
ma cousine, qui se feront dimenche en ung tel lieu.
70 — Tresbien, m'amye, j'en suis bien content. Allez,
Dieu vous conduye. — Je vous mercie, monseigneur,
dit elle, mais je ne sçay bonnement comment y aller ;
je n'y menasse point voluntiers mon chariot, pour le
tant pou que j'ay a y estre ; vostre hacquenée aussi
75 est tant deffrayée [6] que je n'oseroie pas bien emprendre le chemin sur [7] elle. — Eh bien ! m'amye, si prenez ma mule. Elle est tresbelle et si va bien et doulx,
et est aussi seure du pié que je n'en trouvay
oncques point. — Et, par ma foy, monseigneur, dit
80 elle, je vous en mercye ; vous estes bon mary. » Le
jour de partir vint, et se firent prestz les serviteurs
de madame la presidente et ses femmes qui la
devoient servir et accompaigner ; [pareillement vont
venir a cheval deux ou trois gorgyas qui la devoient
85 acompaigner], qui demandent si madame est preste.
Et elle leur fait savoir qu'elle viendra maintenant.
Elle fut preste et vint en bas, et luy fut amenée la
belle mule au montouer, qui n'avoit beu de viij

---

[6] *V.* desroyee
[7] *V.* entreprendre le c. sus

jours ; et enrageoit de soif, tant avoit mengé de sel.
90 Quand elle fut montée, les gorgias se misrent devant,
qui faisoient fringuer leurs chevaulx, et estoit rage
qu'ilz faisoient [8] bien et hault. Et se pourroit bien
faire que aucuns de la compaignie savoient bien que
madame savoit faire. En la compaignie de ces gentilz
95 gorgyas, de ses serviteurs et de ses femmes, passa
madame par la ville, et se vint trouver aux champs.
Et tant alla qu'elle vint a ung destroict auprès duquel
passe la grosse riviere du Rosne, qui en cel endroit
est tant roidde que merveilles. Et comme ceste mule,
100 qui de viij jours n'avoit beu, parceut la riviere, courant sans demander pont ne passage, elle de plain
vol saulta dedans a tout sa charge, qui estoit du
precieux corps de madame. Ceulx qui la virent la
regarderent tresbien ; mais aultre secours ne luy
105 firent, car aussi il n'estoit pas en eulx. Si fut madame
noyée, dont ce fut grand dommage. Et la mule,
quand elle eut beu son saoul, naigea tant par le
Rosne qu'elle trouva la rive ; si fut sauvée. La [9] compaignie fut moult troublée, qui eut perdu madame ; si
110 s'en retourna en la ville. Et vint ung des serviteurs
de monseigneur le president le trouver en sa chambre, qui n'actendoit aultre chose que les nouvelles
qu'il luy dist ; et luy va dire tout plorant la piteuse
adventure de madame sa maistresse. Le bon presi-
115 dent, plus joyeux en cueur qu'oncques triste ne fut,
se monstra tresdesplaisant ; et de fait se laissa
cheoir du hault de luy, menant trespiteux dueil en
regretant sa bonne femme. Il maudissoit sa mule, les
belles nopces qui firent sa femme partir ce jour. « Et

---

[8] *V.* sailloient
[9] *V.* quelle trouva lissue et saillit dehors. La

120 Dieu ! dit il, ce vous est grand reprouche qui estiez
tant de gens et n'avez sceu rescourre la pourve
femme qui trestant vous amoit ; vous estes lasches
et meschans, et l'avez bien monstré ! » Le serviteur
s'excusa et les aultres aussi, le mains mal qu'ilz
125 sceurent ; et laissa monseigneur le president, qui loa
Dieu a joinctes mains de ce qu'il est quicte [10] de sa
femme. Quand point fut, il fist faire ses funerailles
comme il appartint. Mais croiez, combien qu'encores
il fust en eage, il n'eut garde de se rebouter en
130 mariage, craignant le dangier ou tant avoit esté.

_____

[10] *V.* est si honnestement q.

LA XLVIIIe NOUVELLE,

PAR

MONSEIGNEUR DE LA ROCHE.

Ung gentil compaignon devint amoureux d'une
jeune damoiselle qui n'a gueres estoit mariée. Et le
mains mal qu'il sceut, après qu'il eut trouvé façon
d'avoir vers elle accointance, il compta son cas, et
au rapport qu'il fist, il sembloit fort malade ; et a
la verité dire, aussi estoit il bien picqué. Elle fut bien
si gracieuse qu'elle luy bailla bonne audience, et
pour la premiere foiz il se partit trescontent de la
response qu'il eut. S'il estoit bien feru auparavant,
encores fut il plus touché au vif quand il eut dit son
fait. Si ne dormoit ne nuyt ne jour, de force de
penser a sa dame et de trouver la façon et maniere
de parvenir a sa grace. Il retourna a sa queste quand
il vit son point. Et Dieu scet, s'il avoit bien parlé la
premiere foiz, que encores fist il mieulx son personnage a la deuxiesme, et si trouva de son bon eur
sa dame assez encline a passer sa requeste, dont il
ne fut pas moyennement joyeux. Et car il n'avoit pas
tousjours ne le temps ne le loisir de se trouver [1] vers
elle, il luy dist a ceste foiz la bonne volunté qu'il
avoit de luy faire service et en quelle façon. Il en
fut mercyé de celle qui estoit tant gracieuse qu'on ne
pourroit plus. Bref il trouva en elle tant de cour-

---

[1] V. soy tenir

toisie en maintien et en parler qu'il n'en sceust plus
demander par raison. Si [2] se cuida avancer de la
baiser, mais il en fut refusé de tous poins ; mesme
30 quand vint au partir et au dire adieu, il [3] n'en peut
oncques finer, dont il fut tresesbahy. Et quand il fut
en sus d'elle, il se doubta beaucop de point parvenir
a son intencion, veu qu'il ne povoit obtenir d'elle
ung seul baiser. Il se confortoit d'aultre costé des
35 gracieuses parolles qu'il eut au dire adieu, et de
l'espoir qu'elle luy baille. Il revint comme aultresfoiz
a sa queste ; et pour abreger, tant y alla et tant y
vint qu'il eut heure assignée de dire a sa dame, a
part, le surplus de ce qu'il ne vouldroit dire, sinon
40 entre eulx deux. Et, car temps estoit, il print congé
d'elle. Si l'embrassa bien doulcement et la voulut
baiser ; et elle s'en defend tresbien et luy dit assez
rudement : « Ostez, ostez vous, et me laissez, je n'ay
cure d'estre baisée. » Il s'excusa le plus gracieuse-
45 ment que oncques sceut, et sur ce se partit. « Et
qu'est cecy ? dist il en soy mesmes ; je ne vy jamais
ceste maniere en femme. Elle me fait la meilleure
chere du monde, et si m'a desja accordé tout ce que
je luy ay osé requerre ; mais encores n'ay je peu
50 finer d'un pouvre baiser. » Quand il fut heure, il vint
ou sa dame luy avoit dit, et fist tout ce pour quoy
il y vint tout a son beau loisir. Car il coucha entre
ses braz toute la belle nuyt, et fist tout ce qu'il voulut, fors seullement baiser, et de cela n'eust il jamais
55 finé. « Et [4] je n'entens point ceste maniere de faire,
disoit il en son pardedens. Ceste femme est contente

---

2 *V.* d. si
3 *V.* p. il
4 *V.* v. excepte seulement le b. pour laquelle cause il ses-
merveilloit moult en soy mesmes. Et

que je couche avecques elle et que je face tout ce
qu'il me plaist ; mais du baiser je n'en fineroye neant
plus que de la vraye croix ? Par la mort bieu ! je ne
60 sçay entendre cecy. Il fault qu'il y ait quelque mistere ; il est force que je le sache. » Ung jour entre
les aultres qu'il estoit avecques sa dame en gohettes,
et qu'ilz estoient beaucoup de het tous deux :
« M'amye, dist il, je vous requier que vous me dictes
65 la cause qui vous meut de moy tenir si grand
rigueur quand je vous veil baiser. Vous m'avez de
vostre grace baillé la joyssance de vostre beau et
gracieux corps tout entierement, et d'un petit baiser
vous me faictes le refus ! — Par ma foy, mon amy,
70 dit elle, vous dictes voir. Le baiser vous ay je refusé,
et ne vous y attendez point ; vous n'en finerez jamais.
Et la raison y est bonne : si la vous diray. Il n'est
vray, quand j'espousay mon mary, que je luy promis
de la bouche tant seullement beaucoup de belles
75 choses. Et car ma bouche est celle qui luy a juré et
promis de luy estre bonne, je suis telle qui luy veil
entretenir, et ne souffreroye pour mourir qu'aultre de
luy y touchast. Elle est sienne et a nul aultre ; et ne
vous actendez d'en rien avoir. Mais mon derriere
80 ne luy a rien promis ne juré ; faictes de luy et du
surplus de moy, ma bouche hors, ce qu'il vous
plaist ; je le vous haba[n]donne ! » L'autre commença a rire tresfort, et dist : « M'amye, je vous
mercye. Vous dictes tresbien, et si vous sçay grand
85 gré que vous avez la franchise de bien garder vostre
promesse. — Ja Dieu ne veille, dist elle, que je luy
face faulte ! » En la façon que avez oy fut ceste
bonne femme abustinée [5]. Le mary avoit la bouche

---

[5] *V.* obstinee

seullement, et son amy le surplus ; et si d'adventure
90 le mary se servoit aucunesfoiz des aultres membres,
ce n'estoit que par maniere d'emprunt, car ilz
estoient a son amy par le don de sa dicte femme.
Mais il avoit ceste avantage que sa femme estoit
contente qu'il emprint [6] sur ce qu'elle avoit donné a
95 son amy ; mais pour rien n'eust souffert que l'amy
eust joy de ce que a son mary avoit donné.

---

[6] *V.* en prensist

LA XLIXe NOUVELLE,

PAR

PIERRE DAVID.

J'ay bien sceu que nagueres, en la ville d'Arras,
5 avoit ung bon marchant auquel il mescheut d'avoir
femme espousée qu'il n'estoit point de meilleur au
monde. Car elle ne tenoit serre, tant qu'elle peust
veoir son coup, et qu'elle trouvast a qui, neant plus
que une vieille arbaleste. Ce bon marchant se donna
10 garde du gouvernement de sa femme ; il en fut aussi
adverty par aucuns des plus privez amis et voisins.
Si se bouta en une bien grande frenesie et parfonde
melencolie, dont il ne valut pas mieulx. Puis s'advisa
qu'il esprouveroit [1] s'il savoit par bonne façon s'il
15 pourroit veoir ce qu'il scet que bien peu luy plaira :
c'estoit de veoir venir en son hostel, devers sa femme,
ung ou pluseurs de ceulx qu'on dit qui sont [s]es [2]
lieutenans. Si faindit [3] ung jour d'aller dehors, et
s'embuscha en une chambre de son hostel dont luy
20 seul avoit la clef. Et destournoit la [4] dicte chambre
sur la rue, sur la court, et par aucuns secrez pertus
et treilliz [5] regardoit en pluseurs aultres lieux et
chambres de leens. Tantost que la bonne femme

---

[1] *ms* approuveroit
[2] *ms* les
[3] *V.* Nostre marchant faignit
[4] *V.* et veoit de la
[5] *V.* trilles

pensa que son mary estoit dehors, elle fist preste-
25 mon savoir a ung de ses amys qu'il vensist[6] vers
elle ; et il obeyt comme il devoit, car il suyvit pié a
pié la meschine qui le vint querre. Le[7] mary qui,
comme dit est, estoit en sa chambre, vit tresbien
entrer celuy qui venoit tenir son lieu ; mais il ne dit
30 mot, car il veult veoir plus avant s'il peut. Quand
l'amoureux fut leens, la dame le mena (par leans)
par la main tout devisant en sa chambre, et serra
l'huys, et se commencent a baiser et a accoler, et
faire la plus grand chere de jamais. Et bonne damoi-
35 selle de despoiller sa robe, et se mect en cotte simple ; et le bon compaignon de la prendre a bons
braz de corps, et faire ce pourquoy il vint. Et tout
ce veoit a l'œil son pouvre mary par une petite
treille. Pensez s'il estoit a son aise ! Mesmes estoit
40 il si près d'eulx qu'il entendoit plainement tout ce
qu'ilz disoient. Quand les armes d'entre la bonne
femme et son serviteur furent achevées, ilz se misrent
sur une couche qui estoit en la chambre, et se commencent a deviser de pluseurs choses. Et comme le
45 serviteur regardast sa dame, qui tant belle estoit que
merveilles, il la commence a rebaiser, et dit en la
baisant : « M'amye, a qui est ceste belle bouche ?
— C'est a vous, mon bel amy, dit elle. — Et je vous
en mercie, dit il. Et ces beaulx yeulx ? — A vous
50 aussi, dit elle. — Et ce beau tetin qui tant est bien
troussé, n'est il pas de mon compte ? dit il. — Oy,
par ma foy, dit elle, il est a vous, et non a aultre. »
Il mect après la main au ventre et a son devant,
ou il n'avoit que redire, et luy demanda : « A qui est
55 ce cy, m'amye ? — Il ne le fault ja demander, on

---

[6] *V.* viesist (*sic*)
[7] *V.* q. lestoit ale querir. Le

scet bien que tout est vostre. » Il vint après jecter la
main sur son gros derriere, et luy demanda en soubzriant : « — Et a qui est cecy ? — Il est a mon mary,
dit elle, c'est sa part ; mais tout le demourant est
60 vostre. — Et vrayement, dit il, je vous en mercie
beaucop. Je ne me doy pas plaindre, vous m'avez tres
bien party ; et aussi d'aultre costé, par ma foy,
pensez que je suis tout entier vostre. — Je le sçay
bien », dit elle. Et après ces offres recommencerent [8]
65 leurs armes de plus belles ; et ce fait, le serviteur se
partit de leans. Le pouvre mary, qui tout avoit veu
et oy, n'en povoit plus, s'il n'enraigeoit tout vif.
Toutesfoiz, pour mieux faire que laisser, il [9] avala
ceste premiere ; et au lendemain fist tresbien son
70 personnage, faisant semblant qu'il vient de dehors.
Et quand vint au disner, il dist qu'il vouloit avoir
au disner, dimenche prochain venant, son pere et
sa mere, telz et telles de ses parens et cousines ; et
qu'elle face garnison de vivres, et qu'ilz soient bien
75 aises a ce jour. Elle se chargea de ce faire et il de
les inviter. Ce dimenche vint, le disner fut prest, et
ceulx qui mandez y furent comparurent ; et print
chacun place comme leur hoste l'ordonnoit, qui estoit
debout et sa femme aussi, qui servirent du premier
80 mes. Quand le premier mes fut assis, l'oste, qui
secretement avoit fait faire une robe pour sa
femme [10] de gros bureau [de] gris, et a l'endroit du
derriere fist mectre une piece de bonne escarlate, a
maniere de tasseau, dist a sa femme : « Venez jus-
85 ques en la chambre. » Il se mect devant et elle le

[8] *V.* a. ces beaux dons et o. quilz firent lung a lautre
ilz r.
[9] *V.* f. il
[10] *ms* robe

suyt. Quand ilz y furent, il luy fist despoiller sa robe
et va prendre celle de bureau dessusdicte et luy dit :
« Or vestez ceste robe. » Elle la regarde et voit
qu'elle est de gros bureau. Si en est toute esbahie et
90 ne scet penser qu'il fault a son mary, ne pourquoy
il la veult ainsi habiller. « Et a quel propos me voulez vous ainsi housser ? dit elle. — Ne vous chaille,
dit il, je veil que vous la vestez. — Ma foy, dit elle,
je n'en tien compte, je ne la vestiray jamais. Faictes
95 vous du fol ? Vous voulez vous bien faire farcer de
vous et de moy devant tant de gens. — Il n'y a ne
fol ne sage, dit il, vous la vestirez. — Au mains, dit
elle, que je sache pour quoy. — Vous le sarez, dit il,
cy après. » Pour abreger, force fut qu'elle endossast
100 ceste robe, qui estoit bien estrange a regarder. Et
en ce point fut amenée a la table, ou la pluspart de
ses amys et parens estoient. Mais pensez qu'ilz furent
bien esbahiz de la veoir ainsi habillée ; et creez
qu'elle estoit bien honteuse. Et si la force eust esté
105 sienne, elle ne fust pas la venue. Droit la fut bien
qui demanda que signifioit cest habillement. Et le
mary respondit qu'ilz pensent trestous de faire bonne
chere, et que après disner ilz le sceront. Mais vous
devez savoir que la bonne femme houssée du bureau
110 ne mengea chose qui bien luy feist ; et luy jugeoit
le cueur que le mistere de sa housserie [11] luy feroit
ennuy. Et encores eust elle esté plus troublée d'assez
s'elle eust sceu du tasseau d'escarlate ; mais nenny.
Le disner se passa, et fut la table ostée, les graces
115 dictes, et chacun debout. Lors le mary se mect avant
et commence a dire : « Vous telz qui cy estes, s'il
vous plaist, je vous diray en bref la cause pourquoy

---

[11] *V.* housseure

j'ay vestu ma femme de cest habillement. Il est vray
que ja pieça j'ay esté adverty que vostre fille [12] qui
120 cy est me gardoit tresmal la loyaulté qu'elle me promist en la main du prestre. Toutesfoiz, quelque chose
que l'on m'ait dit, je ne l'ay pas creu legerement,
mais l'ay voulue esprouver et qu'il soit vray ; il n'y a
que six jours que je faindy d'aller dehors, et m'en-
125 buschay en ma chambre la hault. Je n'y eu gueres
esté que veez cy venir ung tel que ma femme mena
tantost en sa chambre, ou ilz firent ce que mieulx
leur pleut. Entre leurs aultres devises, l'homme luy
demanda de sa bouche, de ses yeulx, de ses mains,
130 de son tetin, de son ventre, de son devant et de ses
cuisses, a qui tout ce bagage estoit. Et elle luy respondit : « A vous, mon amy. » Et quand vint a son
derriere, il luy dist : « Et a qui est ce cy, m'amye ?
— A mon mary », dist elle. Lors, pource que je l'ay
135 trouvée telle, je l'ay en ce point habillée. Elle a dit
que d'elle il n'y a rien mien que le derriere : si l'ay
houssé comme il appartient a mon estat. Le demourant ay je houssé de vesture qui est deue a femme
desloyale et deshonorée. Et car elle est telle, je la
140 vous rends. » La compaignie fut bien esbahie d'oyr
ce propos, et la pouvre femme bien honteuse. Mais
toutesfoiz, quoy qu'il [en] fust, oncques puis avecques son mary ne se trouva, ains deshonorée et
reprouchée entre ses amys depuis demoura.

---

[12] *V.* parente

LA CINQUANTIESME NOUVELLE,

PAR

MONSEIGNEUR DE LA SALLE, PREMIER MAISTRE D'HOSTEL
DE MONSEIGNEUR LE DUC. [1]

5   Comme jeunes gens se mectent a voyager et prennent plaisir a veoir et sercher les adventures du
monde, il y eut n'a gueres ou pays de Lannoys le
filz d'un laboureur qui fut depuis l'eage de dix ans
jusques a l'eage de vingt et six tousjours hors du
10 pays. Et puis son partement jusques a son retour,
oncques son pere ne sa mere n'en eurent une seule
nouvelle : si penserent pluseurs foiz qu'il fust mort.
Il revint après toutesfoiz, et Dieu scet la joye qui
fust a l'ostel, et comment il fut festoié a son retour
15 du tant pou de biens que Dieu leur avoit donné. Mais
qui le vit voluntiers et en fist tresgrand feste, sa
grand mere, la mere de son pere, luy faisoit plus
grand chere et estoit la plus joyeuse de son retour.
Elle [2] le baisa plus de cinquante foiz, et ne cessoit
20 de loer Dieu qu'il leur avoit rendu leur beau filz et
retourné en si beau point. Après ceste grande chere,
l'heure vint de dormir ; mais il n'y avoit a l'ostel que
deux lictz : l'un estoit pour le pere et la mere et
l'autre estoit pour la grand mere. Si fut ordonné

---

[1] *V*. par anthoine de la sale
[2] *V*. r. que nul des autres, elle

25 que leur filz coucheroit avecques sa taye [3], dont elle
fut joyeuse ; mais il s'en fust bien passé, combien
que pour obeir il fut content de prendre la pacience
pour ceste nuyt. Comme il estoit couché avec sa taye,
ne sçay de quoy il luy sourvint, il monta dessus. « Et
30 que veulz tu faire ? dit elle. — Ne vous chaille, dit il,
ne dictes mot. » Quand elle vit qu'il vouloit besoigner
a bon escient, elle commence de crier tant qu'elle
peut après son filz, qui dormoit en la chambre au
plus près. Et se leve de son lit et se va plaindre a
35 luy de son filz, en plorant tendrement. Quand l'autre
entendit la plainte de sa mere et l'inhumanité de son
filz, il se leva sur piez tres courroussié et mal meu,
et dit qu'il l'occira. Le filz, oye ceste menace, si sault
sus, et s'en picque par derriere et se sauve. Son [4]
40 pere le suyt, mais c'est pour neant : il n'estoit pas
si radde du pyé comme luy. Il [5] vit qu'il perdoit sa
peine ; si revint a l'ostel, et trouva sa mere lamen-
tant a cause de l'offense que son filz avoit faicte.
« Ne vous chaille, dit il, ma mere, je vous en ven-
45 geray bien. » Ne sçay quants jours après ce pere
vint trouver son filz, qui jouoit a la paulme en la
ville de Laon. Et [6] tantost qu'il le vit, il tire bonne
dague et marche vers luy et l'en cuide ferir. Le filz
se destourna, et son pere fut tenu. Aucuns qui la
50 estoient sceurent bien que c'estoit le pere et le filz.
Si dit l'un au filz : « Et vien ça ; qu'as tu meffait
a ton pere qui te veult tuer ? — Ma foy, dist il, rien.
Il a le plus grand tort de jamais. Il me veult tout
le mal du monde pour une pouvre foiz que j'ay voulu

---

[3] *V.* grant mere
[4] *V.* sus et sen fuyt p. d. Son
[5] *V.* si legier du p. il
[6] *V.* a la p. et

55 ronciner sa mere ; il a ronciné la mienne plus de
   cinq cens foiz, et je n'en parlay oncques ung seul
   mot ! » Tous ceux qui oyrent ceste response commencerent a rire de grand cueur et dirent bien qu'il
   estoit bon homme. Si s'efforcerent a ceste occasion
60 de faire sa paix a son pere. Et tant si employerent
   qu'ilz en vindrent au bout, et [7] fut tout pardonné
   d'un costé et d'aultre.

---

[7] *V.* cueur. Si semploierent a c. o. dy mettre pais et fut

LA CINQUANTE ET UNE NOUVELLE,

PAR

L'ACTEUR. [1]

A Paris nagueres vivoit une femme qui en son
temps fut mariée a ung bon simple homme, qui tout
son temps fut de noz amys, voire, si tresbien qu'on
ne pourroit plus. Ceste femme, qui belle, gente et
gracieuse estoit ou temps qu'elle fut noeve, car el
avoit l'œil au vent, fut requise d'amours de pluseurs.
Et pour la grand courtoisie que nature n'avoit pas
oubliée en elle, elle passa legerement les requestes
de ceulx qui mieulx luy pleurent, et joyrent d'elle.
Et [2] eut en son temps, tant d'eulx que de son mary,
xij ou xiiij enfans. Advint qu'elle fut malade tresfort
et au lit de la mort acouchée ; si eut tant de grace
qu'elle eut temps et loisir de se confesser et penser
a ses pechez et disposer de sa conscience. Elle veoit,
durant sa maladie, ses enfans trotter devant elle, qui
luy bailloient au cueur tresgrand regret de les laisser. Si se pensa qu'elle feroit mal de laisser son mary
chargé de la pluspart d'eulx, car il n'en estoit pas
le pere, combien qu'il le cuidast et que la tenist aussi
bonne que nulle de Paris. Elle fist tant, par le moyen
d'une femme qui la gardoit, que vers elle vindrent
deux hommes qui ou temps passé l'avoient en amours

---

[1] *le nom du raconteur manque dans V.*
[2] *V.* p. Et

bien servie. Et vindrent de si bonne heure que son
mary estoit en la ville, et a cest cop devers les medicins et apothicaires, ainsi qu'elle luy avoit ordonné
et prié. Quand[3] elle vit ces deux hommes, elle fit
30 tantost venir touz ses enfants et commence a dire :
« Vous, ung tel, vous savez ce qui a esté entre vous
et moy du temps passé, dont il me desplaist a ceste
heure amerement. Et si n'est la misericorde de Nostre
Seigneur, a qui me recommende, il me sera en l'autre
35 monde bien cherement vendu. Toutesfoiz, j'ay fait
une folie, je le cognois ; mais de faire la secunde
ce seroit trop mal fait. Veez cy telz et telz de mes
enfans ; ilz sont vostres, et mon mary cuide qu'ilz
soient siens. Si feroye conscience de les laisser en sa
40 charge ; si vous prie tant que je puis qu'après ma
mort, qui sera brefment, vous les prenez avecques
vous et les entretenez, nourrissez et elevez, et en
faictes comme bon pere doit faire, car ilz sont
vostres. » Pareillement dist a l'autre, et luy monstra
45 ses aultres enfans : « Telz et telz sont a vous, je
vous en asseure. Je les vous recommende, en vous
priant que vous en acquictez ; et s'ainsi le me voulez
promectre, j'en mourray plus aise. » Et comme elle
faisoit ce partage, son mary va revenir a l'ostel et
50 fut perceu par ung petit de ses filz qui n'avoit environ que iiij[4] ou vj ans, qui vistement descendit en
bas encontre de luy bien effrayement, et se hasta tant
de devaler la montée qu'il estoit presque hors
d'alayne. Et comme il vit son pere, a quelque mes-
55 chef que ce fut, il dist : « Helas ! mon pere, avancez
vous tost, pour Dieu ! — Quel chose y a il de nou-

---

[3] *V.* e. en la v. ale devers les m. et a. pour avoir aucun
bon remede pour elle et pour sa sante. Quant
[4] *V.* cinq

veau ? dit le pere ; ta mere est elle morte ? — Nenny,
nenny, dit l'enfant ; mais avancez vous d'aller en
hault, ou il ne vous demourra enfans nesun [5]. Ilz sont
60 venuz deux hommes vers ma mere, mais elle leur
donne tous mes freres et mes seurs. Si vous [6] n'alez
bien tost, elle donnera tout. » Le bon homme ne scet
que son filz veult dire. Si monta en hault et trouve
sa femme bien malade, sa garde, et deux de ses voi-
65 sins, et ses enfans ; si demanda que signifie ce que
ung tel de ses filz luy avoit dit du don qu'elle fait
de ses enfans. « Vous [7] le scerez cy après », dit elle.
Il n'en enquist plus avant pour l'heure, car il ne se
doubtoit de rien. Ses voisins s'en allerent et commen-
70 derent la malade a Dieu, et luy promisrent de faire
ce qu'elle leur a[voit] requis, dont elle les remercya.
Comme elle approucha le pas de la mort, elle crya
mercy a son mary, et luy dist la faulte qu'elle luy a
fait durant qu'elle a esté allyée avecques luy, et
75 comment telz et telz de ses enfans sont a ung tel, et
telz et telz sont a ung tel, c'est assavoir a ceulz dont
dessus est touché, et que après sa mort ilz les pren-
dront et n'en ara jamais charge. Il fut bien esbahy
d'oyr ceste nouvelle. Neantmains il luy pardonna
80 tout, et puis elle mourut ; et il envoya ses enfans a
ceulx qu'elle avoit ordonné, qui les retindrent. Et
par ce point il fut quitte de sa femme et de ses
enfans ; et si eut beaucop mains de regret de la
perte de sa femme que de celle de ses enfans.

---

[5] *V.* d. ung seul enfant
[6] *V.* f. se v.
[7] *V.* dit. Vous

LA CINQUANTE DEUXIESME NOUVELLE,

PAR

MONSEIGNEUR DE LA ROCHE.

Nagueres que ung grand gentil homme, sage, prudent, et beaucop vertueux, comme il estoit au lit de
la mort, et [eust] fait ses ordonnances et disposé de
sa conscience au mieulx qu'oncques peut, il appella
ung seul filz qu'il avoit, auquel il laissoit foison de
biens temporelz. Et après qu'il luy eut recommandé
son ame, celle de sa mere, qui nagueres estoit allée
de vie par mort, et generalement tout le college de
purgatoire, il l'advisa trois choses pour la derreniere
doctrine que jamais luy vouloit bailler, en disant :
« Mon trescher filz, je vous advise ¹ tout premier que
jamais vous ne hantez tant en l'ostel de vostre voisin
que l'on vous y serve de pain bis. Secundement, je
vous enjoinctz que vous gardez tresbien de jamais
courre vostre cheval en la valée. Tiercement, que
vous ne prenez jamais femme d'estrange nacion.
Souvienne vous de ces trois poins, et je ne doubte
point que bien ne vous en vienne. Mais si vous faictes
au contraire, soiez seur que vous trouverez que la
doctrine de vostre pere vous vaulsist mieulx avoir
tenue. » Le bon filz mercya son pere de son bon
advertissement, et luy promect d'escripre ses enseignemens au plus profond de son entendement, et si

---

¹ V. advertiz

tresbien en aura memoire[2] que jamais n'yra au contraire. Tantost après son pere mourut. Et furent
faictes ses funerailles comme a son eſtat et homme
30 de tel lieu qu'il estoit appartenoit : car son filz s'en
voult bien acquitter, comme celuy qui bien avoit de
quoy. Ung certain temps [après], comme l'on a
accointance plus en ung lieu qu'en l'autre, ce bon
gentil homme, qui estoit orphelin de pere et de mere,
35 jeune, et a marier, et ne savoit que c'estoit de mesnage, s'accointa d'un voisin qu'il avoit, et de fait la
pluspart des, jours buvoit et mengeoit leens. Son
voisin, qui maryé estoit et avoit une tresbelle femme,
se bouta en la doulce rage de jalousie. Et luy vin-
40 drent faire rapport ses yeulx suspeçonneux que
nostre gentil homme ne venoit en son hostel fors a
l'occasion de sa femme, et que vrayement il en estoit
amoureux, et que a la longue il la pourroit emporter
d'assault. Si n'estoit pas bien a son aise, et ne savoit
45 penser comment il se pourroit honnestement de luy
desarmer, [car] luy dire la chose comme il la pense
ne vauldroit rien. Si conclud de luy tenir telz termes
petit a petit qu'il se pourra assez percevoir, s'il n'est
trop beste, que sa hantise si continuelle ne luy plaist
50 pas. Et pour executer sa conclusion, en lieu qu'on
le souloit servir de pain blanc, il fist mectre du pain
bis. Et après je ne sçay quants repas, nostre gentilhomme s'en donna garde, et luy souvint de la doctrine de son pere. Si cogneut qu'il avoit erré, si battit
55 sa coulpe et bouta en sa manche tout secretement
ung pain bis et l'apporta a son hostel. Et en remembrance le pendit a une corde dedans la grand sale, et

---

[2] *V.* p. de son cueur et les **mettre si tresbien en son**
entendement et en sa m.

ne retourna plus en la maison de son voisin comme
il avoit fait auparavant. Ung jour entre les aultres,
60 luy qui estoit homme de deduit, comme il estoit aux
champs, et eussent ses levriers mis ung lievre en
chasse, il picque son cheval tant qu'il peut après, et
vint rataindre et lievre et levriers en une grand valée,
ou son cheval, qui venoit de toute sa force, faillit de
65 quatre piez et tumbe ; et se rompit le col, et il fut
tresbien blecyé. Et fut bien eureux, quand il [se vit][3]
gardé de mort ne de bleceure. Il[4] eut toutesfoiz pour
recompense le lievre. Et comme il le tenist et regardast son cheval que tant amoit, il luy souvint du
70 second advisement[5] que son pere luy bailla, et que,
s'il en eust eu bien memoire, il n'eust pas ceste perte,
ne passé le dangier qu'il a eu bien grand. Quand il
fut a sa maison, il mist au près du pain bis, a une
corde, en la sale, la peau du cheval, en memoire et
75 remembrance du secund advisement que son pere
jadiz luy bailla. Ung certain temps après il luy print
volunté d'aller voyager et veoir païs. Si disposa ses
besoignes ad ce, et fist sa finance, et[6] sercha maintes
contrées, et se trouva en diverses regions, et s'arresta
80 en la fin et fist residence en l'ostel d'un grand seigneur, d'une estrange et bien lointaine marche. Et se
gouverna si haultement et si bien leens que le seigneur fut bien content de luy bailler sa fille a
mariage, jasoit qu'il n'eust cognoissance de luy fors
85 de ses loables meurs et vertuz. Pour abreger, il
fiança la fille de ce seigneur, et vint le jour des

---

3 *ms* neut
4 *V.* col dont il f. t. esbahy. Et f. b. e. ledit gentil homme
   q. il se v. ainsi g. de m. et daffolure. Il
5 *V.* enseignement
6 *V.* et print de la f. dont il avoit largement et

nopces. Et quand il cuyda la nuyt coucher avec elle,
on luy dist que la coustume du pays estoit de point
coucher la premiere nuyt avec sa femme, et qu'il eust
90 pacience jusqu'au lendemain. « Puis que c'est la
coustume, dist il, je ne quiers ja qu'on la rompe pour
moy. » Son espouse fut menée coucher après les
dances en une chambre, et il en une aultre ; et de
bien venir n'y avoit que une paroy [entre ces deux
95 chambres, qui n'estoit que de terre. Si s'advisa, pour
veoir la contenance, de faire ung pertuis de son
espée par dedens la paroy] [7] et vit tresbien a son
aise son espouse se bouter en son lit. Et vit aussi,
ne demoura gueres après, le chapellain de leens qui
100 se vint bouter auprès d'elle pour luy faire compagnie
äffin qu'elle n'eust paour, ou espoir pour faire l'essay
ou prendre le disme advenir, comme firent les cordeliers dont dessus [8] est touché. Nostre bon gentilhomme, quand il vit cest appareil, pensez qu'il eut
105 bien des estoupes en sa quenoille ; et luy vint tantost
en memoire le iij[e] advisement que son bon pere luy
donna, lequel [9] il avoit mal retenu. Il se conforta
toutesfoiz et [10] dist bien en soy mesmes que la chose
n'est pas si avant qu'il n'en saille bien. Au lende-
110 main, le bon chapellain, son lieutenant pour la nuyt,
et son predecesseur, aussi se leva de bon matin, et
d'adventure il oblya ses brayes soubz le chevet du
lit a l'espousée. Et nostre bon gentilhomme, sans
faire semblant de rien, vint au lit d'elle et la salua
115 gracieusement, comme il savoit bien faire, et trouva
façon de prendre les braies du prestre sans ce qu'il

----

[7] *V.* lapparoy
[8] *V.* la d. des cordeliers comme d.
[9] *V.* d. avant son trespas l.
[10] *V.* il se reconforta et print couraige et

fust de ame apperceu. On fist grand chere tout ce
jour. Et quand vint au soir, le lit a l'espousée fut
paré et ordonné tant richement que merveilles, et elle
120 y fut couchée. Si dist on au sire des nopces que
meshuy, quand il luy plaira, se pourra il aller coucher avecques sa femme. Il estoit fourny de sa response, et dist au pere et a la mere et aux parens qui
le voulrent [11] oyr : « Vous ne savez qui je suis, et a
125 qui vous avez donné vostre fille. Et en ce m'avez fait
le plus hault honneur qui jamais fut fait a jeune
gentilhomme estrangier, dont je ne vous saroie assez
mercier. Neantmains toutesfoiz, j'ay conclud en moy
mesmes, et suis ad ce resolu, de jamais coucher avec
130 elle si [que] luy auray monstré et a vous aussi qui
je suis, quelle chose j'ay et comment je suis logié. »
Le pere print tantost la parolle et dist : « Nous
savons tresbien que vous estes noble homme et de
hault lieu. Et n'a pas Dieu mis en vous tant de belles
135 vertuz sans les accompaigner d'amys et de richesses.
Nous sommes contens de vous, ne laissez ja a parachever vostre [12] mariage. Tout a temps scerons nous
plus avant de vostre estre quand il vous plaira. »
Pour abreger, il voa et jura de jamais coucher avec
140 elle si n'estoit en son hostel ; et l'y amenerent son
pere, sa mere, et pluseurs de ses parens et amys. Il
fist mettre son hostel a point pour les recevoir, et y
vint ung jour devant eulx. Et tantost qu'il fut descendu, il print les brayes du prestre qu'il avoit, et
145 les pendit en sa sale auprès du pain bis et de la
peau du cheval. Tresgrandement furent receuz et
festoiez les parens et amis de la bonne espousée ; et
furent bien esbahiz de veoir l'ostel d'un tel jeune

---

11 *V.* voulsissent
12 *V.* parfaire et a acomplir v.

gentil homme si bien fourny de vaisselle, de tapis-
150 serie et de tout aultre meuble ; et se reputoient treseureux d'avoir si bien allyée leur belle fille. Comme
ilz regardoient par leens, ilz vindrent en la grand
sale, qui estoit pourtendue de belle tapisserie ; si
perceurent ou milieu le pain bis, la peau du cheval,
155 et unes brayes qui pendoient, dont ilz furent beaucop
esbahiz. Et en demanderent la signifiance a leur
hoste, le sire des nopces. Et il dit que voluntiers et
pour cause il leur diroit ce [13] qui en est quand ilz
aroient mengé. Le disner fut prest et Dieu scet qu'ilz
160 furent bien serviz. Ilz n'eurent pas si tost disné qu'ilz
demanderent l'interpretacion et le mistere du pain
bis, de la peau du cheval, etc.. Et le bon gentil
homme leur compta bien au long, et dist que son
pere au lit de la mort, comme dessus est narré, luy
165 avoit baillé trois advisemens. Le premier fut que
jamais ne se trouvast tant en ung lieu que l'on le
servist de pain bis. « Je ne retins pas bien ceste
doctrine : car depuis sa mort je hantay tant ung mien
voisin qu'il se bouta en jalousie pour sa femme ; et,
170 en lieu de pain blanc que je y eu long temps, on me
servit du bis. Et en memoire et approbacion de la
verité de cest enseignement, j'ay la fait mectre ce
pain bis. Le deuxiesme enseignement que mon pere
me bailla fut que jamais ne courusse mon cheval a
175 la valée. Je ne le retins pas bien ; ung jour qui passa,
si m'en print mal. Car, en courant [en] une valée
après le lievre et mes chiens, mon cheval se [14] rompit
le col, et je fuz tresbien blecié. Et [15] en memoire de

---

13 *V.* hoste. Le s. d. n. leur d. q. v. il leur dira la cause
et tout ce
14 *V.* c. cheut et se
15 *V.* b. si eschappe de belle mort et

ce est la pendue la peau du cheval que alors je
180 perdy. Le troisiesme enseignement que mon pere
me [16] bailla si fut que jamais n'espousasse femme
d'estrange region. Or y ay je failly, et vous diray
comment il m'en est prins. Il est vray que la premiere
nuyt que vous me refusastes le coucher avecques
185 vostre fille, qui cy est, je fu logié en la chambre au
plus près de la sienne. Et car la paroy[17] qui estoit
entre elle et moy n'estoit pas forte, je la pertuisay
de mon espée ; et vy venir coucher avec elle le chapellain de vostre hostel, qui soubz le chevet du lit
190 oublya ses braies le matin qu'il se leva ; lesquelles je
recouvray, et sont celles que vecz la pendues, qui
tesmoignent et approuvent la canonicque verité du
troisiesme enseignement que jadiz feu mon pere me
bailla, lequel je n'ay pas bien retenu. Mais [18], affin
195 que plus n'y renchoye en la faulte des deux [19] advis
precedens, ces trois bagues que vecz m'en feront
doresenavant sage. Et car, la Dieu mercy, je ne suis
pas tant obligé a vostre fille qu'elle ne me puisse
bien quicter, je vous prie que la remenez et retournez
200 en vostre marche, car jour que je vive ne me sera
de plus près. Mais pource que je vous ay fait venir
de loing et vous ay bien voulu monstrer que je ne
suis pas homme pour avoir le demourant [20] d'un
prestre, je suis content de paier voz despens. » Les
205 aultres ne sceurent que dire, qui se veoient conclus
en leur tort. Voyans aussi qu'ilz sont loing de leur
pays, et que la force n'est pas leur en ce lieu, si

---

[16] *V.* p. dont dieu ait lame me
[17] *ms* lapparoy
[18] *V.* r. ne mis en ma memoire m.
[19] *V.* troys
[20] *V.* remanant

furent contens de prendre argent pour leurs despens
et s'en retourner dont ilz vindrent. Et qui plus y a
210 mis plus y a perdu. Et par ce compte avez oy que les
trois advis que le bon pere bailla a son filz ne sont
pas a oublier. Si les retienne chacun pour autant
qu'il sentira qu'il luy peut toucher [21].

---

[21] *V.* quil sent quilz l. peuvent t.

LA CINQUANTE TROYSIESME NOUVELLE,

PAR

MONSEIGNEUR L'AMANT DE BRUXELLES.

N'a gueres que en l'eglise de saincte Goule, a
5 Bruxelles, estoient a ung matin pluseurs hommes et
femmes qui devoient espouser a la premiere messe,
qui se dit entre quatre et cinq heures. Et entre
aultres qui devoient emprendre[1] ce doulx et seur
estat de mariage, et promectre en la main du prestre
10 ce que pour rien ne vouldroient trespasser, il y avoit
ung jeune homme et une jeune fille qui n'estoient
pas des plus riches, mais bonne volunté avoient, qui
estoient l'un près de l'autre, et n'attendoient fors que
le curé les appellast pour espouser. Auprès d'eulx
15 aussi y avoit ung homme ancien et une femme vieille
qui grand chevance et foison de richesses avoient, et
par convoitise et grand desir de plus avoir avoient
promis foy et loyaulté l'un a l'autre, et pareillement
actendoient a espouser a ceste messe. Le curé vint
20 et chanta ceste messe tresdesirée. Et en la fin, comme
il est de coustume, [devant luy] se misrent ceulx qui
espouser devoient, dont y avoit pluseurs, sans les
quatre dont je vous ay compté. Or devez vous savoir
que ce bon curé, qui tout prest estoit devant l'aul-
25 tier[2] pour faire et accomplir le mistere d'espousailles, estoit borgne, et avoit, par ne sçay quel meschef puis pou de temps perdu ung œil, et n'y avoit

---

[1] V. a. choses ilz d. **entreprendre**

aussi gueres grand luminaire en la chapelle ne sur
l'aultier[2] ; il estoit aussi yver, et faisoit fort brun
30 et noir. Si faillit a choisir. Car, quand vint a besoi-
gnier et espouser, il print le vieil homme riche et la
jeune fille pouvre et les joignit par l'aneau du moustier ensemble. D'aultre costé aussi il print le jeune
homme pouvre et l'espousa a la vieille femme riche,
35 et ne s'en donnerent oncques garde en l'eglise ne les
hommes ne les femmes, dont ce fut grand merveille,
par especial des hommes ; car ilz osent mieux lever
les yeulx et la teste quand ils sont devant le curé a
genoux que les femmes, qui sont a cest cop simples
40 et coyes et n'ont le regard fiché qu'en terre. Il est
de coustume que, au saillir des espousailles, les amis
de l'espousée la prenent et mainent[3]. Si fut menée
la pouvre jeune fille a l'ostel du riche homme ; et
pareillement la vieille riche fut menée en la pouvre
45 maisonnette du jeune compaignon. Quand la jeune
espousée se trouva en la court et en la grand sale
de l'ostel de l'homme qu'elle avoit par mesprise
espousé, elle fut bien esbahie et cogneut bien qu'elle
n'estoit pas partie de leens ce jour. Quand elle fut
50 arriere en la chambre a parer, qui estoit bien tendue
de belle tapisserie, elle vit le beau grand feu, la belle
table couverte ou le beau desjuner estoit tout prest.
Elle vit le beau buffet bien fourny de vaisselle : si
fut plus esbahie que par avant, et de ce se donne
55 plus grand merveille qu'elle ne cognoist ame de ceulx
qu'elle ot parler. Elle fut tantost desarmée de sa
faille[4], ou elle estoit bien enfermée et embronchée ;
et comme son espousé la vit a descouvert, et les
aultres qui la estoient, creez qu'ilz furent autant sou-

---

2 *V.* lautel
3 *V.* a. de lespouse prenent lespousee et lemmainent

60 prins que si cornes leur venissent. « Comment ! dit
l'espousé, et est ce cy ma femme ? Nostre Dame !
je suis bien eureux ! Elle est bien changée depuis
hier. Je croy qu'elle a esté a la fontaine de Jouvence. — Nous ne savons, dirent ceulx qui l'avoient
65 amenée, dont elle vient, ne qu'on luy a fait. Mais
nous savons certainement que c'est celle que vous
avez huy espousée, et que nous prismes a l'aultier[2],
car oncques puis ne nous partit des braz. » La compaignie fut bien esbahie et longuement sans mot
70 dire ; mais, que que fust simple et esbahy[e], la
pouvre espousée estoit toute desconfortée et ploroit
des yeulx tendrement, et ne savoit sa contenance.
Elle amast trop mieulx se trouver avecques son amy,
qu'elle cuidoit bien avoir espousé ce jour. L'espousé,
75 la voyant se desconforter, en eut pitié et luy dist :
« M'amye, ne vous desconfortez ja, vous estes arri-
vée en bon hostel, si Dieu plaist, et n'ayez doubte,
on ne vous y fera ja desplaisir ; mais dictes moy,
s'il vous plaist, qui vous estes, et a vostre advis dont
80 vous venez cy ? » Quand elle l'oyt si courtoisement
parler, elle s'asseura ung peu et luy nomma son pere
et sa mere, et dist qu'elle estoit de Bruxelles, et
avoit fiancé ung tel qu'elle luy nomma, et le cuidoit
bien avoir espousé. L'espousé et tous ceulx qui la
85 estoient commencerent a rire, et dirent que le curé
leur a fait ce tour. « Or loé soit Dieu, dist de rechef
l'espousé, de ce change ! Je n'en voulsisse pas tenir
grand chose que Dieu vous a envoyée a moy, et je
vous promet par ma foy de vous tenir bonne com-
90 paignie. — Nenny, ce dit elle en plorant, vous n'estes
pas mon mary. Je veil retourner devers celuy a qui
mon pere m'avoit donnée. — Ainsi ne se fera pas,

---

[4] *V.* de ses aournemens

.dit il ; je vous ay espousée en saincte eglise, vous n'y
povez contredire. Vous estes et demourrez ma
95 femme, et soiez contente, vous estes bien eureuse.
J'ay, la Dieu mercy ! des biens assez, dont vous serez
dame et maistresse, et vous feray bien jolye. » Il la
prescha tant, et ceux qui la estoient, qu'elle fut contente d'obeir. Si desjunerent legierement et puis se
100 coucherent ; et fist le vieil homme du mieux qu'il
sceut. Or retournons a nostre vieille et au jeune
compaignon. Pour abreger, elle fut menée a l'ostel
du pere a la fille qui a ceste heure est couchée avecques le vieil homme. Quand elle se trouva leens, elle
105 cuida bien enrager, et dist tout haut : « Et que fays
ceens ? que ne me maine l'on en ma maison, ou a
l'ostel de mon mary ? » L'espousé, qui vit ceste
vieille et l'oyt parler, fut bien esbahy ; si furent son
pere et sa mere, et tous ceulx de l'assemblée. Si
110 saillit avant le pere et la mere de[5] leens, qui cogneut
la vieille, et bien savoit a parler de son mariage, et
dit : « On vous a baillé, mon filz, la femme d'un tel,
et creez qu'il a la vostre ; et ceste faulte vient par
nostre curé, qui voit si mal. Et ainsi m'aist Dieu,
115 jasoit que je fusse loing de vous quand espousastes,
si me cuiday je percevoir de ce change. — Et qu'en
doy je faire ? dit l'espousé. — Par ma foy, dist son
pere, je ne m'y cognois pas bien, mais je faiz grand
doubte que vous ne puissez avoir aultre femme.
120 — Saint Jehan ! dist la vieille, je ne le veil point. Je
n'ay cure d'un tel chetif ! Je seroye bien eureuse
d'avoir ung tel jeune galant qui n'aroit cure de moy,
et me despendroit tout le mien, et, si j'en sonnoye
mot, encores aroie je la teste torchée[6]. Ostez, ostez,

---

[5] *V.* p. a la fille de
[6] *V.* la torche

125 mandez vostre femme, et me laissez aller ou je doy
estre ! — Nostre Dame ! dit l'espousé, si je la puis
recouvrer, je l'ayme trop mieulx que vous, quelque
pouvre qu'elle soit ; mais vous n'en yrez pas, si je
ne la puis finer. » Son pere et aucuns ses parens
130 vindrent a l'ostel ou la vieille voulsist bien estre ; et
vindrent trouver la compaignie qui desjeunoit au
plus fort, et qui faisoient le chaudeau pour porter a
l'espousé et a l'espousée. Ilz compterent leur cas, et
on leur respondit : « Vous venez trop tard : chacun
135 se tienne a ce qu'il a. Le seigneur de ceens est content de la femme que Dieu luy a donnée. Il l'a
espousée et n'en veult point d'aultre. Et ne vous en
dolez [7] ja. Vous ne fustes jamais si eureux que
d'avoir alyée en si hault lieu. Vous en serez une foiz
140 tous riches. » Ce bon pere retourne en son hostel, et
vient faire son rapport, dont la vieille cuida bien
enrager. « Voire, dist elle, suis en ce point deceue ?
Par [8] Dieu ! la chose n'en demourra pas ainsi, ou la
justice me fauldra. » Si la vieille estoit bien mal con-
145 tente, encore l'estoit bien autant ou plus le jeune
espousé, qui se veoit frustré de ses amours ; et
encores l'eust il legerement passé s'il eust peu finer
de la vieille a tout son argent. Mais nenny, il la faillit
laisser aller a sa maison, tant menoit laide vie. Si [9]
150 fut conseillé de la faire citer par devant monseigneur
de Cambray, et elle pareillement fist citer le vieil
homme qui ha la jeune femme. Et ont encommencé
ung gros procés dont le jugement n'est encores
rendu ; si ne vous en sçay dire plus avant.

---

7 *V.* doubtez
8 *V.* enragier et dist par d.
9 *V.* maison. Si

LA CINQUANTE QUATRIESME NOUVELLE,

PAR

MAHIOT D'AUQUASNES.

Ung gentil chevalier de la conté de Flandres,
5 jeune, bruyant, jousteur, danseur et bien chantant, se
trouva (point) ou païs de Haynault, en la compaignie d'un aultre gentil chevalier de sa sorte, et
demourant ou dit pays, qui le hantoit trop plus que
la marche de Flandres ou il avoit sa residence et
10 belle et bonne. Mais, comme souvent advient, amours
estoit cause de sa retenue, car il estoit feru et attaint
bien au vif d'une damoiselle de Maubeuge, et a ceste
occasion Dieu scet qu'il faisoit. Tressouvent joustoit,
faisoit mommeries, bancquetz et generalement tout
15 ce qu'il pensoit qui peust plaire a sa dame luy estoit
possible, et le faisoit[1]. Il fut assez bien en grace
pour ung temps, mais non pas si avant qu'il eut bien
voulu. Son compaignon le chevalier de Haynau, qui
savoit tout son cas, le servoit au mieulx qu'il povoit ;
20 et ne tenoit pas a sa diligence que ses besoignes ne
fussent bien bonnes et meilleures qu'elles ne furent.
Qu'en vauldroit le long compte ? Le bon chevalier de
Flandres ne sceut oncques tant faire, ne son compaignon aussi, qu'il peust obtenir de sa dame le gra-
25 cieux don de mercy, ainçois la trouva tout temps
rigoreuse, puis qu'il tenoit langage sur ces termes.

---

[1] V. d. a lui p. il le f.

Force luy fut toutesfoiz, ses besoignes estans comme
vous oez, de retourner en Flandres. Si print ung
gracieux congé de sa dame, et luy laissa son com-
30 paignon. Promist aussi, s'il ne retournoit de bref, de
luy souvent escripre et mander de son estat. Et elle
promist de sa part luy faire savoir de ses nouvelles.
Advint certain jour après que nostre chevalier fut
retourné en Flandres, que sa dame eut volunté d'aller
35 en pelerinage et disposa ses besoignes ad ce. Et
comme le chariot estoit devant son hostel, et le
charreton dedans, qui estoit ung tresbeau compaignon, fort et viste, qui l'adouboit, elle luy gecta ung
coussin sur la teste, et le fist cheoir a pates, et puis
40 commença a rire tresfort et bien hault. Le charreton
se sourdit et la regarda rire, et dist : « Par Dieu,
madamoiselle, vous m'avez fait cheoir ; mais creez
que je m'en vengeray bien, car avant qu'il soit nuyt
je vous feray tumber. — Vous n'estes pas si mal
45 gracieux », dist elle. Et, en ce disant, elle prend ung
aultre coussin, que le charreton ne s'en donnoit
garde, et le fait arriere cheoir comme devant. Et
s'elle risit fort au par avant, elle ne s'en faindit pas
a ceste heure. « Et qu'est cecy, dit le charreton,
50 madamoiselle ? Vous en voulez a moy, faictes. Par
ma foy, si j'estoie emprès vous, je n'attendroye pas
de moy venger aux champs. — Et que feriez vous ?
dit elle. — Se j'estoie en hault, je le vous diroye,
dit il. — Vous feriez merveilles, dit elle, a vous oyr ;
55 mais vous ne vous y oseriez trouver. — Non, dit il,
et vous le verrez. » Il saulta[2] jus du chariot, entra
dedans l'ostel, et monta en hault, ou madamoiselle
estoit en cotte simple, tant joyeuse qu'on ne

---

[2] *V.* saillit

pourroit plus. Il la commence a assaillir, et, pour
60 abreger le compte, elle fut contente qu'il luy tollist
ce que par honneur donner ne luy povoit. Cela se
passa, et au terme accoustumé elle fist ung tresbeau
petit charreton, ou pour mieulx dire ung tresbeau
filz. La chose ne fut pas si secrete que le chevalier
65 de Haynau ne le sceust tantost, dont il fut bien
esbahy. Il escripvit bien a haste par ung propre message a son compaignon en Flandres comment sa
dame avoit fait ung enfant a l'ayde d'un charreton.
Pensez que l'autre fut bien esbahy d'oyr ces nou-
70 velles. Si ne demoura gueres qu'il ne vint en Haynau
devers son compaignon, et luy pria qu'ilz allassent
veoir sa dame, et qu'il la veult trop bien tancer et luy
dire la lascheté et neanté de son cueur. Combien que,
pour son meschef advenu, elle ne se monstra encores
75 gueres a ce temps, si trouverent façon ces deux chevaliers, par moyens, qu'ils vindrent ou lieu ou elle
estoit. Elle fut bien honteuse et desplaisante de leur
venue, comme celle qui bien scet qu'elle n'orra chose
d'eulx qui luy plaise. Au fort elle s'asseura, et les
80 receut comme sa contenance luy apporta. Ilz commencerent a deviser d'unes et d'aultres matieres. Et
nostre bon chevalier de Flandres va commencer son
service et luy dit tant de villanie qu'on ne pourroit
plus : « Or estes vous, dist il, du monde la femme
85 plus reprouchée et mains honorée, et avez monstré la
grand lascheté de vostre cueur, qui vous estes habandonnée a ung meschant[3] villain charreton. Tant de
gens de bien vous ont offert leurs services et vous
les avez tous reboutez ! Et pour ma part, vous savez
90 que j'ai fait pour vostre grace acquerir ; et n'estois

---

[3] *V.* grant

je pas homme pour avoir ce butin ou mieulx que ung
paillard charreton qui ne fist oncques rien pour
vous ? — Je vous requier, monseigneur, dit elle, ne
m'en parlez plus ; ce qui est fait ne peut aultrement
95 estre ; mais je vous dy bien que si vous fussez venu
a l'heure du charreton, que autant eussé je fait
pour vous que je feiz pour luy. — Est ce cela ? dit il.
Saint Jehan ! il vint a bonne heure ! Le dyable y ait
part, que je en fu si eureux que de savoir vostre
100 heure ! — Vrayement, dit elle, il vint a l'heure,qu'il
falloit venir. — Au dyable, dit il, soit l'heure, vous
aussi, et vostre charreton ! » Et a tant se part et
son compaignon le suyt. Et oncques depuis n'en tint
compte, et a bonne cause.

LA LVᵉ NOUVELLE.

PAR

MONSEIGNEUR DE VILLIERS.

L'année du pardon de Romme nagueres¹ passé estoit ou Daulphiné la pestilence si grande et si horrible que la pluspart des gens de bien habandonnerent le païs. Durant ceste persecucion, une belle fille, gente et jeune, se sentit ferue de la maladie ; et tout tantost se vint rendre a une sienne voisine, femme de bien et de grand façon, et desja sur l'eage, et lui compta son piteux cas. La voisine, qui estoit femme sage et asseurée, ne s'effraya de rien que l'autre luy comptast, mesme eut bien tant de courage et d'asseurance en elle qu'el la conforta de parolles et de tant pou de medicine qu'elle savoit. « Hélas ! ce dist la jeune fille malade, ma bonne voisine, j'ay grand regret que force m'est aujourd'huy [de] habandonner ce monde et les beaulx et bons passetemps que j'ay euz longtemps ; mais encores, par mon serment, a dire entre vous et moy, mon plus grant regret si est qu'il fault que je meure avant que savoir et sentir des biens de ce monde. Telz et telz m'ont maintesfoiz priée, et si les ay refusez tout plainement, dont me desplaist. Et creez que si j'en peusse finer d'un a ceste heure, il ne m'eschapperoit jamais devant qu'il m'eust monstré comment je fuz gaignée.

---

¹ V. derrain

L'on me fait entendre que la façon du faire est tant
plaisante que je plains et complains mon gent et
jeune corps qu'il fault pourrir sans avoir eu ce desiré

30 plaisir. Et a verité dire, ma bonne voisine, il me semble si je peusse quelque pou sentir avant ma mort,
ma fin en seroit plus aisée et plus legiere a passer,
et a mains de regret. Et que plus est, mon cueur est
a cela que ce me pourroit estre medicine et cause

35 de garison. — Pleust a Dieu, dist la vieille, qu'il ne
tenist a aultre chose, vous seriez tost garie, ce me
semble. Car, Dieu mercy, nostre ville n'est pas
encores si desgarnye de gens qu'on n'y trouvast ung
gentil compaignon pour vous servir a ce besoing.

40 — Ma bonne voisine, dit la jeune fille, je vous requier
que vous allez devers ung tel, qu'elle luy nomma, qui
estoit ung tresbeau gentilhomme, et qui aultrefoiz
avoit esté amoureux d'elle, et faictes tant qu'il vienne
icy parler a moy. » La veille se mect au chemin, et

45 fist tant qu'elle trouva ce gentilhomme, qu'elle envoya
en sa maison. Tantost qu'il fut leens, la jeune fille
malade, et a cause de sa maladie plus et mieux colo-
rée, luy saillit au col et le baisa plus de vingt foiz. Le
jeune filz, plus joyeux qu'oncques mais de veoir celle

50 que tant avoit amée ainsi vers luy habandonnée, la
saysit sans demeure, et luy monstra ce que tant desiroit a savoir. Elle ne fut pas honteuse [2] de le requerre
et prier de continuer ce qu'il avoit encommencé. Et
pour abreger, tant luy fist elle recommencer qu'il n'en

55 peut plus. Quand elle vit ce, comme celle qui n'en
avoit pas son saoul, elle luy osa bien dire : « Mon
amy, vous m'avez autrefoiz priée de ce dont je vous
requier. Aujourd'uy, vous avez fait ce qu'en vous

---

[2] *V.* desiroit. Assavoir selle fut h.

est, je le sçay bien. Toutesfoiz je ne sçay que j'ay
60 ne qu'il me fault, mais je cognois que je ne puis vivre
si quelque ung ne me fait compaignie en la façon
que m'avez fait ; et pourtant, je vous prie que veillez
aller vers ung tel et l'amenez icy, si cher que vous
amez ma vie. Il est bien vostre amy, je le [3] sçay bien
65 [qu']il fera ce que vous vouldrez. » Ce gentil homme
fut esbahy de ceste requeste. Toutesfoiz, car il avoit
tant labouré que plus ne povoit, il fut content d'aller
querre son compaignon et l'amena devant elle, qui
tantost le mist en besoigne, et le laissa ainsi que
70 l'autre. Quand elle l'eut matté comme son compaignon, elle ne fut pas mains privée de luy dire son
courage. Mais luy prya, comme elle avoit fait l'aultre,
d'amener vers elle ung aultre gentilhomme, et il le
fist. Or sont ja trois qu'elle a laissez et desconfiz
75 par force d'armes ; mais vous devez savoir que le
premier gentilhomme se sentit malade et feru de
l'epidimie tantost qu'il eut mis son compaignon en
son lieu ; si s'en alla hastivement vers le curé, et
tout le mieulx qu'il sceut se confessa, et puis mourut
80 entre les braz du curé. Son compaignon aussi, le
deuxiesme venu, tantost que au tiers il eut baillé sa
place, se sentit tresmalade, et demandoit partout
après celui qui desja estoit mort. Il vint rencontrer
le curé plorant et demenant grand dueil, qui luy
85 compta la mort de son bon compaignon. « Ha ! monseigneur le curé, je suis feru tout comme luy, confessez moy. » Le curé en grand crainte se despescha
de le confesser. Et quand ce fut fait, ce gentilhomme
malade, a deux heures près de sa fin, s'en vint a
90 celle qui luy avoit baillé le cop de la mort, et a son

---

3 *V.* b. vray mamie je le

compaignon aussi, et la trouva celuy qu'il y avoit
amené, et luy dist : « Maudicte femme ! vous m'avez
baillé la mort, et a mon compaignon aussi. Vous
estes digne de estre brullée et mise en cendre. Tou-
95 tesfoiz je le vous pardonne : Dieu le vous veille pardonner ! Vous avez l'epydimie et l'avez bailliée a
mon compaignon, qui en est mort entre les braz du
prestre. Et je n'en ay pas mains. » Il se partit a tant
et s'en ala morir une heure après, en sa maison. Le
100 iij⁰ gentilhomme, qui se voyoit en l'espreuve ou ses
deux compaignons estoient mors, n'estoit pas des
plus asseurez. Toutesfoiz il print courage en soy
mesmes et mist et paour et crainte arriere dos ; et
s'asseura comme celuy qui en beaucoup de perilz et de
105 mortelz assaulx s'estoit trouvé ; et vint au pere et a
la mere de celle qui l'avoit deceu et fait morir ses
deux compaignons, et leur compta la maladie de
leur fille [et qu'on y] ⁴ prinst garde. Cela fait, il se
conduisit tellement qu'il eschappa du peril ou ses
110 deux compaignons estoient mors. Or devez vous
savoir que quand ceste ouvriere de tuer gens fut
ramenée en l'ostel de son pere, tantdiz qu'on luy faisoit ung lit pour reposer et la faire suer, elle manda
secretement le filz d'un cordonnier son voisin, et le
115 fist venir en l'estable des chevaulx de son pere et le
mist en euvre comme les aultres, mais il ne vesquist
pas quatre heures après. Elle fut couchée en ung lit,
et la fist on beaucop suer. Et tantost luy vindrent
quatre bosses dont elle fut depuis tresbien garie. Et
120 tiens, qui en aroit a faire, qu'on la trouveroit aujour-
d'huy ou reng de noz cousines, en Avignon, a Vienne,
a Valence, ou en quelque aultre lieu ou Daulphiné.

---

⁴ *ms* a quoy il p.

Et⁵ disent les maistres qu'elle eschappa de mort a cause d'avoir senty des biens de ce monde. Qui est
125 notable et veritable exemple a pluseurs jeunes filles de point refuser ung bien quand il leur vient.

---

⁵ *V.* ou autre part et

LA CINQUANTE SIXIESME NOUVELLE,

PAR

MONSEIGNEUR DE VILLIERS.

N'a gueres que en ung bourg de ce royaume, en la
5 duché d'Auvergne, demouroit ung gentilhomme ; et
de son maleur avoit une tresbelle jeune femme. De
sa bonté devisera mon compte. Ceste bonne damoiselle s'accointa d'un curé qui estoit son voisin de
demye lieue. Et furent tant voisins et tant privez l'un
10 de l'autre que le bon curé tenoit le lieu de gentilhomme toutes foiz qu'il estoit dehors. Et avoit ceste
damoiselle une chambriere, qui estoit secretaire de
leur fait, et portoit souvent nouvelles au curé et
l'advisoit du lieu et de l'heure pour comparoir seure-
20 ment vers sa maistresse. La chose ne fut pas en la
parfin si bien celée que mestier fut a la compaignie.
Car ung gentilhomme, prochain parent de celuy a qui
ce deshonneur se faisoit, fut adverty du cas, et en
advertit celuy a qui plus touchoit en la façon et
30 maniere qu'oncques mieulx sceut ne peut. Pensez que
ce bon gentilhomme, quand il entendit que a son
absence sa femme se aidoit de ce curé, qu'il n'en fut
pas content ! Et si n'eust esté son cousin, il en eust
prins vengence criminelle et de main mise, tantost
25 qu'il en fut adverty. Toutesfoiz il fut content de differer sa volunté jusques a tant qu'il eust prins au
fait et l'un et l'autre. Et conclurent, luy et son cousin,
d'aller en pelerinage a quatre ou six lieues de son

hostel, et de y mener sa femme et ce [1] curé pour
30 mieulx se donner garde des manieres qu'ilz tiendront
l'un vers l'aultre. Au retourner qu'ilz firent de ce
pelerinage [2], ou monseigneur le curé servit Amours le
mieulx qu'il peut, c'est assavoir de œillades et autres
menues entretenances, le mary se fist mander querir
35 par un messagier affaictié pour aller vers ung seigneur du païs. Il fist semblant d'en estre malcontent
et de se partir a regret ; neantmains, puisque ce bon
seigneur le mande, il n'oscroit desobeir. Si part et
s'en va ; et son cousin, l'autre gentil homme, dit qu'il
40 luy fera compaignie, car c'est assez son chemin pour
retourner en son hostel. Monseigneur le curé et
madamoiselle ne furent jamais plus joyeux que d'oyr
ceste nouvelle. Si prindrent conseil et conclusion
ensemble que le curé se partira de leens et prendra
45 son congié affin que nul de leens n'ait suspicion de
luy, et environ la mynuyt, il retournera et entrera
vers sa dame par le lieu ou il a de coustume. Et ne
demoura gueres puis ceste conclusion prinse que
nostre curé se part de leens et dit son adieu. Or
50 devez vous savoir que le mary et le gentil homme
son parent s'estoient embuschez en ung destroict par
ou nostre curé devoit passer ; et ne povoit ne aller
ne venir par ailleurs [3] sans soy trop destourner de
son droit chemin. Il[z] virent passer nostre curé, et
55 leur jugeoit le cueur qu'il retourneroit la nuyt dont
il estoit party ; et aussi c'estoit son intencion. Ilz le
laisserent passer sans arrester ne dire mot, et s'adviserent de faire ung piege tresbeau, a l'aide d'aucuns

---

1 *V.* de y m. ce
2 *V.* voyaige
3 *V.* autre lieu

paisans qui les servirent a ce besoing. Ce piege fut
60 en haste bel et bien fait, et ne demoura gueres que
ung loup passant pays s'attrappa leens. Tantost
après, veez cy maistre curé qui vient, la robe courte
vestue et portant le bel espieu a son col. Et quand
vint a l'endroit du piege, il tumbe dedans, avecques
65 le loup, dont il fut bien esbahy. Et le loup, qui avoit
fait l'essay, n'avoit pas mains paour du curé que le
curé avoit de luy. Quand noz deux gentilz hommes
voyent que nostre curé est avecques le loup logé, ilz
en firent joye merveilleuse ; et dist bien celuy a qui
70 le fait touchoit plus, que jamais n'en partiroit en vie,
et qu'il l'occira leens. L'autre le blasmoit de ceste
volunté et ne se veult accorder qu'il meure, trop bien
est il content qu'on luy trenche ses genitoires. Le
mary toutesfoiz le vouloit avoir mort. En cest estrif
75 demourerent longuement, en attendant le jour et qu'il
feist cler. Tantdiz que ceste attente [4] se faisoit,
madamoiselle, qui actendoit son curé, ne savoit que
penser qu'il tardoit tant ; si se pensa d'y envoyer
sa chambriere, affin de le faire avancer. La cham-
80 briere, tirant son chemin vers l'ostel du curé, trouva
le piege et tumba avecques le loup et le curé. Qui
fut esbahy, ce fut la chambriere, de se trouver en la
fosse emprès du loup et du curé ! [5] « Ha ! dit le
curé, je suis perdu, mon fait est descouvert ; quelque
85 ung nous a pourchassé ce passage. » Et le mary et
le gentil homme son cousin, qui tout entendoient et
veoient, estoient tant aises qu'on ne pourroit plus.
Et se penserent, comme si le saint esperit leur eust
revelé, que la maistresse pourroit bien suyvir [6] la

---

[4] *V.* cest estrif
[5] *La phrase manque dans V.*
[6] *V.* suyr

90 chambriere, ad ce qu'ils entendirent de la chambriere [7] que sa maistresse l'envoyoit devers le curé
pour savoir qu'il tardoit tant de venir oultre l'heure
prinse entre eulx deux. La maistresse, voyant que le
curé et la chambriere point ne retournoient, et que
95 le jour commenceoit a approcher, se doubta que [8] la
chambriere et le curé ne feissent quelque chose a son
prejudice, et qu'ilz se pourroient entrerencontrer au
petit bois, qui estoit a l'endroit ou le piege estoit
fait ; si conclud qu'elle ira veoir s'elle orra nulles
100 nouvelles et tire païs vers l'ostel du curé. Et elle
venue a l'endroit du piege, tumbe dedans la fosse
avecques les aultres. Il ne fault pas demander, quand
ceste compaignie se voit ensemble, qui fut le plus
esbahy, et se chacun faisoit sa puissance de soy
105 tirer hors de la fosse. Mais c'est pour neant ; chacun
d'eulx se repute mort et deshonoré. Et les deux
ouvriers, c'est assavoir le mary de la damoiselle et le
gentil homme son cousin, vindrent au dessus de la
fosse saluer la compaignie, et leur disoient qu'ilz
110 feissent bonne chere et qu'ils apprestoient leur desjeuner. Le mary, qui mouroit de [9] faire ung cop
de sa main, trouva façon d'envoyer [10] son cousin
veoir que faisoient leurs chevaulx, qui estoient en
ung hostel assez près. Et tantdiz qu'il se trouva
115 descombré de luy, il fist tant, a quelque meschef que
ce fust, qu'il eut de l'estrain largement et l'avala
dedans la fosse, et y mist le feu ; et la brulla la
compaignie, femme, curé, chambriere et loup. Après
ce, il se partit du païs et manda vers le roy querir sa

---

[7] *V.* delle
[8] *V.* ne retournoient point et de paour q.
[9] *V.* m. et enraigeoit de
[10] *V.* f. par ung subtil moyen denvoier

120 remission, laquelle il obtint de legier. Et disent les aucuns que le roy deut dire qu'il n'y eut dommage que du pouvre loup qui fut brullé, qui ne povoit mais du meffait des aultres.

LA CINQUANTE SEPTIESME NOUVELLE,

PAR

MONSEIGNEUR DE VILLIERS.

Tantdiz que l'on me preste audience et que ame
ne s'avance quand a present de parfournir ceste glorieuse et edifiant euvre de Cent Nouvelles, je vous
compteray ung cas qui puis n'a gueres est advenu ou
Daulphiné, pour estre mis ou reng et nombre des
dictes nouvelles[1]. Il est vray que ung gentilhomme
du dict Daulphiné avoit en son hostel une sienne seur
environ de l'eage de XVIIJ a XX ans ; et faisoit compaignie a sa femme, qui beaucop l'amoit et tenoit
chere. Et comme deux seurs se doivent contenir et
maintenir ensemble se conduisoient. Advint que ce
gentil homme fut semons d'un sien voisin, lequel
demouroit a deux petites lieues de luy, de le venir
veoir, luy, sa femme et sa seur. Ilz y allerent, et Dieu
scet la chere ! Et comme la femme de celuy qui fes-
tioit la compaignie menast[2] a l'esbat la femme et
la seur de nostre dit gentil homme, après soupper,
devisant de pluseurs propos, elles se vindrent rendre
en la maisonnette du bergier de leens, qui estoit
auprès d'un large et grand parcq a mettre les brebiz,
et trouverent la le maistre bergier qui besoignoit
entour de ce parcq. Et, comme femmes scevent

---

[1] V. d. Cent n.
[2] V. menoit

enquerre de maintes et diverses choses, entre aultres
luy demandoyent s'il n'avoit point froit leens. Il respondit que non, et qu'il estoit plus aise et mieulx a
luy que ceulx qui ont leurs belles chambres voirrées,
30 nattées, et tapissées[3]. Et tant vindrent d'unes parolles en aultres par motz couvers, que leurs devises
vindrent a toucher du train de derriere. Et le bon
bergier, qui n'estoit fol ne esperdu, leur dit que par
la mort bieu il oseroit bien emprendre[4] de faire la
35 besoigne viij ou ix foiz pour nuyt. Et la seur de
nostre gentilhomme, qui oyoit ce propos, jectoit l'œil
souvent et menu sur ce bergier ; et de fait jamais ne
cessa tant qu'elle vit son coup de luy dire qu'il ne
laissast pour rien qu'il ne venist[5] la veoir en l'ostel
40 de son frere, et qu'elle luy feroit bonne chere. Le
bergier, qui la vit belle fille, ne fut pas moyennement
joyeux de ces nouvelles et luy promist la venir veoir,
et de bref. Il fist ce qu'il avoit promis, et a l'heure
prinse d'entre sa dame et luy, se vint rendre a l'en-
45 droit d'une fenestre haulte et dangereuse a monter.
Toutesfoiz, a l'ayde d'une corde qu'elle luy devala,
et d'une vigne qui la estoit, il fist tant qu'il fut en
la chambre. Et ne fault pas dire qu'il y fut voluntiers
veu. Il monstra de fait ce dont il s'estoit vanté de
50 bouche. Car avant que le jour venist[5], il fist tant que
le cerf eut viij cornes accomplies, laquelle chose sa
dame print bien en gré. Mais vous devez savoir que
le bergier, avant qu'il peust parvenir a sa dame, luy
failloit cheminer deux lieues de terre et passer a
55 nou[6] la grosse riviere du Rone, qui battoit a l'ostel

---

[3] *V.* pavees
[4] *V.* entreprendre
[5] *V.* vint
[6] *V.* nagier

ou sa dame demouroit. Et quand le jour venoit, luy
failloit arriere repasser le Rone ; et ainsi s'en retournoit a sa bergerie. Et continua ceste maniere de
faire une grand espace de temps, sans qu'il fust des-
60 couvert. Pendant ce temps pluseurs gentilz hommes
du païs demanderent ceste damoiselle, devenue bergiere, a mariage. Mais nul ne venoit a son gré, dont
son frere n'estoit pas trop content, et luy disoit pluseurs foiz. Mais elle estoit tousjours garnye d'excu-
65 sances[7] et responses largement, dont elle advertissoit son amy le bergier, auquel ung soir elle promist
que, s'il vouloit, elle n'aroit jamais aultre mary que
luy. Et il dit qu'il ne demanderoit aultre bien : « Mais
la chose ne se pourroit, dit il, conduire, pour vostre
70 frere et aultres voz amys. — Ne vous chaille, dit
elle ; laissez m'en faire, j'en cheviray bien. » Ainsi
promisrent l'un a l'aultre. Neantmains toutesfoiz il
vint ung gentilhomme qui fist arriere requerre nostre
damoiselle bergiere, et la vouloit seulement avoir
75 vestue et habillée comme a son estat appartenoit,
sans aultre chose. A laquelle chose le frere d'elle
eust voluntiers entendu, et[8] cuida mener sa seur ad
ce qu'elle s'i consentist, luy remonstrant ce qu'on
scet faire en tel cas : mais il n'en peut venir a chef,
80 dont il fut bien mal content. Quand elle vit son frere
indigné contre elle, elle le tira d'une part et luy dist :
« Mon frere, vos m'avez beaucop pressée et preschée
de[9] moy marier a telz et telz, et je ne m'y suis voulu
consentir ; dont vous requier que ne m'en sachez nul
85 mal gré, et me veillez pardonner le maltalent qu'avez

---

[7] *V.* excusacions
[8] *V.* e. et besongnie et
[9] *V.* b. parle de

vers moy conceu. Et je vous diray la raison qui a
ce me meut et contraint en ce cas, mais que me
veillez asseurer que ne m'en ferez ne vouldrez pis. »
Son frere luy promist voluntiers. Quand elle se vit
90 asseurée, elle luy dist qu'elle estoit mariée autant
vault, et que jour de sa vie aultre homme n'aroit a
mary que celuy qu'elle luy monstreroit ennuyt, s'il
veult. « Je le veil bien veoir, dit il, mais qui est il ?
— Vous le verrez par temps », dit elle. Quand vint
95 a l'heure accoustumée, et veecy bon bergier qui se
vient rendre en la chambre de sa dame, Dieu scet
comment mouillié d'avoir passé la riviere. Et le frere
d'elle [le] regarde et voit que c'est le bergier de son
voisin ; si ne fut pas pou esbahy, et le bergier
100 encores plus, qui s'en cuida fuyr quand il le vit.
« Demeure, demeure, dist il, tu n'as garde. Est ce,
dit il a sa seur, celuy dont vous m'avez parlé ? — Oy
vrayement, mon frere, dit elle. — Or luy faictes, dit
il, de bon feu, pour soy chaufer [10], car il en a bon
105 mestier ; et en pensez comme du vostre. Et vrayement, vous n'avez pas tort si vous luy voulez du bien,
car il se mect en grand dangier pour l'amour de
vous. Et puis que voz besoignes sont en telz termes,
et que vostre courage est a cela que d'en faire vostre
110 mary, a moy ne tiendra ; et maudit soit qui ne s'en
despesche ! — Amen, dit elle, a demain qui vouldra.
— Je le veil, dit il. Et vous, dist il au bergier, qu'en
dictes vous ? — Tout ce qu'on veult. — Il n'y a
remede, dit il, vous estes et serez mon frere ; aussi
115 suis je pieça de la houlette, si doy bien avoir ung
bergier a frere. » Pour abreger le compte du bergier,
ce gentil homme consentit le mariage de sa seur et

---

[10] V. seichier

du bergier, et fut fait, et les tint tous deux en son
hostel, combien qu'on en parlast assez par le païs.
120 Et quand il estoit en lieu que l'on en devisoit et on
disoit que c'estoit merveille qu'il n'avoit fait batre
ou tuer le bergier, il respondoit que jamais ne pourroit vouloir mal a rien que sa seur amast, et que
trop mieulx vouloit avoir le bergier a beau frere,
125 au gré de sa seur, que ung aultre bien grand maistre
au desplaisir d'elle. Et tout ce disoit par farce et
esbatement. Car il estoit et a esté toujours tresgracieux et nouveau et bien plaisant gentil homme.

Et le faisoit bon oyr deviser de sa seur, voire entre
130 ses amys et privez compaignons.

LA CINQUANTE HUITIESME NOUVELLE,

PAR

MONSEIGNEUR LE DUC. [1]

Je cogneuz au temps de ma verte et plus vertueuse
5 jeunesse deux gentilz hommes, beaulx compaignons,
bien assoviz et adressez de tout ce qu'on doit ou
peut loer [en] ung gentil homme vertueux. Ces deux
estoient tant amys, allyez, et donnez l'un a l'autre,
que d'habillemens, tant pour leurs corps, leurs gens,
10 leurs chevaulx, tousjours estoient pareilz. Advint
qu'ils devindrent amoureux de deux belles jeunes
filles, gentes et gracieuses. Et le mains mal qu'ilz
sceurent firent tant qu'elles furent adverties de leur
nouvelle emprinse [2], du bien, du service, et de cent
15 mille choses que pour elles faire vouldroient. Ils
furent escoutez, mais aultre chose ne s'en ensuyvit.
Espoir qu'elles estoient de serviteurs pourveues, ou
que d'amours ne se vouloient entremettre ! Car, a la
verité dire, ilz estoient beaulx compaignons tous
20 deux, et valoient bien d'estre retenuz serviteurs
d'aussi femmes de bien qu'elles estoient. Quoy que
fust, toutesfoiz ilz ne sceurent oncques tant faire
qu'ilz fussent en grace, dont ilz passerent maintes
nuiz, a Dieu scet quelle peine, maudisans puis For-
25 tune, puis Amours, et tressouvent leurs dames qu'ilz

---

[1] V. Monseigneur
[2] V. entreprinse

trouvoient tant rigoreuses. Eulx estans en ceste rage
et demesurée langueur, l'un dit a son compaignon :
« Nous voyons a l'œil que noz dames ne tiennent
compte de nous, et toutesfoiz nous enrageons après,
30 et tant plus nous monstrent de fiertez et de rigueurs,
tant plus les desirons complaire, servir, et obeyr, qui
est, sur ma foy, une haulte folye. Je vous requier que
nous ne tenons compte d'elles ne qu'elles font[3] de
nous. Et vous verrez, s'elles pevent cognoistre que
35 nous soyons a cela, qu'elles enrageront après nous,
comme nous faisons maintenant après elles. — Helas ! dit l'autre, le bon conseil, qui en pourroit venir
a chef ! — J'ay trouvé la maniere, dit le premier.
J'ay tousdiz oy dire, et Ovide le mect en son livre de
40 *Remede d'amours,* que beaucop et souvent faire la
chose que savez fait oublyer et pou tenir compte de
celle qu'on ayme, et dont on est fort feru. Si vous
diray que nous ferons : faisons venir a nostre logis
deux jeunes filles de noz cousines, et couchons avec
45 elles, et leurs faisons tant la folye que nous ne puis-
sons les rains traisner, et puis venons devant noz
dames ; et de nous au dyable qui[4] en tiendra
compte. » L'aultre s'i acorda. Et comme il fut proposé et deliberé fut fait et accomply, car ilz eurent
50 chacun une belle fille. Et après ce, se vindrent trouver
devant leurs dames, en une feste ou elles estoient.
Et faisoient bons compaignons la roe, et[5] se pour-
menoient par devant elles, devisans d'un costé et
d'aultre, et faisans cent mille manieres pour dire :
55 « Nous ne tenons compte de vous », cuidans, comme

---

3 *V.* delles em plus quelles f.
4 *V.* dames au deable de lomme q.
5 *V.* r. et du fier et

ilz avoient proposé, que leurs dames en deussent
estre mal contentes, et qu'elles les deussent rappeller
ores ou aultrefoiz. Mais aultrement alla, car s'ilz
monstroient semblant de peu tenir compte d'elles,
60 elles monstroient tout apertement de rien y compter,
dont ilz se perceurent tresbien et ne s'en savoient
assez esbahir a l'heure. Si dist l'un a son compaignon : « Scez tu comment il est ? Par la mort bieu,
noz dames ont fait la folie comme nous. Et ne voiz
65 tu comment elles sont fieres ? Elles tiennent toutes
telles manieres que nous faisons : si ne me croy
jamais s'elles n'ont fait comme nous. Elles ont prins
chacune ung compaignon et ont fait jusques a oul-
trance la folye. Au deable les crapaudes ! laissez [6]
70 les la. — Par ma foy ! dit l'autre, je le croy comme
vous le dictes. Je n'ay pas aprins de les veoir telles. »
Ainsi penserent les compaignons que leurs dames
eussent fait comme eulx, pource qu'il leur sembla a
l'heure qu'elles n'en tenissent compte, comme ilz ne
75 tenoient compte d'elles, combien qu'il n'en fust rien,
et est assez legier a croire.

LA CINQUANTE NEUFIESME NOUVELLE,

PAR

PONCELLET.

En la ville de Saint Omer avoit nagueres ung gentil compaignon sergent de roy, lequel estoit marié a
une bonne et loyale femme qui aultresfoiz avoit esté
mariée, et luy estoit demouré ung filz qu'elle avoit
adressié en mariage. Ce bon compaignon, jasoit ce
qu'il eust bonne et preude femme, neantmains toutesfoiz il s'employoit de jour et de nuyt de servir
Amour partout ou il povoit, et tant qu'il luy estoit
possible. Et pour ce que en temps d'yver sourdent
pluseurs foiz les inconveniens plus de legier qu'en
aultre temps a poursuivir [1] la queste loing, il s'advisa
et delibera qu'il ne se partiroit point de son hostel
pour servir Amours, car il y avoit une tresbelle jeune
et gente fille, chambriere de sa femme, avecques
laquelle il trouveroit maniere d'estre son serviteur
s'il pouvoit. Pour abreger, tant fist par dons et par
promesse[s] qu'il eut octroy de faire tout ce qu'il
luy plairoit, jasoit que a grand peine, pour ce que
sa femme estoit tousjours sur eulx, qui cognoissoit
la condicion de son mary. Ce nonobstant, Amour, qui
veult tousjours secourir a ses vraiz servans [2], inspira
tellement l'entendement du bon et loyal servant qu'il

---

[1] *V.* poursuir
[2] *V.* serviteurs

trouva moien d'accomplir son jeu[3]. Car il faindit
estre tresfort malade de refroidement, et dist a sa
femme : « Tresdoulce compaigne, venez ça ; je suis
si tresmalade que plus ne puis ; il me fault aller
30 coucher. Je vous prie que vous faictes tous noz gens
coucher, affin que nul ne face noise ne bruit, et puis
venez en nostre chambre. » La bonne damoiselle, qui
estoit tresdesplaisante du mal de son mary, fist ce
qu'il luy commenda. Et puis print beaulx draps, les
35 chauffa et mist sur son mary après qu'il fut couché.
Et quand il fut bien eschauffé par longue espace, il
dist : « M'amye, il suffist. Je suis assez bien, Dieu
mercy et la vostre, qui en avez prins tant de peine ;
si vous pry que vous en venez coucher emprès moy. »
40 Et elle, qui desiroit la santé et le repos de son mary,
fist ce qu'il luy commendoit et s'endormit le plus
tost qu'elle peut. Et assez tost après que nostre
amoureux perceut qu'elle dormoit, se coula tout
doulcement jus de son lit, et s'en alla combattre ou
45 lit de sa dame la chambriere tout prest pour son veu
accomplir, ou il fut bien receu et rencontré. Et tant
rompirent de lances qu'ilz furent si las et recreuz[4]
qu'il convint qu'en beaulx bras ilz demourassent
endormiz. Et comme aucunes foiz advient, quand on
50 s'endort en aucun desplaisir ou melencolie[5], au
reveiller c'est ce qui vient premier a la personne, et
est aucunesfoiz mesme cause du reveil, comme a la
damoiselle advint. Et jasoit que grand soing eust de
son mary, toutesfoiz ne le garda elle pas bien, car
55 elle trouva qu'i[l] estoit de son lit party. Et taste sur
son oreiller, et en sa place trouva qu'il y faisait tant

---

[3] *V.* veu
[4] *V.* recreans
[5] *V.* merencolie

froit et qu'il avoit longtemps qu'il n'y avoit esté.
Adonc, comme toute desesperée, saillit sus. Et en
vestant sa chemise et sa cotte simple disoit a par
60 elle : « Lasse meschante, or es tu une femme perdue
et qui fait bien a reproucher, quand par ta negligence as laissé cest homme perdre ! Helas ! pourquoy me suis je ennuyt couchée pour ainsi moy
habandonner a dormir ? O vierge Marie ! veillez mon
65 cueur rejoyr, et que par ma cause il n'ayt nul mal,
car je me tiendroye coulpable de sa mort ! » Et après
ces regretz et lamentacions, elle se part hastivement
et alla querir de la lumiere. Et affin que sa chambriere luy tinst compaignie a querir son mary, elle
70 s'en alla en sa chambre pour la faire lever. Et la
en droit trouva la doulce paire, dormans a braz. Et
luy sembla bien qu'ils avoient traveillé cette nuyt,
car ilz dormoient si bien qu'ils ne s'esveillerent pour
personne qui y entrast, ne pour lumiere qu'on y por-
75 tast. Et de fait, pour la joye qu'elle eut de ce que
son mary n'estoit point si mal ne si desvoyé qu'elle
esperoit, ny que son cueur luy avoit jugié, elle s'en
alla querir ses enfans et les varletz de l'ostel et les
mena veoir la belle compaignie. Et leur enjoignit
80 expressement qu'ilz n'en feissent aucun semblant ;
et puis leur demanda en basset qui c'estoit ou lit de
la chambriere [et] qui la dormoit avec elle. Et ses
enfans respondirent que c'estoit leur pere, et les varletz dirent que c'estoit leur maistre. Et puis les
85 ramena dehors, et les fist aller recoucher, car il estoit
trop matin pour eulx lever ; et aussi s'en alla elle
pareillement rebouter en son lit, mais depuis ne dormit gueres, tant qu'il fut heure de lever. Toutesfoiz,
assez tost après, la compaignie des vraiz amans
90 s'esveilla, et se despartirent l'un de l'aultre amoureusement. Si s'en retourna nostre maistre en son lit,

enprès sa femme, sans dire mot ; et aussi ne fist elle,
et faignoit qu'elle dormist, dont il fut moult joyeulx,
pensant qu'elle ne sceust rien de sa bonne fortune.
95 Car il la cremoit[6] et doubtoit a merveilles, tant pour
sa paix comme pour la fille. Et de fait se reprint
nostre maistre a dormir bien fort. Et la bonne
damoiselle, qui point ne dormoit, si tost qu'il fut
heure de descoucher, se leva, et pour festoier son
100 mary et luy donner quelque chose confortative, après
la medicine laxative qu'il avoit prinse celle nuyt, fist
ses gens lever et appella sa chambriere, et luy dist
qu'elle prinst les deux meilleurs chapons[7] de la chaponnerie de l'ostel, et les appoinctast tresbien, et
105 puis qu'elle allast a la boucherie querir le meilleur
morseau[8] de beuf qu'elle pourroit trouver, et si cui-
sist tout a une bonne eaue pour humer, ainsi qu'elle
le saroit bien faire ; car elle estoit maistresse et
ouvriere de faire bon brouet. Et la bonne fille, qui
110 de tout son cueur desiroit complaire a sa damoiselle
et encores plus a son maistre, a l'un par amours, a
l'aultre par crainte, dist que tresvoluntiers le feroit.
Et tantdiz la bonne damoiselle alla oyr la messe, et
au retour passa par l'ostel de son filz, dont il a esté
115 parlé, et luy dist qu'il vinst[9] disner a l'ostel avec
son mary, et si amenast avec luy trois ou quatre
bons compaignons qu'elle luy nomma, et que son
mary et elle les prioient qu'ilz venissent disner avec
eulx. Et puis s'en retourne[10] a l'ostel pour entendre
120 a la cuisine, que le humet ne soit espandu comme

6 *V.* craignoit
7 *V.* d. plus gras c.
8 *V.* la meilleure piece
9 *V.* venist
10 *V.* Quant elle eut ce dit elle sen retourna

par male garde il avoit esté la nuytée ; mais [11] nenny,
car nostre bon mary s'en estoit allé a l'eglise. Et
tantdiz, le [12] filz a la damoiselle alla prier ceulx
qu'elle luy avoit nommez, qui estoient les plus grands
125 farseurs de toute la ville de Saint Omer. Or revint
nostre maistre de la messe, et fist une grand brassée
a sa femme, et luy donna le bon jour ; et aussi fist
elle a luy. Et pour ce ne pensoit point mains. Toutesfoiz luy dist elle qu'elle estoit bien joyeuse de sa
130 santé, dont il la mercya et dist : « Voirement suis je
assez en bon point, m'amye, auprès de la vesprée [13],
et me semble que j'ay tresbon appetit ; si vouldroye
bien aller disner, si vous vouliez. » Et elle luy dist :
« J'en suis bien contente ; mais il fault ung peu
135 actendre que le disner soit prest, et que telz et telz
qui sont priez de disner avecques vous soient venuz.
— Priez, dit il, et a quel propos ? Je n'en ay cure,
et amasse mieulx qu'ilz demourassent. Car ilz sont
si grands farseurs que s'ils scevent que j'aye esté
140 malade, ilz ne m'en feront que sorner [14]. Au
mains, belle dame, je vous prie qu'on ne leur en
die rien. Et si a une aultre chose : que mengeront
ilz ? » Et elle dist qu'il ne se souciast et qu'ilz
aroient assez a menger, car elle avoit fait appoincter
145 les [15] deux meilleurs chapons de leens, et ung tresbon
mousseau pour l'honneur de luy [16], dont il fut bien
joieux et dist que c'estoit bien fait. Et tantost après

---

11 *V.* humeau ne fust e. ... n. precedente m.
12 *V.* t. que le disner sapprestoit le
13 *V.* mamie veu que jestoye hyer a la v. si mal dispose
et
14 *V.* farcer
15 *V.* a. et abillier l.
16 *V.* une tresbonne piece de beuf p. lamour de l.

vindrent [17] ceulx que l'on avoit priez ; avecques le
filz de la damoiselle. Et quand tout fust prest, ilz
150 allerent seoir a table et firent tresbonne chere, et par
especial l'oste, et buvoient souvent, et d'autant l'un
a l'autre. Et disoit l'oste a son beau filz : « Jehan,
mon amy, je vous pry que vous buvez a vostre mere,
et faictes bonne chere. » Et il dit que [18] tresvoluntiers
155 le feroit. Et ainsi qu'il eut beu a sa mere, la chambriere, qui servoit, survint a la table. A ce cop et
lors la damoiselle l'appella [19] et luy dist : « Venez
ça, ma doulce compaigne, buvez a moy et je vous
plegeray. — Compaigne dya, dit nostre amoureux,
160 et dont vient maintenant celle grand amour ? Que
male paix y puist mettre Dieu, veez cy grand nouvelleté ! — Voire vraiement, c'est ma compaigne
certaine et loyale ; en avez vous si grand merveille ?
— Ha dya, Jehanne, gardés que vous dictes ; ja pen-
165 ser pourroit on quelque chose entre elle et moy. — Et
pourquoy ne feroit ? dist elle. Ne vous y ay je point
ennuyt trouvé couché en son lit et dormant braz a
braz ? — Couché ! dit il. — Voire, vraiement, dit elle.
— Et par ma foy, beaulx seigneurs, il n'en est rien,
170 et ne le fait que pour me faire despit, et a la pouvre
fille blasme ; car oncques ne m'y trouva. — Non
dya ? fist elle ; vous l'orrez dire tantost et le vous
feray dire par tous ceulx de ceens. » Adonc appella
ses enfans et les varletz qui estoient devant la table,
175 et leur demanda s'ilz avoient point veu leur pere
couché avec la chambriere. Et ilz dirent que oy. Et

---

17 *V.* alerent venir
18 *V.* Adonc le filz respondit q.
19 *V.* t. pour servir les assistens· ainsi quil appartenoit
   comme bien et honnestement le savoit faire. Et quant
   la damoisele la vit elle lapella

leur pere respondit : « Vous mentez, mauvais gar-
çons, vostre mere le vous fait dire. — Sauf vostre
grace, pere, nous vous y vismes couché ; aussi firent
180 noz varletz. — Qu'en dictes vous ? dit la damoiselle.
— Vrayement, damoiselle, il est vray, » dirent ilz.
Et lors il y eut grand risée de ceulx qui la estoient,
et le menerent terriblement aux abaiz. Car [20] la
damoiselle leur compta comment il s'estoit fait
185 malade et toute la maniere de faire, ainsi qu'elle
avoit esté, et comment, pour le festoier, elle avoit
fait appareiller le disner et prier ses amys, qui de
plus en plus renforcerent la chose, dont il fut si honteux que a peine savoit il tenir sa maniere ; et ne se
190 sceut aultrement sauver que de dire : « Or avant,
puis que chacun est contre moy, il fault bien que je
me taise et que j'accorde tout ce qu'on veult, car je
ne puis tout seul contre vous tous ! » Après commenda que la table fust ostée, et incontinent graces
195 rendues, appella son beau filz et luy dist : « Jehan,
mon amy, je vous prie que si les aultres m'accusent
de cecy, que m'excusez en gardant mon honneur ; et
allez veoir a ceste pouvre fille qu'on luy doit, et la
paiez si largement qu'elle n'ayt cause de soy plain-
200 dre, puis la faictes partir ; car je sçay bien que
vostre mere ne la souffrera plus demourer ceens. » Le
beau filz alla faire ce qui luy estoit commendé, et
puis retourna aux compaignons qu'il avoit amenez,
lesquelx il trouva parlans a sa mere, et la remer-
205 cyoient de ses biens ; puis [21] prindrent congié et s'en
allerent. Et les aultres demourerent a l'ostel ; et fait
a supposer que depuis en eurent maintes devises

---

20 *V.* et le mary fut t. abaye c.
21 *V.* r. moult grandement de s. b. et de la bonne chiere
quelle leur avoit faicte p.

ensemble. Et le gentil amoureux ne beut point tout
l'amer de son vaisseau a ce disner ; et a ce propos
210 peut on dire « De chiens, d'oiseaulx, d'armes,
d'amours : Pour ung plaisir mille doleurs. » Et pour
ce nul ne s'i doit bouter s'il n'en veult a la foiz [22]
gouster. Et ainsi doncques, comment qu'il en advenist, acheva le gentil compaignon sa queste [23] en
215 ceste partie, par la maniere que dit est.

---

[22] *V.* v. aucunefois g.
[23] *V.* a. lui en advint et acheva ledit mary sa q.

LA SOIXANTIESME NOUVELLE,

PAR

PONCELLET.

N'a pas gueres qu'en la ville de Malines[1] avoit
trois damoiselles, femmes de trois bourgois de la
ville, riches, puissans et bien aisiez, lesquelles furent
amoureuses de trois freres mineurs. Et pour plus
celeement[2] et couvertement leur fait conduire, soubz
umbre de devocion se levoient chacun jour une heure
ou deux devant le jour ; et quand il leur sembloit
heure d'aller veoir leurs amoureux, elles disoient a
leurs mariz qu'elles alloient a matines et a la premiere messe. Et par le grand plaisir qu'elles y pre-
noient, et les religieux aussi, souvent advenoit que
le jour les sourprenoit si largement qu'elles ne
savoient comment saillir de l'ostel que les aultres
religieux ne s'en apperceussent. Pourquoy, doubtans
les grans perilz et inconveniens qui en povoient sourdre, fut prinse conclusion par eulx tous ensemble
que chacune d'elles aroit habit de religieux, et
feroient faire grands corones sur leurs testes, comme
s'elles estoient du convent de leens. Tant que finalement a ung certain jour qu'elles y retournerent après,
tantdiz que leurs mariz gueres n'y pensoient, elles
venues es chambres de leurs amys, ung barbier secret

---

[1] V. troye
[2] V. seurement

fut mandé, c'est assavoir ung des freres de leens, qui
fist aux damoiselles a chacune une corone sur la
teste. Et quand vint au departir, elles vestirent leurs
habiz qu'on leur avoit appareillez, et en cest estat
30 s'en retournerent devers leurs hostelz et s'en allerent
devestir, et mettre jus leurs habiz de devocion sus
certaines matrones affaictées[3], et puis retournerent
emprès leurs mariz. Et en ce point continuerent
grand temps sans ce que personne s'en apperceust.
35 Et pource que dommage eust esté que telle devocion
et travail n'eust esté cogneu, Fortune permist et
voult[4] que a certain jour que l'une de ces bourgoises [s']estoit mise au chemin pour aller au lieu
accoustumé, l'embusche fut descouverte, et de fait
40 fut prinse a tout l'abit dissimulé par son mary, qui
l'avoit poursuye, et luy dist : « Beau frere, vous soiez
le tresbien trouvé ! je vous pry que retournez a
l'ostel, car j'ay bien a parler a vous de conseil. »
Et en cest estat la ramena, dont elle ne fist ja feste.
45 Or advint, quand ilz furent a l'ostel, le mary commença a dire en maniere de farse : « Tres doulce
compaigne, dictes vous, par vostre foy, que la vraye
devocion dont tout ce temps d'yver avez esté esprise
vous fait endosser l'abit de saint Françoys, et porter
50 coronne semblable auz bons freres ? Dictes moy, je
vous requier, qui a esté vostre recteur, ou, par saint
Françoys, vous l'amenderez. » Et fist semblant de
tirer sa dague. Adoncques la pouvrette se jecta a
genoux et s'escrya a haulte voix, disant : « Helas !
55 mon mary, je vous cry mercy, aiez pitié de moy, car
j'ay esté seduicte par mauvaise compaignie. Je sçay
bien que je suis morte, si vous voulez, et que je n'ay

_____

3 *V.* d. ches une certaine matrone affaitie
4 *V.* f. voulut

pas fait comme je deusse. Mais je ne suis pas seule
deceue en celle maniere, et si vous me voulez pro-
60 mectre que ne me ferez rien, je vous diray tout. »
Adonc son mary s'i accorda. Et adonc elle luy dit
comment pluesurs foiz elle estoit allé audit monastere
avec deux de ses compaignes, desquelles deux des
religieux s'estoient enamourez ; et en les compai-
65 gnans aucunesfoiz a faire collacion en leurs chambres, le tiers fut d'elle [5] esprins d'amours, en luy
faisant tant d'humbles et doulces requestes qu'elle
ne s'en estoit sceu excuser ; et mesmement par
l'instigacion et enortement [6] de ses dictes compai-
70 gnes, disans qu'elles aroient bon temps ensemble, et
et si n'en saroit on rien. Lors demanda le mary qui
estoient ses compaignes ; et elle les nomma. Adonc
sceut il qui estoient leurs mariz, et dit le compte
qu'ilz buvoient souvent ensemble ; puis demanda qui
75 estoit le barbier, et elle luy dist, et les noms des trois
religieux. Le bon mary, consyderant ces choses, avecques les doloreuses ammiracions et piteux regretz de
sa femmelette, dit : « Or gardez bien que tu ne dyes
a personne que je sache parler de ceste matere, et
80 je te promectz que je ne te feray ja mal. » La bonne
damoiselle luy promist que tout a son plaisir elle
feroit. Et incontinent se part et alla prier au lendemain au disner les deux mariz et les deux damoiselles, les trois cordeliers et le barbier ; et ilz pro-
85 misrent d'y venir. Lesquelz venuz, et [7] eulx assis a
table, firent bonne chere sans penser en leur male
adventure. Et après que les tables furent ostées, pour
conclure de l'escot, firent pluesurs manieres de faire

---

[5] *D'ici à* Lors demanda, *à la 1ʳᵉ personne dans V.*
[6] *V.* enhort
[7] *V.* v. le lendemain et

mises avant joyeusement sur quoy l'escot seroit prins
90 et soustenu ; ce toutesfoiz qu'ilz ne sceurent trouver,
n'estre d'accord, tant que l'oste dist : « Puisque nous
ne savons trouver moien de payer nostre escot par
ce qui est mis en termes, je [vous] diray que nous
ferons : nous le ferons paier [8] a ceulx de la compai-
95 gnie qui la plus grande coronne portent sur la teste,
reservez ces bons religieux, car ilz ne paieront rien
a present. » A quoy ilz s'accorderent tous, et furent
contens qu'ainsi en fust ; et le barbier en fut le
juge. Et quand tous les hommes eurent monstré leurs
100 coronnes, l'oste dist qu'il failloit veoir si leurs femmes en avoient nulles. Si ne fault pas demander s'il
en y eut en la compaignie qui eurent leurs cueurs
estrains. Et sans plus attendre, l'oste print sa femme
par la teste et la descouvrit. Et quand il vit ceste
105 coronne, il fist une grand admiracion, faindant que
rien n'en sceust, et dist : « Il fault veoir les aultres
s'elles sont coronnées aussi. » Adonc leurs mariz les
firent deffuler, qui pareillement furent trouvées
coronnées comme la premiere, de quoy ilz ne firent
110 ja trop [9] grand feste, nonobstant qu'ilz en feissent
grandes risées. Et tout en maniere de joyeuseté dirent
que l'escot estoit gaigné, et que leurs femmes le
devoient. Mais il failloit savoir a quel propos ces
coronnes avoient esté enchargées. Et l'oste, qui estoit
115 assez joyeux du mistere et de leur adventure, leur [10]
compta tout le demené de la chose, sur telle protes-
tacion qu'ils le pardonneroient a leurs femmes pour
ceste foiz, parmy la penitence que les bons religieux
en porteroient en leur presence. Laquelle chose les

---

[8] *V.* f. il fault que nous le facions p.
[9] *V.* p. de laquelle chose ilz ne f. pas t.
[10] *V.* joyeux leur

120 deux mariz accorderent. Et incontinent l'oste fist
saillir quatre ou cinq [11] roiddes galans hors d'une
chambre, tous advertiz de leur fait, et prindrent
beaulx moynes, et leur donnerent tant de biens de
leens qu'ils en peurent entasser sus leurs dos, et
125 puis les bouterent hors de l'ostel. Et les aultres
demourerent illec encores une espace, en laquelle ne
fault doubter qu'il n'y eust pluseurs devises qui longues seroient a racompter : si m'en passe pour cause
de brefté [12].

---

[11] *V*. six
[12] *V*. b. hors et eurent les mariz plusieurs devises q. l.
s. a r.

LA SOIXANTE ET UNE NOUVELLE,

PAR

PONCELET.

Ung jour advint que en une bonne ville de Haynaut
avoit ung bon marchant maryé a une vaillant femme,
lequel tressouvent alloit en marchandise, qui estoit
par adventure occasion a sa femme qu'elle amoit
aultre que luy, en laquelle chose elle continua assez[1]
longuement. Neantmains toutesfoiz l'embusche fut
descouverte par ung sien voisin qui parent estoit au
mary, et demouroit a l'opposite de l'ostel du dit marchant, dont il vit et apperceut souvent le galant[2]
entrer de nuyt et saillir hors de l'ostel au marchant.
Laquelle chose venue a la cognoissance de celuy a
qui le dommage se faisoit, par l'advertissement du
voisin, fut moult desplaisant ; et, en remerciant son
parent et voisin, dit que brefvement y pourvoiroit, et
qu'il se bouteroit du soir en sa maison, pour mieulx
veoir qui yroit et viendroit en son hostel. Et finalement faindit[3] aller dehors et dist a sa femme et a
ses gens qu'il ne savoit quand il reviendroit. Et luy,
party au plus matin, ne demoura que jusques a la
vesprée, qu'il bouta son cheval quelque part et s'en

---

[1] V. c. et persevera moult l.
[2] V. g. heurter et e.
[3] V. semblablement faignit

vint couvertement sus [4] son cousin ; et la regarda
25 par une petite treille, attendant s'il verroit ce que
gueres ne lui plairoit. Et tant actendit que environ
neuf heures de nuyt, le galand, a qui la damoiselle
avoit fait savoir que son mary estoit hors, passa
ung tour ou deux par devant l'ostel de la belle et
30 regarda a l'huys pour veoir s'il y pourroit entrer ;
mais encores le trouva il fermé. Se pensa bien qu'il
n'estoit pas heure, pour les doubtes ; et ainsi qu'il
varioit la entour, le bon marchant, qui pensoit bien
qu'il n'estoit pas heure, pour les doubtes ; et ainsi
35 qu'il varioit la entour, le bon marchant, qui pensoit
bien que c'estoit son homme, descendit et vint a
l'huys et dist : « Mon amy, nostre damoiselle vous a
bien oy, et pource qu'il est encores temps assez, et
qu'elle a doubte que nostre maistre ne retourne, elle
40 m'a requis que je vous mecte dedens, s'il vous
plaist. » Le compaignon, cuidant que ce fust le varlet,
s'adventura et entra ens avecques luy et tout doulcement l'huys fut ouvert, et le mena tout derriere en
une chambre, ou il avoit une grand huche, laquelle
45 il defferma et le fist entrer ens affin que si le marchand revenoit, il ne le trouvast pas, et que sa maistresse le viendroit assez tost mettre hors et parler
a luy. Et tout ce souffrit le gentil galant pour mieulx
avoir, et aussi pourtant qu'il pensoit que l'autre dist
50 verité. Et incontinent se partit le marchand le plus
celeement qu'il peut, et s'en alla a son cousin et a
sa femme et leur dist : « Je vous promectz que le
rat est prins ; mais il nous fault adviser qu'il en est
de faire. » Et lors son cousin, et par especial sa
55 femme, qui n'aimoit point l'autre, furent bien joyeux

---

4 *V.* ches

de la venue, et dirent qu'il seroit bon qu'on le montrast aux parens de la femme, affin qu'ils cognoissent [5] son gouvernement. Et celle conclusion prinse,
le marchant alla a l'ostel du pere et de la mere de
60 sa femme et leur dist que si jamais ilz vouloient veoir
leur fille en vie qu'ilz venissent [6] hastivement en son
logiz. Tantost saillirent sus. Et tantdiz qu'ilz s'ap-
poinctoient, il [7] alla pareillement querir deux des
freres et des seurs d'elle, et leur dist comme il avoit
65 fait au pere et a la mere. Et puis les [8] mena tous en
la maison de son cousin, et illec leur compta toute
la chose ainsi qu'elle estoit, et la prinse du rat. Or
convient il savoir comment le gentil galant, pendant
ce temps, se gouverna en celle huche, de laquelle il
70 fut gaillardement delivré, actendu l'adventure. Et la
damoiselle, qui se donnoit grands merveilles se [9] son
amy ne viendroit point, alloit devant et derriere pour
veoir s'elle en orroit point de nouvelle. Et ne tarda
gueres que le gentil compaignon, qui oyt bien que
75 l'on passoit assez près de luy, et [10] si le laissoit
on la, print a hurter du poing a sa huche tant que
la damoiselle l'oyt qui en fut moult espoentée. Neantmains demanda elle qui c'estoit ; et le compaignon
luy respondit : « Helas ! tresdoulce damoiselle, ce
80 suis je qui me meurs icy de chault et de doubte, et
qui me donne grand merveille de ce que m'y avez
fait bouter, et si n'y allez ne venez. » Qui fort lors
fut esmerveillée, ce fut elle, et dist : « Ha ! vierge

---

5 *V.* veissent
6 *V.* d. quilz sen v.
7 *V.* sappointoient pour leur en aler ches leur fille il
8 *V.* m. Et puis quant il les eut tous assemblez il les
9 *V.* d. garde souvent se
10 *V.* p. du lieu ou il estoit et

Marie ! et pensez vous, mon amy, que je vous y aye
85 fait mectre ? — Par ma foy, dit il, je ne scay. Au
mains est venu vostre varlet a moy, et m'a dit que
luy aviez requis qu'il me mist en l'ostel, et que
j'entrasse en ceste huche, affin que vostre mary ne
me trouvast, si d'adventure il retournoit pour ceste
90 nuyt. — Ha ! dit elle, sur ma vie, ce a esté mon
mary. A ce coup suis je une femme perdue, et est
tout nostre fait sceu et descouvert. — Savez vous
qu'il y a ? dit il. Il convient que l'on me mette dehors,
ou je rompray tout, car je n'en puis plus endurer.
95 — Par ma foy ! dit la damoiselle, je n'en ay point la
clef, et si vous le rompez je suis deffaicte, et dira
mon mary que je l'aray fait pour vous sauver. »
Finalement la damoiselle cercha tant qu'elle trouva
des vieilles clefs entre lesquelles en y eut une qui
100 delivra le pouvre prisonnier. Et quand il fut hors il
troussa sa dame, et luy monstra le courroux qu'il
avoit sur elle, laquelle le print paciemment. Et a
tant se voult partir le gentil amoureux ; mais la
damoiselle le print et accola, et luy dist que s'il s'en
105 alloit ainsi, elle estoit aussi bien deshonorée que s'il
eust rompu la huche : « Qu'est il donc de faire ? dist
le galant. — Se nous ne mettons quelque chose
dedans et que mon mary le treuve, je ne me pourray
excuser que je ne vous aye mis hors. — Et quelle
110 chose y mettra l'on ? dit le galant, affin que je parte,
car il est heure. — Nous avons, dit elle, en cest
estable ung asne que nous y mettrons, si vous me
voulez aider. — Oy, par ma foy, dit il. » Adonc fut
cest asne jecté en la huche, et puis la refermerent.
115 Et le galant print congé d'un doulx baiser et se
partit en ce point par une yssue de derriere, et la
damoiselle s'en alla prestement coucher. Et après ne
demoura gueres que le mary, [qui], tantdiz que ces

choses se faisoient, assembla ses gens et les amena
120 a l'ostel de [11] son cousin, comme dit est, ou il leur
compta tout l'estat de ce qu'on luy avoit dit, et
aussi comment il avoit prins le galant a ses barres.
« Et a celle fin, dit il, que vous ne disiez que je veille
imposer a vostre fille blasme sans cause, je vous
125 monstreray a l'œil et au doy le ribauld qui ce deshonneur nous a fait ; et prie, avant qu'il saille hors,
qu'il soit tué. » Adonc chacun dit que si seroit il.
« Et aussi, dit le marchant, je vous rendray vostre
fille pour telle qu'elle est. » Et de la se partent les
130 aultres avecques luy, qui estoient moult dolens des
nouvelles ; et avoient torches et flambeaulx pour
mieulx choisir par tout, et que rien ne leur peust
eschapper. Et hurterent a l'huys si rudement que la
damoiselle y vint premier avant que nul de leens
135 s'esveillast, et [12] leur ouvrit l'huys. Et quand ilz
furent entrez, elle ledangea [13] son mary, son pere, sa
mere et les aultres, en monstrant qu'elle estoit bien
esmerveillée quelle chose a celle heure les amenoit.
Et a ces motz son mary hausse [le poing] et [14] luy
140 donne belle buffe, et luy dit : « Tu le sceras tantost,
faulse telle et telle et quelle que tu es. — Ha ! regardez que vous dictes ; amenez vous pour ce mon pere
et ma mere icy ? — Oy, dist la mere, faulse garse
que tu es, on te monstrera ton loudier prestement. »
145 Et lors les seurs dirent : « Et par Dieu, seur, vous
n'estes pas venue du lieu pour vous gouverner ainsi.
— Mes seurs, dit elle, par tous les sains de Romme,
je n'ay rien fait que une femme de bien ne doyve et

---

11 *V.* ches
12 *V.* p. que nulz de l. et
13 *V.* salua
14 *V.* hausse et

puisse faire, ne je ne doubte point qu'on doye le
150 contraire monstrer sur moy. — Tu as menty, dit son
mary, je le monstreray tout incontinent, et sera le
ribauld tué en ta presence. Sus tost, ouvre moy ceste
huche ! — Moy ! dit elle ; et en verité je croy que
vous [resvez], ou que vous estes hors du sens ; car
155 vous savez bien que je n'en portay oncques la clef,
mais pend a vostre cincture avecques les vostres des
le temps que vous y mettiez voz lectres [15]. Et pourtant, si vous la voulez ouvrir, ouvrez la. Mais je prie
a Dieu que ainsi vrayement qu'oncques je n'euz com-
160 paignie avecques celuy qui est la dedens enclos, qu'il
m'en delivre a joye et a honneur, et que la mauvaise
envye qu'on a sur moy puisse icy estre averée et
demonstrée ; et aussi sera elle, comme j'ay bon
espoir. — Je croy, dit le mary, qui la veoit a genoux,
165 plorant et gemissant, qu'elle scet bien faire la chate
moillée, et, qui la vouldroit croire, elle sceroit bien
abuser gens ; et ne doubtez, je me suis pieça perceu
de la traynée. Or sus, je vois ouvrir la huche. Si
vous prie, messeigneurs, que chacun tienne la main
170 a ce ribauld qu'il ne nous eschappe, car il est fort et
roidde. — N'ayez paour, dirent ilz tous ensemble,
nous en scerons bien faire. » Adonc tirent leurs
espées et prindrent leurs mailletz pour assommer le
pouvre amoureux, et luy dirent : « Or, te confesse la,
175 car jamais n'aras prestre de plus près. » La mere
et les seurs, qui ne vouloient point veoir celle occi-
sion, se tirerent d'une part. Et, ainsi que le bon
homme eut ouvert la huche, et que cest asne veist la
lumiere, il commença a recaner si hideusement qu'il
180 n'y eut la si hardy qui ne perdist sens et memoire [16].

---

[15] V. besongnes
[16] V. l. si tresgrande elle c. a hyngner ... s. et maniere

Et quand ilz virent que c'estoit ung asne, et qu'il les avoit ainsi abusez, ilz se vouldrent prendre au marchant, et luy dirent autant de honte qu'oncques saint Pierre eut d'honneurs ; et mesmes les femmes luy
185 vouloient courre sus. Et de fait, s'il ne s'en fust fuy, les freres de la damoiselle l'eussent la tué, pour le grand blasme et deshonneur qu'il luy avoit fait et voulu faire. Et finalement en eut tant a faire qu'il convint que la paix et traictié en fussent refaiz par
190 les plus notables de la ville ; et en furent les accuseurs tousjours en indignacion du marchant. Et dit le compte que a celle paix faire y eut grand difficulté et pluseurs protestacions des amys de la damoiselle faictes, et d'aultre part pluseurs pro-
195 messes bien estroictes du marchant, qui depuis bien et gracieusement s'i gouverna. Et ne fut oncques homme meilleur a femme qu'il fut toute sa vie. Et ainsi userent leurs jours [17] ensemble.

_____

_____

17 *V.* leur vie

LA LXIIe NOUVELLE,

PAR

MONSEIGNEUR DE QUIEVRAIN. [1]

Environ le mois de juillet, alors que certaines con-
vencions et assemblée se tenoi[en]t entre la ville de
Calais et Gravelinghes, assés près du chastel d'Oye,
a laquelle assanblée estoient plusieurs princes et
grands seigneurs, tant de la partie de France comme
d'Angleterre, pour adviser et traicter de la rençon de
monseigneur d'Orleans, estant lors prisonnier du roy
d'Angleterre ; entre lesquels de la dite partie d'Angleterre estoit le cardinal de Viscestre, qui a ladicte
convencion estoit venu en grand et noble estat, tant
de chevaliers, escuiers, que d'autres gens d'eglise.
Et entre les autres nobles hommes avoit ung qui se
nommoit Jehan Stotton, escuier trenchant, et Thomas Brampton, eschanson dudit cardinal, lesquels
Jehan et Thomas Brampton se entreaymoient autant
ou plus que pourroient faire deux freres germains
ensemble ; car de vestures, harnois et habillemens
estoient tousjours d'une façon au plus près que ilz
pouvoient ; et la plupart du temps ne faisoient que
ung lict et une chambre, et oncques n'avoit on vu
entr'eulx deux que aulcunement y eut [2] quelque courroux, noise ou maltalent. Et quand le dit cardinal
fut arrivé au dit lieu de Calais, on bailla pour le

---

[1] V. m. de commesuram
[2] V. d. y eust

logis des ditz nobles hommes l'hostel de Richard
Fery [3], qui est le plus grand hostel de la dicte ville
de Calais ; et ont de coustume les grands seigneurs,
30 quant ilz arrivent au dit lieu, passant et revenant, d'y
logier. Le dit Richard estoit marié, et estoit sa femme
de la nacion du pays de Hollande, qui estoit belle,
gracieuse, et bien luy avenoit a recevoir gens. Et
durant la dite convencion, a laquelle on fut bien
35 l'espace de deux mois, yceux Jehan Stotton et Thomas Brampton, qui estoient si comme en l'age de
xxvij a xxviij ans, aiant leur couleur de cramoisy
vive, et en point de faire armes pour nuict et par
jour ; durant lequel temps, nonobstant les privaultez
40 et amistez qui estoit entre ces deux seconds et compaignons d'armes, le dit Jehan Stotton, au deceu
du dit Thomas, trouva maniere d'avoir entrée et faire
le gracieulx envers leur dite hostesse, et y continuoit
souvent en devises et semblables gracieusetez que
45 on a de coustume de faire en la queste d'amours ;
et en la fin s'enhardit de demander a sa dite hostesse
sa courtoisie, c'est asavoir qu'il peust estre son amy
et elle sa dame par amours. A quoy, comme feignant
d'estre esbahie de telle requeste, luy respondit tout
50 froidement que lui ne aultre elle ne haioit, ne vouldroit hayr, et qu'elle aymoit chascun par bien et par
honneur. Mais il povoit sembler a la maniere de sa
dite requeste qu'elle ne pourroit ycelle accomplir que
ce ne fut grandement a son deshonneur et scandale,
55 et mesmement de sa vie, et que pour chose du monde
a ce ne vouldroit consentir. Adonc le dit Jehan respli-
qua, disant qu'elle luy povoit tresbien accorder : car
il estoit celuy qui lui vouloit garder son honneur jus-

---

[3] *V.* fury

qu'a la mort, et aymeroit mieulx estre pery, et en
60 l'autre siecle tourmenté, que par sa coulpe elle eust
deshonneur [4] ; et qu'elle ne doubta en rien que de
sa part son honneur ne fut gardé, luy suppliant de
rechief que sa requeste luy voulsist accorder, et a
tousjours mais se resputeroit son serviteur et loyal
65 amy. Et a ce elle respondit, faisant maniere de trembler, disant que de bonne foy il luy faisoit mouvoir
le sang du corps, de crainte et de paour qu'elle avoit
de luy accorder sa requeste. Lors s'approucha d'elle,
et luy requist ung baiser, dont les dames et damoi-
70 selles du dit pays d'Angleterre sont assez liberales
de l'accorder ; et en la baisant, luy pria doulcement
qu'elle ne fut paoureuse et que de ce qui seroit entre
eulx deux jamais nouvelle n'en seroit a personne
vivant. Lors elle lui dit : « Je voys bien que je ne
75 puis de vous eschapper que je ne face ce que vous
voulez ; et puis qu'il faut que je face quelque chose
pour vous, sauf toutesfois tousjours mon bon honneur, vous savez l'ordonnance qui est faicte de par
les seigneurs estans en ceste dite ville de Calais,
80 comment il convient que chascun chief d'hostel face
une foys la sepmaine, en personne, le guet par nuyt,
sur la muraille de la dite ville. Et pour ce que les
seigneurs et nobles hommes de monseigneur le cardinal, vostre maistre, sont ceens logez en grand nom-
85 bre, mon [5] mary a tant fait par le moien d'aucuns
ses amis envers mon dit seigneur le cardinal qu'il
ne fera que ung demy guet, et entens qu'il le doit
faire jeudy prochain, depuis la cloche du temps au
soir jusques a la mynuyt. Et pour ce, tantdiz que
90 mon dit mary sera au guet, si vous me voulez dire

---

4 *V.* honte
5 *V. l.* mon

aucunes choses, les orray tresvoluntiers, et me trouverez en ma chambre, avecques ma chambriere »,
la quelle estoit fort en grand de conduire et acomplir
les voluntez et plaisirs de sa maistresse. Lequel
95 Jehan Stotton fut de ceste response moult joyeux,
et en remerciant sa dicte hostesse luy dit que point
n'y aroit de faulte que au dit jour il ne venist comme
elle luy avoit dit. Or se faisoient ces devises le lundy
precedent après disner ; mais il ne fait pas a oublier
100 de dire comment le dit Thomas Brampton avoit ou
deceu de son dit compaignon Jehan Stotton [6] fait
pareilles diligences et requestes a leur dicte hostesse,
laquelle luy ne avoit oncques volu quelque chose
accorder fors luy bailler l'une foiz espoir et a l'autre
105 doubte, en luy remonstrant qu'il pensoit trop peu a
l'honneur d'elle : car s'elle faisoit ce qu'il requeroit,
elle savoit de vray que son dit mary et [7] ses parens
et amys lui osteroient la vie du corps. Et ad ce respondit le dit Thomas : « Ma tresdoulce damoiselle
110 et hostesse, pensez que je suis noble homme, et pour
chose qui me peust advenir ne vouldroye faire chose
qui tournast a vostre deshonneur ne blasme ; car ce
ne seroit point use de noblesse. Mais creez fermement que vostre honneur vouldroye garder comme le
115 mien mesmes ; et ameroye mieulx a morir qu'il en
fust nouvelles. Et n'ay amy ne personne en ce monde,
tant soit mon privé, a qui je vouldroye en nulle
maniere descouvrir. » Laquelle [8], voyant la singuliere
affection et desir du dit Thomas, luy dit le mercredy
120 ensuyvant que le dit Jehan avoit eu la gracieuse response cy dessus de leur dicte hostesse, que, puis

[6] *ms* scocton
[7] *V.* m. richart finey (*sic*) et
[8] *V.* je voulsisse en n. m. d. notre fait. La bonne dame v.

qu'elle voit en si grand volunté de luy faire service
en tout bien et en tout honneur, qu'elle n'estoit point
si ingrate qu'elle ne le vousist recognoistre. Et lors
125 luy alla dire comment il convenoit que son mary, lendemain au soir, allast au guet comme les aultres
chefs d'ostel de la ville, en entretenant l'ordonnance
qui sur ce estoit faicte par la seigneurie estant en
la ville. Mais, la Dieu mercy, son mary avoit eu de
130 bons amis entour monseigneur le cardinal ; car ilz
avoient tant fait envers luy qu'il ne feroit que demy
guet, c'est assavoir depuis la mynuyt jusques au
matin seulement, et que si ce pendant il vouloit venir
parler a elle, elle orroit voluntiers ses devises ; mais,
135 pour Dieu, qu'il y vint[9] si secretement qu'elle n'en
peust avoir blasme. Et le dit Thomas luy sceut bien
respondre que ainsi desiroit il de le faire. Et a tant
se partit en prenant congié. Et le lendemain, qui fut
le dit jour de jeudy, au vespre, après ce que la
140 cloche du guet avoit esté sonnée, ledit Jehan Stotton
n'oblya pas a aller a l'heure que sa dicte hostesse
luy avoit mise. Et ainsi qu'il vint vers la chambre
d'elle, il entra et la trouva toute seulle ; laquelle le
receut et luy fist tresbonne chere, car la table y estoit
145 mise. Lequel Jehan requist que avecques elle il peust
souper[10], affin de eulx mieulx ensemble deviser : ce
qu'elle ne luy voult de prime face accorder, disant
qu'elle pourroit avoir charge si on le trouvoit avec
elle. Mais il luy requist, tant qu'elle le luy accorda.
150 Et[11] le souper fait, qui sembla estre audit Jehan
moult long, se joignit[12] avecques sa dicte hostesse ;

---

9 *V.* venist
10 *V.* couchier
11 *V.* m. il r. t. et par si bonne maniere quelle si a. et
12 *V.* coucha

et après ce s'esbatirent ensemble si comme nu a nu.
Et avant qu'il entrast en la dicte chambre, il avoit
bouté en ung de ses doiz ung aneau d'or garny
155 d'un beau gros dyamant qui bien povoit valoir [13] la
somme de trente nobles. Et en eulx devisant [14]
ensemble, ledit aneau luy cheut de son doy dedans
le lit, sans ce qu'il s'en apperceust. Et quand ilz
eurent illec esté ensemble jusques apres la xj⁰ heure
160 de la nuyt, la dicte damoiselle luy pria moult doulcement que en gré il voulsist prendre le plaisir qu'elle
luy avoit peu faire, et que a tant il fust content [de]
soy habiller et partir de la dicte chambre, affin qu'il
n'y fust trouvé de son mary, qu'elle attendoit si tost
165 que la mynuyt seroit sonnée, et qu'il luy voulsist
garder son honneur, comme il luy avoit promis.
Lequel [15], ayant doubte que ledit mary ne retournast
incontinent, se leva, habilla et partit d'icelle chambre
ainsi que xij heures estoient sonnées, sans avoir sou-
170 venance de son dit dyamant qu'il avoit laissé ou lit.
Et en yssant hors de la dicte chambre et au plusprès
d'icelle, le dit Jehan Stotton encontra le dit Thomas
Brampton, son compaignon, cuidant que ce fust son
hoste Richard. Et pareillement le dit Thomas, qui
175 venoit a l'heure que sa dame [16] luy avoit mise, semblablement cuida que le dit Jehan Stotton fust le dit
Richard, et attendit ung peu pour savoir quel chemin
tiendroit celuy qu'il avoit encontré. Et [17] puis s'en
alla et entra en la chambre de la dicte hostesse, qu'il
180 trouva comme entrouverte ; laquelle tint maniere

---

13 *ms* valoit
14 *V*. et comme ilz se delectoient
15 *V*. Lors ledit stotton a.
16 *V*. hostesse
17 *V*. c. il tiendroit et p.

comme toute esperdue et effrayée, en demandant au
dit Thomas, en maniere de grand doubte et paour,
s'il avoit point encontré son mary qui [se] partoit
d'illec pour aller au guet. Lequel luy [18] dist que trop
185 bien avoit encontré ung homme, mais il ne savoit qui
il estoit, ou son mary ou aultre, et qu'il avoit ung
peu attendu pour veoir quel chemin il tiendroit. Et
quand elle eut ce oy, elle print hardement [19] de le
baiser, et luy dist qu'il fust le bien venu. Et assez
190 tost après, sans demander qui l'a perdu ne gaigné,
le dit Thomas trousse la damoiselle sur le lit en faisant cela. Et puis après, quand elle vit que c'estoit,
acertes se despoillerent et entrerent tous deux ou lit,
car ilz firent armes [20] en sacrifiant au dieu d'Amours
195 et rompirent pluseurs lances. Mais en faisant les
dictes armes il advint au dit Thomas une adventure,
car il sentit soubz sa cuisse le dyamant que le dit
Jehan Stotton y avoit laissé ; et comme non fol ne
esbahy, le print et le mist en l'un de ses doiz. Et
200 quand ilz eurent esté ensemble jusques a lendemain
de matin, que la cloche du guet estoit prochaine de
sonner, a la requeste de la dicte damoiselle il se leva,
et en partant s'entreacolerent ensemble d'un baiser
amoureux. Ne demoura gueres que le dit Richart
205 retourna du guet, ou il avoit esté toute la nuyt, en
son hostel, [fort] [21] refroidy et eschargé du fardeau
de sommeil, qui trouva sa femme qui se levoit ;
laquelle luy fist faire du feu et s'en alla coucher et
reposer, car il estoit traveillé de la nuyt, et fait a
210 croire que aussi estoit sa femme. Car, pour la doubte

---

[18] *V. g.* Adonc ledit thomas I.
[19] *V.* hardiesse
[20] *V.* furent armez
[21] *ms* froit

qu'elle avoit eue du traveil de son mary, elle avoit
bien peu dormy toute la nuyt. Et environ deux jours
après toutes ces choses faictes, comme les Anglois
ont de coustume après qu'ilz ont oy la messe d'aller
215 desjeuner en la taverne au meilleur vin, lesdictz
Jehan et Thomas se trouverent en une compaignie
d'aultres gentilzhommes et marchans et allerent
ensemble desjeuner, et se assirent les dictz Stotton et
Brampton l'un devant l'autre. Et en mengeant, le
220 dict Jehan regarda sur les mains du dit Thomas, qui
avoit en ung de ses doiz le dict dyamant. Et quand
il l'eut grandement advisé, il [22] luy sembloit vrayement que c'estoit celuy qu'il avoit perdu, ne savoit
en quel lieu ne quand, et pria au dit Thomas qu'il
225 luy voulsist monstrer le dit dyamant, lequel luy
bailla. Et quand il l'eut en sa main, recogneut bien
que c'estoit le sien, et demanda au dit Thomas dont
il luy venoit, et qu'il estoit sien. A quoy le dit Thomas respondit au contraire que non, et que a luy
230 appartenoit. Et le dit Stotton maintenoit que depuis
peu de temps l'avoit perdu, et que, s'il l'avoit trouvé
en leur chambre ou ilz couchoient, qu'il ne faisoit
pas bien de le retenir, attendu l'amour et fraternité
qui tousjours avoit esté entre eulx ; tellement que
235 pluseurs haultes parolles s'en ensuyvirent, et fort se
animerent et courrousserent [23] l'un contre l'autre.
Toutesvoies le dit Thomas vouloit tousjours ravoir
le dit dyamant ; mais n'en peut finer. Et quand les
aultres gentilzhommes et marchans virent la dicte
240 noise, chacun s'employa a l'accordement [24] d'icelle,

---

22 *V.* leut longuement a. et regarde il
23 *V.* sen esmeurent et f. se c.
24 *V.* lappaisement

pour trouver maniere de les appaiser[25] ; mais rien
n'y valoit. Car celuy qui perdu avoit le dit dyamant
ne le vouloit laisser partir de ses mains, et celuy qui
l'avoit trouvé le vouloit ravoir, et tenoit a belle
245 adventure que d'avoir eu cest eur et[26] avoir joy de
l'amour de sa dame ; et ainsi estoit la chose difficile
a appoincter. Finalement l'un des dictz marchans,
voyant que ou demené de la matere on n'y prouffitoit
en riens, il dist qu'il luy sembloit qu'il avoit advisé
250 ung aultre expedient, dont[27] les dictz Jehan et Thomas devroient estre contens. Mais il n'en diroit mot
si les dictes parties ne se soubzmettoient, en peine
de dix nobles, que de tenir ce qu'il en diroit ; dont
chacun de ceulx estans en la dicte compaignie dirent
255 que bien avoit dit ledit marchant, et inciterent lesdictz Jehan et Thomas de faire ladicte soubzmission,
et tant en furent requis qu'ilz s'i accorderent. Lequel
marchant ordonna que le dit dyamant seroit mis en
ses mains, puis que tous ceulx qui dudit different[28]
260 avoient parlé et requis de l'appaiser n'en avoient peu
estre creuz, et que après ce, que, eulx partiz[29] de
l'ostel ou ils estoient, au premier homme, de quelque
estat ou condicion qu'il fust, qu'ilz rencontreroient a
l'yssue du dit hostel, compteroient toute la maniere
265 dudit different[28] et noise estant entre les ditz Jehan
et Thomas ; et[30] ce qu'il en diroit ou ordonneroit
seroit tenu ferme et estable par les dictes deux parties. Ne demoura gueres que dudit hostel se partit

25 *V.* accorder
26 *V.* belle a. de lavoir trouve et
27 *V.* e. appointement d.
28 *V.* de ladicte difference
29 *V.* c. il ordonna q. a. ce quilz seroient p.
30 *V.* j. stotton et t. brampton et

toute la compaignie, et le premier homme qu'ilz
270 encontrerent au dehors d'icelluy, ce fut le dit Richard,
hoste des dictes deux parties. Auquel par le dit marchant fut dit et narré toute[31] la maniere du dit
différent[28]. Lequel Richard, après ce qu'il eut tout
oy et qu'il eut demandé a ceulx qui illec estoient
275 presens si ainsi en estoit allé, et que les dictes parties ne s'estoient voulu laisser appoincter et appaiser
par tant de notables personnes, dist par sentence que
ledit dyamant luy demourroit comme sien et que
l'une ne l'autre des parties ne l'aroit. Et quand le
280 dit Thomas vit qu'il avoit perdu l'adventure de la
treuve du dit dyamant, fut bien desplaisant. Et fait
a croire que autant l'estoit le dit Jehan Stotton, qui
l'avoit perdu. Et lors requist le dit Thomas a tous
ceulx qui estoient en la compaignie, reservé leur dit
285 hoste, qu'ilz voulsissent retourner en l'ostel ou ilz
avoient desjeuné, et qu'ilz leur donneroit a disner,
affin qu'ilz fussent advertiz de la maniere et comment le dit dyamant estoit venu en ses mains. Tous
lesquelx luy accorderent[32]. Et en attendant le disner
300 qui s'appareilloit, leur compta l'entrée et la maniere
des devises qu'il avoit eu avecques son hostesse,
comment et a quelle heure elle luy avoit mis heure
pour se trouver avecques elle, tantdiz que son mary
seroit au guet, et le lieu ou le dyamant avoit esté
305 trouvé. Lors le dit Jehan Stotton, oyant ce, en fut
moult esbahy, soy donnant grand merveille et en soy
signant, dist que tout le semblable luy estoit advenu
en la propre nuyt, ainsi que cy devant est declaré ;
et que il tenoit fermement avoir laissé cheoir son
310 dyamant ou le dit Thomas l'avoit trouvé, et qu'il luy

---

[31] *V.* f. narre et racompte t.
[32] *V.* m. lesquelz dung accort lui a. volentiers. Et

devoit faire plus mal de l'avoir perdu qu'il ne faisoit
audit Thomas, lequel n'y perdoit rien ³³, car il luy
avoit cher cousté. A quoy ledit Thomas respondit
qu'il ne le devoit point plaindre si leur hoste l'avoit
315 adjugé estre sien, attendu que leur hostesse en avoit
eu beaucop a souffrir, et qu'il avoit eu le pucellage
de la nuytée, et le dit Thomas avoit esté son page
et de son escuyrie et allant ³⁴ après luy. Et ces choses
contenterent assez bien le dit Jehan Stotton de la
320 perte de son dyamant, pource que aultre chose n'en
povoit avoir ³⁵. Et de ceste adventure tous ceulx qui
presens estoient commencerent a rire et menerent
grand joye. Et après ce qu'ilz eurent disné, chacun
retourna ou bon lui sembla.

---

33 *V.* aucune chose
34 *V.* p. en a.
35 *V. allonge la fin de cette nouvelle, mais n'ajoute rien
de neuf.*

LA SOIXANTE TROISIESME NOUVELLE,

PAR

MONTBLERU. [1]

Montbleru se trouva, environ deux ans a, a [2] la foyre
d'Envers, en la compaignie de monseigneur d'Estam-
pes, qui le deffrayoit, qui [3] est une chose qu'il prend
assez bien en gré. Ung jour entre les aultres, d'adventure il rencontra maistre Ymbert de Playne, maistre Roland [4] Pipe, et Jehan Le Tourneur, qui luy
firent grand chere ; et pour ce qu'il est plaisant et
gracieux, comme chacun scet, ilz desirerent sa compaignie et luy prierent de venir loger avec eulx, et
qu'ilz feroient la meilleur chere de jamais. Montbleru de prinsault s'excusa sur monseigneur d'Es-
tampes, qui l'avoit la amené, et dist qu'il ne l'oseroit
habandonner : « Et la raison y est bonne, car il me
deffraye de tout point », dit il. Neantmains toutesfoiz il fut content d'abandonner monseigneur d'Es-
tampes, ou cas que entre eulx le voulsissent def-
frayer ; et eulx, qui ne desiroient que sa compaignie,
accorderent legierement et de bon cueur ce marché.
Or escoutez comment il les paya. Ces trois bons seigneurs, maistre Ymbert, maistre Roland, et Jehan

---

[1] *manque dans V.*
[2] *V.* t. ung jour qui passa a
[3] *V.* d. et paioit ses despens q.
[4] *V.* himbert de p. m. roulant

Le Tourneur, demourerent[5] a Envers plus qu'ilz ne
25 pensoient quand ilz partirent de la court, et soubz
esperance de bref retourner, n'avoient apporté chacun qu'une chemise ; si devindrent les leurs, leurs
couvrechefs et petiz draps, bien sales, et a grand
regret leur venoit d'eulx trouver en ce party[6], car il
30 faisoit bien chault, comme en la saison de Penthe-
coste. Si les baillerent a blanchir a la chambriere de
leur logis ung samedy au soir, quand ilz se coucherent, et les devoient avoir blanches au lendemain,
a leur lever. Et si eussent ilz ; mais[7] Montbleru les
35 en garda bien. Et pour venir au fait, la chambriere,
quand vint au matin, qu'elle eut blanchy ces chemises, couvrechefs et petiz draps, les sechez au feu,
et[8] ploiez bien et gentement, elle fut appellé[e] de
sa maistresse pour aller a la boucherie faire[9] la
40 provision pour le disner. Elle fist ce que sa maistresse luy commenda, et laissa en la cuisine sur une
scabelle tout ce bagage, chemises, couvrechefs et
petiz draps, esperant[10] a son retour les retrouver ; a
quoy elle faillit. Car Montbleru, quand il peut veoir
45 du jour, se leve de son lit et print une robe longue
sur sa chemise et descendit en bas. Il[11] vint veoir
qu'on disoit en la cuisine, ou il ne trouva ame, fors
seullement ces chemises, couvrechefs, et petiz draps,
qui ne demandoient que marchant. Montbleru
50 cogneut tantost que c'estoit sa charge ; si y mist la

---

5 *V. omet les trois noms.*
6 *V. en ceste malaise*
7 *V. lever m.*
8 *V. b. ces c. et c. et les eut sechiez et*
9 *V. querir*
10 *V. tout ce b. c.*
11 *V. en b. pour faire cesser les chevaulx qui se comba-*
toient ou pour aler au retraict et luy la venu il

main, et fut en grand effroy ou il les pourroit sauver.
Une foiz il pensoit de les bouter dedans les chau-
dieres et grands potz de cuyvre qui estoient en la
cuisine ; aultrefoiz de les bouter en sa manche. Bref
55 il les bouta en l'estable de ses chevaulx, bien enfar-
delées dedans le fain et ung gros monceau de fiens.
Et cela fait, il s'en revint coucher dont il estoit party
d'emprès de Jehan Le Tourneur. Or veez cy la chambriere retournée de la boucherie, qui ne trouve pas ces
60 chemises, qui ne fut pas bien contente, et commence a
demander par tout qui en scet nouvelles. Chacun a
qui elle en demandoit disoit qu'il n'en savoit rien, et
Dieu scet la vie qu'elle menoit. Et veez cy les serviteurs de ces bons seigneurs qui attendent après leurs
65 chemises, qui n'osent monter vers leurs maistres, et
enragent tout vifz ; si font l'oste [12] et l'ostesse et la
chambriere. Quand vint environ neuf heures, ces bons
seigneurs appellent leurs gens ; mais nul ne vient, tant
craindent a dire les nouvelles de ceste perte a leurs
70 maistres. Toutesfoiz en la fin, qu'il estoit entre xj
et xij, l'oste vint et les serviteurs ; et fut dit a ces
bons seigneurs comment leurs chemises estoient des-
robées, dont les aucuns perdirent pacience, comme
maistre Ymbert et maistre Roland. Mais Jehan Le
75 Tourneur tint assez bonne maniere, et n'en faisoit
que rire, et appella Montbleru, qui faisoit la dormeveille, qui savoit et oyoit tout, et luy dist : « Montbleru, veez cy compaignons [13] bien en point : on nous
a desrobé noz chemises. — Saincte Marie ! que dictes
80 vous ? dit Montbleru, contrefaisant l'endormy, veez
cy mal venu. » Quand on eut grand piece tenu par-

---

12 *V.* m. et et craingnoient moult, aussi faisait l'oste
13 *V.* gens

lement de ces chemises perdues, dont Montbleru
cognoissoit bien le larron, ces bons seigneurs dirent :
« Il est ja tard, nous n'avons encores point oy messe,
85 et si est dimenche ; et si ne povons bonnement aller
sans [14] chemises. Qu'est il de faire ? — Par ma foy,
dist l'oste, je n'y sçay aultre remede, que je vous
preste chacun une chemise des miennes, telles qu'elles
sont. Elles ne sont pas pareilles aux vostres, mais
90 elles sont blanches, et si ne povez mieulx faire. » Ilz
furent contens de prendre ces chemises de l'oste, qui
estoient courtes et estroictes, et de dure et aspre
toille ; et Dieu scet qu'il les faisoit bon veoir. Ilz
furent prestz, Dieu mercy ; mais il estoit si tard
95 qu'ilz ne savoient ou ilz pourroient oyr messe. Alors
dist Montbleru, qui tenoit trop bien maniere : « Tant
que d'oyr messe, il est meshuy trop tard ; mais je
sçay une eglise en ceste ville ou nous ne fauldrons
point de veoir Dieu. — Encores vault il mieulx que [15]
100 rien, dirent ces bons seigneurs. Allons, allons, et
nous avançons. » Montbleru [16] les mena en la grand
eglise d'Envers, ou il y a ung Dieu sur ung asne.
Quand ilz eurent chacun dit une paternostre, ilz [17]
dirent a Montbleru : « Ou est ce que nous verrons
105 Dieu ? — Je le vous monstreray », dit il. Alors il leur
monstra ce Dieu sur l'asne, et leur dist : « Veez la
Dieu : vous ne fauldrez jamais a quelque heure de
voir Dieu ceens. » Ilz se commencerent a rire, jasoit

---

14 *V.* a. dehors de ceans s.

15 *V.* m. de le veoir q.

16 *V.* a. vistement, c'est trop tarde : car perdre noz chemises, et ne ouyr point aujourdhuy de messe, ce seroit
mal sur mal ; et pourtant il est temps daler a leglise,
si meshuy nous voulons ouyr la messe M. »

17 *V.* d. leurs patenostres et leurs devocions ilz

ce que la doleur de leurs chemises ne fust pas encore
110 appaisée. Et sur ce point ilz s'en vindrent disner et
furent depuis ne sçay quants jours a Envers ; et
après se despartirent sans avoir leurs chemises, car
Montbleru les mist en lieu sauf [18], et les vendit
depuis cinq escuz d'or. Or advint, comme Dieu le
115 voult, que en la bonne sepmaine de quaresme ensuyvant le mercredi, Montbleru se trouva au disner avecques ces trois bons seigneurs dessuz nommez ; et
entre aultres parolles il leur ramentut leurs chemises
qu'ilz avoient perdues a Envers, et dist : « Helas ! le
120 pouvre larron qui vous desroba, il sera bien damné
si son meffait ne luy est pardonné par Dieu, et de
par vous ; vous ne le vouldriez pas ? — Ha ! dit
maistre Ymbert, par dieu, beau sire, il ne m'en souvenoit plus, je l'ay pieça oublié. — Au mains, dit
125 Montbleru, vous luy pardonnez, faictes pas ? — Saint
Jehan, dist il, je ne vouldroye pas qu'il fut damné
pour moy. — Et par ma foy, c'est bien dit, dist
Montbleru. Et vous, maistre Roland, ne luy pardonnez vous pas aussi ? » A grand peine disoit il le
130 mot ; toutesfoiz il dist qu'il luy pardonnoit, mais pour
ce qu'il pert a regret, le mot luy coustoit plus a
pronuncer. « Et vrayement, vous luy pardonnerez
aussi, maistre Roland, dist Montbleru ; qu'avez vous
gaigné d'avoir damné ung pouvre larron pour une
135 meschante chemise et ung couvrechef ? — Et je luy
pardonne vrayement, dist il lors, et l'en clame quicte,
puisqu'ainsi est que aultre chose n'en puis avoir.
— Et par ma foy, vous estes bon homme », dist
Montbleru. Or vint le tour de Jehan Le Tourneur. Si
140 luy dist Montbleru : « Or ça, Jehan, vous ne ferez

---

18 *V.* seur
19 *V.* Or v. le tourneur

pas pis que les aultres, tout est pardonné a ce pouvre
larron de chemises, si a vous ne tient. — A moy ne
tiendra pas, dit il. Je luy ay pieça pardonné, et luy
en baille de rechef absolucion [20]. — On ne pourroit
145 mieulx dire, dit Montbleru, et par ma foy, je vous
sçay tresbon gré de la quictance que vous avez faicte
au larron de voz chemises, et en tant qu'il me touche,
car [21] je suis le larron mesmes qui vous desrobay voz
chemises a Envers. Je prens ceste quictance a mon
150 prouffit, et vous en mercye toutesfoiz, car je le doy
faire. » Quand Montbleru eut confessé ce larrecin,
et qu'il eut trouvé sa quictance par le party qu'avez
oy, il ne fault pas demander si maistre Ymbert,
maistre Roland [22] et Jehan Le Tourneur furent bien
155 esbahiz, car ilz ne se fussent jamais doubtez qui leur
eust fait ceste courtoisie. Et luy fut bien reprouché,
voire en esbattant, ce pouvre larrecin. Mais luy, qui
scet son entregens, se desarmoit gracieusement de
tout ce dont charger le vouloient ; et leur disoit bien
160 que c'estoit sa coustume que de gaigner et de prendre ce qu'il trouvoit sans garde, specialement a telles
gens qu'ilz estoient. Ilz n'en [23] firent que rire ; mais
trop bien demanderent comment il [24] les desroba. Et
il leur declara tout au long, et dist aussi qu'il avoit
165 eu de tout ce butin cinq escuz, dont ilz n'eurent ne
demanderent aultre chose.

---

[20] *V*. de r. tout maintenant devant vous labsolucion
[21] *V*. t. je vous en remercie tous c.
[22] *V*. d. si m. r.
[23] *V*. e. Ces troys bons seigneurs nen
[24] *V*. c. il l. avoit prinses et aussi en quelle facon et
maniere il

LA SOIXANTE IIIJ^e NOUVELLE,

PAR

MESSIRE MICHAULT DE CHA[U]GY. [1]

Il est bien vray que nagueres, en ung lieu de ce
5 pays que je ne puis nommer, et pour cause, mais au
fort qui le scet si s'en taise, comme je fays, avoit
ung maistre curé qui faisoit rage de confesser ses
parrochiennes. De fait, il n'en eschappoit pas une
qui ne passast par la, voire des plus jeunes. Au
10 regard des veilles, il n'en tenoit compte. Quand il eut
longuement maintenu ceste saincte vie et ce vertueux
exercice, et que la renommée en fust espandue par
toute la marche et es terres voisines, il fut puny en
la façon que vous orrez, et par l'industrie de l'un de
15 ses parrochiens [2], a qui toutesfoiz il n'avoit encores
rien meffait touchant sa femme. Il estoit ung jour
au disner, et faisoit bonne chere en l'ostel de son
parrochien que je vous dy. Et comme il[z] estoient
ou meilleur endroit de leur disner et qu'ilz faisoient
20 le plus grand het [3], veez cy leens venir ung homme
qui s'appelle Trenchecoille, lequel se mesle de tailler
gens, d'arracher dens, et d'un grand tas d'aultres
brouilleries ; et avoit ne sçay quoy a besoigner a
l'oste de leens. L'oste l'encueillit tresbien et le fist
25 seoir, et sans se faire beaucop prier, il se fourre

---

[1] ms changy, *ainsi que V*.
[2] V. dung sien prouchain
[3] V. la p. grant chiere

avecques nostre curé et les aultres ; et s'il estoit venu
tard, il met peine d'aconsuyvir ceulx qui le mieulx
avoient viandé. Ce maistre curé, qui estoit grand
farseur et fin homme, commence a prendre la parole
30 a ce trenchecoille et luy va demander de son mestier
et de cent mille choses ; et[4] le trenchecoille luy respondoit au propos le mieulx qu'il savoit. A chef de
piece, maistre curé se vire vers l'oste et en l'oreille
luy dist : « Voulons nous bien tromper ce trenche-
35 coille ? — Oy, je vous en prie, ce dit l'oste. — Par[5]
ma foy, dit le curé, nous le tromperons trop bien, si
vous me voulez aider. — Et je ne demande aultre
chose, dit l'oste. — Je vous diray que nous ferons,
dit le curé : je faindray avoir mal au coillon[6] et
40 marchanderay a lui de me l'oster, et me feray lyer
et mettre sur la[7] table tout en point, comme pour
le trencher. Et quand il viendra près et il vouldra
veoir que c'est pour ouvrer de son mestier, je me
leveray et luy monstreray[8] le derriere. — Et que
45 c'est bien dit, dist l'oste, qui a coup pensa ce qu'il
vouloit faire ; vous ne feistes jamais mieulx ; laissez
nous faire entre nous aultres, nous vous aiderons
bien a parfaire la farse. — Je le veil, » dit le curé.
Après ces paroles, monseigneur le curé rassaillit
50 nostre trenchecoille d'unes et d'aultres, et en la parfin
luy dist, pardieu, qu'il avoit bien mestier d'un tel
homme qu'il estoit, et qu'il avoit ung coillon tout
pourri et gasté, et vouldroit qu'il luy fust cousté

---

4 *V.* a ce t. et
5 *V.* loste mais en quelle maniere le pourrons nous faire.
Par
6 *V.* m. en ung c.
7 *V.* et me mettray sus la
8 *V.* de son m. je lui m.

bonne chose et qu'il eust trouvé homme qui bien luy
55 sceust oster. Et si froidement le disoit que le trenchecoille cuidoit veritablement qu'il deist voir. Lequel
luy [9] respondit : « Monseigneur le curé, je veil bien
que vous sachez, sans nul despriser, ne moy vanter
de rien, qu'il n'y a homme en ce pays qui mieulx que
60 moi vous sceust aider ; et pour l'amour de l'oste de
ceens, je vous feray de ma peine telle courtoisie, si
vous vous voulez mettre en mes mains, que par droit
vous en devrez estre content. — Et vrayment, dit
maistre curé, c'est bien dit. » Conclusion, pour abre-
65 ger, ilz furent d'accord. Et tost après fut la table
ostée. Et si commença maistre trenchecoille a faire
ses preparatoires pour besoigner. Et d'aultre part le
bon curé se mettoit a point pour faire la farse, qui
ne luy tourna pas a jeu, et devisoit a l'oste et aux
70 aultres comment [10] il devoit faire. Et tantdiz que ces
approuches [11] d'un costé et d'aultre se faisoient,
l'oste de leens vint au trenchecoille, et luy dist :
« Garde bien, quelque chose que ce prestre te dye,
quant tu le tiendras pour [12] ouvrer a ses coillons, que
75 tu les lui trenches tous deux rasibus, et n'y fay
faulte, si cher que tu as ton [13] corps. — Saint Martin,
si feray je, dist le trenchecoille, puis qu'il vous plaist.
J'ai ung instrument si prest et si bien trenchant, que
je vous feray present de ses genitoires avant qu'il ait
80 loisir de moy rien dire. — Or on verra que tu feras,

---

9 *V.* oster. Et vous devez savoir quil le disoit si f. q. le
t. c. v. quil dist tout vray. Adonc il lui
10 *V.* a. qui estoient presens c.
11 *V.* apprestes
12 *V.* t. en tes mains p.
13 *V.* r. et garde bien que tu ny failles point si c. q. tu
aymes t.

dist l'oste ; si tu faulx, je ne te fauldray pas. » Tout
fut prest, et la table apportée [14], et monseigneur le
curé en pourpoint, qui bien contrefaisoit l'adolé, et
promectoit bon vin a ce trenchecoille. L'oste aussi
85 et les serviteurs de leens, qui devoient tenir bon curé,
qui n'avoient garde de le laisser [eschapper]. Et
affin d'estre plus seur, le lierent trop bien, et luy
disoient que c'estoit pour mieux faire [16] la farse, et
quand il vouldroit ilz le laisseroient aller. Et il les
90 creut comme fol. Or vint ce vaillant trenchecoille
garny a la couverte main de [17] son petit rasoir, et
commença a vouloir mectre les mains aux coillons
de monseigneur le curé : « A dya ! dit monseigneur
le curé, faictes a traict et tout beau ; tastez les le
95 plus doulcement que vous pourrez, et après je vous
diray lequel je veil avoir osté. — Trop bien », dit il.
Et lors tout souef leve la chemise et prend ses maistres coillons, gros et quarrez, et sans en plus
enquerir, subitement les [18] luy trencha tous deux d'un
100 seul cop. Et bon curé de cryer, et de faire la plus
male vie que jamais fist homme. « Hola ! hola, dist
l'oste, pille la pacience, ce qui est fait est fait. Laissez vous adouber. » Alors le trenchecoille le mect a
point du surplus qui en tel cas appartient, et part
105 et s'en va, attendant de l'oste il savoit bien quoy.
Or ne fault il pas demander si monseigneur le curé
fut bien camus de se veoir ainsi desgarny. Et [19]
mectoit sus a l'oste qu'il estoit cause de son mes-

---

14 *V.* appointee
15 *V.* e. ne remuer en quelque maniere que ce fust
16 *V.* m. et plus couvertement f.
17 *V.* g. en sa cornette de
18 *V.* s. comme leclipse l.
19 *V.* d. de ses instrumens et

chef ; mais [20] Dieu scet qu'il s'en excusoit bien, et
110 disoit que si le trenchecoille ne se fust si tost sauvé,
qu'il l'eust mis en tel estat que jamais n'eust fait
bien après. « Pensez vous, dit il, qu'il ne me desplaist
bien de vostre ennuy, et plus beaucop qu'il est
advenu en mon hostel. » Ces nouvelles furent tost
115 volées par [21] toute la ville. Et ne fault pas dire que
aucunes damoiselles ne furent bien marries d'avoir
perduz les instrumens de monseigneur le curé. Mais
aussi d'aultre part les dolens mariz en furent si
joyeux qu'on ne vous saroit dire n'escripre la
120 dixiesme partie de leur lyesse. Ainsy que vous avez
oy fut maistre curé puny, qui tant d'aultres avoit
trompez et deceuz ; et oncques depuis ne se osa
veoir entre gens, mais comme reclus et plain de
melencolie fina bien tost après ses dolens jours.

LA SOIXANTE CINQUIÈME NOUVELLE,

PAR

MONSEIGNEUR LE PREVOST DE WASTENES.

Comme souvent l'on mect en terme pluseurs choses
5 dont en la fin on se repent, et a tard, advint nagueres
que ung gentil compaignon, demourant en ung village assez près du Mont-Saint-Michel, se devisoit a
ung soupper, present sa femme, et aucuns estrangiers
et pluseurs de ses voisins, d'un hostellain dudit
10 [Mont-]Saint-Michel ; et disoit, affermoit et juroit
sur son honneur qu'il portoit le plus beau membre,
le plus gros et le plus quarré qui fust en toute la
marche d'environ ; et avecques ce, et qui n'empire
pas le jeu, il s'en aidoit tellement et si bien que les
15 quatre, les v, les vj foiz ne luy coustoient non plus
que s'on les prinst en la corne de son chaperon. Tous
ceulx de la table oyrent bien voluntiers le bon bruyt
qu'on donnoit a cet hostellain du Mont-Saint-Michel,
et en parlerent chacun comme il l'entendoit. Mais qui,
20 que y prinst garde, [ce fut] la dame de leens, femme[1]
du racompteur de l'ystoire, [laquelle] y presta tresbien l'oreille ; et luy sembla bien que la femme estoit
eureuse et bien fortunée qui de tel mary estoit douée.
Et pensa deslors en son cueur que, s'elle povoit
25 trouver honneste voye et subtille, elle se trouvera
quelque jour audit Saint-Michel, et a l'ostel de
l'homme au gros membre se logeroit ; et ne tiendra
que a luy qu'elle n'espreuve si le bon bruit qu'on luy

---

[1] *V.* ce f. **la** f.

donne est vray. Pour executer ce qu'elle avoit pro-
30 posé et en son courage deliberé, au chef de vy ou
viij jours[2], elle print congé de son mary, pour aller
en pelerinage au Mont-Saint-Michel. Et pour colorer
l'occasion de son voyage, elle, comme femmes scevent
bien faire, trouva une bourde toute affaictée. Et son
35 mary ne luy refusa pas le congé, combien qu'il se
doubta tantost de ce qui estoit. Au partir, son mary
luy dist qu'elle feist son offrande a saint Michel,
qu'elle se logeast a l'ostel dudit hostellain, et qu'elle
le recommendast a luy cent mille foiz[3]. Elle promist
40 de tout accomplir ; et[4] sur ce prend congé, et s'en
va, Dieu scet, desirant beaucop se trouver au lieu
de Saint-Michel. Tantost qu'elle fut partie, bon mary
de monter a cheval, et par aultre chemin que sa
femme tenoit, picque tant qu'il peut au Mont-Saint-
45 Michel, et vint descendre tout secretement avant que
sa femme a l'ostel de l'ostellain dessus dit, lequel
treslyement le receut, et luy fist grand chere. Quand
il fut en sa chambre, il dist a l'oste : « Or ça, mon
hoste, vous estes mon amy de pieça, et je suis le
50 vostre. Je[5] vous veil dire qui m'amaine en ceste ville
maintenant. Il est vray qu'environ v ou vy jours[6] a,
nous estions au soupper, en mon hostel, un grant
tas de bons compaignons. Et comme l'on entre en
devises, je[7] commençay a compter comment on disoit

---

2 *V.* d. environ cinq ou six ou huit j.
3 *V.* l. beaucoup de f.
4 *V.* a. et faire son messaige ainsi quil lui avoit commande. Et
5 *V.* v. sil vous plaist et pource je
6 *V.* six ou huit j.
7 *V.* c. et vrais gaudisseurs et freres de lordre et comme
vous savez que on parle de plusieurs choses en devisant
les ungs aux autres je

55 en ce pays qu'il n'y avoit homme mieux oustillé de
vous ». Et au surplus luy dist au plus près qu'il peut
toutes les parolles qui alors touchant le propos furent
dictes, et comme dessus est touché. « Or est il ainsi,
dit il, que ma femme entre les aultres recueillit tres-
60 bien mes parolles, et n'a jamais arresté tant qu'elle
ayt trouvé maniere de impetrer son congé pour venir
en ceste ville. Et par ma foi, je me doubte fort et
croy veritablement que sa principale intencion est
d'esprouver, s'elle peut, si mes parolles sont vrayes
65 que j'ay dictes touchant vostre gros membre. Elle
sera tantost ceens, je n'en doubte point, car il luy
tarde de soy y trouver. Si vous prie, quand elle viendra, que la recueillez lyement et luy faictes bonne
chere, et luy demandez la courtoisie, et faictes tant
70 qu'elle le vous accorde. Mais toutesfoiz ne me trompez point : gardez bien que vous n'y touchez. Prenez
terme d'aller vers elle quand elle sera couchée, et je
me mettray en vostre lieu, et vous orrez après bonne
chose ; laissez moy faire. — Par ma foy, dist l'ostel-
75 lain [8], et je veil bien et vous promectz que je feray
bien mon personnage. — A dya, toutesfoiz, dit l'autre,
ne me faictes point de desloyauté ; je sçay bien qu'il
ne tiendra pas a elle que ne le facez. — Par ma foy,
dist l'ostellain, je vous asseure que je n'y touche-
80 ray » ; et non fist il. [Il ne demoura gueres que vecy
venir nostre gouge et sa chambriere, bien lassées,
Dieu le scet.] Et bon hoste de saillir avant, et de
recevoir la compaignie comme il luy estoit enjoinct,
et qu'il avoit promis. Il fist mener madamoiselle en
85 une tresbelle chambre, et [9] luy faire du bon feu et
apporter tout du meilleur vin de leens, et alla querir

---

de [10] belles cerises toutes fresches, et vint bancqueter
avec elle, en attendant le soupper. Il commence de
faire ses approuches quand il vit son point ; mais
90 Dieu scet comment on le jecta loing de prinsault [11].
En la parfin toutesfoiz, pour abreger, marché fut fait
qu'il viendroit coucher avec elle environ la mynuyt
tout secretement. Et ce contract [12] accordé, il s'en
vint devers le mary de la gouge et luy compta le cas,
95 lequel a l'heure prinse entre elle et l'ostellain, il se
vint bouter en son lieu et besongna le mieulx qu'il
peult, et se leva devant le jour, et se vint remettre en
son lit. Quand le jour fut venu, nostre gouge, toute
melencolieuse, pensive et despiteuse, car point n'avoit
100 trouvé ce qu'elle cuidoit, appella sa chambriere, et
se leverent, et le plus hastivement qu'elles peuvent
s'abillerent, et voulrent paier l'oste et leur escot. Mais
l'oste dist qu'il [13] ne prendroit rien d'elle. Et sur ce,
adieu. Et se part madamoiselle [14], sans aller ne oyr
105 messe ne veoir saint Michel, ne desjeuner aussi. Et
sans ung seul mot dire, s'en vint en sa maison. Mais
il vous fault savoir que son mary y estoit desja, qui
luy demanda qu'on disoit de bon a Saint-Michel.
Elle, tant marye qu'on ne pourroit plus, a peine s'elle
110 daignoit respondre. « Et quelle chere, dit le mary,
vous a fait vostre hoste ? Par Dieu, il est bon compaignon. — Bon compaignon ! dit elle ; il n'y a rien
d'oultraige. Je ne m'en saroie loer que tout a point.
— Non, dame, dist il ; et par saint Jehan, je pensoye
115 que pour l'amour de moy il vous eust deu festoyer

---

10 *ms* des
11 *V.* primeface
12 *V.* se couchier
13 *V.* d. que vraiement pour lamour de son mary quil
14 *V.* ce elle dist adieu et print congie de lui. Or sen va ma

et faire bonne chere. — Je [15] ne vois pas en pelerinage pour la bonne chere de luy ne d'aultre ; je ne
pense que a ma devocion. — Devocion ! dame, dit il,
Nostre Dame, vous y avez failly. Je sçay trop bien
120 pourquoy vous estes tant raffroignée, et que le cueur
avez tant enflé. Vous n'avez pas trouvé ce que vous
cuidiez ; il y a bien a dire une once, largement. Dya,
dya, madame, j'ay bien sceu la cause de vostre pelerinage. Vous cuidiez taster et esprouver le grand
125 brichouart de nostre hoste de Saint-Michel ; mais,
par saint Jehan, je vous en ay bien gardée, et garderay, si je puis. Et affin que vous ne pensez pas
que je vous mentisse quand je vous disoye qu'il
l'avoit si grand, par Dieu, je n'ay dit chose qui ne
130 soit vraye ; mais il n'est ja mestier que vous en
sachez plus avant que par oyr dire, combien que, s'il
vous eust voulu croire, et je n'y eusse contredict,
vous aviez bonne devocion d'essayer sa puissance.
Regardez comment je sçay les choses. Et pour vous
135 mectre hors de suspection, sachez de voir que je vins
ennuyt a l'heure que luy aviez mise, et [16] ay tenu
son lieu ; si prenez en gré ce que j'ay sceu faire, et
vous passez doresenavant de ce que vous avez. Pour
ceste foiz il vous est pardonné, mais de rencheoir
140 gardez vous en, pour autant qu'il vous touche. » La
damoiselle, tout confuse et esbahie, voyant son tort
evident, quand elle peut parler, crya mercy, et promist de non plus faire [17]. Et je tiens que non fist elle
de sa teste.

---

15 *V.* c. Il ne me chault dist elle de sa chiere, je
16 *V.* v. a mynuyt a leure que I. a. assignee et
17 *V.* p. de plus en f.

LA LXVIᵉ NOUVELLE,

PAR

PHILIPE DE LOAN. [1]

N'a gueres que j'estoie a Saint Omer avec ung
grand tas de gentilz compaignons, tant de ceens,
comme de Bouloigne et d'ailleurs. Et après le jeu
de paulme, nous allasmes soupper en l'ostel d'un
tavernier qui est homme de bien et beaucop joyeux ;
et a une tresbelle femme, et en grand point, dont il
a un tresbeau filz, environ de l'eage de six a sept
ans. Comme nous estions tous assis au soupper, le
tavernier, sa femme, et leur filz d'emprès d'elle, avecques nous, les aucuns commencerent a deviser, les
aultres a chanter, et faisions la plus grand chere de
jamais. Et nostre hoste, pour l'amour de nous, ne
s'i faindoit pas. Or avoit esté sa femme ce jour aux
estuves, et son petit filz avecques elle. Si bien
s'advisa nostre hoste, pour faire rire la compaignie,
qu'il demanderoit a son filz de l'estat et gouvernement de celles qui estoient aux estuves avecques sa
mere. Si luy va dire : « Vien ça, mon filz ; par ta
foy, dy moy laquelle de toutes celles qui estoient aux
estuves avecques ta mere avoit le plus beau con et
le plus gros. » L'enfant, qui se oyoit questionner
devant sa mere, qu'il craindoit comme enfans font de
coustume, vers elle regardoit et ne disoit mot. Et le
pere, qui n'avoit pas aprins de le veoir si muet, luy

---

[1] *V.* laon

dist de rechef : « Or me dy, mon filz, qui avoit le
plus gros con ? dy hardiment. — Je ne sçay, mon
30 pere, dit l'enfant, toujours virant le regard vers sa
mere. — Et par dieu, tu as menty, ce dist son pere ;
or me le dy, je le veil savoir. — Je n'oseroye, dit
l'enfant, pour ma mere ; elle me batteroit. — Non
fera, non, dit le pere, tu n'as garde, je t'asseure. »
35 Et nostre hostesse, sa mere, non pensant que son
fils deust dire ce qu'il dist, luy dit : « Dy, dy hardiment ce que ton pere te demande. — Vous me batte-
riez, dit il. — Non feray, non. » Et le pere, qui vit
que son filz eut congé de souldre sa question, luy
40 demanda de rechef : « Or ça, mon filz, par ta foy,
as tu bien regardé tous les cons de ces femmes qui
estoient aux estuves ? — Saint Jehan, oy, mon pere.
— Et y en avoit il largement ? dy, ne mens point.
— Je n'en vy oncques tant : ce sembloit une droicte
45 garenne de cons. — Or ça, dy nous maintenant qui
avoit tout le plus bel et le plus gros. — Vrayement,
ce dist l'enfant, ma mere avoit tout le plus bel et
le plus gros, mais il avoit si grand nez. — Si grand
nez ? dit le pere : va, va, tu es bon filz. » Et nous
50 commenceasmes tous a rire et a boire d'autant, et
parler de cest enfant qui caquetoit si bien. Mais sa
mere n'en savoit sa contenance, tant estoit honteuse,
pource que son filz avoit parlé du nez ; et croy bien
depuis il en fut tresbien torché, car il avoit encusé
55 le secret de l'escole. Nostre hoste fist du bon compaignon ; mais il se repentit assez depuis d'avoir fait
la question, dont la solucion le fist rougir. C'est tout
pour le present [2].

---

[2] *V.* r. et puist cest tout.

LA LXVIIe NOUVELLE,

PAR

PHILIPE DE LOAN. [1]

Ores a trois ans ou environ que une assez bonne
5 adventure advint a ung chaperon fourré de parlement
de Paris. Et affin qu'il en soit memoire, j'en fourniray
ceste nouvelle, non pas que je veille toutesfoiz dire
que tous les chaperons fourrez ne soient bons et
veritables ; mais car il y eut non pas ung peu de
10 desloyaulté en cestuy cy, mais largement, qui est
chose estrange et non accoustumée, comme chacun
scet. Or, pour venir au fait, ce chaperon fourré, en
lieu de dire ce seigneur de parlement, devint amoureux a Paris de la femme d'un cordoannier qui estoit
15 belle et gente, et enlangagée a l'advenant et selon le
terrouer. Ce maistre chaperon fourré fist tant, par
moyens et d'argent et aultrement, qu'il parla a la
belle cordoanniere dessoubz sa robe et a part. Et s'il
avoit d'elle esté bien amoureux avant la joissance,
20 encores en fut il trop plus feru depuis, dont elle se
parcevoit et donnoit tresbien garde. Si s'en tenoit
trop plus fiere, et se faisoit acheter. Luy estant en
ceste rage, pour mandement, priere, promesse, don,
ne requeste qu'il sceust faire, elle s'appensa de non
25 plus comparoir, affin encores de luy rengreger et
plus accroistre sa maladie. Et veez cy nostre cha-

---

[1] *V.* laon

peron fourré qui envoye ses ambaxadeurs devers sa
dame la cordoanniere ; mais c'est pour neant, elle
n'y viendroit pour morir. Finalement, pour abreger,
30 affin qu'elle voulsist venir vers luy comme aultresfoiz, il luy promist en la presence de trois ou de iiij
qui estoient de son conseil quant a telles besoignes,
qu'il la prendroit a femme si son mary terminoit vie
par mort. Quand elle eut ceste ² promesse, elle se
35 laissa ferrer et vint, comme elle souloit, au lever et
aux aultres heures qu'elle povoit eschapper, devers
le chaperon fourré, qui n'estoit pas mains feru que
l'autre jadiz d'amours. Et elle, sentant son mary
desja vieil et ancien, et ayant la promesse desus-
40 dicte, se reputoit desja comme sa femme. Pou de
temps après, la mort tresdesirée de ce cordoannier
fut sceue et publiée ; et bonne cordoanniere se vient
bouter de plain sault en l'ostel du chaperon fourré,
qui la receut joyeusement, promist aussi de rechef
45 qu'il la prendroit a femme. Or sont maintenant
ensemble ces deux bonnes gens, le chaperon fourré
et sa dame la cordoanniere. Mais, comme souvent
chose eue en dangier est trop plus cher tenue que
celle qu'on a a bandon ³, ainsi advint ycy ; car nostre
50 chaperon fourré se commença a ennuyer et lasser
de la cordoanniere, et soy refroider de l'amour d'elle.
Et elle le pressoit tousjours de paraccomplir le
mariage dont il avoit fait la promesse, mais il luy
dist : « M'amye, par ma foy, je ne me puis jamais
55 marier, car je suis homme d'eglise et tiens benefices
telz et telz, comme vous savez ; la promesse que je
vous feiz jadiz est nulle, et ce que j'en feis lors estoit

---

² *V*. e. ouy c.
³ *V*. c. dont on a le b.

pour la grand amour que je vous portoye, esperant
aussi par ce moyen vous attraire plus legierement. »
60 Elle, cuidant qu'il fust lyé a l'eglise, et soy voyant
aussi bien maistresse de leens que s'elle fust sa
femme espousée, ne parla plus de ce mariage et ala
son chemin accoustumé. Mais nostre chaperon fourré
fist tant par belles parolles et pluseurs remons-
65 trances, qu'elle fut contente de se partir de luy et
espouser ung barbier, leur voisin, auquel il donna
iij C. escuz d'or contens ; et Dieu scet s'elle partit
bien baguée ! Or, vous devez savoir que nostre chaperon fourré ne fist pas legierement ceste despartie
70 ne ce mariage, et n'en fust point venu a bout si
n'eust esté qu'il disoit a sa dame qu'il vouloit doresenavant servir Dieu et vivre de ses benefices et soy
du tout rendre a l'eglise. Or fist il tout le contraire,
quand il se vit desarmé d'elle et [elle] allyée au
75 barbier. Car il fist secretement traicter, environ ung
an après, pour avoir en mariage la fille d'un notable
et riche bourgois de Paris. Et fut la chose faicte et
passée, et fut jour prins et assigné pour les nopces ;
disposa aussi de ses benefices, qui ne sont que a
80 simple tonsure. Ces choses sceues aval[4] Paris et
venues a la cognoissance de la cordoanniere, maintenant barbiere, creez[5] qu'elle fut bien esbahie :
« Voire, dist elle, le traistre m'a il en ce point
deceue ? il m'a laissée soubz umbre d'aller servir
85 Dieu et m'a baillée a ung aultre. Et par Nostre Dame
de Clery, la[6] chose ne demourra pas ainsi. Non »,
fist elle. Car elle fist comparoir nostre chaperon
fourré devant l'evesque. Et illec son procureur

---

4 *V.* parmy
5 *V.* de la c. c.
6 *V.* n. d. la

remonstra bien et gentement sa cause, disant com-
90 ment le chaperon fourré avoit promis a la cordoanniere, en presence de pluseurs, que si son mary mouroit qu'il la prendroit a femme. Son mari mort, il l'a
tousjours tenue jusques environ ung an qu'il l'a
baillée a ung barbier. Pour abreger, les tesmoings
95 [ouys], et la chose bien debatue, l'evesque adnichilla
et jugea estre nul ledit mariage[7] de ladicte cordoanniere au barbier. Et enjoindit et commenda au chaperon fourré qu'il la prinst comme sa femme ; car
elle estoit sienne, et de droit, puisqu'il avoit eu com-
100 paignie charnelle avecques elle après la promesse
dessus dicte. Ainsi fut nostre chaperon fourré ramené
des meures. Il faillit d'avoir la belle fille du bourgois,
et si perdit ses iij C. escuz d'or que le barbier eut,
et si luy maintint sa femme plus d'un an. Et s'il[8]
105 estoit bien mal content d'avoir sa cordoanniere, le
barbier estoit aussi joyeux d'en estre despesché. En
la façon qu'avez oy s'est depuis nagueres gouverné
l'un des chaperons fourrez du parlement de Paris.

---

7 *V.* a. le m.
8 *V.* sienne a cause de la c. c. quil avoit eue a elle. Et sil

LA LXVIIIe NOUVELLE,

PAR

MESSIRE CHRESTIAN DE DYGOYNE, CHEVALIER. [1]

Il n'est pas chose pou acoustumée ne de nouvel
5 mise sus que femmes ont fait leurs mariz jaloux,
voire, par Dieu, et coux aussi. Si advint nagueres,
en la ville d'Envers, ce propos, que une femme
mariée, qui n'estoit pas des plus seures du monde,
fut requise d'un tresgentil compaignon de faire la
10 chose que savez. Et elle, comme courtoise et telle
qu'elle estoit, ne refusa pas le service qu'on luy pre-
sentoit, mais debonnairement se laissa ferrer, et
maintint ceste vie assez et longuement. En la parfin,
Fortune le voult, qui ennemye et desplaisante estoit
15 de leur bonne chevance, fist tant que le mary trouva
la brigade en present meffait, dont en y eut de bien
esbahiz. Ne sçay toutesfoiz lequel plus, ou l'amant,
ou l'amye, ou le mary [2]; toutesfoiz l'amant, a l'aide
d'une bonne espée a deux mains dont il estoit saisy,
20 se [3] sauva sans nul mal avoir, et ne fut de ame poursuy. Or [4] demourerent le mary et la femme. De quoy
leurs propos furent, il se peut assez penser. Après
toutesfoiz aucunes parolles dictes, et d'un costé et

---

[1] chevalier *manque dans V.*
[2] *V.* lequel lestoit le plus de lamant de lamie ou du m.
[3] *V.* espee quil avoit se
[4] *V.* avoir. Or

d'aultre, le mary, pensant en soy mesmes, puis qu'elle
25 avoit encommencé a faire la folye, que fort seroit
de l'en retirer, et quand plus elle n'en feroit, si estoit
tel le cas que, venu a la cognoissance du monde,
il en estoit noté et comme deshonnoré. Consydera
aussi de la battre ou injurier de parolles que c'estoit
30 peine perdue ; si s'advisa a chef de piece qu'il la
chassera paistre en sus de luy⁵, et ne sera jamais
d'elle ordoyée sa maison au mains qu'il puisse. Si
dist a sa femme assez doulcement : « Or⁶ ça, je voy
bien que vous ne m'estes pas telle que vous deussiez
35 estre par raison. Toutesvoies, esperant que jamais ne
vous adviendra, de ce qui est fait ne soit il plus
parlé ; mais devisons d'un aultre. J'ay ung affaire
qui me touche beaucop, et a vous aussi. Si vous fault
engager tous noz joyaulx, et si vous avez quelque
40 mignot d'argent a part, il le vous fault mettre avant ;
car le cas le requiert. — Par ma foy, dit la gouge, je
le feray voluntiers et de bon cueur ; mais que vous
me pardonnez vostre mal talent. — N'en parlez plus,
dit il, non plus que moy. » Elle, cuidant estre absolue
45 et avoir remission de tous ses pechez, pour complaire
a son mary, après la noise dessus dicte, bailla ce
qu'elle avoit d'argent, ses verges, ses tixus, aucunes
bourses estoffées bien richement, ung grand tas de
couvrechefs bien fins, pluseurs pennes entieres et de
50 tresbonne valeur ; bref, tout ce qu'elle avoit, et que
son mary voulut demander, elle luy bailla pour en
faire son bon plaisir. « En dya, dist il, encores n'ay
je pas assez. » Quand il eut tout jusques a la robe

---

⁵ *V.* p. hors davecques l.
⁶ *V.* sa f. Or

et la cotte simple qu'elle avoit sur elle : « Il me fault
55 avoir ceste robe. — Voire, dit elle, et je n'ay aultre
chose a vestir ; voulez vous que je voise toute nue ?
— Force est, dit il, que vous la me baillez, et la cotte
simple aussi, et vous avancez ; car, soit par amour,
ou par force, il la me fault avoir. » Elle, voyant que
60 la force n'estoit pas sienne, se desarma et de sa robe
et de sa cotte simple, et demoura en chemise :
« Tenez, dit elle, fays je bien ce qu'il vous plaist ?
— Vous ne l'avez pas tousjours fait, dit il ; si a
ceste heure vous m'obeissez, Dieu scet si c'est de
65 bon cueur ; mais laissons cela, parlons d'un aultre.
Quand je vous prins en mariage a la male heure,
vous ne apportastes gueres avecques vous ; et encores le tant peu que ce fut, si l'avez vous et forfait
et confisqué. Il n'est ja mestier que je vous redye
70 vostre gouvernement : vous savez mieulx quelle vous
estes que nul aultre. Et pour telle que vous estes a
ceste heure, je vous baille le grand congé et vous
dy le grand adieu. Veez la l'huys, prenez garin[7] ; et
si vous faictes que sage ne vous trouvez jamais
75 devant moy ! » La pouvre gouge, plus esbahie que
jamais, n'osa plus demourer après ces horribles
parolles, après cest horrible ban[8], ains se partit et
s'en vint rendre, ce croy je, a l'ostel de son amy par
amours, pour ceste premiere nuyt. Et fist mettre sus
80 beaucop d'ambaxadeurs pour ravoir ses bagues et
habillemens de corps ; mais ce fut pour neant. Car
son mary, obstiné et endurcy en son propos, n'en
voult oncques oyr parler, et encores mains de la
reprendre. Si en fut il beaucop pressé, tant des amis
85 de son costé comme de ceulx de la femme, si fut sa

---

7 *V.* chemin
8 *V.* ceste h. lecon

bonne femme contrainte de gaigner au mieulx qu'elle
peut des aultres habillemens, et en lieu de mary user
d'amy, actendant le rappaisement de son dit mary,
qui a l'heure de ce compte estoit encores mal content
90 de sa dicte femme, et aucunement ne la vouloit
veoir [9].

---

[9] *V.* mal c. et ne la vouloit v. pour rien qui fut.

LA LXIXe NOUVELLE,

MONSEIGNEUR.

Il n'est pas seullement cogneu de ceulx de la ville
de Gand, ou le cas que j'ay a vous descripre n'a
pas long temps advint, mais de la plus part de ceulx
de Flandres, et de vous qui estes cy presens, que [1]
[a] la bataille qui fut entre le roy de Hongarie et
monseigneur le duc Jehan, que Dieu absolle, d'une
part, et le grand Turc, en son païs de Turquie
d'aultre, pluseurs chevaliers et escuiers françois,
flamens, alemans et picards furent prisonniers, dont
les [2] aucuns furent mors et executez [3], present le dit
Turc, les aultres en chartres a perpetuité, les aultres
condemnez a estre et faire office d'esclave. Du [4]
nombre desquelx fut ung gentil chevalier du dit païs
de Flandres, nommé messire Clayz Utenhoven [5]. Et
par pluseurs ans [6] exercea ledit office, qui ne luy
estoit pas petit labeur, mais martire intollerable,
actendu les delices ou il avoit esté nourry et l'estat
dont il estoit. Or devez vous savoir qu'il estoit marié
pardeça a Gand, et avoit espousé une tresbelle et

---

[1] *V.* c. du pays de f. et de plusieurs aultres q.
[2] *V.* p. es mains du turc l.
[3] *V.* persecutez
[4] *V.* office de clerc desclaive, du
[5] *V.* utenchoven
[6] *V.* foiz

bonne dame qui de tout son cueur l'amoit et tenoit
cher. Laquelle prioit Dieu journellement que bref le
25 peust ravoir et reveoir par deça, si encores il estoit
vif ; s'il estoit mort, que par sa grace luy voulsist ses
pechez pardonner et le mettre ou nombre des glo-
rieux martirs qui pour le reboutement des infideles
et l'exaltacion de [l]a [7] saincte foy catholicque se
30 sont voluntairement offers et habandonnez a la mort
temporelle [8]. Ceste bonne dame, qui riche, belle et
bonne estoit [9], et de grans amys continuellement
pressée estoit et assaillye de ses amys qu'elle se
voulsist remarier ; lesquelx disoient et asseurement
35 affermoyent que son mary estoit mort, et que s'il fust
vif il fut retourné comme les aultres ; s'il fust aussi
prisonnier, on eust eu nouvelle de luy pour faire sa
finance. Quelque chose qu'on dist a ceste bonne dame,
ne raison qu'on luy sceust amener de apparence en
40 cestuy fait, elle ne vouloit condescendre a ce mariage,
et au mieulx qu'elle savoit s'en excusoit. Mais que
luy valut ceste excusance ? certes pou ou rien. Car
elle fut ad ce menée de ses parens et amys qu'elle
fut contente d'obeir. Mais Dieu scet que ce ne fut
45 pas a pou de regret ! Et estoient environ neuf ans
passez qu'elle estoit privée de la presence de son
bon et loyal mary [10], lequel elle reputoit pieça mort ;
et si faisoient la plus part, et presque tous ceulx
qui le cognoissoient. Mais Dieu, qui ses serviteurs et
50 champions garde et preserve, l'avoit aultrement disposé ; car encores vivoit, faisant son ennuyeux office
d'esclave. Pour rentrer en matere, ceste bonne dame

---

[7] *ms* sa
[8] *V.* corporelle
[9] *V.* belle et bien **jeune e.**
[10] *V.* seigneur

fut mariée a ung aultre chevalier. Et fut environ
demy an en sa compaignie, sans aultres nouvelles
55 oyr de son bon mary que les precedentes, c'est asavoir qu'il estoit mort. D'adventure, comme Dieu le
voult, ce bon et loyal chevalier messire Clays estant
encores en Turquie a l'heure que madame sa femme
s'est ailleurs allyée, faisant le beau mestier d'esclave,
60 fist tant par le moien d'aucuns crestians gentilz
hommes et marchans qu'il [11] fut delivré, et se mist en
leur galée, et s'en retourna par deça. Et comme il
estoit sur son retour, il rencontra et trouva, passant
pays, pluseurs de sa cognoissance qui tresjoieux
65 furent de sa delivrance : car a la verité dire il estoit
sage et vaillant, bien renommé et vertueux. Et tant
s'espandit le tresjoyeux bruit de sa desirée délivrance
qu'il parvint en France, en Artois et en Picardie, ou
ses vertuz n'estoient pas mains cogneues que en
70 Flandres, dont il estoit natif. Et de ces marches ne
tarda gueres qu'elles vindrent en Flandres et jusques
aux oreilles de sa tresbelle et bonne dame et espouse,
qui fut bien esbahie, et de tous ses sens tant alterée
et soupprinse qu'elle ne savoit sa contenance. « Ha !
75 dist elle, a chef de piece, quand elle sceut parler,
mon cœur ne fut oncques d'accord de faire ce que
mes parens et amys m'ont a force contraincte de
faire. Helas ! et qu'en dira mon tresloyal seigneur
et mary, auquel je n'ay pas gardé loyaulté comme je
80 deusse, mais comme femme fresle, legere et muable
de courage, ay baillé part et porcion a aultry de ce
dont il estoit et devoit estre le seul seigneur et
maistre ? Je ne suis pas celle qui doit ou ose actendre
sa presence ; je ne suys pas aussi digne qu'il me

---

[11] *V.* h. et aultres qui arriverent ou pays quil

85 doyc ou veille regarder, ne jamais veoir en sa compaignie ! » Et ces parolles dictes, accompaignées de
grands larmes, son treshoneste, tresvertueux et loyal
cueur s'evanuyt, et cheut paulmée [12]. Elle fut prinse
et portée sur ung lit, et luy revint le cueur. Mais
90 depuis ne fut en puissance d'homme ne de femme de
la faire menger ne dormir, ainçois fut trois jours
continuelz tousjours plorant, en la plus grand tris-
tesse de cueur que jamais femme fut. Pendant [13]
lequel temps elle se confessa et ordonna comme
95 bonne chrestienne, priant [14] mercy a tout le monde,
et specialement a monseigneur son mary. Et tost
après elle mourut, dont ce fut tresgrand dommage.
Et n'est point a dire le desplaisir qu'en print mondit
seigneur son mary, quand il en sceut la nouvelle ; et
100 a cause de son dueil fut en tresgrand dangier de
suyvir [15] par semblable accident sa tresloyale espouse. Mais Dieu, qui l'avoit sauvé d'aultres grands
perilz, le preserva de ce dangier.

---

[12] *V.* c. a terre p.
[13] *V.* c. de jamais. P.
[14] *V.* criant
[15] *V.* suyr

LA LXXᵉ NOUVELLE,

PAR

MONSEIGNEUR.

Un gentil chevalier d'Alemaigne, grand voyageur,
5 aux armes preux, large, cortois[1], et de toutes bonnes vertuz largement doué, au retourner d'un loingtain voiage, luy estant en ung sien chasteau, fut
requis d'ung son[2] subject demourant en sa ville
mesme d'estre parrain de tenir sur fons son enfant,
10 dont la mere s'estoit delivrée droit a la coup[3] du
retour dudit chevalier. Laquelle resqueste fut audit
bourgois liberalement accordée. Et jasoit que le dit
chevalier eust en sa vie pluseurs enfans tenu sur
fons, si n'avoit il jamais donné son entente aux
15 sainctes parolles par le prestre proferées ou mistere
de ce saint et digne sacrement, comme il fist a ceste
heure ; et luy semblerent[4], comme elles sont a la
verité, plaines de haulx et divins misteres. Ce baptesme achevé, comme il estoit liberal et courtois, affin
20 d'estre veu de ses hommes, demoura a disner en la
ville sans monter au chasteau ; et luy tindrent compaignie le curé, son compere, et aucuns aultres des
plus gens de bien. Lesquels, après pluseurs devises,
monterent et vindrent en jeu[5] d'unes et d'aultres

---

[1] *V.* p. et c.
[2] *V.* dung bourgoys s.
[3] *V.* venue
[4] *V.* sembloit
[5] *V.* bien. Devises monterent en j.

25 materes, tant que monseigneur commença a loer
beaucop le digne sacrement de baptesme, et dist
hault et cler, oyans tous : « Si je savoye veritablement que a mon baptesme eussent esté pronuncées
les dignes et sainctes parolles que j'ay oyes a ceste
30 heure au baptesme de mon nouveau filleul, je ne
craindroye en rien le dyable qu'il eust sur moy puissance ne autorité, sinon seulement de moy tenter, et
me passeroye de faire le signe de la croix. Non pas,
affin que bien vous m'entendez, que je ne sache tres-
35 bien que ce signe est suffisant a rebouter le deable ;
mais ma foy est telle que les parolles dictes au
baptesme d'un chascun chrestian, s'elles sont telles
que celles que aujourd'uy j'ay oyes, sont valables a
rebouter tous les dyables d'enfer, s'il en y avoit
40 encores autant. — En verité, respondit alors le curé,
monseigneur, je vous asseure, *in verbo sacerdotis,*
que les mesmes parolles qui ont esté dictes aujour-
d'uy au baptesme de vostre filleul furent dictes et
celebrées a vostre baptesme [6]. Je le sçay bien, car je
45 mesmes vous baptisay, et en ay aussi fresche memoire comme si ce eust hier esté. Dieu face mercy a
monseigneur vostre pere ; il me demanda le lendemain de votre baptesme qu'il me sembloit de son
nouveau filz, telz et telz furent voz parrains, et telz
50 et telz y estoient. » Et racompta toute la maniere du
baptisement, et le fist bien certain que [ne] mot
avant mot arriere n'eut en son baptisement [que] de
celuy a son filleul. « Et puisqu'ainsi est, dist lors ce
gentil chevalier, je promectz a Dieu mon createur
55 tant honorer de ferme foy le saint sacrement de
baptesme que jamais, pour quelque peril, rencontre

------

[6] *V.* baptisement

ou assault [7] que le dyable me face, je ne feray le
signe de la croix ; mais par la seule memoire du
sacrement de baptesme l'en chasseray en sus de moy,
60 tant ay ferme foy en [8] ce divin mistere. Et ne me
semblera jamais possible que le dyable puisse nuyre
a homme armé de tel escu ; car il est tel et si ferme
que seul il vault sans aultre aide, voire accompaigné
de vraye foy. » Ce disner se passa, et ne sçay quants
65 ans après, ce bon chevalier se trouva en une bonne
ville en Alemaigne, pour aucuns affaires qui l'y
tirerent, et fut logé en hostellerie. Comme il estoit
ung soir avec ses gens, après souper, devisant et
esbatant avec eulx, fain luy print d'aller au retrait.
70 Et car ses gens s'esbatoient, n'en voult nulz oster de
l'esbat ; si print une chandelle et tout seul s'en va
au retrait. Comme il entroit dedans, il vit devant luy
ung grand monstre, horrible et terrible, ayant grandes et longues cornes, les yeux plus alumez que
75 flambe de fornaise, les braz gros et longs, les griffes
agues et trenchans ; et bref c'estoit ung monstre
tresespoventable, et ung dyable, comme je croy. Et
pour tel le tenoit le bon chevalier, lequel de prinsault [9] fut assez esbahi d'avoir telle rencontre. Neant-
80 mains toutesfoiz print cueur et hardement et vouloir
de soy defendre s'il estoit assailly. Et luy souvint du
veu qu'il avoit fait, et du saint et divin mistere de
baptesme. Et en ceste foy marche vers ce monstre,
que j'appelle dyable, et luy demanda qui il estoit,
85 et qu'il demandoit. Ce dyable, sans mot dire, le [10]
commença a [coupler] [11], et bon chevalier de se

---

7 *V.* p. assault ou ennuy
8 *V.* c. arriere de m. t. ay f. esperance en
9 *V.* prime face
10 *V.* Ce d. le
11 *ms* compter

defendre, qui n'avoit toutesfoiz pour toutes armeures
que ses mains, car il estoit en pourpoint comme pour
aller coucher, et son bon escu de ferme foy au saint
90 mistere de baptesme. La lucte dura longuement, et
fut ce bon chevalier tant las que merveilles de sou-
tenir ce dur assault. Mais il estoit tant fort armé de
son escu de foy que pou luy nuysoient les coups [12]
de son ennemy. En la parfin que ceste bataille eut
95 bien duré une bonne heure, ce bon chevalier se print
aux cornes de ce dyable, et luy en arracha une dont
il le bacula trop bien et malgré luy. Comme victo-
rieux se partit de luy, et le laissa la comme recreant,
et [13] vint trouver ses gens qui s'esbatoient, comme
100 ilz faisoient par avant son partement, qui furent bien
effraiez de veoir leur maistre en ce point eschauffé
qu'il [av]oit [14] tant esgratigné le visage, le pourpoint,
chemises, chausses tout desrompu et dessiré, et
comme tout hors d'alaine. « Ha ! monseigneur, dirent
105 ilz, pour Dieu, dont venez vous, et qui vous a en
ce point habillé ? — Qui ? dit il ; ce a esté le deable,
a qui je me suis tant combatu que j'en suis tout hors
d'alaine et en tel point que vous veez. Et vous
asseure par ma foy que je tien veritablement qu'il
110 m'eust estranglé et devoré, se a ceste heure ne me
fust souvenu de mon baptesme et du hault mistere
de ce saint sacrement, et de mon veu que je feis ores
a ne sçay quants ans ; et [15] creez que je ne l'ay
pas faulsé. Car, quelque dangier que j'aye eu, onc-
115 ques ne feis le signe de la croix, mais souvenant du
saint sacrement dessusdit, me suis hardyment

---

12 *V.* faiz
13 *V.* p. du lieu et le l. comme recreu et
14 *ms* estoit
15 *V.* je f. adoncques et

defendu et franchement eschappé, dont je loe et mercye Nostre Seigneur, qui [par] ce bon escu de saincte
foy m'a ·si sauvement[16] preservé. Viennent tous les
120 aultres qui en enfer sont, tant que ceste enseigne
demeure, je ne les crains ; vive, vive nostre benoist
Dieu, qui ses chevaliers de telles armes scet adouber ! » Les gens de ce bon seigneur, oyans leur
maistre ce cas racompter, furent bien joyeux de le
125 veoir en bon point, mais esbahiz de la corne qu'il
leur monstroit, qu'il avoit a ce dyable de la teste
esrachée. Et ne savoient juger, non fist oncques personne qui depuis la veist, de quoy elle estoit, si
c'estoit os ou corne, comme aultres cornes sont, ou
130 que c'estoit. Alors ung des gens de ce chevalier dist
qu'il vouloit aller veoir se ce deable estoit encores
ou son maistre l'avoit laissé, et s'il le trouvoit il
combatroit a luy et luy arracheroit l'autre corne. Son
maistre luy dist qu'il n'y allast point ; il dist que si
135 feroit. « N'en fay rien, dist son maistre, le peril y
est trop grand. — Ne m'en chault, dit l'autre, je y
veil aler. — Si tu me croiz, dist son maistre, tu n'yras
pas. » Quoy qu'il fust, il y voult aller, et desobeir
a son maistre. Il print en sa main une torche et une
140 grande hache, et vint au lieu ou son maistre s'estoit
combatu. Quelle chose il y fist, on n'en scet rien. Mais
son maistre, qui de luy se doubtoit, ne le sceut si
tost suyr qu'il ne le trouva pas, ne le dyable aussi.
Et n'oyt oncques puis nouvelles de son homme. En la
145 fasson qu'avez oy se combatit ce bon chevalier au
dyable, et le surmonta par la vertu du saint sacrement de baptesme.

---

[16] *V.* haultement

LA LXXIᵉ NOUVELLE,

PAR

MONSEIGNEUR LE DUC.

A Saint Omer n'a pas long temps advint une assez
5 bonne histoire qui n'est mains vraye que [l'euvan-
gile], comme il a esté et est cogneu de pluseurs
notables gens, dignes de foy et de croire. Et fut le
cas tel, pour abreger. Ung gentilhomme, chevalier
des marches de Picardie, pour lors bruyant et frez¹,
10 de grand autorité et de grand lieu, se vint loger en
une hostellerie qui par le fourrier de monseigneur le
duc [Phelippe]² de Bourgoigne son maistre luy
avoit esté delivrée. Tantost qu'il eut mis pié a terre,
comme³ il est de coustume aus dictes marches, son
15 hostesse luy vint au devant, et tresgracieusement,
comme elle estoit coustumiere de ce faire, le receut
et bienviengna ; et⁴ luy, des courtois le plus hono-
rable, la⁵ baisa doulcement, car elle estoit belle et
gente et en bon point, et mise sur le bon bout, appel-
20 lant sans mot dire trop bien son marchant a ce
baiser et accolement, et de prinsault n'y eut celuy
des deux qui ne pleust bien a son compaignon. Si

---

¹ *V.* frique
² *ms en blanc*
³ *V.* t. et quil fut descendu de son cheval ainsi c.
⁴ *V.* c. et bien aprinse de ce f. aussi le r. moult honorablement et
⁵ *V.* h. et le plus gracieux lacola et la

pensa le chevalier par quel train et moien il pervien-
droit a la joissance de son hostesse, et s'en descou-
25 vrit a ung de ses serviteurs, qui en peu d'heure tellement bastit les besoignes, qu'ilz se trouverent ensemble en la chambre du chevalier mesmes. Quand [6] ce
gentil chevalier vit son hostesse preste d'oyr, d'entendre et escouter ce qu'il vouldroit dire, pensez qu'il
30 fut joyeux oultre mesure ; et de grand haste et ardent
desir qu'il eut d'entamer la matere qu'il vouloit
ouvrir, il oblya de serrer l'huys de la chambre, que
son serviteur au partir de leur assemblement laissa
entrouvert, et commença sa harengue a l'heure [7], sans
35 regarder a aultre chose. Et l'ostesse, qui ne l'oyoit
pas a regret, luy respondoit tout au propos, tant
qu'ilz estoient si bien d'accord qu'oncques musicque
ne fut pour eulx plus doulce, [ne] instrumens ne
pourroient mieulx estre accordez que eulx deux, la
40 mercy Dieu, estoient. Or advint, ne sçay par quelle
adventure, ou si l'oste de leens, mary de l'ostesse,
queroit sa femme pour aucune chose luy dire, en
passant par adventure par devant la chambre ou sa
femme avec le chevalier jouoit des cimbales, il en
45 oyt le son ; et se tira vers le lieu ou ce beau deduit
se faisoit. Et au hurter qu'il fist a l'huys, il trouva
l'atelée du chevalier et de sa femme, dont d'eulx il
fut le plus esbahy de trop. Et en reculant subitement,
doubtant les empescher et destourber de la doulce [8]
50 œuvre qu'ilz faisoient, leur dist, pour toutes menaces
et tensons : « Et, par la mort bieu, vous estes bien
meschantes gens, et a vostre fait mal regardans, qui
n'avez pas eu tant de sens, quand vous voulez faire

---

6 *V.* ensemble. Quant
7 *V.* h. bone alleure
8 *V.* ladite

telz choses, que de serrer et tirer les huys après vous.
55 Or pensez que c'eust esté si ung aultre que moy vous
eust trouvez ! Et, par Dieu, vous estiez gastez et
perduz, et eust esté vostre fait decelé, et tantost sceu
par toute la ville. Faictes aultrement une aultre foiz,
de par le dyable ! » Et sans plus dire tire l'huys et
60 s'en va. Et bonnes gens de raccorder leurs musettes,
et de parfaire la note encommencée. Et quand ce fut
fait, chacun s'en alla a sa chacune, sans faire semblant de rien ; et n'eust esté, espoir, leur cas jamais
descouvert ou au mains si publicque que de venir a
65 l'oreille de vous ne de tant d'aultres gens, si n'eust
esté le mary, qui ne se doubtoit[9] pas tant de ce qu'on
l'avoit fait coupaut[10] que de l'huis qu'il trouva des-
serré.

---

[9] *V*. douloit
[10] *V*. coux

LA LXXIIe NOUVELLE,

PAR

MONSEIGNEUR DE QUIEVRAIN. [1]

A propos de la nouvelle precedente, es marches de
5 Picardie avoit nagueres ung gentilhomme, et tien que
encores y soit il a ceste heure, qui tant amoureux
estoit de la femme d'un chevalier son voisin, qu'il
n'avoit bon jour ne bonne heure s'il [2] n'estoit auprès
d'elle, ou a tout le mains qu'il en eust nouvelle ; et
10 il n'estoit pas mains cher tenu d'elle, qui n'est pas [3]
pou de chose. Mais la doleur estoit qu'ilz ne savoient
trouver fasson ne maniere d'estre a part et en lieu
secret, pour a loisir dire et deceler ce qu'ilz avoient
sur le cueur que pour rien en la presence de nul,
15 tant fust leur amy, n'eussent voulu descouvrir. Au [4]
fort, après tantes males nuictz et jours doloreux,
Amour, qui ses serviteurs loyaulx aide et secoure
quand bien luy plaist, leur appresta ung jour tresdesiré ou quel le doloreux mary, plus jaloux que nul
20 homme vivant, contraint fut d'abandonner le [mes-
naige] [5] et aller aux affaires qui tant luy touchoient,

---

[1] V. commessuram
[2] V. ung g. lequel estoit t. a. de la f. dung c. s. prochain
v. quil navoit ne j. ne b. h. de repos se il
[3] V. delle et elle pareillement laymoyt tant quon ne
pourroit dire ne penser qui nestoit p.
[4] V. cueur / au
[5] ms mariage

que sans y estre en personne il perdoit une grosse
somme de deniers, et par sa presence il la povoit
conquerir, ce qu'il fist ; en laquelle gaignant, il con-
25 quist bien meilleur butin, comme d'estre nommé coux,
avec jaloux qu'il avoit nom paravant. Car il ne fut
pas si tost sailly de l'ostel, que le gentilhomme, qui
ne glatissoit après aultre beste, vint pour se fourrer
dedans. Et [6], sans faire long sejour, incontinent exe-
30 cuta ce pour quoy il venoit, et print de sa dame
tout ce que ung serviteur en ose ou peut demander,
si plaisantement et a si bon loisir qu'on ne pourroit
mieulx souhaitter. Et ne se donnerent garde que le
mary [7] les surprint ; dont ne se donnerent nul mal
35 temps, esperans la nuyt parachever ce que le jour
tresjoieulx, et pour eulx trop court, avoyent encommencé, pensans a la verité que le dyable de mary ne
deust retourner jusques au lendemain au disner, voire
au plus tost [8]. Mais aultrement alla, car les deables
40 le rapporterent a l'ostel, ne sçay et aussi ne me
chault de savoir comment il sceut tant abreger ses
besoignes ; assez souffist dire qu'il revint le soir,
dont la compaignie, c'est assavoir des deux amans [9],
fut bien esbahie. Et furent si surprins, car point ne
45 se doubtoient de ce dolent retourner, que le pouvre [10]
gentilhomme n'eut aultre advis que de se bouter ou
retraict de la chambre, esperant en saillir par quelque voye que sa dame trouveroit [11] avant que le che-

6 *V.* beste et
7 *V.* la nuyt
8 *V.* tard
9 *V.* de noz deux amoureux
10 *V.* r. aussi jamais neussent cuide que si soudainement
   et si legierement il eust fait et acomply son voyage.
   Toutesfoy nostre p.
11 *V.* couvreroit

valier y mist le pié ; dont il advint tout aultrement.
50 Car nostre chevalier, qui pour ce jour avoit chevau-
ché xv ou xvj [12] grosses lieues, estoit tant las qu'il
ne povoit les rains traynner [13] ; et voulut souper en
sa chambre ou il s'estoit deshousé, et il fist couvrir,
sans [14] aller en la salle. Pensez que le bon gentil-
55 homme rendoit bien gorge du bon temps qu'il avoit
eu ce jour, car il mouroit de faim, de froit et de
paour. Et encores, pour plus enrager et engreger son
mal, une toux le va prendre, si grand et horrible que
merveille, et ne failloit gueres que chacun coup qu'il
60 toussoit qu'il ne fust oy de la chambre ou estoit l'assemblée du chevallier, de la dame et des aultres gens
de leens. La dame, qui avoit l'œil et l'oreille tousjours a son amy, l'entreoyt d'adventure, dont elle eut
grand frayeur au cueur, doubtant que son mary ne
65 l'oyst aussi. Si trouva maniere, tantost aprés soupper, de se bouter seulette en ce retraict, et dist a son
amy pour Dieu qu'il se gardast d'ainsi tousser.
« Helas ! dit il, m'amye, je n'en puis mais ; Dieu scet
comment je suis puny ; et, pour Dieu, pensez de moy
70 tirer d'icy. — Si feray je », dit elle ; et a tant se
part. Et bon escuyer de recommencer sa chanson de
tousser, voire si treshault qu'on l'eust bien peu oyr
de [15] la chambre, si n'eussent esté les devises que la
dame faisoit mettre en termes. Quand ce bon escuier
75 se vit ainsi assailly de la toux, il ne sceut aultre
remede, affin de non estre oy, que de bouter sa teste
ou pertuis [16] du retrait, ou il fut bien encensé, Dieu

---

12 *V.* xvi ou xviii
13 *V.* tourner
14 *V.* et si voulut tenir s.
15 *ms* en
16 *V.* trou

le scet, de la conficture de leens ; mais encores amoit
il ce mieulx que d'estre oy. Pour abreger, il fut long
80 temps la teste en ce retraict, crachant, mouchant et
toussant, et sembloit que jamais ne deust faire aultre
chose. Neantmains, après ce bon coup, sa toux le
laissa, et se cuida tirer dehors ; mais il n'estoit en
sa puissance de soy ravoir [17], tant parestoit avant et
85 fort bouté leens. Pensez qu'il estoit bien a son aise !
Bref il ne savoit trouver fasson d'en saillir, quelque
peine qu'il y mist. Il avoit tout le col escorché et les
oreilles detrenchées [18]. En la parfin, comme Dieu le
voulut, il s'efforça tant qu'il eracha l'ays percé du
90 retrait, et le [19] rapporta a son col ; mais en sa puissance n'eust esté de l'en oster. Et quoy qu'il luy fust
ennuyeux, si amoit il mieulx estre ainsi que comme
il estoit paravant. Sa dame le vint trouver en ce
point, dont elle fut bien esbahie, et ne luy sceut
95 secourir, mais luy dist, pour tous potages, qu'elle ne
saroit trouver fasson du monde de le tirer de leens.
« Est ce cela ? dist il ; hola, hola ! par la mort bieu,
je suis assez armé pour en combatre ung aultre,
mais que j'aye une espée en ma main », dont il fut
100 tantost saisy d'une tresbonne. La dame le voyant en
tel point, quoy qu'elle eust tresgrand doubte, ne se
povoit tenir de rire, ne l'escuyer aussi. « Or ça, a
Dieu me commends, dist il lors, je m'en voys essayer
comment je passeray par ceans ; mais premier
105 brouillez moy le visage bien noir, bien noir. » Si fist
elle, et le commenda a Dieu. Et bon compaignon, a
tout l'ays du retraict en son col, l'espée nue en sa

---

[17] *V.* se retirer
[18] *V.* esracheez
[19] *ms* la
[20] *V.* traire

main, la face plus noire que charbon, commence a
saillir en la chambre ; et de bonne adventure, le pre-
110 mier qu'il encontra, ce [21] fut le dolent mary, qui eut
de le veoir [si] grand paour, cuidant que ce fust
ung dyable, qu'il se laissa tumber du hault de luy
a terre que a pou qu'il ne se rompit le col, et fut
longuement comme tout paulmé. Sa femme, l'oyant en
115 ce point, saillit avant, monstrant plus de semblant
d'effroy qu'elle ne sentoit beaucop, et le print aux
braz, luy demandant qu'il avoit. A chef de piece qu'il
fut revenu a luy, il dist a voix casse bien piteuse :
« Et n'avez vous veu ce dyable que j'ay encontré ?
120 — Certes si ay, dit elle ; a peu que je n'en suis morte
de la grand frayeur que j'ay eue a le veoir. — Et
dont peut il venir ceens, dit il, ne qui le nous a
envoyé ? Je ne seray de cest an ne de l'autre rasseuré, tant ay esté espoventé ! — Par Dieu, ne moy
125 aussi, dist la devote dame ; creez que c'est signifiance
d'aucune chose. Dieu nous veille garder et defendre
de toute male adventure ! Le cueur ne me gist pas
bien de ceste vision. » Alors tous ceulx de l'ostel
dirent chacun sa rastelée de ce dyable, cuidans [22] a
130 la verité que la chose fust vraye. Mais la bonne
dame savoit bien la trainnée, qui fut bien joyeuse de
les veoir tous en ceste opinion. Et depuis continua
avec [23] le dyable dessus dit le mestier que chacun fait
voluntiers, au desceu du mary et de tous aultres, fors
135 d'une chambriere secretaire de leurs affaires [24].

---

[21] *V.* b. encontre le p. quil trouva
[22] *V.* d. a lespce c.
[23] *V.* arriere
[24] *V.* chamberiere secrete.

LA LXXIIIᵉ NOUVELLE,

PAR

MAISTRE JEHAN LAUVIN. [1]

En la bonne et doulce conté [2] de Saint Pol,
5 nagueres, en ung gros village assez prochain de la
ville de Saint Pol, avoit ung bon simple laboureur
marié avec une femme belle et en grand point, de
laquelle le curé du village estoit tant amoureux que
l'on ne pourroit plus ; et [3] pour ce qu'il se sentoit si
10 esprins et alumé du feu d'amours et que difficile luy
estoit de servir sa dame sans estre sceu ou a tout
le mains suspicionné, se pensa qu'il ne povoit bonnement parvenir a la joissance d'elle sans premier avoir
celle du mary, mesmement que necessaire luy estoit
15 ainsi faire. Cest [4] advis descouvrit a sa dame pour
en avoir son oppinion, qui luy conseilla souverainement estre propice et tres bon[ne] pour mener a [5] fin
leurs amoureuses intencions. Nostre curé donc, en
ensuyvant le conseil tant de sa dame comme le sien
20 propre, se fist, par [6] gracieux et subtilz moyens,
accoincté de celuy dont il vouloit estre compaignon

---

[1] V. Ianvin
[2] V. en la c.
[3] V. e. amoureux. Et
[4] V. mary. Cest
[5] V. o. laquelle lui dist que tresbonne et propre estoit
pour mettre a
[6] V. donc par

ou lieutenant, et tant bien se conduisit avec le bon
homme qu'il ne buvoit ne mengoit quelque jour,
mesmement quand aultre euvre faisoit, que tousjours
25 ne parlast de son bon curé ; chacun jour de la sepmaine le vouloit avoir a disner, ou a souper. Bref
riens n'estoit bien fait a l'ostel du bon homme si le
curé n'estoit present. Et a ce moien, toutesfoiz qu'il
vouloit, il venoit a l'ostel et a telle heure que bon
30 luy sembloit [8]. Mais quand les voisins de ce simple
laboureur, voyans par adventure ce [9] qu'il ne povoit
veoir, obstant la credence et feableté qui luy avoient
bandé et caché les yeulx, luy dirent qu'il ne luy
estoit honeste d'avoir ainsi journellement et continel-
35 lement le repaire du curé, et que ce ne se povoit
ainsi continuer sans le grand deshonneur de sa
femme, mesmement que les aultres voisins et ses
amis l'en notoient et parloient en son absence. Quand
le bon homme se sentit ainsi aigrement reprins de
40 ses voisins, et qu'ilz luy blasmoient le repaire de son
curé en son hostel, force luy fut de dire au curé
qu'il se deportast de hanter en sa maison ; et de fait,
luy defendit par motz exprés et menasses que jamais
ne s'i trouvast s'il ne luy mandoit, affermant par
45 sermens que, s'il l'y trouvoit, il compteroit avecques
luy et le feroit receveur [10] oultre son plaisir, et sans
luy en savoir gré. La defense despleut au curé plus
que ne vous saroie dire ; mais nonobstant qu'elle
fust aigre, pourtant ne furent les amourettes rom-
50 pues, car elles estoient si parfond enracinées es

---

[7] *V.* mengeoit sans lui et quelque besongne quil feist
tousjours parloit de son c.
[8] *La phrase manque dans V.*
[9] *V.* l. virent ce
[10] *V.* retourner

cueurs des ambedeux parties par les exploiz qui s'en
estoient ensuyz, que [11] impossible estoit les desrom-
pre ne desjoindre, quelque menace qui sourdre
p[eu]st [12]. Or [13], oez comment nostre curé se gou-
55 verna après que la defense luy fut faicte. Par l'ordonnance de sa dame, il print regle et coustume de
la venir visiter a toutes les foiz qu'il sentoit le mary
estre absent ; mais assez lourdement s'i conduisit,
car il ne sceut faire sa visitacion sans le sceu des
60 voisins qui avoient esté cause que la defense avoit
esté faicte, ausquelx le fait autant desplaisoit que
s'il leur eust touché singulierement. Le bon homme
fut de rechef adverty par eulx, qui luy dirent que
le curé avoit prins accoustumance d'aller estaindre [14]
65 le feu en son hostel comme paravant la defense.
Nostre simple mary, oyant ces nouvelles, fut bien
esbahy et encores plus courroucé la moitié. Lequel,
pour [y] trouver expedient et convenable remede,
pensa [15] tel moien que je vous diray. Il dist a sa
70 femme, sans monstrer aultre semblant que tel qu'il
avoit accoustumé, qu'il [16] vouloit aller, ung jour tel
qu'il nomma, mener a Saint Omer une charette de blé,
et que pour mieulx besoigner il y vouloit [lui] mesmes
aller. Quand le jour nommé qu'il vouloit partir fut
75 venu, il fist, ainsi qu'on a de coustume en Picardie,
et specialement entour Saint Omer, charger son chariot de blé a mynuyt, et a celle mesme heure voulut
partir. Et quand tout fut appareillé et prest, print

---

[11] *V.* parties que
[12] *ms* puist
[13] *V.* desjoindre. Or
[14] *V.* adverti que le cure aloit e.
[15] *V.* p. y remedier p.
[16] *V.* a sa f. quil

congé a sa femme, et wida avecques son chariot.
80 Et si tost qu'il fut hors de sa porte, elle la ferma et
tous les huys de sa maison. Or vous devez entendre
que nostre marchant de blé fist son Saint Omer de
l'ostel d'un de ses amys qui demouroit au bout de la
ville, ou il alla arriver, et mist son chariot en la cour
85 du dit amy, qui savoit toute la traynnée, et lequel il
envoya pour faire le guet et escouter a l'entour de
sa maison pour veoir si quelque larron y viendroit.
Ce bon voisin et amy, quand [18] il fut a l'endroit ou
il devoit asseoir son guet, il se tappit au coing d'une
90 forte haye espesse, duquel lieu luy apparoient toutes [19] les entrées de la maison au dit marchant, dont
il estoit serviteur et grand amy en ceste partie.
Gueres n'eut escouté que veez cy maistre curé qui
vient pour allumer sa chandelle, ou pour mieulx dire
95 pour l'estaindre ; et tout coyement et doulcement
hurte a l'huys de la court ; lequel fut tantost oy de
celle qui n'avoit pas talent de dormir en celle
attente : c'estoit sa dame, laquelle [20] sortit habilement
en chemise, et vint mettre ens son confesseur, et puis
100 ferme l'huys, le menant au lieu ou son mary deust
avoir esté. Or revenons a nostre guet, qui, quand ii
perceut tout ce qui fut fait, se leva de son guet, et
s'en alla sonner sa trompette et declara tout au bon
mary. Sur quoy incontinent conseil fut prins et
105 ordonné en ceste maniere. Le marchand de blé faindit
retourner de son voyage avecques [son] chariot de
blé, pour certaines adventures qu'il doubtoit luy
advenir ou estre advenues. Si vint hurter a sa porte

---

17 *V.* partir et p.
18 *V.* viendroit. Quant
19 *V.* f. la arrive il se t. au c. dune f. h. duquel l. il
    veoit t.
20 *V.* d. a celle heure l.

et hucher sa femme, qui se trouva bien esbahie quand
110 elle oyt sa voix. Et tant ne le fut qu'elle ne print
bien le loisir de mucer son amoureux le curé en ung
casier qui estoit en la chambre. Et pour vous donner
a entendre quelle chose c'est d'un casier, c'est ung
garde menger a la façon d'une huche, long et estroict
115 par raison et assez profund. Après que le curé fut
mussé ou l'on musse les œufs, le beurre, le four-
mage et aultres telles vitailles, la vaillant mesnagiere, comme moitié dormant, moitié veillant, se presenta devant son mary, et luy dist : « Helas ! mon
120 bon mary, quelle adventure pouvez vous avoir que
si hastivement retournez ? Certainement il y a aucune
chose et meschef qui [21] ne vous laisse faire vostre
voyage ? Helas ! pour Dieu, dictes le moy tost. »
Le bon homme, qui ne povoit plus s'il n'enrageoit,
125 combien que semblant ne fist, voulut [22] aller en sa
chambre et illec dire les causes de son hastif retour.
Quand il fut ou il cuidoit trouver son curé, c'est
assavoir en sa chambre, commença a compter les
raisons de la rompture [23] de son voyage. Premier dit
130 que pour la suspicion qu'il avoit de la desloyaulté
d'elle, craindoit tresfort estre du reng des bleuz
vestuz, qu'on appelle communement noz amis, et que
au moien de ceste suspicion estoit il ainsi tost
retourné. Item, que ceste suspicion avoit si tresfort
135 frappé et hurté a son ymaginacion, que, quand [24] il
s'estoit trouvé hors de sa maison, aultre chose ne luy
venoit au devant, que le curé estoit son lieutenant
tantdiz qu'il alloit marchander. Item, pour experi-

---

[21] *V*. il y a aucun q.
[22] *V*. Le b. h. v.
[23] *V*. du retour
[24] *V*. Item que quant

menter son ymaginacion, dit qu'il estoit ainsi
140 retourné. Et a celle heure voulut avoir la chandelle
et regarder si sa femme osoit bien couscher sans
compaignie en son absence. Quand il eut achevé les
causes de son retour, la bonne dame s'escrya,
disant : « Ha ! mon bon mary, dont vous vient main-
145 tenant ceste vaine jalousie ? Avez vous perceu en moy
aultre chose qu'on ne doit veoir et juger d'une bonne,
loyale et preude femme ? Helas ! que maudicte soit
l'heure qu'oncques je vous cogneu, et que l'alyance
fut de moy avec vous, pour ainsi a tort estre suspi-
150 cionnée [25] de ce que mon cueur ne sceut oncques
penser. Ha ! vous me cognoissez encores mal, et ne
savez combien net et entier mon cueur veult estre et
demourer ! » Le bon marchant eust peu estre contraint de croire ses bourdes, s'il n'eust rompu sa
155 parolle. Si dist qu'il vouloit averer son ymaginacion.
Incontinent, et sans plus la laisser sermonner, vint [26]
sercher et visiter les angletz [27] de sa chambre a tous
lez au mieulx qu'il luy fut possible ; esquelx lieux,
quand il les eut visitez et qu'il n'y trouvoit point [28]
160 ce qu'il queroit, il se donna garde du casier, et jugea
qu'il convenoit que son compaignon y fust. Et sans
en monstrer semblant, hucha sa femme et luy dist :
« M'amye, combien que sans cause et grand tort je
vous suspicionne d'estre vers moy desloyale [29], et que
165 telle ne soiez que ma faulse ymaginacion m'apporte,
toutesfoiz je suis si ahurté et enclin a croire et m'arrester en mon opinion, que impossible m'est d'estre

---

[25] *V.* congneuz pour estre suspeconnee
[26] *V.* et i. v.
[27] *V.* cornetz
[28] *V.* p. mais il ne trouva p.
[29] *V.* Mamie a grant t. je vous ay s. de mestre d.

jamais plaisamment avecques vous. Et pour ce je
vous prie que soiez contente que la divorce et sepa-
170 racion [30] soit faicte de nous deux, et que amoureusement partissons noz biens communs par egale
porcion. » La gouge, qui desiroit assez ce marché,
affin que plus aisément se trouvast avec son curé,
accorda sans gueres dissimuler la [31] requeste de son
175 mary, par telle condicion toutesfoiz que faisant la
part des meubles, elle commenceroit et feroit le premier choix. « Et pour quelle raison, dit le mary,
voulez vous choisir la premiere ? c'est contre tout
droit et justice. » Ilz furent longtemps en different
180 pour choisir premier ; mais en la fin le mary vaincquit, qui print le premier et print le casier, ou il n'y
avoit que flans, tartes et fourmages, et aultres
vitailles, entre lesquelx nostre curé estoit ensevely,
et lequel oyoit ces bons devis qui a sa cause se
185 faisoient. Quand le mary eut choisy le casier, la dame
choisit la chaudiere, puis le mary ung aultre meuble, puis elle ung aultre, et ainsi consequemment
jusques ad ce que tout fut party et porcionné. Après
laquelle parchon [32] faicte le bon mary dist : « Je suis
190 content que vous demourez en ma maison jusques
ad ce que aurez trouvé logis pour vous ; mais de
ceste heure je veil emporter ma part, et la mettre en
l'hostel d'un de mes voisins. — Faictes en, dist elle,
vostre bon plaisir. » Et il demanda une bonne longue
195 corde, et en lya et adouba son casier, puis fist venir
son charreton, a qui fist atteler son casier d'un cheval, et luy chargea qu'il le menast a l'ostel d'un tel
son voisin. La bonne dame, oyant ceste deliberacion,

---

30 *V.* que la s.
31 *V.* g. faire de difficulte a la
32 *V.* porcion

laissoit tout convenir[33] ; car de donner conseil au
200 contraire ne s'osoit avancer, doubtant que le casier
ne fust ouvert ; ainsi abandonna tout a telle adventure que advenir povoit. Le casier, ainsi que dit est,
fut attelé au cheval, et mené par la rue, pour aller
ou le bon homme l'avoit ordonné. Mais gueres n'ala
205 loing que le maistre curé, a qui les œufz et le beurre
crevoient les yeulz, cria pour Dieu mercy. Le charreton, oyant ceste voix piteuse resonant de ce casier,
descendit tout esbahy, et hucha les gens et son
maistre, qui ouvrirent le casier, ou ilz trouverent le
210 pouvre prisonnier, doré et empapiné d'œufz, de fro-
maige, de laict et aultres choses plus de cent. Ce
pouvre amoureux estoit tant piteusement appoincté
qu'on ne savoit du quel il avoit le plus. Et quand le
bon mary le vit en ce point, il ne se peut tenir de
215 rire, combien que courroussé deust estre. Si le laissa
courre, et vint a sa femme monstrer comment il
n'avoit eu trop grand tort d'estre suspicionneux de
sa faulse desloyauté. Elle, qui se vit par exemple
vaincue, cria mercy, et il luy fut pardonné par telle
220 condicion que si jamais le cas luy advenoit, elle fust
mieulx advisée de mettre son homme aultre part que
ou casier, car le curé en avoit eu sa robe en[34] peril
d'estre a tousjours gastée. Et après ce, ilz demourerent ensemble long temps, et rapporta l'omme son
225 casier. Et ne sçay point que son curé s'i trouvast
depuis, lequel, au moien de ceste adventure, fut,
comme encores est, appellé sire Baudin[35] Casier.

---

[33] *V.* faire
[34] *V.* a. este en
[35] *V.* vadin

LA LXXIVᵉ NOUVELLE,

PAR

PHILIPE DE LOAN. [1]

Ainsi que nagueres monseigneur le seneschal de
5 Boulennois chevauchoit parmy le païs d'une ville en
l'aultre, en passant par ung hamelet l'on y sonnoit
au sacrement. Et pource qu'il avoit doubté de non
povoir venir a la ville ou il contendoit en temps pour
oyr messe, car l'heure estoit près de midy, il s'advisa
10 qu'il descendroit audit hamelet pour veoir Dieu en
passant. Il descendit a l'huis de l'eglise, et puis s'en
alla rendre assez près de l'aultier [2] ou l'on chantoit
la grand messe. Et si prochain se mist du prestre
qui celebroit, qu'il le povoit en celebrant de costé
15 percevoir. Quand il eut levé Dieu et calice, et fait
ainsi comme il appartient, pensant a part luy [3], après
qu'il eut veu monseigneur le seneschal estre derriere
luy, et non sachant si a bonne heure estoit venu pour
veoir Dieu lever, ayant toutesfoiz opinion qu'il estoit
20 venu tard, il appella son clerc et luy fist alumer
arriere la torche, puis en gardant les cerimonies qu'il
fault faire et garder, leva encores une foiz Dieu,
disant que c'estoit pour monseigneur le seneschal. Et
puis ce fait, proceda oultre jusques ad ce qu'il fust
25 pervenu a son *agnus Dei* ; lequel, quant il l'eut dit

---

[1] *V.* laon
[2] *V.* lautel
[3] *ms* pensant par l.

trois foiz, et que son clerc luy bailla la paix pour baiser, la refusa. Et, en rabrouant tresbien son clerc, disant qu'il ne savoit ne bien ne honneur, la fist bailler a monseigneur le seneschal, qui la refusa de
30 tous poins deux ou trois foiz. Et quand le prestre vit que monseigneur le seneschal ne vouloit prendre la paix devant [luy], il laissa Dieu qu'il tenoit en ses mains, et print la paix et la porta a monseigneur le seneschal, et luy dist que s'il ne la prenoit devant
35 luy il ne la prendroit ja luy mesmes : « Ce n'est raison, dist le prestre, que j'aye la paix devant vous. » Adonc, monseigneur le seneschal, voyant que sagesse n'avoit illec lieu, s'accorda au curé et print la paix, puis le curé après. Et ce fait, s'en retourna
40 parfaire sa messe de ce qui restoit a parfaire [4].

---

[4] *V.* ce qui r. et puis c'est tout ce que on men a compte.

LA LXXVe NOUVELLE,

PAR

MONSEIGNEUR DE THALEMAS.

Au temps de la guerre des deux partiz, les ungs
nommez Bourgoignons, les aultres Ermignacs, advint
a Troyes, en Champaigne, une assez gracieuse adventure, qui tresbien vault la racompter et mectre en
compte, qui fut telle. Ceulx de Troies, pour lors que
par avant ilz eussent esté Bourgoignons, s'estoient
tournez Ermignacz ; et entre eulx avoit conversé ung
compaignon a demy fol, non pas qu'il eust perdue
l'entiere cognoissance de raison, mais a la verité il
tenoit plus du costé de dame Folie que de raison,
quoy que aucunesfoiz il executast, et de la main et
de la bouche, pluseurs besoignes que plus sage de
luy n'eust sceu acever. Pour venir doncques au propos encommencé, le galant susdit estant en garnison
avec les Bourgoignons a Sainte Manehot, mist une
journée en termes avec ses compaignons, et dist que
s'ilz le vouloient croire, il leur bailleroit bonne doctrine pour attrapper ung grand ost [1] des loudiers de
Troyes, les quelx, a la verité, il haioit mortellement ;
et ilz ne l'amoient gueres, mais le menassoient tousjours de pendre, s'ilz le povoient tenir. Veez cy qu'il
dist : « Je m'en yrai vers Troyes et m'approucheray
des faulxbourgs, et feray semblant d'espier la ville,

_____

[1] V. hoc

et de tenter de ma lance les fossez, et si près de la
ville m'approucheray que je seray prins. Je suis seur
que sitost que le bailly me tiendra, il me condemnera
30 a pendre, et nul de la ville ne s'i opposera pour moy,
car ilz me hayent trestous. Ainsi seray je bien matin
mené au gibet, et vous serez embuschez au bosquet
qui est au plus près. Et ² tantost que vous orrez venir
moy et ma compaignie, vous sauldrez sur l'assem-
35 blée, et en prendrez et tiendrez a vostre volunté, et
me delivrerez de leurs mains. » Tous les compaignons de la garnison s'i accorderent, et dirent, puis
qu'il osoit bien entreprendre ceste adventure, ilz luy
aideroient a la fournir. Pour abreger, le gentil folas-
40 tre s'approucha de Troyes, comme il avoit [devant]
dit, et, comme il desiroit, fut prins, dont le bruyt
s'espandit tost parmy toute la ville. Et n'y eut celuy
qui ne le condemnast a pendre. Mesme le bailly, si
tost qu'il le vit, dist et jura par ses bons dieux qu'il
45 seroit pendu par la gorge. « Helas ! monseigneur.
disoit il, je vous requier mercy, je ne vous ay rien
meffait. — Vous mentez, ribauld, dist le bailly, vous
avez guidé les Bourgoignons en ceste marche, et
avez encusé les bons bourgois et marchans de ceste
50 ville ; vous en aurez vostre payement, car vous en
serez au gibet pendu ! — Ha ! pour Dieu, monseigneur, dit nostre bon compaignon, puis qu'il fault
que je meure, au moins qu'il vous plaise que ce soit
bien matin, et que en la ville ou j'ay eu tant de
55 cognoissance et d'accointance, je ne reçoyve trop
publicque punicion. — Bien, bien, dist le bailly, on y
pensera. » Le lendemain, des le point du jour, le
bourreau avec sa charrette fut devant la prison, ou

---

² *V.* p. dudit gibet et

il n'eust gueres esté que veez cy venir le bailly a
60 cheval et ses sergens et grand nombre de gens pour
l'accompaigner ; et fut nostre homme mis, troussé et
lyé sur la charrette, et, tenant sa musette, dont il
jouoit continuellement[3], on l'enmaine devers la Justice, ou il fut plus accompaigné, quoy qu'il fust
65 matin, que[4] beaucoup d'aultres n'eussent esté, tant
estoit hay en la ville. Or devez vous savoir que les
compaignons de la garnison de Saincte Manehot
n'oblierent pas de eulx embuscher au bois auprès
de la dicte Justice, des la mynuyt, tant pour sauver
70 leur homme, quoy qu'il ne fust pas des plus sages,
tant aussi pour gaigner prisonniers et aultres choses
s'ilz povoient. Eulx la doncques venuz et arrivez, dis-
poserent de leur fait[5] comme de guerre et ordonnerent une gaitte sur ung arbre, qui leur devoit dire
75 quand ceulx de Troyes seroient a la Justice. Celle
gaitte ainsi mise et logée dist qu'elle feroit bon
devoir. Or sont venuz et descendez ceulx de la justice
devant le gibet, et le plus abregeement que faire se
peut, le bailly commende qu'on despesche nostre
80 pouvre coquard, qui estoit bien esbahy ou ses compaignons estoient, qu'ilz ne venoient pas ferir dedans
ces ribaulx Armignacz. Il n'estoit pas bien a son
aise, mais regardoit devant et derriere et le plus le
bois ; mais il n'oyoit ne veoit rien. Il se confessa le
85 plus longuement qu'il peut. Toutesfoiz il fut osté du
prestre, et, pour abreger, monte sur l'eschelle. Et luy
la venu fut bien esbahy, Dieu le scet, et regarde et
veye tousjours vers ce bois ; mais c'estoit pour neant.

---

[3] *V.* coustumierement
[4] *V.* plus a. que
[5] *V.* leurs besoignes

Car la gaitte ordonnée pour faire saillir ceulx qui
90 rescourre le devoient estoit sur cest arbre endormye ;
si ne savoit que dire ne que faire ce pouvre homme,
sinon qu'il pensoit estre a son derrain [6] jour. Le
bourreau, a chef de piece, fist ses preparacions pour
luy bouter la hart au col pour le despescher. Et
95 quand il vit ce, il s'advisa d'un tour qui luy fut bien
proufitable, et dist : « Monseigneur le bailly, je vous
prie pour Dieu que avant que on mette plus avant la
main en moy, que je puisse jouer une chanson de ma
musette, et je ne vous demande plus. Je suis après
100 content de morir, et vous pardonne ma mort et a tout
le monde. » Ceste requeste luy fut passée, et sa
musette luy fut en hault portée. Et quand il la tint,
le plus a loysir qu'il peut, il la commence a sonner,
et joua une chanson que les compaignons de l'em-
105 busche dessusdicte [7] cognoissoient tresbien, et y
avoit « Tu demoures trop, Robinet, tu demoures
trop. » Et au son de la musette la gaitte s'esveilla,
et de paour qu'elle eut se laissa cheoir du hault en
bas de l'arbre ou elle estoit, et dist : « On pend
110 nostre homme ! Avant, avant, hastez vous tost ! »
Et les compaignons estoient tous prestz ; et au son
d'une trompette saillirent du bois, et se vindrent fourrer sur le bailly et sur tout le mesnage qui devant
le gibet estoit. Et a cest effroy, le bourreau fut tant
115 esperdu et esbahy qu'il ne savoit et n'eut oncques
l'advis de luy bouter la hart au col, et le bouter jus,
mais luy pria qu'il luy sauvast la vie, ce qu'il eust
fait tresvoluntiers ; mais il ne fut pas en sa puissance. Trop bien fist il aultre chose et meilleur, car
120 luy, qui sur l'eschelle estoit, cryoit a ses compai-

---

[6] *V.* dernier
[7] *V.* que ceulx de la garnison d.

gnons : « Prenez chula, prenez cestuy ! Ung tel est
riche. Ung tel est mauvais garnement. » Bref [8], les
Bourgoignons tuerent un grand tas en venue de ceulx
de Troyes, et prindrent des prisonniers ung grand
125 nombre, et sauverent leur homme en la façon que
vous oez, qui bien leur dist que jour de sa vie
n'eut si belles affres qu'il avoit a ceste heure eu.

_____

[8] *V.* mauvais. Bref

LA LXXVIe NOUVELLE,

PAR

PHILIPE DE LOAN. [1]

L'on m'a pluseurs foiz dit et compté par gens
dignes de foy ung bien gracieux cas dont je fourniray une petite nouvelle, sans y descroistre ne
adjouster aultre chose que servant au propos. Entre
les aultres chevaliers de Bourgoigne ung en y avoit
nagueres, lequel, contre la coustume et usage du
païs, tenoit a pain et a pot une donzelle belle et
gente, en son chasteau que point ne veil nommer. Son
chapellain, qui estoit jeune et frez, voyant ceste belle
fille, n'estoit pas si constant que par elle ne fust
souvent tenté, et en devint trop bien amoureux. Et
quand il vit mieulx son point, compta sa rastelée a
madamoiselle, qui estoit plus fine que moustarde ;
car, la mercy Dieu, elle avoit rendy et couru païs
tant que du monde ne savoit que trop. Elle pensoit
bien en soy mesmes que si elle accordoit au prestre
sa requeste, son maistre, qui veoit cler, et quelque
moien qu'elle trouvast, s'en donneroit bien garde, et
ainsi perdroit le plus pour le mains. Si delibera de
descouvrir l'embusche a son maistre, qui n'en [2] fist
que rire, car assez s'en doubtoit, actendu les regards,
devises et esbatemens qu'il avoit veu entre eulx deux.

---

[1] V. pihlippe (*sic*) de laon
[2] V. m. lequel quant il le sceut nen

Ordonna neantmains a sa gouge qu'elle entretenist
le prestre, voire sans faire la courtoisie, et si fist elle
si bien que noz sire en avoit tout au long du braz.
Et nostre bon chevalier souvent luy disoit : « Par
30 dieu ! par dieu ! noz sire, vous estes trop privé de
ma chambriere. Je ne sçay qu'il y a entre vous deux,
mais si je savoye que vous y pourchassissiez rien a
mon desavantage, Nostre Dame ! je vous punyroie
bien. — En vérité, monseigneur, respondit maistre
35 domine, je n'y calonge ne demande rien. Je me devise
a elle, et passe temps, comme les aultres de ceans ;
jour de ma vie ne luy requis d'amours ne d'aultre
chose. — Pour tant le vous dy je, dist le seigneur ;
si aultrement en estoit, je n'en seroie pas content. »
40 Si nostre domine avoit bien poursuy auparavant de
ces parolles, plus aigrement et a toute force continua
sa poursuite. Car, ou qu'il rencontrast la gouge, de
tant près la tenoit que contraincte estoit, voulsist ou
non, donner l'oreille a sa doulce requeste ; et elle,
45 duicte et faicte a l'esperon et a la lance, endormoit
nostre prestre et l'assommoit, et et[3] en son amour tant
fort le boutoit qu'il eust pour elle ung Ogier combatu. Si tost que de luy s'estoit sauvée, tout le plai-
doyé d'entre eulx estoit au maistre par elle racompté,
50 qui grand plaisir en avoit. Et pour faire la farse au
vif, et bien tromper son chapellain, il commenda a
sa gouge qu'elle luy assignast journée d'estre en la
ruelle du lit ou ilz couchoient, et luy dist : « Si tost
que monseigneur sera endormy, je feray tout ce que
55 vous vouldrez ; rendez vous donc en la ruelle tout
doulcement. » — « Et fault, dit il, que tu le laisses
faire, et moy aussi : je suis seur que quand il cuidera

---

[3] *V.* n. p. et en

que je dorme, qu'il ne demourra gueres a t'enferrer,
et j'aray appresté a l'environ de ton devant le las
60 jolis ou il sera attrappé. » La gouge en fut contente,
et fist son rapport a noz sire [4], qui jour de sa vie ne
fut plus joieux. Et sans penser ne ymaginer peril ne
dangier ou il se boutoit, comme en la chambre de son
maistre, ou lit et a la gouge de son maistre, toute
65 raison estoit de luy a cest cop arriere mise ; seullement luy challoit d'accomplir sa fole volunté, combien que naturelle et de pluseurs accoustumée. Pour
faire fin a long procés, maistre prestre vint a l'heure
assignée bien doulcement en la ruelle, Dieu le scet.
70 Et sa maistresse luy dist tout bas : « Ne sonnez mot ;
quand monseigneur dormira, je vous toucheray de la
main et venez emprès moy. — En la bonne heure »,
ce dit il. Le bon chevalier, qui a ceste heure ne dormoit mie, se tenoit a grand peine de rire. Toutesfoiz,
75 pour faire la farse, il s'en garda ; et, comme il avoit
proposé et dit, il tendit son filé ou son las, lequel
qu'on veult, tout a l'endroit de la partie ou maistre
prestre avoit plus grand desir de hurter. Or est tout
prest, et noz sire [4] appellé, et au plus doulcement
80 qu'il peut entre dedans le lit, et sans gueres barguigner il monte dessus le tas pour veoir plus loing. Si
tost qu'il fut logé, bon chevalier tire bien fort son
las, et dit tout hault : « Ha ! ribauld prestre, estes
vous tel ? » Et bon prestre de soy retirer. Mais il
85 n'ala gueres loing. Car l'instrument qu'il vouloit
accorder au bedon de la gouge estoit si bien du las
encepé [5], qu'il n'avoit garde de deslonger, dont si
tresesbahy se trouva qu'il ne savoit sa contenance ne
que advenu il luy estoit. Et de plus en plus fort tiroit

---

[4] *V.* nostre domine
[5] *V.* envelope

90 son maistre le las, qui grand doleur luy eust esté,
si paour et esbahissement ne luy eussent tollu tout
sentement. A chef de piece il revint a luy, et sentit
tresbien ses doleurs, et bien piteusement pria mercy
a son maistre, qui tant grand faim avoit de rire que
95 a peine il savoit parler. Si luy dist il neantmains,
après qu'il eut tresbien aval la chambre parbondy :
« Allez vous en, noz sire, et ne vous advienne plus ;
ceste foiz vous sera pardonnée, mais la seconde
seroit irremissible. — Helas ! monseigneur, ce res-
100 pond il, jamais ne m'aviendra ; elle fut cause de ce
que j'ay fait ! » A cest coup, il s'en alla, et monseigneur se recoucha, qui espoir acheva ce que l'autre
encommença. Mais sachez bien qu'oncques puis ne s'i
trouva le prestre au sceu du maistre. Bien peut estre
105 qu'en recompense de ses maulx la gouge en eut
depuis pitié, et, pour sa conscience acquicter, luy
presta son bedon, et tellement s'accorderent que le
maistre en valut pis tant en bien comme en honneurs.
Et du surplus je me tais. Et a tant, fin.

LA LXXVIIe NOUVELLE,

PAR

ALARDIN.

Ung gentilhomme des marches de Flandres, ayant
sa mere bien ancienne et tresfort debilitée de maladie,
plus languissant et vivant a mal aise que nulle aultre
de son eage, esperant d'elle mieulx valoir et amender, combien que es marches de France il feist sa
residence, la visitoit souvent. Et a chacune foiz que
vers elle venoit, tousjours estoit tant de mal oppressée qu'on cuidast bien que l'ame en deust partir. Et
une foiz entre les aultres, comme il estoit venu veoir,
elle au partir luy dist : « Adieu, mon filz, je suis
seure et me semble que jamais vous ne me verrez ;
car je m'en vois morir. — Ha dea, ma mere, respondit il, vous m'avez tant ceste leczon recordée que
j'en suis saoul et ennuyé. Deux ans, trois ans,
sont ja passez et expirez que [1], tousjours ainsi m'avez
dit, mais vous n'en avez rien fait ; prenez bon jour,
je vous en prie, si n'y faillez point. » La bonne
damoiselle, oyant de son filz la response, quoyque
malade et veille fust, en soubriant luy dist adieu.
Or se passerent puis ung an, deux ans, tousjours
languissant. Ceste femme si fut arriere de son
filz visitée ; et ung soir, comme en son lit en
l'ostel d'elle estoit couchée, tant fort oppressée de
mal qu'on cuidoit bien qu'elle allast a Mortaigne,

---

[1] *V.* saoul et a troys ans passes q.

si fut ce bon filz appellé de ceulx qui gardoient sa
mere, et luy dirent que bien a haste a sa mere venist,
30 car seurement elle s'en alloit. « Dictes vous donc, dit
il, qu'elle s'en va ? Par ma foy, je ne l'ose croire ;
tousjours dit elle ainsi, mais rien n'en fait. — Nenny,
nenny, dirent ses gardes, c'est a bon escient ; venez
vous en, car on voit bien qu'elle s'en va. — Je vous
35 diray, dist il ; allez devant et je vous syeuz [2] ; et
dictes bien a ma mere, puis qu'elle s'en veult aller,
que par Douay point ne s'en aille, car le chemin est
trop mauvais ; a peu que avant hier et moy et mes
chevaulx n'y demourasmes. » Il se leva neantmains,
40 et housse sa robe longue et se mect en train pour
aller veoir si sa mere feroit la derreniere et finale
grimace. Luy la venu, la trouva fort malade et que
passé avoit une subite faulte qui la cuidoit bien
emporter ; mais, Dieu mercy, elle avoit ung peu
45 mieulx. « N'est ce pas ce que je dy ? commence a
dire ce bon filz. L'on dit tousjours ceens, et si fait
elle mesme, qu'elle s'en va et qu'elle se meurt, et rien
n'en fait. Prengne bon terme, de pardieu, comme tant
de foiz luy ay dit, et si ne faille point. Je m'en
50 retourne dont je viens ; et si vous advise pour toutesfoiz que vous ne m'appellez plus, s'elle s'en devoit
aller toute seulle, si ne lui feray je pas a ceste heure
compaignie. » Or appartient que je vous compte la
fin de mon emprinse [3]. Ceste damoiselle, ainsi malade
55 que dit est, revint de ceste extreme maladie, et
comme auparavant depuis vesquit en languissant
l'espace de trois ans, pendant lesquelx ce bon filz
une foiz d'adventure la vint veoir, et a ce coup
qu'elle rendit l'esperit. Mais le bon fut quant on le

_____

[2] *V.* suyvray
[3] *V.* entreprinse

60 vint querir pour estre au trespas d'elle, qu'il vestoit
une robe neuve, et n'y vouloit aller. Message sur
aultre venoit vers luy, car sa bonne mere, qui tiroit
a la fin, le vouloit veoir et recommender aussi son
ame. Mais tousjours aux messagiers respondoit :
65 « Je sçay bien qu'elle n'a point de haste, qu'elle
attendra bien que ma robe soit mise a point. » En la
parfin, tant luy fut dit et remonstré qu'il s'en alla
devers sa mere, sa robe neuve [vestue] sans les
manches. Lequel quand en ce point fut d'elle regardé,
70 luy demanda ou estoient les manches de sa robe, et
il dist : « Elles sont la dedens, qui n'attendent estre
parfaictes sinon que vous nous descombrez la place.
— Si seront donc tantost achevées, ce dist la bonne
damoiselle : car je m'en vois a Dieu, au quel hum-
75 blement mon ame recommande, et a toy, mon filz. »
Et lors cy prins cy mis, la croix entre ses braz bien
serreement reposant, rendit l'ame a Dieu, sans plus
mot dire [4]. Laquelle chose voyant son bon filz commença tant fort a plorer et soy desconforter que
80 jamais ne fut veu le pareil. Et n'estoit nul qui conforter le sceust ; tant fort mesmes le print il au
cueur [5] que devant n'en tenoit compte par semblant,
que [6] au bout de xv jours de dueil il en mourut.

---

4 *V.* f. lors rendit lame a dieu sans p. m. d. la c. e. s. b.
Laquelle
5 *ms* le p. au c. il
6 *V.* a plourer que j. ne f. v. la pareille et ne le povoit
nul conforter et tant en fist q.

LA LXXVIIIᵉ NOUVELLE,

PAR

JEHAN MARTIN.

Au païs de Brabant, qui est bonne marche et plaisante, fournye a droit et bien garnye de belles filles,
et bien sages coustumierement, et le plus et des
hommes on soult[1] dire, et se trouve assez veritable,
que tant plus vivent et plus sont sotz, nagueres
advint que ung gentil homme en ce point né et destiné s'avolenta[2] d'aller voyager oultre mer en divers
lieux, comme en Cypre, en Rhodes, et es marches
d'environ ; et au derrenier fut en Hierusalem, ou il
receut l'ordre de chevalerie. Pendant lequel temps de
son voyage, sa bonne femme ne fut pas si oiseuse
qu'elle ne presta son quoniam a trois compaignons
ses voisins, lesquelx, comme a court pluseurs servent
par temps et termes, eurent leur audience. Et tout
premier ung gentil escuier frisque, frez et friant en
bon point, qui tant rembourra son bas a son cher
coust, tant en substance de son corps que en despense de pecune, car a la verité elle tant bien le
pluma qu'il n'y failloit point renvoier, qu'il s'ennuya
et retira, et de tous poins l'abandonna. L'autre après
vint, qui chevalier estoit et homme de grand bruyt,
qui bien joyeux fut d'avoir gaigné la place, et besoi-

---

[1] V. veult
[2] V. il luy print voulente

gna au mieulx qu'il peut en la façon comme dessus,
moyennant de quibus [3], que la gouge tant bien savoit
avoir que nulle aultre ne l'en passoit. Et bref, si
l'escuier qui paravant avoit la place avoit esté rongé
30 et plumé, damp [4] chevalier n'en eut pas mains. Si
tourne bride et print garin [5], et aux aultres la queste
abandonna. Pour faire bonne bouche, la damoiselle
d'un maistre prestre s'accointa ; et, quoy qu'il fust
subtil et ingenieux et sur argent bien fort luxurieux,
35 si fut il rensonné de robes, de vaisselles, et d'aultres
bagues largement. Or advint, Dieu mercy, que le
vaillant mary de ceste gouge fist savoir sa venue, et
comment en Hierusalem avoit esté fait chevalier. Si
fist sa bonne femme l'ostel apprester, tendre, parer,
40 nectoyer et orner au mieulx qu'il fut possible. Bref,
tout estoit bien net et plaisant, fors elle seullement,
qui en l'ostel estoit. Car du pluc [6] et butin qu'elle
avoit a la force de ses reins conquesté avoit acquis
vaisselle et tapisserie, linge et aultres meubles en
45 bonne quantité. A [7] l'arriver que fist le doulx mary,
Dieu scet la joye et grand feste qu'on luy fist, celie
en especial qui mains en tenoit de compte, c'est asavoir sa vaillant femme. Je passe tous ces bienvien-
gnans [8], et vien ad ce que monseigneur son mary,
50 quoy que coquard fust et estoit, se donna garde de
foison [de] meuble[s], courant aval son hostel, qui
avant son voyage n'estoit leens. Vint [9] aux coffres,

---

[3] *ms* quibz
[4] *V.* r. d.
[5] *V.* congie
[6] *V.* elle s. car du plus
[7] *V.* t. et daultres m. .assez. A
[8] *V.* biensvueillans
[9] *V.* m. qui avant son partement nestoient pas leans. V.

aux buffetz, et en assez d'aultres lieux, et trouve
tout multiplié, dont l'avertin luy monta en la teste,
55 et de prinsault devyna ce qui estoit. Si[10] s'en vint
tost bien eschaufé et tresmal meu devers sa bonne
femme, et demanda dont sourdoient tant de biens
comme ceulx que j'ay dessus nommez. « Saint Jehan,
ce dist ma dame, monseigneur, ce n'est pas mal
60 demandé ; vous avez bien cause d'en tenir telle maniere, et il semble que vous soiez courroussé, qui
vous voit. — Je ne suis pas trop a mon aise, dit il,
car je ne vous laissay pas tant d'argent a mon partir,
et si n'en povez tant avoir espergné que pour avoir
65 acquis tant de vaisselle, tant de tapisserie, et le surplus des bagues que je trouve ceens. Il fault, et je
n'en doubte, car j'ay cause, que quelque ung se soit
de vous accointé qui noz mesnage ait ainsi renforcé.
— Et pardieu, monseigneur, respond la simple
70 femme, vous avez tort, qui pour bien faire me mettez
sus telle villannie. Je veil bien que vous le sachez
que je ne suis pas telle, mais meilleur en tous endroiz
que a vous n'appartient. Et n'est ce pas bien raison
que avec tout le mal que j'ay eu d'amasser et esper-
75 gner, pour accroistre et embellir vostre hostel et le
mien, je soye reprochée, lesdengée et tencée[11] ? C'est
bien loing de recognoistre ma peine, comme ung bon
mary doit faire a sa bonne preude femme. Telle
l'avez vous, meschant et maleureux, dont c'est dom-
80 mage ! » Ce procés, quoy qu'il fust plus long, pour
un temps se cessa. Et s'avisa maistre mary, pour
estre de l'estat de sa femme asseuré[12], qu'il feroit

---

10 V. d. le hutin luy ... et de p. son cueur en voulut
descharger si
11 V. r. et t.
12 V. acertene

tant avec son curé, qui son tresgrand amy estoit, que
d'elle orroit la devote confession, ce qu'il fist au
85 moien du curé, qui son fait conduisit. Car ung bien
matin, en la bonne sepmaine que de son curé pour
soy confesser s'approucha, en une chapelle secrete
devant il l'envoya, et a son mary vint, qu'il adouba
de son habit, et pour estre son lieutenant l'envoya [13]
90 devers sa femme. Si nostre mari fut joyeux, il ne le
fault ja demander. Quand en ce point il se trouva, il
vint en la chapelle, et ou siege du prestre sans mot
dire entra. Et sa femme d'approcher, qui a genoux
se mist devant ses piez, cuidant pour vray estre son
95 curé, et sans tarder commença sa confession et dist
Benedicite. Et noz sire son mary respondit *Dominus,*
et au mieulx qu'il sceut, comme le curé l'avoit aprins,
assovit [14] de dire ce qui affiert. Après que la bonne
femme eut dit la confession generale, descendit au
100 particulier, et vint parler comment, durant le temps
que son mary avoit esté dehors, ung escuier avoit
esté son lieutenant, dont elle avoit en or, en argent
et en bagues beaucop amendé. Et Dieu scet que en
oyant ceste confession, le mary estoit bien a son aise.
105 S'il eust osé, voluntiers l'eust tuée a ceste heure ;
toutesfoiz, affin d'oyr encores le surplus, s'il y est, il
aura [15] pacience. Quand elle eut dit tout au long de
cest escuier, du chevalier s'est accusée, qui comme
l'autre l'avoit bien baguée. Et bon mary, qui de dueil
110 se creve et fend, ne [16] scet que faire de soy descouvrir et bailler l'absolucion sans plus attendre. Il n'en
fist rien neantmains, et print loysir et pacience d'es-

---

13 *V.* h. et lenvoya
14 *V.* acheva
15 *V.* eut
16 *V.* crieve ne

couter ce qu'il orra. Après le tour du chevalier, le
prestre vint en jeu, dont elle s'accusa bien humble-
115 ment. Mais, par Nostre Dame, a [17] cest coup, bon
mary perdit pacience et n'en peut plus oyr ; si jecta
jus chape et surplis, et se monstrant, luy dist :
« Faulse et desloyale, or voiz je et cognois bien
vostre grand trahison ! et ne vous suffisoit il de
120 l'escuier et puis du chevalier, sans a ung prestre vous
donner, qui par Dieu plus me desplaist et courrousse
que [18] tout ce que fait avez. » Vous devez savoir que
de prinsault ceste vaillant femme fut esbahie et soupprinse ; mais [19] le loysir qu'elle eut de respondre si
125 tresbien l'asseura et sa contenance de maniere si bien
ordonna, que, a l'oyr, sa response estoit plus asseurée que la plus juste de ce monde faisant a Dieu son
oroison. Si respondit a chef de piece comme le saint
Esperit l'inspira, et dist bien froidement : « Pouvre
130 coquard, qui ainsi vous tourmentez, savez vous bien
au mains pour quoy ? Or, oyez moy, s'il vous plaist ;
et pensez vous que je ne sceusse tresbien que c'estiez
vous a qui me confessoie ? Si vous ay servy comme
le cas le requiert, et sans mentir de mot vous ay
135 confessé tout mon cas. Veez cy comment : de l'escuier me suis accusée ; et c'estes vous, mon doulx
amy. Quand vous m'eustes en mariage, vous estiez
escuier, et lors feistes de moy ce qu'il vous pleut,
et me fournistes, vous le savez, Dieu scet comment.
140 Le chevalier [20] aussi dont j'ay touché et m'en suis
encoulpée, par ma foy, vous estes celuy ; car [21] a

---

17 *V.* en jeu mais a
18 *V.* me d. que
19 *V.* fut e. mais
20 *V.* vous p. le c.
21 *V.* dont ay t. cestes vous car

vostre retour vous m'avez fait dame. Et vous estes
aussi le prestre, car nul, si prestre n'est, ne peut oyr
confession. — Par ma foy, m'amye, dist lors le che-
145 valier, or m'avez vous vaincu et bien monstré que
sage et tresbonne vous estes, et que sans cause et
a tort et tresmal adverty vous ay chargée et dit
du mal assez, dont il me desplaist ; et m'en repens [22],
et vous en crye mercy, vous promectant de l'amender
150 a vostre dit. — Legierement il vous est pardonné, ce
dit la vaillant femme, puis que le cas vous cognoissez. » Ainsi qu'avez oy fut le bon chevalier deceu
par le subtil et percevant engin de sa desloyalle
femme [23].

---

[22] *V.* estes et a tort vous ay c. dont je me r.
[23] *V.* par le s. e. de sa f.

LA LXXIXe NOUVELLE,

PAR

MESSIRE MICHAULT DE CHA[U]¹GY.

Au bon pays de Bourbonnoys, ou voluntiers ² les
5 bonnes besoignes se font, avoit l'aultre hier ung
medicin, Dieu scet quel. Oncques Ypocras ne Gallien
ne praticqucrent ainsi la science comme il faisoit. Car
en lieu de cyrops, de buvrages, de doses, d'electuai-
res ³ et de cent mille aultres besoignes que medicins
10 solent ⁴ ordonner tant a conserver la santé de l'homme que pour la recouvrer s'elle est perdue, il ne
usoit seullement que d'une maniere de faire, c'est
assavoir de bailler clisteres. Quelque maladie qu'on
luy apportast ou denunçast, tousjours faisoit ⁵ bailler
15 clisteres. Et toutesfoiz si bien luy venoit en ses besoignes et afferes que chacun estoit content de luy, et
garisoit chacun, dont son bruyt creut et augmenta
qu'on l'appelloit par ⁶ tout, tant es maisons des princes et seigneurs comme en grosses abbayes et bonnes
20 villes. Et ne fut oncques Aristote ne Gallien ainsi
autorisé, par especial du commun peuple, que ce
bon maistre dessus dit. Et tant monta sa renommée

---

¹ ms n, *ainsi que V.*
² *V.* de coustume
³ *V.* de b. et delectuaires
⁴ *V.* scaivent
⁵ *V.* Q. matiere quon l. a. il f.
⁶ *V.* lappeloit maistre jehan p.

que pour tout chose l'on demandoit son conseil ; et
estoit tant entonné [7] incessamment qu'il ne savoit au
25 quel entendre. Si une femme avoit rude mary, fel et
mauvais, elle [8] venoit au remede a ce bon maistre.
Bref, de tout ce dont on peust demander conseil
d'homme, nostre bon maistre [9] avoit la huée. Advint
ung jour que ung bon simple homme champestre
30 avoit perdu son asne ; et après la longue queste
d'icelluy, s'advisa de tirer vers ce maistre qui si
tressage estoit. Et a la coup [10] de sa venue, il estoit
tant avironné de peuple qu'il ne savoit au quel entendre. Ce bon homme neantmains rompit la presse, et,
35 quoy que le maistre parlast et respondist a pluseurs,
luy [11] compta son cas, c'est assavoir de son asne qu'il
avoit perdu, priant pour Dieu qu'il luy voulsist
radresser et bailler chose dont il le peust recouvrer.
Ce [12] maistre, qui plus aux aultres que a luy enten-
40 doit, quand le bruyt et son de son langage, dont rien
il n'avoit entendu, fut finy, se vira [13] devers luy, cuidant qu'il eust aucune enfermeté ; et affin d'en estre
despesché, dist a ses gens : « Baillez luy clistere. »
Et ce dit, devers les aultres se tourna. Et [14] le bon
45 simple homme qui l'asne avoit perdu, non sachant
que le maistre avoit dit, fut prins des gens du maistre, qui tantost, comme il leur estoit chargé, luy baillerent ung clistere, dont il fut bien esbahy, car il ne

---

[7] *V.* embesoigne
[8] *V.* a. mauvais mary rude et divers elle
[9] *V.* medecin
[10] *V.* a leure
[11] *V.* la p. et en presence de plusieurs luy
[12] *V.* radresser. Ce
[13] *V.* l. se v.
[14] *V.* c. et

savoit que c'estoit. Quand il eut ce clistere, des qu'il
50 fut dedans son ventre, il picque et s'en va, sans plus
demander de son asne, cuidant certainement par ce
le retrouver. Il n'eut gueres esté avant que le ventre
luy brouilla et grouilla tellement [15] qu'il fut contraint
de soy bouter en une vieille masure inhabitable [16],
55 pour faire ouverture au clistere qui demandoit la clef
des champs. Et au partir qu'il fist, il mena si grant
bruyt que l'asne du pouvre homme, qui passoit assez
près, comme esgaré et venu d'adventure, commence
a racaner [17] et cryer. Et bon homme de s'avancer et
60 lever sus et chanter *Te Deum,* et venir a son asne,
qu'il cuidoit avoir recouvert ou trouvé par [18] le clistere que luy fist bailler le maistre, qui eut encores
plus de renommée sans comparaison que paravant.
Car des choses perdues on le tenoit vray enseigneur,
65 et de toute science aussi le tresparfect docteur, quoy
que d'un seul clistere toute ceste renommée venist.
Ainsi avez oy comment l'asne fut trouvé par ung
clistere, qui est chose bien apparent et qui souvent
advient.

---

[15] *V.* luy b. t.
[16] *V.* inhabitee
[17] *V.* reclamer
[18] *V.* a. retrouve p.

LA IIII^{xxe} NOUVELLE,

PAR

MESSIRE MICHAULT DE CHA[U]¹GY, GENTILHOMME
DE LA CHAMBRE DE MONSEIGNEUR. ²

5   Es marches d'Alemaigne, comme pour vray oy
nagueres compter a deux gentilz seigneurs dignes de
croire, advint que une fille, de l'eage d'environ de
xv a xvj ans, fut donnée en mariage a ung bon ³
gentil compaignon, qui tout devoir faisoit de paier le
10 deu que voluntiers demandent femmes sans mot dire,
quand en cest aage et tel estat sont. Mais, quoy que
le pouvre homme feist bien la besoigne et s'efforsasi,
espoir plus souvent qu'il ne deust, si n'estoit euvre
qu'il fist agreablement receu ; et ne faisoit incessam-
15 ment sa femme que ⁴ rechigner, et souvent ploroit
bien tendrement comme si tous ses amys fussent
mors. Son mary, la voyant ainsi lamenter, ne se
savoit assez esbahir quelle chose luy povoit falloir,
et luy demandoit doulcement : « Helas ! m'amye, et
20 qu'avez vous ? Et n'estes vous pas bien vestue, bien
logée, bien servye, et de tout ce que gens de nostre
estat pevent par raison desirer bien convenablement
partie ? — Ce n'est pas la qu'il me tient, respondit

---

¹ *ms* n
² *V.* messire michault.
³ *V.* loyal
⁴ *V.* loeuvre quil faisoit en aucune maniere agreable a
sa femme car i. ne faisoit q.

elle. — Et qu'est ce donc ? dictes le moy, ce dit il,
25 et si je y puis remede mettre, pensez que je le feray
pour y mectre et corps et biens. » Les plus des foiz
elle ne respondoit mot, mais tousjours rechigno[i]t,
et de plus en plus triste chere et matte elle⁵ faisoit,
que le mary ne portoit pas bien paciemment, quand
30 savoir ne povoit la cause de ceste doleance. Tant en
enquist que partie il en sceut. Car elle luy dist qu'elle
estoit trop desplaisante qu'il estoit si petitement
fourny de cela que vous savez, c'est asavoir du
baston de quoy on plante les hommes, comme dit
35 Bocace. « Voire ! dist il, et est ce cela dont tant vous
dolez ? Et par mon serment, vous avez bien cause.
Toutesfoiz il ne peut estre aultre, et fault que vous
en passez tel qu'il est, voire si vous ne voulez aller
au change. » Ceste vie se continua ung grand temps,
40 tant que le mary, voyant l'[obs]ti[n]acion⁶ d'elle,
assembla ung jour a ung disner ung grant tas des
amys d'elle, et leur remonstra le cas comme il est
icy dessus touché ; et disoit qu'il luy sembloit qu'elle
n'avoit cause de se douloir de luy en ce cas, car il
45 cuidoit aussi bien estre party de l'instrument naturel
que voisin qu'il eust : « Et affin, dist il, que j'en soye
mieulx creu, et vous voiez son tort evident, je vous
monstreray tout. » Il mist sa denrée avant sur la
table, devant tous et toutes, et dist : « Veez cy de
50 quoy. » Et sa femme de plorer de plus belle : « Et
par saint Jehan, dirent sa mere, sa seur, sa tante,
sa cousine, sa voisine, m'amye, vous avez tort ; et
que demandez vous ? voulez vous plus demander ?
et qui est celle qui ne devroit estre content d'ung

---

⁵ *V.* m. et mourme e.
⁶ *ms* extimacion

55 mary ainsi estoffé ? [7] Ainsy m'ayde Dieu, je me tiendroye bien eureuse d'en avoir autant, voire beaucop
mains. Appaisez vous, appaisez vous, et faictes
bonne chere doresenavant. Par dieu ! vous estes la
mieulx partie de nous toutes, ce croy je. » Et la jeune
60 espousée, oyant le college des femmes ainsi parler,
leur dist, bien fort plorant : « Veez cy le petit asnon
de ceans, qui n'a gueres d'aage avec demy an, et si
a l'instrument grand et gros de la longueur d'un
braz. » Et en ce disant, tenoit son braz destre par
65 le coute, et si le branloit trop bien. « Et mon mary,
qui a bien xxiiij ans, n'en a que ce tant peu qu'il a
monstré. Vous semble il que j'en doyve estre contente ? » Chacun commença a rire, et elle de plus
plorer, tant que l'assemblée longuement fut sans mot
70 dire. Alors la mere print la parolle, et a part dist a
sa fille tant d'unes et d'aultres que aucunement se
contenta ; mais ce fut a grand peine. Veez cy la
cause [8] des filles d'Alemaigne ; si Dieu plaist, bien
tost seront ainsi en France !

---

7 *V.* oustille
8 *V.* guise

LA IIII^{xx}I^e NOUVELLE,

PAR

MONSEIGNEUR DE VAVRIN.

Puis que les comptes et histoires des asnes sont
5 acevez, je vous feray en bref et a la verité ung bien
gracieux compte d'un chevalier qui la plus part de
vous, mes bons seigneurs, congnoissez de pieça. Il
fut bien vray que le dit chevalier s'[enamoura] ¹
tresfort, comme il est assez de coustume aux jeunes
10 gens, d'une tresbelle, gente et jeune dame, et du
quartier du païs ou elle se tenoit la plus bruyant et ²
la plus renommée. Mais toutesfoiz, quelque pourchaz,
quelque semblant, quelque devoir qu'il sceust faire·
pour obtenir sa grace, jamais il ne peut parvenir
15 d'estre serviteur retenu ; dont il estoit mains que bien
content, attendu ³ que tant ardemment, tant loyallement et tant entierrement l'amoyt, que jamais femme
ne le fut mieulx. Et n'est pas a oublier que autant
faisoit pour elle qu'oncques serviteur fist pour sa
20 dame, comme de joustes, d'habillemens ; et ⁴ neantmains, comme dit est, tousjours trouvoit sa dame
dure et mal tractable, et luy monstrant mains de
semblant d'amour que par raison ne deust, car elle
savoit, et de vray, que loyallement et cherement de

---

¹ *ms* sadventura
² *V*. b. la plus mygnongne et
³ *V*. d. il e. tres desplaisant et bien marry a.
⁴ *V*. dahillemens et plusieurs esbatemens et

25 luy estoit bien fort amée. Et a dire la verité, elle luy
estoit trop dure, et fait assez a penser qu'il proce-
doit de fierté, dont elle estoit plus que bon ne luy
fust, comme on disoit, remplye. Les choses estans
comme dit est, une aultre dame voisine et amye de
30 la dessusdicte, voyant la queste audit chevalier, fut
tant esprinse de son amour que plus on ne pourroit,
et, par trop bonne fasson qui trop longue seroit a
descripre, fist tant que ce bon chevalier s'en apperceut, dont il ne se meut que bien a point, tant fort
35 s'estoit donné a sa rebelle et rigoreuse maistresse.
Trop bien, comme gracieux qu'il estoit, tout sagement[5] entretenoit celle de luy esprinse, affin que si
a la cognoissance de l'autre fust parvenu, cause
n'eust eu d'en rien blasmer son serviteur. Or escou-
40 tez quelle chose envint de ces amours, et quelle en
fut la conclusion. Ce bon chevalier amoureux, qui
pour la distance du lieu ne povoit estre si souvent
emprès sa dame que son loyal cueur et trop amoureux desiroit, s'advisa ung jour de prier aucuns che-
45 valiers et escuiers, ses bons amys, qui toutesfoiz de
son cas rien ne savoient, d'aller esbater, voler et
querir les lievres en la marche du païs ou sa dame
se tenoit, sachant de vray par ses espies que le
mary d'elle n'y estoit pas, mais estoit venu a court,
50 ou souvent se tenoit, comme celluy de qui se fait ce
compte. Comme il fut proposé de ce chevalier amoureux et de ses compaignons, se partirent le lendemain, bien matin, de la bonne ville ou la court se
tenoit, et, tout querans les lievres passerent temps
55 jusques a basse nonne, sans boire ne sans menger.
Et en grand haste vindrent repaistre en ung petit

---

[5] *V.* que il e. et bien saichant tant s.

village ; et après le disner, qui fut et court et sec,
monterent a cheval et de plus belles s'en vont querans
les lievres. Et le bon chevalier, qui ne tiroit que a
60 une, menoit tousjours la brigade le plus qu'il povoit
arriere de la bonne ville ou ses compaignons avoient
grand vouloir de retirer. Et souvent luy disoient :
« La vespre approuche, il est heure de retirer a la
ville. Si nous n'y advisons, nous serons enfermez
65 dehors, et nous fauldra gesir en ung meschant village et tous morir de faim. — Vous n'avez garde,
disoit nostre amoureux, il est encores heure assez.
Et⁶ au fort je sçay ung lieu en ce quartier ou l'on
nous fera tresbonne chere. Et pour vous dire, si a
70 vous ne tient, les dames nous festieront. » Comme⁷
gens de court se trouvent voluntiers avec les dames,
ilz furent contens de soy gouverner a l'appetit de
celuy qui les avoit mis en train, et passerent le temps
querans les lievres et les perdriz tant que le jour
75 dura. Or vint l'heure de venir⁸ au logis. Si dist le
chevalier a ses compaignons : « Tirons, tirons païs,
je vous mainray bien. » Environ une heure ou deux
de nuyt, ce bon chevalier et sa compaignie⁹ arriverent a la place ou se tenoit la dame dessusdicte,
80 de qui tant fort estoit feru la guide de la compaignie, qui mainte nuyt en avoit laissé le dormir.
On hurta a la porte du chasteau. Et varletz
assez tost vindrent avant, qui demandoient qu'on
vouloit. Et celuy a qui le fait touchoit print la
85 parolle et leur dist : « Messeigneurs, monseigneur
et madame sont ilz ceans ? — En vérité, res-

---

⁶ *V.* e. assez hault heure et
⁷ *V.* f. le plus honnestement du monde. Et comme
⁸ *V.* tirer
⁹ *V.* brigade

pondit l'un pour tous, monseigneur n'y est pas,
mais ma dame y est. — Vous luy direz, s'il vous
plaist, que telz et telz chevaliers et escuiers de
90 la court, et moy ung tel , venons d'esbatre et
querre les lievres de ceste marche, et nous sommes
esgarez jusques a ceste heure, qui est trop tard
de retourner a la ville. Si luy prions qu'il luy
plaise nous recevoir pour ses hostes pour mes-
95 huy. — Voulentiers », dit il. Il [10] vint faire son
message a sa maistresse, laquelle cy prins cy
mis fist [11] faire la response sans venir vers eulz,
qui fut telle : « Monseigneur, dit le varlet, madame vous fait savoir que monseigneur son mary
100 n'est pas icy, dont il luy desplaist, car, s'il y
fust, il vous feist bonne chere ; et en son absence
elle n'oseroit recevoir personne ; si vous prie que luy
pardonnez. » Le chevalier meneur de l'assemblée,
pensez qu'il fut bien esbahy et treshonteux d'oyr ceste
105 response. Car il cuidoit bien veoir a loisir sa maistresse et deviser tout son cueur saoul, dont il se
treuve arriere et bien loing ; et encores beaucop luy
greve d'avoir amené ses compaignons en lieu ou il
s'estoit vanté de les bien faire festoyer. Comme
110 sachant et gentil chevalier, il ne monstra pas ce que
son pouvre cueur portoit. Si dist de plain visage a
ses compaignons : « Messeigneurs, pardonnez moy
que je vous ay fait paier la bée [12] ; je ne cuidoie pas
que les dames de ce païs fussent si peu courtoises
115 que de refuser ung giste aux chevaliers errans. Prenez en patience. Je vous promectz par ma foy de
vous mener ailleurs, ung peu ensus de ceans, ou

---

[10] *V.* d. lautre je luy diray. Il
[11] *V.* l. fist
[12] *V.* la bayer

l'on nous fera toute aultre chere. — Or avant donc,
dirent les aultres, picquez avant : bonne adventure
120 nous doint Dieu ! » Ilz se mectent au chemin. Et
estoit l'intencion de leur guide de les mener a l'hostel
de la dame dont il estoit le cher tenu, et dont mains
de compte il tenoit que par raison il ne deust. Et
conclud a ceste heure de soy oster de tous poins de
125 l'amour de celle qui si lourdement avoit refusé la
compaignie, et dont si peu de bien luy estoit venu
estant en son service. Et se delibera d'amer, servir
et obeir tant que possible luy seroit celle qui tant de
bien luy vouloit, et ou, se Dieu plaist, se trouvera
130 tantost. Pour abreger, après la grosse pluye que la
compaignie eut plus d'une grosse heure et demye sur
le dos, on [13] arrive a l'ostel de la dame dont nagueres
parloye ; et hurta l'on de bon het a la porte, car il
estoit bien tard, environ IX ou X heures de nuyt, et
135 doubtoient fort qu'on ne fust [couché]. Varlez et
mesch[ines] [14] saillirent dehors, qui s'en vouloient
aller coucher, et demandent qu'est ce la ? Et on leur
dist. Ilz vindrent a leur maistresse, qui estoit ja en
cotte simple, et avoit mis couvrechef de nuyt, et luy
140 dirent : « Madame, a la porte est monseigneur de tel
lieu, qui veult entrer [15], et avec luy aucuns aultres
chevaliers et escuiers de la court, jusques au nombre
de trois. — Ilz soient les tresbien venuz, dist elle ;
avant, avant, vous telz et telz, allez tuer chappons et
145 poulailles, et ce que nous avons de bon, et mectez
en haste. » Bref, elle disposa comme femme de bien
et de grand façon, comme elle estoit et encores est,
tout subit les besoignes comme vous orrez tantost. Et

---

[13] *ms* ont
[14] *ms* d. fort quon ne fist comme v. et **meschans gens s.**
[15] *ms* a la p. est qui veult e. **monseigneur de**

print bien a haste sa robe de nuyt, et ainsi attournée
150 qu'elle estoit, le plus gentement qu'elle peut vint au
devant des seigneurs dessusdis, deux torches devant
elle et une seulle femme avecques elle, tresbelle [16]
fille ; les aultres mettoient les chambres a point. Elle
vint rencontrer ses hostes sur le pont du chasteau, et
155 le gentil chevalier qui tant estoit en sa grace, comme
des aultres la guide et le meneur, se mist en front
devant, et en faisant les recognoissances, il la baisa,
et puis après tous les aultres la baiserent pareillement. Alors, comme femme bien enseignée, dist aus
160 seigneurs dessus ditz : « Messeigneurs, vous soiez
les tresbien venuz ; monseigneur tel, c'est assavoir
leur guide, je le cognois de pieça, il est, de sa grace,
tout de ceans ; s'il luy plaist, il fera mes accointances
devers vous. » Pour abreger, accointances furent
165 faictes, le soupper assez tost appresté, et chacun
d'eulx bien logié en belle et bonne chambre bien
garnye de tapisserie [17] et de toute aultre chose necessaire. Si vous fault dire que tantdiz que le soupper
s'apprestoit, la dame et le bon chevalier se deviserent
170 tant et si longuement, et se porta conclusion entre
eulx que pour la nuyt ilz ne feroient que ung lit. Car
de bonne adventure le mary n'estoit point leens, mais
plus de quarante lieues loing. Or est heure, tantdiz
que ce souper s'appreste, que ces devises se font, et
175 que l'on souppe le plus joyeusement que l'on pourroit. Après les adventures du jour, que je vous dye
de la dame qui son hostel refusa a la brigade dessus
dicte, mesmes a celuy que bien savoit qui plus
l'amoit que tout le monde, et fut si mal courtoise
180 qu'oncques vers eulx ne se monstra. Elle demanda a

---

[16] *V.* avec sa t.
[17] *V.* c. bien appointee et bien fournie de t.

ses genz, quand ilz furent vers elle retournez de faire
leur message, quelle chose avoit respondu le che·
valier. L'un luy dist : « Madame, il le fist bien court.
Trop bien dist il qui menoit ses gens en ung lieu en
185 sus d'icy ou l'on leur feroit tout recueil et meilleure
chere. » Elle pensa tantost ce qui estoit et dist en
soy mesmes : « Ha ! il s'en est allé a l'ostel d'une
telle, qui, comme bien sçay, ne le voit pas enviz.
Leens se tractera, je n'en doubte point, quelque chose
190 a mon prejudice. » Et estant en ceste ymaginacion
et pensée, subitement le dur courage que tant rigoreux avoit envers son serviteur porté fut tout changé
et alteré, et en trescordial et bon vouloir transmué,
dont envye pour ceste heure fut cause et motif. Con·
195 clusion : oncques ne fut tant rigoreuse que a ceste
heure trop plus ne soit doulce et desireuse d'accorder
a son serviteur tout ce qu'il vouldroit requerir. Ainsi
va la besoigne [18]. Et doubtant que la dame ou la
brigade estoit ne joyst de celuy que tant avoit traicté
200 durement, escripvit unes lettres de sa main a son
serviteur, dont la pluspart des lignes estoient de son
precieux sang escriptes, qui contenoient en effect que,
tantost ces lettres veues, toutes aultres choses mises
arriere, il venist vers elle avecques le porteur tout
205 seul, et il seroit si agreablement receu que oncques
serviteur ne fut plus content de sa dame qu'il seroit.
Et, en signe de plus grand verité, mist dedans la
lettre ung dyamant que bien cognoissoit. Ce porteur,
qui estoit seur, print la lettre et vint trouver au lieu
210 dessusdit le chevalier auprès de son hostesse au souper et toute l'assemblée. Tantost apres graces, le tira
d'un costé, et, en luy baillant sa lettre, dist qu'il ne

---

[18] *La phrase manque dans V.*

feist semblant de rien, mais qu'il accomplist le contenu. Ces lettres veues, le bon chevalier fut bien
215 esbahy et encores plus joyeux. Car combien qu'il
eust conclu et deliberé de soy retirer de l'amour et
accointance de celle qui luy escripvoit, si n'estoit il
pas si converty que la chose que plus il desiroit ne
luy fust par ceste lettre p[ro]mise [10]. Il tira son
220 hostesse a part, et luy dist comment son maistre le
mandoit hastivement, et que force luy estoit de partir
tout a ceste heure, et monstroit bien semblant que
bien luy desplaisoit. Celle qui estoit auparavant la
plus joyeuse, attendant ce que tant avoit desiré,
225 devint triste et ennuyeuse. A peu de monstre, il
monte [20] a cheval et laisse ses compaignons leens, et
avec le porteur des lettres vient et arrive tantost
après mynuyt a l'ostel de sa dame, de laquelle le
mary estoit nagueres retourné de court et s'appres-
230 toit pour s'en aller coucher, dont Dieu scet en quel
point en estoit celle qui son serviteur avoit mandé
querir par ses lettres. Ce bon chevalier, qui tout le
jour avoit culetté la selle, tant en la queste des lievres
comme pour querir logis, sceut a la porte que le
235 mary de sa dame estoit arrivé, dont il fut aussi
joyeux que vous povez penser. Si demanda a sa
guide qu'il estoit de faire. Si adviserent ensemble
qu'il feroit semblant de soy estre esgaré de ses compaignons, et que de bonne adventure il avoit trouvé
240 ceste guide qui leens l'avoit adressé. Comme il fut dit
il fut fait, en la male heure, et vint trouver monseigneur et madame, et fist son personnage ainsi qu'il
sceut. Après boire une foiz, qui pou de bien luy fist,

---

[10] *ms* permise
[20] *V.* e. Et sans faire monstre ledit chevalier m.

on le mena en sa chambre pour coucher, ou gueres
245 ne dormyt la nuit, et le lendemain au matin avec son
hoste a la court retourna sans riens accomplir du
contenu de la lettre dessus dicte. Et vous dy que la,
ne a l'autre, oncques puis ne retourna, car tost après
la court se partit du païs, et il suyvit le train. Et tout
250 fut mis en nonchalloir et oubly, comme souvent
advient[21].

---

21 *V.* et o. et ne sen donna plus de mauvais temps car
assez en avoit il eu comme asses s.'a. en telles besoignes.

LA IIII××IIᵉ NOUVELLE,

PAR

MONSEIGNEUR DE LA[N]NOY [1]

Or escoutez, s'il vous plaist, qu'il advint en nostre
5 chastellenie de Lisle, d'un bergier des champs et
d'une jeune pastorelle qui ensemble ou assez près [2]
l'un de l'autre gardoient leurs brebiz. Marché se
porta entre eulx deux, une foiz entre les aultres, a
la semonce de [nature] [3], qui desja les avoit elevez
10 en eage de cognoistre que c'est de ce monde, que le
bergier monteroit sur la bergiere pour veoir plus
loing, pourveu, toutesfoiz qu'il ne l'embrocheroit
neant plus avant que le signe qu'elle mesme fist sur
son instrument naturel du bergier de sa main, qui
15 estoit environ deux doiz, la teste franche ; et estoit
le signe fait d'une more noire qui croist sur les
hayes. Cela fait, ilz se mettent a l'ouvrage de par
Dieu, et bon bergier se fourre dedens, comme s'il ne
coutast rien, sans regarder merque, ne signe, ne pro-
20 messe qu'il eust faicte a sa bergiere, car tout ce qu'il
avoit ensevelit jusques au manche. Et si plus en eust
eu, il trouva lieu assez pour le loger. Et la belle
bergiere, qui jamais ne fut a telles nopces, tant aise

---

[1] *ms* launoy ; *V.* jehan martin
[2] *V.* a siz piez
[3] *ms en blanc*

se trouva que jamais ne voulsist faire aultre euvre [4].
25 Les armes furent achevées [5], et se tira tantost chacun vers ses brebis, qui desja s'estoient d'eulx fort
esloignées, a cause de leur absence. Tout fut ras-
semblé et mis en bon train ; et bon bergier, pour [6]
passer temps comme il avoit de coustume, se mist en
30 contrepoix entre deux haloz sur une balochouere [7],
et la s'esbatoit et estoit plus aise que ung roy. La
bergiere se mist a faire ung chapelet de florettes sur
la rive d'un fossé assez loignet de la balochoere au
bergier ; et regardoit [8] tousjours, disant la chanson-
35 nette jolye, pour veoir s'il reviendroit point a
l'amorse [9] ; mais c'estoit la maindre de ses pensées.
Et quand elle vit qu'il ne venoit point, elle commence
a hucher tant qu'elle peut : « Hau ! Hacquin ! Hacquin ! » Et il respond : « Que veulx tu ? que veulx
40 tu ? -- Vien ça, vien ça, dit elle, si feras [cela]. »
Mais elle disoit tout oultre. Et Hacquin, qui en avoit
son saoul luy respondit : « En nom Dieu, j'ay aussi
cher que je ne face neant que je face. Je [10] m'esbas
bien ainsi. » Et toute jour balochoit. Et dame
45 bergier rehuche de plus belle : « Et vien [11] ça,
Hacquin, je te laisseray tout bouter plus avant, sans
faire mercque n'enseigne, ainsi que tu vouldras.
-- Saint [12] Jehan ! dit Hacquin, j'ay passé le seing

---

[4] *V.* chose
[5] *V.* asseurees
[6] *V.* b. que on appeloit hacquin p.
[7] *V.* hayez sur une baloichere
[8] *V.* dun f. et r.
[9] *V.* la meure
[10] *V.* c. de nen faire rien je
[11] *V.* ainsi et la bergiere luy dist v.
[12] *V.* f. merche. S.

de la more, et bouté tout ens jusques aux pennes.
50 Mais vous n'en arez plus aussi maintenant. » Si se
reprint Hacquin a balocher, et laissa la bergiere faire
son chapellet, a qui bien desplaisoit de ce qu'il la
laissoit oyseuse [18].

---

[13] *V.* le signe de la meure / aussi nen avres vos plus
m. Il laissa la b. a q. b. d. de demourer ainsi o.

LA IIII××IIIe NOUVELLE

PAR

MONSEIGNEUR DE VAVRIN. [1]

Comme il est de coutumes par tous païs que par
5 les villes et villages souvent s'espartent [2] les religieux
mendians tant de l'ordre des Jacobins, Cordeliers,
Carmes, et Augustins, pour prescher les vices, les
vertuz [3] exaulser et loer, advint que, a Lilers, bonne [4]
petite ville en la conté d'Artoys, arriva ung carme
10 du couvent d'Arras, par ung dimenche matin, ayant
intencion d'y prescher, comme il fist bien et devotement et haultement ; car il estoit bon clerc et tresbeau langagier. Tantdiz que le curé disoit la grand
messe, maistre carme se pourmenoit, attendant que
15 quelque ung le feist chanter pour gaigner deux patars
ou trois gros ; mais [5] nul ne s'en avançoit. Et ce
voyant une ancienne damoiselle vefve, a qui print
pitié du pouvre religieux, luy fist dire messe, et par
son varlet bailler deux patars, et encores prier de
20 disner. Et maistre moyne happa cest argent, promectant de venir au disner, comme il fist tantost qu'il eut
presché et que la grand messe de la parroiche fut

---

[1] *V. ne donne pas le nom de l'auteur.*
[2] *V.* sespandent
[3] *V.* p. au peuple la foy catholique blasmer et reproucher
les v. les biens et v.
[4] *V.* que en une b.
[5] *V.* deux p. mais

finie. La damoiselle qui l'avoit faict chanter et semondre au disner se partit de l'eglise, elle et sa cham-
25 briere, et vindrent a l'ostel faire tout prest pour
recevoir le prescheur, qui en la conduicte d'un ser·
viteur de la dicte damoiselle vint arriver a l'ostel,
ou il fut receu bien honnestement. Et, après les
mains lavées, la damoiselle luy assigna sa place, et
30 elle se tint[6] auprès de luy, et le varlet et la chambriere se misrent a servir, et de prinsault apporterent la belle porée verte avecques beau lard, et
belles trippes de porc, et une langue de beuf rostie,
Dieu scet comment. Tantost que damp moyne vit
35 la viande, il tire ung beau, long et large cousteau,
bien trenchant, qu'il avoit a sa cincture, tout en
disant *Benedicite,* et puis se mect en besoigne a la
porée. Tout premierement qu'il eut despeschée, et le
lard aussi, si prins cy mis, de la il se tire a ces
40 trippes belles et grasses, et fiert dedans comme ung
loup dedans les brebis. Et avant que la bonne
damoiselle son hostesse eust a moitié mengé sa
porée, il n'y avoit trippe ne trippette dedans le plat.
Si se prend a ceste langue de beuf, et de son coul-
45 teau bien trenchant en deffist tant de pieces qu'il
n'en demoura oncques lopin. La bonne damoiselle,
qui tout ce sans mot dire regardoit, souvent regardoit l'œil sur son varlet et sa chambriere, et eulx,
en soubzriant tout doulcement, pareillement la
50 regardoient. Elle fist apporter une piece de bon beuf
salé et une belle piece de mouton de bon endroit, et
mettre sur la table. Et bon moyne, qui n'avoit appetit nesq[u]'un chien, s'ahiert a[7] la piece de beuf,

---

6 *V*. mist
7 *V*. c. venant de la chasse se print a

et s'il avoit eu peu de pitié des trippes et de la
55 langue de beuf, encores eut il mains de mercy de
ce beau beuf entrelardé. Son hostesse, qui grand
plaisir prenoit a le veoir menger, trop plus que le
varlet et la meschine, qui entre leurs dens le mau-
disoient, luy faisoit [8] tousjours emplir sa tasse si
60 tost qu'elle estoit wide. Et pensez qu'il descouvroit
bien viande, et point n'espargnoit le boire. Il avoit
si grand haste de fournir son pourpoint qu'il ne
disoit mot, si pou non. Quand la piece de beuf fut
comme toute mengée et despeschée, et pluspart de
65 celle de mouton, de laquelle l'ostesse avoit ung tan-
tinet mengé, elle voyant que son hoste n'estoit
encores saoul, fist signe a la chambriere qu'elle
apportast ung gros jambon cuict du jour devant
pour la garnison de l'ostel. La [9] chambriere, tout
70 maudisant le prestre qui tant gourmandoit, fist le
commendement de sa maistresse, et mist le jambon
sur la table. Et bon moyne, sans demander qui
vive, frappe sus et le navra et affola ; car de prinsault il luy trancha le jaret, et, ensuyvant le terminé
75 propos, de [10] tous poins le demembra, et n'y laissa
que les os. Qui adonc veist rire le varlet et la
meschine, il n'eust jamais eu les fievres ! Car il
avoit desgarny tout l'ostel, et avoient grand doubte [11] qu'il ne les mangeast aussi. Pour abreger,
80 après tous les mets dessusdiz, la [12] dame fist mectre
a la table ung tres beau fromage gras, et ung plat
bien fourny de tartes, de pommes, et de fromage,

---

8 *ms* faisoient
9 *V.* de devant la
10 *V.* le j. et de
11 *V.* paour
12 *V.* Pour a. la

avecques la belle piece de beurre frez, dont on ne
rapporta si petit non. Le disner fut fait ainsi qu'avez
85 oy. Et vint a dire graces, que maistre prescheur
pronunça enflé comme un ticquet ; et en la fin il
dist [13] a son hostesse : « Damoiselle, je vous mercye
de voz biens ; vous m'avez tenu bien aise, la vostre
mercy. Je prie a celuy qui repeut cinq mille hommes
90 de V pains d'orge et [14] de deux poissons, dont après
qu'ilz furent saoulez de menger demoura de relief
xij corbeilles, qu'il le vous veille rendre. — Saint
Jehan, dist la meschine [15], qui s'avança de parler,
sire, si vous en povez bien tant dire. Je croy que,
95 si vous eussez esté l'un de ceulx qui la furent
repeuz, qu'on n'en eust point rapporté de relief, car
vous eussez bien tout mengé, et moy aussi se je y
eusse esté ! — Vrayement, m'amye, dit le moyne,
qui estoit ung garin tout fait, je [16] ne vous eusse
100 point mengée, mais je vous eusse bien embrochée et
mise en rost, ainsi que vous pensez qu'on fait. » La
dame commença a rire, et si firent le varlet et la
chambriere, malgré qu'ilz en eussent. Et nostre
moyne, qui avoit la panse farcye [17], mercya de
105 rechef son hostesse, qui si bien l'avoit repeu, et s'en
alla en quelque aultre village gaigner son soupper.
Je ne scay s'il fut tel que le disner.

---

[13] *V.* m. moyne abbregea plus ront que ung t. se leva
sus et d.
[14] *V.* de troys p. et
[15] *V.* chamberiere
[16] *V.* le m. je
[17] *V.* q. lavoit pense farcer

LA IIII^{xx}IIIIe NOUVELLE,

PAR

MONSEIGNEUR LE MARCQUIS DE ROTHELIN. [1]

Tantdiz que quelque ung s'avancera de dire quelque bon compte, j'en feray ung petit qui ne vous
tiendra gueres ; mais il est veritable et de nouvel
advenu. J'avoie ung mareschal qui bien et longuement m'avoit servy de son mestier ; il luy print
volunté de soy marier ; si le fut, et a la plus devoiée
femme qui fust, comme on disoit, en [2] tout le païs.
Et quand il cogneut [3] que par beau ne par lait il
ne la povoit oster de sa mauvaiseté, il la abandonna, et ne se tint plus avec elle, mais la fuyoit
comme tempeste ; car, s'il l'eust sceue en une place,
jamais n'y eust tiré, mais tousjours au contraire.
Quand [4] elle vit qu'il la fuyoit ainsi, et qu'elle
n'avoit a qui tencer ne monstrer sa devoiée maniere [5], elle se mist en la queste de luy et partout
le suyvoit, Dieu scet disant quelx motz ; et l'aultre
se taisoit et picquoit son chemin. Et elle tant plus
montoit sur son chevalet, et disoit de maulx et

---

[1] *V. ne donne pas le nom de l'auteur.*
[2] *V.* p. merveilleuse f. q. f. en
[3] *V.* vit
[4] *V.* tempeste. Quant
[5] *V.* a qui toucher ne m. sa derniere m.

maledictions a son pouvre mary, plus que[6] ung deable ne saroit faire a une ame damnée. Un jour entre
les aultres, voyant que son mary ne respondoit mot
25 a chose qu'elle proposast, le suyvant par la rue,
devant tout le monde cryoit[7] tant qu'elle povoit ·
« Vien ça, traistre ! parle a moy. Je suis a toy, je
suis a toy ! » et mon mareschal, qui estoit devant,
disoit a chacun mot qu'elle disoit : « J'en donne ma
30 part au deable, j'en donne ma part au deable ! » Et
ainsi la mena tout du long de la ville de Lille toujours[8] cryant : « Je suis a toy » ; et l'autre respondoit : « J'en donne ma part au deable ! » Tantost
après, comme Dieu voulut[9], ceste bonne femme mou-
35 rut, et l'on demandoit a mon mareschal s'il estoit fort
courroucé de la mort de sa femme ; et il disoit que
jamais si grand eur ne luy advint, et que si Dieu luy
eust donné ung souhait a choisir[10], il eust demandé
la mort de sa femme, « laquelle, disoit il, estoit tant
40 male et obstinée en malice que[11], si je la savoye en
paradis, je n'y vouldroye jamais aller tant qu'elle y
fust, car impossible seroit que paix fust en nulle
assemblée ou elle fust. Mais je suis seur qu'elle est
en enfer, car oncques chose creé n'approucha plus a
45 faire la maniere des deables qu'elle faisoit. » Et puis
on luy disoit : « Et vrayement il vous fault remarier
et en querre une bonne, paisible et preude femme.

---

6 *V.* chemin et elle le suyvoit tousjours et disoit plus
de maulx que

7 *V.* par la r. c.

8 *V.* de la v. t.

9 *V.* le permist

10 *V.* a son desir

11 *V.* l. il disoit estre si tres mauvaise que

— Maryer ! [12] disoit il ; j'aymeroye mieulx me aller pendre au gibet que jamais me rebouter ou dangier
50 de trouver enfer, que j'ay, la Dieu mercy, a ceste heure passé. » Ainsi demoura et est encores. Ne sçay je qu'il fera [13].

---

[12] *V.* b. et paisible. Me m.
[13] *V.* f. ce temps advenir

LA QUATRE VINGTS CINQUIESME NOUVELLE,

PAR

MONSEIGNEUR DE SANTILLY. [1]

5   Depuis cent ans en ça ou environ, es marches de
France, est advenu en une bonne paroisse, une [2]
joyeuse adventure que je mettray ycy pour croistre
mon nombre, et pource qu'elle est digne d'estre ou
reng des aultres. En ladicte bonne ville avoit ung
10 maryé, de qui la femme estoit belle, doulce et gracieuse, et avec tout ce tresamoureuse d'un seigneur
d'eglise, son propre curé et prochain voisin, qui [3] ne
l'amoit rien mains qu'elle luy. Mais de trouver la
maniere comment ilz se pourroient conjoindre bien
15 amoureusement ensemble fut difficile, combien qu'en
la fin fust trouvée, et par l'engin de la dame, en la
fasson que je vous diray. Le bon mary orfevre estoit
tant alumé et ardent en convoitise [4] qu'il ne dormoit
heure ne bon somme pour labourer. Chacun jour se
20 levoit une heure ou deux devant jour, et laissoit sa
femme prendre la longue crastine jusques a viij ou
a ix heures, ou si longuement qu'il luy plaisoit. Ceste
bonne et entiere amoureuse, voyant son mary chacun
jour continuer la diligence et entente de soy lever

---

[1] *V. anonyme comme les deux précédentes.*
[2] *V.* b. et grosse cite une
[3] *V.* cure q.
[4] *V.* c. dargent

25 pour ouvrer et marteler, s'advisa qu'elle employroit
avecques son curé le temps qu'elle estoit habandonnée de son mary, et que a telle heure son dit amoureux la pourroit visiter sans le sceu de son dit mary,
car la maison du curé tenoit a la sienne sans moyen.
30 La bonne maniere fut descouverte et mise en termes
a nostre curé, qui la prisa tresbien, et luy sembla
bien que tresaisement le feroit et secretement. Ainsi [5]
doncques que la façon fut trouvée et mise en termes,
tout ainsi fut elle executée, et le plustost que les
35 amans peurent, et la continuerent par aucun temps
qui dura assez longuement. Mais comme Fortune,
envyeuse peut estre de leur bien et doulx passetemps,
le vouloit, leur cas fut descouvert maleureusement
en [6] la maniere que vous orrez. Cest orfevre avoit
40 ung serviteur, qui estoit amoureux et jaloux tresgrandement [7] de sa dame. Et pource que tressubtile-
ment [8] avoit perceu nostre maistre curé parler a sa
dame, il se doubtoit tresfort de ce qui estoit. Mais la
maniere comment se povoit faire, il ne le povoit yma-
45 giner, si n'estoit que le curé viensist a l'heure qu'il
forgeoit au plus fort avec son maistre. Ceste ymaginacion lui hurta tant a la teste qu'il fist le guet et
se mist aux escoutes pour savoir la verité de ce qu'il
ignoroit [9]. Il fist si bon guet qu'il perceut et eut
50 vraye experience du fait. Car, une matinée, il vit le
curé venir tantost après que l'orfevre fut widé de sa
chambre, et y entrer, puis fermer l'huys. Quand il fut
asseur que sa suspicion estoit vraye, il se descouvrit
a son maistre, et luy dist en ceste maniere : « Mon

---

55 maistre, je vous sers, de vostre grace, non tant seulement pour gaigner vostre argent, menger vostre pain,
faire bien et garder vostre honneur et vostre dommage empescher ; et [10] si aultrement faisoie, digne ne
seroye d'estre vostre serviteur. J'ay eu despieça sus-
60 picion que nostre curé vous feist desplaisir, et le
vous ay celé jusques ores que j'en ay eu la vraie
experience. Et affin [11] que vous ne cuidez que je vous
veille en vain tromper, je vous prie que nous allions
en vostre chambre, et sçay que l'on l'y trouvera
65 maintenant. » Quand le bon homme oyt ces nouvelles,
il se tint tresbien de rire ; il fut content de visiter sa
chambre en la compaignie de son varlet, qui luy fist
promectre qu'il ne tueroit point le curé, car aultrement ne luy vouloit point tenir compaignie, mais trop
70 bien vouloit qu'il fust bien puny. Ilz [13] monterent en
la chambre, qui fust tantost ouverte. Et le mary entra
le premier, et vit que monseigneur le curé tenoit sa
femme entre ses braz et forgeoit ainsi qu'il povoit.
Si s'escrya disant : « A mort, a mort, ribauld ! Qui
75 vous a cy bouté ? » Qui fut adoncques bien esbahy,
ce fut maistre curé, et demanda mercy. « Ne sonnez
mot, ribaud prestre, ou je vous tueray maintenant.
— Ha ! mon voisin, pour Dieu mercy, dit le curé,
faictes de moy vostre bon plaisir. — Par [14] l'ame
80 de mon pere, avant que vous m'eschappez, je vous
mectray en tel estat que jamais n'arez volunté de
marteler sur enclume femenine. Sus, laissez vous

---

10 *V.* b. et lealement vostre besoingne mais aussi pour
g. v. h. et se
11 *V.* j. a ceste heure et a.
12 *V.* troubler
13 *V.* car a. il ny vouloit aler. Ilz
14 *V.* je v. t. a ceste heure dist lorfevre. Faictes de moy
ce quil vous plaira dist le povre cure. Par

manyer, si vous ne voulez morir. » Le pouvre maleureux se laissa lyer par ses deux ennemis sur ung
85 bancq, le ventre dessus, et les deux jambes esraillées
au dehors du bancq. Si bien fut lyé qu'il [15] ne povoit
rien mouvoir que la teste ; puis fut porté, ainsi
marescaucié en [16] une petite maisonnecte qui estoit
derriere l'ostel de l'orfevre, et estoit la place ou il
90 fondoit son argent. Quand il fut ou lieu ou l'on vouloit le avoir, l'orfevre envoya querir deux grands
clouz a large teste, desquelx il attacha au bancq les
deux marteaulx qui avoient en son absence forgé sur
l'enclume de sa femme, et puis le deslya de tous
95 poins. Si print après une poignée d'estrain, et en
bouta le feu en la maisonnette, et habandonna nostre
curé, et s'en [17] fuyt en la rue crier au feu. Quand le
prestre se vit environné de feu, et que remede n'y
avoit qu'il ne luy faillist perdre les genitoires ou estre
100 brullé, se leve et s'encourt, et laisse sa bourse cloée.
L'effroy du feu fut tantost elevé par toute la rue ;
si venoient les voisins pour l'estaindre. Mais nostre
[curé] les faisoit retourner, disant qu'il en venoit,
et que tout le dommage qui en pouvoit advenir estoit
105 ja advenu, et que aider plus n'y povoient ; mais [18]
il ne leur disoit pas que le dommage luy competoit.
Ainsi fut le pouvre amoureux curé salarié du service
qu'il feist a amours, par le moien de la faulse et
traistresse jalousie du [19] varlet, comme vous avez
110 oy [20].

_____

[15] *V.* Le p. m. fut lie par ses deux ennemis si bien quil
[16] *V.* fut p. en
[17] *V.* en sa m. puis il sen
[18] *V.* advenu m.
[19] *ms* de son
[20] *V.* j. comme

LA IIII^{xx}VIe NOUVELLE

PAR

MONSEIGNEUR PHILIPE VIGNIER, [1]

ESCUIER DE LA CHAMBRE DE MONSEIGNEUR.

5   En la bonne ville de Rouen, puis peu de temps en
ça, ung jeune homme print a mariage une tendre
jeune fille, aagée de xv ans ou environ. Le jour de
leur grand feste, c'est assavoir des nopces, la mere
de ceste fille, pour garder et entretenir les cerimonies
10 accoustumées en tel jour, escolla et introduisit la
dame des nopces, et luy aprint comment elle se
devoit gouverner pour la premiere nuyt avec son
mary. La belle fille, a qui tardoit l'actente de la nuyt
dont elle recevoit la doctrine, mist grosse peine et
15 grand diligence de retenir la leczon de sa bonne
mere. Et luy sembloit bien que quand l'heure seroit
venue ou elle devroit mectre a execution celle leczon,
qu'elle en feroit si bon devoir que son mary se loeroit
d'elle, et en seroit trescontent. Les nopces furent
20 honorablement faictes en grand solennité. Et vint la
desirée nuyt ; et tantost après la feste faillye, que
les jeunes gens furent retraiz et qu'ilz eurent prins
congié du sire des nopces et de sa dame, la bonne
mere, les cousines, voisines et aultres privées fem-
25 mes prindrent nostre dame des nopces et la menerent
en la chambre ou elle devoit coucher pour la nuyt

---

[1] *V. anonyme*

avec son espousé, ou elles la desarmerent de ses
actours et joyaux[2], et la firent coucher ainsi qu'il
estoit de raison ; puis luy donnerent bonne nuyt,
30 l'une disant : « M'amye, Dieu vous doint joye et plaisir de vostre mary, et tellement [vous] gouverner
avecques luy que ce soit au salut de voz deux
ames. » L'autre disoit : « M'amye, Dieu vous doint
telle paix et concordance avec vostre mary que puis-
35 sez faire euvre dont les sains cieulx soient rempliz. »
Et ainsi chacune faisant sa priere se partit. La mere,
qui demoura la derreniere, reduist a memoire son
escoliere sur la doctrine et leczon que aprinse luy
avoit, luy priant que penser y voulsist. Et la bonne
40 fille, qui, comme l'on dit communement, n'avoit pas
son cueur en sa chausse, respondit que tresbonne
souvenance avoit de tout, et que bien l'avoit, Dieu
mercy, retenu. « C'est bien fait, dist la mere ; or je
vous laisse et vous commende a la grace [de] Dieu,
45 luy priant qu'il vous doint bonne adventure. Adieu,
belle fille. — Adieu, bonne et sage mere. » Sitost
que la maistresse de l'escole fut widée, nostre mary,
qui a l'huys n'actendoit aultre chose, entra ens. Et
la mere l'enferma et tira l'huys, et luy pria qu'il se
50 gouvernast sagement[3] avec sa fille. Il promist que
ainsi feroit il. Et si tost que l'huis fut fermé, il, qui
n'avoit que son pourpoint en son dos, le rue jus et
monte sur le lit, et se joinct au plus près de sa dame,
la lance au poing, et luy presente la bataille. A
55 l'approucher de la barriere ou l'escarmouche se devoit
faire, la dame prend et empoigne ceste lance droicte
comme[4] ung cornet de vachier ; et tantost qu'elle la

---

2 *V.* a. joyeux
3 *V.* doulcement
4 *V.* d. et roide c.

sent aussi dure et de grosseur tresbonne, s'escrye,
disant que son escu n'estoit assez puissant pour
60 recevoir les [5] horions de si gros fust. Quelque devoir
que nostre mary peust faire, il ne peut trouver la
maniere d'estre receu a cest escu ne a ceste [6] jouste.
La nuyt se passa sans rien besoigner, qui despleut
moult a nostre sire des nopces. Mais au fort il print
65 pacience, esperant recouvrer tout la nuyt prochaine,
ou il fut autant oy que a la premiere ; et ainsi a la
troisiesme, quatriesme, et jusques a la quinziesme,
ou les armes furent accomplies, comme je vous diray.
Quand les xiij [7] jours furent passez que noz deux
70 jeunes [gens] sont mariez, combien qu'ilz n'eussent
encores ensemble tenu mesnage, la mere vint visiter
son escoliere ; et, après cent mille devises qu'[elles] [8]
eurent ensemble, luy demanda l'on de ce mary, quel [9]
homme il estoit, et s'il faisoit bien son devoir. Et la
75 fille disoit qu'il estoit tresbon homme, doulx et paisible. « Voire mais, disoit la mere, fait il bien ce
que l'on doit faire ? — Oy, disoit la fille, mais...
— Quel mais ? Il y a a dire en son fait, dit la mere,
je l'entends bien. Dictes le moy et ne le me celez
80 point. Est [10] il homme pour accomplir le deu a quoy
il est obligé par mariage et dont je vous ay baillé la
leczon ? » La bonne fille fut tant pressée qu'il luy
convint dire que l'on n'avoit encores rien besoigné
en son ouvrouer ; mais elle taisoit qu'elle fust cause

---

[5] *V.* g. t. elle fut bien esbahye et commenca a sescrier
tres fort en d. ... r. ne soustenir les
[6] *V.* r. a ceste
[7] *V.* .xv.
[8] *ms* quilz
[9] *V.* ensemble elle parla de son mary et luy d. q.
[10] *V.* p. car je veulx tout scavoir a ceste heure. Est

85 de la dilacion, et que tousjours eust refusé la jouste.
Quand la mere entendit ces doloreuses nouvelles,
Dieu scet quelle vie elle mena, disant que par ses
bons dieux elle y mettroit remede et bref, et que tant
avoit de bonne accointance de monseigneur l'official
90 de Roen qu'il luy seroit amy et qu'il favoriseroit a
son bon droit. « Or ça, ma fille, dist elle, il vous
convient desmarier. Je ne fais nulle doubte que je
n'en trouve bien la fasson ; et soiez seure que vous
le serez ainçois qu'il soit deux jours de ceste heure,
95 et vous [11] feray avoir aultre homme qui si paisible
ne vous lairra ; laissez moy faire. » Ceste bonne
femme, a demy hors du sens, vint compter ce grand
meschef a son mary, pere de la fille dont je fais mon
compte, et luy dist bien comment ilz avoient perdue
100 leur fille, amenant les raisons pour quoy et comment,
et concluant aux fins de la desmarier. Tant bien
compta sa cause que son mary tira de son costé, et
fut content que l'on feist citer nostre nouveau maryé,
qui ne savoit rien de ce qu'ainsi on se plaignoit de
105 luy sans cause. Toutesfoiz il fut cité a personnellement comparoir a l'encontre de monseigneur le promoteur, a la requeste de sa femme, et par devant
monseigneur l'official, pour quicter sa femme et luy
donner licence d'aultre part soy marier, ou alleguer
110 les causes et raisons pour quoy, en tant de jours qu'il
avoit esté avec elle, n'avoit monstré qu'il estoit
homme comme les aultres, et fait ce qu'il appartient
aux mariez. Quand le jour fut venu, les parties se
presenterent en temps et lieu. Ilz furent huchez a dire
115 et plaidoyer leur cause [12]. La mere a la nouvelle

---

[11] *V.* seure que avant quil soit deux jours vous le laisseres
et de ceste h. vous
[12] *V.* d. leurs causes.

mariée commença a compter la cause de sa fille, et
Dieu scet comment elle allegoit les loix que l'on
doit maintenir en mariage, lesquelles son gendre
n'avoit accomplies ne d'elles usé ; pour quoy reque-
120 roit qu'il fust desjoinct de sa fille, et de ceste heure
mesmes, sans faire long procés. Le bon jeune homme
[fut] bien esbahy quand ainsi oyt blasmer [14] ses
armes ; gueres n'attendit a respondre aux allegations
de son adversaire, et tresfroidement et de maniere
125 rassise compter son cas, et comment [sa] [15] femme
luy avoit tousjours fait refus quand il avoit voulu
faire le devoir. La mere, oyant ces responses, plus
marrye que devant, combien que a peine le vouloit
elle croire, demanda a [sa] fille s'il estoit vray ce
130 que son mary avoit respondu. Et elle dist : « Vrayement, mere, oy. — Ha ! maleureuse, dist la mere,
comment l'avez vous refusé ? Que vous avoye dit et
monstré pluseurs foiz ? Vous avoye je baillé celle
leczon ? » La [16] pouvre fille ne savoit que dire, tant
135 estoit honteuse et desplaisante. « Toutesfoiz, dist la
mere, je veil savoir la cause pourquoy vous avez fait
le refus (ou) si vous ne me voulez courrousser mortellement, car je n'aray jamais bien, si saray pour
quoy et quelle raison vous n'avez voulu consentir a
140 vostre mary. » La fille confessa tout, et dist ouvertement en [17] jugement que pource qu'elle avoit trouvée
la lance de son champion si grosse, ne luy avoit osé
bailler l'escu, doubtant qu'il ne la tuast, comme elle

---

[14] *V.* blasonner
[15] *ms* la
[16] *V. r.* ne vous avoys je pas dit par plusieurs foiz vostre
leçon. La
[17] *V.* ou se ne le me dictes vous. me ferez couroucier m.
La f. dist t. couvertement en

encores en doubtoit, et ne se vouloit desmouvoir de
145 ceste doubte, combien que sa mere luy disoit que
doubter ne craindre n'en devoit. Et après ce, adressa
sa parolle au juge en disant : « Monseigneur l'official, vous avez oy la confession de ma fille et les
defenses de mon gendre ; je vous prie, appoinctez
150 sur le different et rendez [18] vostre sentence diffini-
tive. » Monseigneur l'official, pour appoinctement, fist
couvrir un lit en sa maison, et ordonna par arrest
que les deux mariez yroient coucher ensemble, enjoi-
gnant a la mariée qu'elle empoignast baudement le
155 bourdon joustouer et [19] le mist ou lieu ou il estoit
ordonné. Et quand celle sentence fut rendue, la mere
dist : « Grand mercy, monseigneur l'official, vous
avez tresbien jugé. Or avant, ma fille, faictes ce que
vous devez faire, et gardez de venir a l'encontre de
160 l'appoinctement de monseigneur l'official ; mettez la
lance ou lieu ou elle doit estre. — Je suis au fort
contente, dist la fille, de la mettre et bouter ou il
fault, mais si elle devoit y pourrir, je ne l'en retireray
ja [20]. » Ainsi se partirent de jugement, et allerent
165 mectre a execution sans sergent la sentence de monseigneur l'official ; car [21] eulx mesmes firent l'execution. Et par ce moyen nostre gendre vint a chef
de sa jousterie, dont il fut plus tost tanné [22] que
celle qui n'y avoit voulu entendre.

———

18 *V.* v. requier rendes
19 *V.* b. ou oustil et
20 *V.* r. ne sacqueray ja
21 *V.* s. amasse car
22 *V.* saoul

LA QUATRE VINGTS SEPTIESME
NOUVELLE,

PAR

MONSIEUR LE VOYER. [1]

5   Au gent et plantureux païs [2] de Hollande avoit, n'a
pas cent ans, ung gentil chevalier logé en ung bel
et bon hostel ou il y avoit une tresbelle jeune chambriere servant, de laquelle tresamoureux estoit. Et
pour l'amour d'elle tant avoit fait au fourrier [du
10 duc de Bourgoigne], que cest hostel luy avoit delivré,
affin de mieulx pourchasser et conduire sa queste, et
venir aux fins et intencions ou il entendoit [3] et ou
amours le faisoient encliner. Quand il eut esté environ cinq ou vj jours en ceste hostelerie, luy survint
15 par accident une maleureuse adventure. Car une
maladie le print en l'œil si greve, qu'il ne le povoit
tenir ouvert, tant en estoit aspre la doleur. Et pour
ce que tresfort doubtoit de le perdre, mesmement
que c'estoit le membre ou il devoit plus de guet et
20 de soing, manda le cyrurgien de monseigneur le
duc [4], qui pour ce temps en la ville estoit. Et devez
savoir que ledit cyrurgien estoit ung tresgentil compaignon, le plus renommé du païs, et le fist venir

---

[1] *V. anonyme*
[2] *V.* En une ville du p.
[3] *V.* contendoit
[4] *V.* d. de bourgoigne

parler a luy. Et sitost que maistre[5] cyrurgien vit
25 cest œil il le jugea comme perdu, ainsi par adventure qu'ils sont coustumiers de juger des maladies,
affin que quand ilz les ont sanées, il[s] en empor-
tent[6] plus de prouffit et de loenge. Le bon chevalier,
a qui desplaisoit d'oyr telles nouvelles, demandoit s'il
30 y avoit nul remede pour le garir. Et l'autre dist que
tresdifficile seroit, neantmains il oseroit bien entreprendre a garir avecques l'ayde de Dieu, mais qu'on
le voulsist croire. « Si vous me voulez garir et delivrer de ce mal sans la perte de mon œil, je vous
35 donneray bon vin », dit le chevalier. Le marché fut
fait, et entreprint garir net cest œil, Dieu avant ; et
ordonna les heures qu'il viendroit chacun jour pour
le mettre a point. Or entendez que chacune foiz que
nostre cyrurgien venoit visiter son malade, la belle
40 chambriere le compaignoit et tenoit tousjours ou
boitte ou palette, et aidoit[7] a remuer le pouvre
patient, qui oublyoit la moitié de son mal quand il
sentoit la presence de sa dame. Si ce bon chevalier
estoit bien feru et avant de ceste chambriere, si fut
45 le cyrurgien, qui, toutes les foiz qu'il venoit faire sa
visitacion, fichoit ses doulx regards sur ce beau poly
viaire de ceste chambriere. Et tant s'i ahurta qu'il
luy declara son cas, et eut tresbonne audience, car
de prinsaut on luy accorda et passa ses doulces
50 requestes[8] ; mais la maniere comment on pourroit
actuellement et par effect mettre a execution ses

---

[5] *V.* c. escuier tout fait et bien duyt de son mestier car
si tost que ce m.

[6] *V.* reportent

[7] *V.* le c. et a.

[8] *V.* a. sa requeste

ardens desirs, l'on ne la savoit comment trouver. Or
toutesfoiz, a quelque peine que ce fut, la façon fut
trouvée par la prudence et subtilité du [9] cyrurgien,
55 qui fut telle : « Je donneray, dist il, a entendre a
monseigneur mon patient que son œil ne se peut
garir si n'est que son aultre œil soit caché, car
l'usage qu'il a a regarder empesche la garison de
l'autre malade. S'il est content, dit il, qu'il soit caché
60 et bendé, ce [10] nous sera la plus convenable voye du
monde pour prendre nos delictz et plaisances, et
mesmement en sa chambre, affin que l'on y prenne
mains de suspicion. » La fille, qui avoit aussi grant
desir que le cyrurgien, prisa tresbien ce conseil, ou
65 cas que ainsi se pourroit faire. « Nous l'essayerons »,
dit le cyrurgien. Il vint a l'heure accoustumée veoir
cest œil malade, et quand il l'eut descouvert fist bien
de l'esbahy : « Comment ! dit il, je ne vis oncques
tel mal ; cest œil cy est plus mal qu'il y a xv jours.
70 Certainement, monseigneur, il sera mestier que vous
ayez patience. — Comment ? dit le chevalier. — Il
fault que vostre bon œil soit couvert et caché tellement qu'il n'ayt point de lumiere une heure ou environ après que je aray assis l'emplastre et ordonné
75 l'autre ; car en verité il l'empesche a garir sans
doubte. Demandez, disoit il, a ceste belle fille qui l'a
veu chacun jour, comment [11] il amende. » Et la fille
disoit qu'il estoit plus lait que paravant : « Or ça,
dit le chevalier, je vous habandonne tout. Faictes de
80 moy tout ce qu'il vous plaist ; je suis content de
cligner tant que l'on vouldra, mais que garison s'en-

---

[9] *V.* la p. du
[10] *V.* c. comme lautre
[11] *V.* j. que je lay remue c.

suyve. » Les deux amans furent adonc bien joyeux,
quand ilz virent que le chevalier fut content d'avoir
l'œil caché. Quand il fut appoincté et qu'il eut les
85 yeulx bandez, maistre cyrurgien fainct de partir
comme il avoit de coustume, promectant de tantost
revenir pour descouvrir cest œil. Il n'ala gueres loing,
car assez près de son pacient, sur une couche jecta
sa dame, et d'aultre planecte qu'il n'avoit remué
90 son chevalier [12] visita les cloistres secrez de la chambriere. Trois, quatre, cinq, six foiz [13] maintint ceste
maniere de faire envers ceste belle fille, sans ce que
le chevalier s'en donnast garde, combien qu'il en
oyst la tempeste, mais non sachant que ce vouloit
95 estre, jusques a six foiz qu'il se doubta pour la
continuacion. A laquelle foiz, quand il oyt le tamburch [14] et noise des combatans, esracha bandeaulx
et emplastres, et rua tout au loing, et [15] vit les deux
amoureux qui se demenoient tellement l'un contre
100 l'autre qu'il sembloit qu'ilz deussent menger l'un
l'autre, tant mettoient et joindoient leurs dens ensemble [16]. « Et qu'est ce la, dist il, maistre cyrurgien ?
m'avez vous fait jouer a la cligne musse pour me
faire ce desplaisir ? Doit estre mon œil gary par ce
105 moien ? Dictes, m'avez vous baillé de ce jeu ? Et,
par saint Jehan ! je m'en doubtoie bien que j'estoie
plus souvent visité pour l'amour de ma chambriere
que pour mes beaulx yeulx. Or, bien, bien, je suis
en vostre dangier, sire, et ne me puis encores venger.

---

[12] *V.* navoit regne sur loeil du c.
[13] *V.* t. ou q. f.
[14] *V.* tabourement
[15] *V.* e. et v.
[16] *V.* t. joignoient leurs jambes e.

110 Mais ung jour viendra que je vous feray souvenir ! »
Le cyrurgien, qui estoit le plus gentil compaignon
et des aultres le meilleur homme, commença a rire,
et firent la paix. Et croy bien que tous deux, quand
l'œil fut gary, s'accorderent a besoigner par terme [17].

---

[17] *V.* moyen / que dictes vous. Et maistre cirurgien part
et sen va et oncques puis le chevalier ne le manda /
aussi il ne retourna point querir son payement de ce
quil avoit fait a loeil de nostre pacient / car bien
salarie se tenoit par sa dame qui fort gracieuse et
abandonnee estoit / et a tant fays fin de ce present
compte.

LA QUATRE VINGTS VIIIᵉ NOUVELLE.

PAR

ALARDIN. [1]

En une gente petite ville cy entour, que je ne veil
5 pas nommer, est nagueres advenue adventure dont je
fourniray une petite nouvelle. Il y avoit ung bon,
simple, rude paisant, marié a une plaisant[e] et assez
gente femme, laquelle laissoit le boire et le menger
pour amer par amours. Le bon mary d'usage demou-
10 roit tressouvent aux champs, en une maison qu'il y
avoit, aucunesfoiz trois jours, aucunesfoiz quatre
jours, aucunesfoiz plus, aucunesfoiz mains, ainsi [2]
qu'il luy venoit a plaisir, et laissoit sa femme prendre
du bon temps a la bonne ville, comme elle faisoit.
15 Car [3] affin qu'elle ne s'espantast, elle avoit toujours
ung homme qui gardoit la place du bon homme et
entretenoit son ouvrouer de paour que le rouil ne s'i
prenist [4]. La regle de ceste bonne bourgoise estoit
[de] attendre [5] toutesfoiz son mary jusques ad ce
20 qu'on ne voyoit gueres, et jusques ad ce qu'elle se
tenoit seure de son mary qu'il ne retourneroit point,
ne laissoit venir le lieutenant, de paour que trom-

---

[1] *V. anonyme*
[2] *V.* a. plus ainsi
[3] *V.* v. car
[4] *V.* e. son devant ... le roul ny print
[5] *ms* estoit nattendre

pé[e] ne feust. Elle ne sceut mettre si bonne ordonnance en sa veille ou reglée accoustumance [6] que trom-
25 pée ne fust. Car une foiz, ainsi que son mary avoit
demouré deux ou trois jours rouliers, et pour le
quatriesme avoit attendu aussi tard qu'il estoit possible avant la porte clorre de la ville, cuidant que
pour ce jour ne deust point retourner, ferma l'huys
30 et fenestres comme les aultres jours, et mist son
amoureux au logis, et commencerent a boire d'autant
et faire grand chere. Gueres [7] n'avoient [esté] assis
a table que nostre mary vint bucquer [8] a l'huys, tout
esbahy qu'il le trouva fermé. Et quand la bonne
35 dame l'oyt, fist sauver son amoureux et le fist bouter
soubz le lict, pour le plus abreger, puis vint demander a l'huys qui avoit hurté : « Ouvrez, ouvrez, dist
le mary. — Ha mon mary, dit elle, estes vous la ?
Je vous devoye demain bien matin envoier ung mes-
40 sage et faire savoir que ne retournissiez point. —
Comment ! quelle chose y a il ? dist le bon mary.
— Quelle chose ? vray Dieu de paradis ! dit [9] elle ;
helas ! les sergens ont esté ceans plus de deux heures
et demye pour [10] vous mener en prison. — En pri-
45 son ? Quelle chose ay je meffait ! A qui doy je ? Qui
se plaint de moy ? — Je n'en scay rien, dist la rusée,
mais ilz avoient grand volunté de mal faire ; il(z)
sembloit qu'ilz voulsissent tuer quaresme ! — Voire [11]
mais, disoit noz amis, ne vous ont ilz point dit quelle
50 chose ilz me vouloient ? — Nenny, dit elle, fors que

  6 *V.* o. en sa rigle accoustumee
  7 *V.* f. chiere tout outre. G.
  8 *V.* hucher
  9 *V.* c. d.
  10 *V.* d. vous attendant p.
  11 *V.* t. ung caresme si fiers estoient ilz. V.

s'ilz vous tenoient, vous n'eschapperiez de la prison
devant [long] temps [12]. — Ilz ne me tiennent pas,
Dieu mercy, encores ! Adieu, je m'en retourne. — Ou
yrez vous ? dit elle, qui ne demandoit aultre chose.
55 — Dont je viens, dit il. — Je yray doncques avec
vous, dit elle. — Non ferez ; gardez bien et gracieusement la maison, et ne dictes point que j'ay icy
esté. — Puis que vous voulez retourner aux champs,
hastez vous, dit elle, avant que l'on ferme la porte ;
60 il est ja tard. — Quand elle seroit fermée, si feroit
tant le portier pour moy qu'il la reouvriroit voluntiers. » A ces motz il se part, et quand il vint a la
porte, il la trouva fermée ; et pour priere qu'il sceust
faire, le portier ne la voult ouvrir. Il fut bien mal
65 content de ce qu'il convenoit qu'il retournast a sa
maison, doubtant les sergents ; toutesfoiz failloit il
qu'il y retournast, s'il ne se vouloit coucher sur les
rues. Il vint arriere hurter a son huys, et la dame,
qui s'estoit reatellée avecques son amoureux, fut plus
70 esbahie que devant ; elle sault sus, et vint a l'huys
toute esperdue, disant : « Mon mary n'est point
revenu, vous perdez temps. — Ouvrez, ouvrez,
m'amye, dit le bonhomme, ce suis je. — Hellas !
helas ! vous n'avez point trouvé la porte ouverte. Je
75 m'en doubtoye bien, dit elle ; veritablement, je ne
voy remede en voz fait que [ne] soiez prins, car les
sergens me dirent, il m'en souvient maintenant, qu'ilz
retourneroient sur la nuyt. — Or ça, dist il, il n'est
mestier de long sermon ; advisons qu'il est de faire.
80 — Il vous fault musser [13] quelque part ceans, dit elle,
et si ne sçay lieu ne retraict ou vous puissez estre

---

[12] *ms* d. ung t.
[13] *V.* mucier

asseur. — Seroye je point bien, dit l'autre, en nostre
colombier ? qui me chasseroit[14] la ? » Et elle, qui fut
moult joyeuse de ceste invencion et expedient trouvé,
85 feindant   toutesfoiz,   dist :   « Le   lieu   n'est   grain
honeste ; il y fait trop puant. — Il ne me chault, dit
il ; j'ayme mieulx me bouter la pour une heure ou
deux et estre sauvé, que en aultre honeste lieu et
estre trouvé. — Or ça, dit elle, puis que vous avez
90 ce ferme et bon courage, je suis de vostre opinion
que vous y mussiez. » Ce[15] vaillant homme monta en
ce colombier, qui se fermoit pardehors a clef, et se
fist illec enfermer, et pria sa femme que si les sergens ne venoient tantost après, qu'elle le mist tantost
95 dehors. Nostre bonne bourgoise habandonna son
mary, et le laissa toute la nuyt rencouller avec les
colons, a qui ne plaisoit gueres, et n'estoit mot sonné
ne huché, tousjours doubtant ces sergens[16]. Au point
du jour, qui estoit l'heure que l'amoureux se partoit
100 du logis, ceste bonne femme vint hucher son mary et
luy ouvrit l'huys, qui demanda comment on l'avoit la
laissé si longuement tenir compagnie aux colons. Et
elle, qui estoit faicte a l'euvre, luy[17] dist comment
les sergens avoient toute nuyt veillé autour de leur
105 maison, et que pluseurs foiz avoit a eulx devisé, et
qu'ilz ne faisoient que partir, mais ilz avoient dit
qu'ilz viendroient a telle heure qu'ilz le trouveroient.
Le bon homme, bien esbahy quelle chose ces sergens
luy povoient vouloir, se partit incontinent et retour-
110 n[a] aux[18] champs, promettant bien que de long

---

14 *V.* sercheroit
15 *V.* de v. o. Ce
16 *V.* ne p. g. et tousjours doubtoit ses s.
17 *V.* f. et pourveue de bourdes l.
18 *ms* retourne

temps ne reviendroit. Et Dieu scet que la gouge le
print bien en gré, combien qu'elle s'en monstrast
doloreuse: Et par tel moien elle se donna meilleur
temps que devant, car elle n'avoit quelque soing du
115 retour de son mary.

LA QUATRE VINGTS IXᵉ NOUVELLE,

PAR

PONCELET. [1]

    En ung petit hamelet ou village de ce monde, assez
5 loing de la bonne ville, est advenue une petite histoire qui est digne de venir en l'audience de vous,
mes bons seigneurs. Ce village ou hamellet, ce m'est
tout ung, estoit habité d'un moncelet de bons, rudes
et simples paysans qui ne savoient comment ilz
10 devoient vivre. Et si bien rudes et non sachans
estoient, leur curé ne l'estoit pas une once mains ;
car luy mesme failloit a cognoistre ce qui est necessaire a tous generalement, comme je vous monstreray
par experience par ce qui luy advint. Vous devez
15 savoir que ce prestre curé, comme je vous ay dit,
avoit sa teste affulée de simplesse si parfecte, qu'il
ne savoit point annuncer les festes des sains qui
viennent chacun an et a jour determiné, la plus part,
comme chacun scet. Et quand ses parroissiens de-
20 mandoient quand la feste seroit, il failloit a la coup
de le dire. Entre [2] aultres telles faultes qui souvent
advenoient, en fist une qui ne fut pas petite ; car
il laissa passer cinq sepmaines du quaresme sans
point l'annuncer a ses parroissiens. Mais entendez
25 comment il perceut qu'il avoit failly. Le samedy qui
estoit la nuyt de la blanche Pasques, que l'on dit

---

[1] *V. anonyme*
[2] *V.* il f. bien·coup a coup a le d. vrayement. E.

Pasques flories, luy vint volunté d'aller a la bonne
ville pour aucune chose qu'il y besoignoit. Quand il
entra en la bonne ville, et qu'il chevauchoit parmy
30 les rues, il perceut que les prestres faisoient provision de palmes et aultres verdures, et veoit que au
marché on les vendoit pour servir a la procession
pour lendemain. Qui fut bien esbahy, ce fut maistre
curé, combien que semblant n'en fist. Il vint aux
35 femmes qui vendoient ces palmes ou boyz, [et en
acheta] feignant que ce fust pour aultre chose n'estoit
venu a la bonne ville. Et puis hastivement monte a
cheval chargé de sa marchandise, et picque en son
village, et le plustost que possible luy fut s'i trouva.
40 Et avant qu'il fust descendu de son cheval rencontra
aucuns de ses parroissiens auxquelx il commenda
que l'on allast sonner les cloches, et que chacun de
ceste heure venist a l'eglise, ou il leur vouloit dire
aucunes choses necessaires pour le salut de leurs
45 ames. L'assemblée fut tantost faicte, et se trouva
chacun en l'eglise, ou monseigneur le curé, tout
housé et esperonné, vint bien embesoigné, Dieu le
scet, et monta devant l'aultier, et³ dist les motz qui
s'ensuyvent : « Mes bonnes gens, je vous signifie et
50 faiz assavoir que aujourd'uy a esté la veille de la
feste et solennité de Pasques flories ; et de ce jour
en huit prochain vous arez la veille de la grand
Pasque que l'on dit Pasques communiaulx. » Quand⁴
ces bonnes gens oyrent ces nouvelles, commencerent
55 a murmurer, et eulx esbahir tresfort comment se
povoit ce faire. « Ho, dist le curé, je vous appaiseray
tantost, et vous diray vraies raisons pour quoy vous
n'avez que viij jours de quaresme a faire voz peni-

---

³ *V.* m. en son prosne et
⁴ *V.* len dit la resurrection nostre seigneur. Q.

tences pour ceste année. Et ne vous esmaiez ja de
60 ce que je vous diray que le quaresme est ainsi venu
tard. Je tien qu'il n'y a celuy de vous qui ne sache
bien et soit recors comme ceste année les froidures
ont esté longues et aspres, merveilleusement plus que
oncques mais. Et long temps a qu'il ne fist aussi
65 perilleux et dangereux chevaucher comme il a fait
tout l'yver, pour les verglaz et neges qui ont longuement duré. Chacun de vous scet ceci estre vray
comme l'euvangile. Pour quoy ne vous donnez merveilles de la longue demeure de quaresme, mais
70 emerveillez vous encores comment il [ai]t [5] peu venir,
et mesmement que le chemin est si long jusques a sa
maison. Si vous prie que le veillez excuser, et luy
mesme vous en prie, car aujourd'huy j'ay disné
avecques luy. » Et leur nomma le lieu, c'est assavoir
75 la ville ou il avoit esté. « Et pourtant, dist il, dispo-
sez vous de venir ceste sepmaine a confesse, et de
comparoir demain a la procession comme il est de
coustume ceens. Et ayez pacience ceste foiz ; l'année
qui vient, si Dieu plaist, sera plus doulce, par quoy
80 il viendra ainsi qu'il a chacun an d'usage. » Ainsi
monseigneur le curé trouva le moien d'excuser sa
simplesse et ignorance. Et, en donnant la beneisson,
descendit de sa predicacion, disant [6] « Priez Dieu
pour moy et je le prieray pour vous. » Et [7] s'en alla
85 a sa maison appoincter son boys et ses palmes, pour
les faire le lendemain servir a la procession. [8]

---

5 *ms.* est
6 *V.* la benediction d.
7 *V.* vous. Ainsi descendit de son prosne et
8 *V.* p. et puis ce fut tout.

LA IIIJ^{xx} Xe NOUVELLE.

PAR

MONSEIGNEUR DE BEAUMONT. [1]

Pour accroistre et amplier [2] mon nombre des nouvelles que j'ay promis compter et descripre, j'en
monstreray cy une dont la venue est fresche. Ou
gentil pays de Brabant, qui est celuy du monde ou les
bonnes adventures adviennent souvent, avoit ung bon
et loyal marchant duquel la femme estoit tresfort malade, e[t] [3] gisant, pour l'aigreur de son mal, continuellement sans habandonner son lit. Ce bon homme,
voyant sa bonne femme ainsi actainte et languissant,
menoit la plus doloreuse vie du monde, tant marry
et desplaisant estoit qu'il ne povoit plus, et avoit
grand doubte que la mort ne l'en fist quicte. En ceste
doleance perseverant, et doubtant la perdre, se vint
rendre aux piez [4] d'elle et luy donnoit esperance de
garison, et la reconfortoit au mieulx qu'il povoit,
l'ammonnestant de penser au sauvement de son ame.
Et après qu'il eut aucun petit temps devisé avec elle
et finé ses ammonnestemens et exhortacions, luy pria
mercy, luy requerant que si aucune chose luy avoit
meffait, qu'il luy fust pardonné par elle. Entre les
cas ou il se sentoit l'avoir courroussée, luy declara

---

1 *V. anonyme*
2 *V.* employer
3 *ms* en
4 *V.* aupres

25 comment il estoit bien recors qu'il l'avoit troublée
pluseurs foiz, et tressouvent, de ce qu'il n'avoit
besoigné sur son harnois, que l'on peut appeller cui-
rasses⁵, toutes les foiz qu'elle eust bien voulu ; et
mesmes que bien le savoit, dont treshumblement luy
30 requeroit pardon et mercy. Et la pouvre malade, ainsi
qu'elle povoit parler, luy pardonnoit les petiz cas et
legiers ; mais ce derrain ne pardonnoit elle point
voluntiers sans savoir les raisons qui avoient meu et
induict son mary a non fourbir son harnois, quand
35 mesmes il savoit bien que c'estoit le plaisir d'elle, et
que aultre⁶ chose ne demandoit. « Comment ! dit il,
voulez vous morir sans pardonner a ceulx qui vous
ont meffait ? — Je suis contente, dist elle, de le
pardonner, mais je veil savoir qui vous a meu ;
40 aultrement ne le pardonneray je ja. » Le bon mary,
pour trouver moien d'avoir pardon, cuidant bien faire
la besoigne, dist : « M'amye, vous savez que pluseurs foiz avez esté malade et deshaitée, combien que
non pas tant que maintenant je vous voy ; et durant
45 la maladie je n'ay jamais osé presumer de vous
requerre de bataille, doubtant que pis vous en fust ;
et⁷ soiez toute seure que ce que j'en ay fait, amour
le m'a fait faire. — Taisez vous, menteur que vous
estes ; oncques ne fu si malade ne si deshaitée pour
50 quoy j'eusse fait refus de combatre. Querez moy
aultre moien, si voulez avoir pardon, car cestuy cy
ne vous aidera. Et puis qu'il vous convient tout dire,
meschant et lasche bonhomme que vous estes, et
aultre ne fustes oncques, pensez vous qu'en ce monde
55 cy soit medicine qui plus puisse aider et susciter la

---

⁵ *V.* cuyracher
⁶ *V.* delle et quelle ne appetoit a.
⁷ *V. b.* je doubtoye quil ne vous en fust de pire et

maladie d'entre nous femmes que la doulce et amoureuse compaignie des hommes ? Me voiez vous bien
deffaicte et seche par grefté de mal ? Aultre chose
ne m'est mestier que compaignie de vous. — Ho !
60 dit l'aultre, je vous gariray prestement. » Il sault sur
le lit, et besoigna le mieulx qu'il peut ; et tantost
qu'il eut rompu deux lances, elle se leve et se mist
sur ses piez. Puis demye heure après alla par les
rues. Et ses voisines, qui la cuidoient comme morte,
65 furent tresesmerveillées jusques ad ce qu'elle leur
dist par quelle voie elle estoit ravivée, qui dirent
tantost qu'il n'y avoit que ce seul remede. Ainsi le
bon marchant aprint a garir sa femme, qui luy tourna
a grand prejudice. Car souvent se faindoit malade
70 pour recevoir la medicine.

LA QUATRE VINGTS XIᵉ NOUVELLE.

PAR

L'ACTEUR. [1]

Ainsi que j'estoye n'a gueres en la conté de Flandres, en l'une des plus grosses villes du pays, ung
gentil compaignon me fist ung joyeux compte d'un
homme maryé, de qui la femme estoit tant luxurieuse
et chaulde sur potage et tant publicque, que a paine
estoit elle contente qu'on la cuignast en plaines rues
avant qu'elle ne le fust. Son mary savoit bien que de
telle condicion estoit, mais de subtilier ne querir [2]
remede pour luy donner empeschement, il ne le savoit
trouver, tant estoit a ce joly mestier rusée. Il la
menassoit de la batre, de la laisser seule ou de la
tuer ; mais querez qui le face ! autant eust il prouffité de menasser ung chien enragé ou aultre beste.
Elle se pourchassoit a tous lez [3] et ne demandoit que
hutin. Il y avoit peu d'hommes en toute la contrée
ou elle repairoit pour estaindre une petite estincelle
de son grand feu ; et quiconques la barguignoit, il
l'avoit aussi bien a creance que a argent sec, fust
l'homme vieil, layt, bossu, contrefait [4] ou d'aultre
quelque deffigurance ; bref, nul ne s'en alloit sans

---

[1] V. anonyme
[2] V. de subtilite pour q.
[3] V. lotz
[4] V. homme bossu ou vieux c.

denrée reporter. Le pouvre mary, voyant ceste vie
25 continuer, et que grosses menasses rien n'y prouffi-
toient, il s'advisa qu'il l'espanteroit par une voye et
maniere qu'il trouva. Quand il la peut avoir seulle en
sa maison, il luy dist : « Or ça, Jehanne ou Betrix,
ainsi qu'il l'appelloit, je voy bien que vous estes
30 obstinée en vostre meschante vie, et que, a quelque
menasse ou punicion que je vous face, vous n'en
comptez non plus que si je me taisoie. — Helas !
mon mary, dit elle, en verité, j'en suis plus courroussée que vous n'estes, et [5] trop plus me desplaist ;
35 mais je n'y puis remede mettre, car je suis tellement
née soubz telle estoille pour [6] estre preste et servant
aux hommes ! — Voire dya, dist le mary, y estes
vous destinée ? Sur ma foy, j'ay bon remede et
hastif. — Vous me tuerez, dist elle, aultre n'y a.
40 — Laissez moy faire, dist il, je sçay mieulx beaucop.
— Et quel, dit elle, que je le sache ? — Par la mort
bieu, dist il, je vous hocheray tant ung jour que je
vous bouteray ung quarteron d'enfans ou ventre, et
puis je vous habandonneray, et les vous lairray seulle
45 nourrir. — Vous ! dit elle ; mais ou prins ? Vous
. n'avez pour commencer. Telles menasses m'espantent
pou, je ne vous crain[s]. Touchez cela ; si j'en [7]
desmarche, je veil qu'on me tonde en croix ; et s'il
vous semble que vous ayez puissance, avancez vous,
50 et commencez tout maintenant. Je suis preste pour
livrer le molle. — Au deable telle femme, dist le
mary, qu'on ne peut par quelque voye corriger ! »
Il fut contraint de la laisser passer sa destinée ; trop

---

5 *V.* en bonne foy jen suis la plus marrie et
6 *V.* n. en telle planette p.
7 *V.* c. de cela pas ung niquet se jen

plustost se fust ecervelé et rompu [8] la teste pour la
55 reprendre que luy faire tenir le derriere coy. Pour
quoy la laissa courre comme une lisse entre deux
douzaines de chiens, et accomplir tous ses vouloirs
et desordonnez desirs.

LA IIIJ^{xx} XIIe NOUVELLE,

PAR

L'ACTEUR. [1]

En la bonne cité de Mix [2], en Lorraine, avoit puis
certain temps en ça une bonne bourgoise maryée, qui
estoit tout oultre de la confrarie de la houlette ; et
rien ne faisoit plus voluntiers que ce joly esbatement
que chacun scet ; et ou elle povoit desploier ses
armes, elle se monstroit vaillant et pou redoubtant
horions. Or, entendez quelle chose luy advint en exer-
cent son mestier. Elle estoit fort amoureuse d'un gros
chanoine qui avoit plus d'argent que ung vieil chien
n'a de puces ; mais pour ce qu'il demouroit en lieu
ou les gens estoient a toutes heures, comme on diroit
a une gueulle baée ou place publicque, elle ne savoit
comment se trouver avec son chanoine. Tant subtilia
et pensa a sa besoigne, qu'elle s'avisa qu'elle se descouvreroit a une sienne voisine qui estoit sa seur
d'armes touchant le mestier et usance de la houlette.
Et luy sembla qu'elle pourroit aller veoir son chanoine accompaignée de sa voisine, sans qu'on y
pensast mal ou suspeçonnast [3]. Ainsi qu'elle advisa,
ainsi fist elle. Et comme si pour une grosse matere
fust allée devers monseigneur le chanoine, ainsi
honorablement et gravement y alla elle, accompai-

---

[1] *V.* monseigneur de launoy
[2] *V.* noble c. de mez
[3] *V.* suspicion

gnée comme dit est. Pour estre bref, incontinent que
noz bourgoises furent arrivées, après toutes saluta-
cions, ce fut la principale qui s'encloit avec [4] son
amoureux le chanoine, et fist tant qu'il luy bailla
30 une monteure, ainsi qu'il peut. La voisine, voyant
l'autre avoir l'audience et gouvernement du maistre
de leens, n'en eut pas peu d'envye, et luy desplaisoit
que l'on ne luy faisoit ainsi comme a l'autre. Au
wider de la chambre, celle qui avoit sa pitance dist :
35 « Ça, voisine [5], en yrons nous ? — Voire, dit l'autre,
s'en va l'on ainsi ? Si l'on ne me fait la courtoisie
comme a vous, pardieu, j'accuseray la compaignie et
le mesnage ; je ne suis pas icy venue pour chaufer la
cire. » Quand l'on perceut sa bonne volunté, on luy
40 offrit le clerc de ce chanoine, qui estoit ung fort et
roidde galant et homme pour la tresbien fournir, de
quoy elle ne tint compte, mais le refusa de tous
poins, disant que aussi bien vouloit elle avoir le
maistre que l'autre, aultrement ne seroit elle contente.
45 Le chanoine fut contraint, pour sauver son honneur,
de s'accorder. Quand ce fut fait, elle voulut bien
adonc dire a Dieu et se partir. Mais l'autre ne le
voulut pas, ains dist toute courroussée que elle qui
l'avoit amenée et estoit celle pour qui l'assemblée
50 estoit faicte devoit estre mieulx partie que l'autre,
et qu'elle ne se partiroit point qu'elle n'eust encores
ung picotin. Le [6] chanoine fut bien esbahy quand il
entendit [c]es [7] nouvelles, et combien qu'il priast
celle qui vouloit avoir le surcroiz, toutesfoiz ne se
55 voult rendre contente. « Or ça, de par Dieu, dist il,

---

4 *V.* la p. memoire que senclorre a.
5 *V.* d. a sa v.
6 *V.* p. davoine. Le
7 *ms* les

puisqu'il fault que ainsi soit, je suis content ; mais
plus n'y revenez pour tel pris. » Quand [8] les armes
furent accomplies, celle damoiselle au surcroiz a dire
adieu dist a son chanoine qu'il leur falloit donner
60 aucune chose gracieuse pour souvenance. Et sans se
faire trop importuner ne traveiller de requestes, et
aussi pour estre delivré d'elles, il avoit ung demourant de couvrechefz qu'il leur donna. Et la principale receut le don, et en remercyant dirent [9] adieu.
65 « C'est, dist il, ce que je vous puis maintenant donner ; prenez chacune en gré, je vous en prie. » Elles
ne furent gueres loing allées qu'en plaine rue la
voisine qui avoit eu sans plus ung picotin dist a sa
compaigne qu'elle vouloit avoir sa part [10] de leur
70 don. « Et bien, dit l'autre, je suis contente ; combien
en voulez vous avoir ? — Fault il demander cela ? dit
elle ; j'en doy avoir la moitié et vous autant. — Comment osez vous demander, dist l'autre, plus que vous
n'avez deservy ? Avez vous point de honte ? Vous
75 savez que vous n'avez esté que une foiz avecques le
chanoine, et moy deux foiz ; et pardieu, ce n'est mie
raison que vous soiez partie aussi avant que moy.
— Par dieu, j'en aray autant que vous, dit l'autre ;
ay je pas fait mon devoir aussi avant que vous ?
80 — Comment l'entendez vous ? — N'est ce pas autant
d'une foiz que de deux [11] ? Et affin que vous cognoissez ma volunté, sans tenir cy halle de neant, je vous
conseille que me baillez ma part justement de la
moitié, ou vous arez incontinent hutin. Me voulez
85 vous ainsi gouverner ? — Voire dya, dist sa com-

---

[8] *V.* p. je seroye hors de la ville. Q.
[9] *V.* le d. ainsi d.
[10] *V.* porcion
[11] *V.* dix

paigne, y voulez vous proceder d'euvre[12] de fait ?
Et par la naissance[13] Dieu, vous n'en arez fors ce
qui sera de raison, c'est assavoir des trois pars l'une,
et j'aray le remanent ; ay je pas eu plus[14] de peine
90 que vous ? » Adonc l'aultre hausse et de bon poing
charge sur le visage de sa voisine, qui ne le tint pas
longuement sans le rendre, apellans l'une l'autre
ribaulde. Quand[15] les gens de la rue virent la
bataille de ces deux compaignes, qui peu de temps
95 devant avoient passé par la rue ensemble amoureusement, furent tous esbahiz, et les vindrent tenir et
deffaire l'une de l'autre. Puis leurs mariz furent
huchez, qui vindrent tantost. Et chacun d'eux demandoit a sa femme la matere de leur different. Et cha-
100 cune comptoit a son plus beau. Et tant par leur
faulx donner a entendre, sans toutesfoiz toucher de
ce pour quoy la question estoit meue, les animerent
et esmeurent l'un contre l'autre, tellement qu'ilz se
vouloient entretuer, si les sergens n'y fussent sur-
105 venuz, qui les menerent tous deux refroider en belle
prison[16]. La justice fut a toute diligence sollicitée
de leurs amys pour leur delivrance ; mais pour ce
que le cas estoit venu pour le debat des femmes, premier le conseil voult savoir dont avoit procedé[17] le

---

12 *V.* darmure
13 *V.* puissance
14 *V.* jauray tout le demourant nay je pas eu deux
foys p.
15 *V.* v. de sa compaigne pour qui lassemblee avoit este
faicte qui ne le t. p. l. sans rendre / brief, elles sentre
batirent tant et de si bonne maniere qua bien petit
quelles ne sentretuerent ; et lune appelloit lautre
ribaulde.
16 *V.* e. mais les s. les m. refroidir en p.
17 *V.* La j. voulut savoir d. estoit p.

110 fondement de la question entre les deux femmes. Elles furent mandées et contrainctes de confesser que ce avoit esté pour faire parchon d'une piece de couvrechefs, et cetera. Les gens du conseil, qui estoient bons et sages, voyans[18] que la cognoissance
115 de ceste cause appartenoit au roy de bourdelois, tant pour les merites de la cause que pour ce que les femmes estoient de ses subjectes, la renvoyerent pardevant luy. Et pendant le procés, les bons mariz demourerent en prison, attendans la sentence diffi-
120 nitive qui devoit estre rendue par l'advis des subjectz du roy, qui, pour[19] le nombre infiny d'eulx, est taillée de demourer pendue au clou.

---

18 *V.* Les g. du c. v.
19 *V.* la s. d. qui pour

LA QUATRE VINGTS XIIIe NOUVELLE,

PAR

MESSIRE TIMOLEON VIGNIER, GENTILHOMME [1]
DE LA CHAMBRE DE MONSEIGNEUR.

5   Tantdiz que j'ay bonne audience, je veil compter
ung gracieux compte advenu au bon et gracieux
païs [2] de Haynau. En ung gros village du païs que
j'ay nommé avoit une gente femme mariée qui amoit
plus beaucop le clerc ou coustre de l'eglise paro-
10 chial dont [3] elle estoit paroissienne que son mary.
Et pour trouver moien de soy trouver avec son
coustre, faindit [4] a son mary qu'elle devoit ung pelerinage a quelque saint qui n'estoit pas loing d'illec,
comme d'une lieue ou environ ; et [5] que promis luy
15 avoit quant elle avoit esté en traveil, luy priant qu'il
fust content qu'elle y allast ung tel jour qu'elle
nomma, avec une sienne voisine qui ce mesme jour
y alloit. Le [6] bon simple mary, qui ne se doubtoit
de rien, accorda ce pelerinage, mais il vouloit qu'elle
20 revenist le jour qu'elle partiroit. « Peut estre, dit elle,
retourneray je au disner, ainsi que le temps nous
aprendra. Mais premierement, dit elle, il convient que

---

1 *V. anonyme.*
2 *V.* au p.
3 *V.* plus chier le clerc de la paroisse d.
4 *V.* m. destre avec son clerc faingnit
5 *V.* q. nestoit gueres l. de la et
6 *V.* nomma. Le

j'aye une paire de bons souliers. » Tout luy fut liberalement accordé ; et pource [7] que le mary demouroit
25 seul, il luy dist qu'elle appoinctast son disner et
soupper tout ensemble, avant qu'elle se partist,
aultrement il yroit menger a la taverne. Elle fist son
commendement, car le jour de son partement se leva
bien matin pour aller a la boucherie, et appoincta [8]
30 ung bon poussin et une piece de mouton, et puis
manda le cordoennier qui luy chaussa ses souliers.
Et quand [9] toutes ses preparacions furent faictes, dist
a son mary que tout estoit prest, et qu'elle alloit
querir de l'eaue beneiste pour soy partir après. Elle
35 entre en l'eglise, et le premier homme qu'elle trouva,
ce fut celuy qu'elle queroit, c'est assavoir son
coustre [10], a qui elle compta ces nouvelles, comment
elle avoit congié d'aller en pelerinage, et cetera, pour
toute la journée. « Mais il y a ung cas, dit elle ; je
40 suis seure que si tost qu'il sentira que je seray hors
de l'ostel il s'en ira a la taverne, et n'en retournera
jusques au vespre bien tard ; je le cognois tel. Et
pourtant j'ayme mieulx demourer a l'ostel tantdiz
qu'il n'y sera point que aller hors. Et doncques vous
45 vous rendrez dedans une demye heure entour de
nostre hostel, affin que je vous mecte ens par derriere, s'il advient que mon mary n'y soit point ; et
s'il y est nous yrons faire nostre pelerinage. » Elle
vint a l'ostel, ou elle trouva encores son mary, dont
50 elle ne fut pas trop contente, qui luy dist : « Comment estes vous cy encores ? — Je m'en vois, dit
elle, chausser mes souliers, et puis je ne tarderay

---

[7] *V.* pelerinage et p.
[8] *V.* commandement et a.
[9] *V.* mouston et q.
[10] *V.* clerc

gueres [11] que je partiray. » Elle alla au cordoennier,
et tantdiz qu'elle faisoit chausser ses souliers, son
55 mary passe par devant l'ostel au cordoennier avec
ung aultre son voisin qui alloit de coustume a la
taverne. Et combien qu'elle supposast que, pource
qu'il estoit accompaigné du dit voisin, il s'en allast
sur le bancq [12], toutesfoiz si n'en avoit il nulle
60 volunté, mais s'en alloit sur le marché, pour trouver
encores ung ou deux bons compaignons et les amener
disner avecques luy au commencement qu'il avoit
davantage, c'est assavoir ce poussin et la piece de
mouton. Or nous lairrons ycy nostre mary sercher
65 compaignie, et retournerons a celle qui chaussoit ses
souliers, qui, si tost que chaussez furent, revint a
l'ostel le plus hastivement qu'elle peut, ou elle trouva
le gentil coustre [13] qui faisoit la procession entour de
l'ostel, a qui elle dist : « Mon amy, nous sommes les
70 plus eureux du monde, car j'ay veu mon mary qui
va a la taverne ; j'en suis seure, car il a ung soisson [14] qu'il maine par le bras, lequel ne le laira pas
retourner quand il vouldra ; et pourtant donnons
nous bon temps jusques [15] a la nuyt. J'ay appoincté
75 ung bon poussin et une belle piece de mouton, dont
nous ferons goghettes. » Et sans plus rien dire le
mist ens, et laissa l'huys de devant entrouvert, affin
que les voisins ne se doubtassent. Or retournons
maintenant a nostre mary, qui a trouvé deux bons
80 compaignons, avec le premier dont j'ay parlé, lesquelz il amaine pour deffaire ce [16] poussin en la

---

[11] *V.* ne songeray plus g.
[12] *V.* a la taverne
[13] *V.* escolier
[14] *V.* sortes
[15] *V.* d. n. joye le jour est nostre j.
[16] *V.* p. desconfire et devorer ce

compaignie de beau vin de Beaulne, ou aultre meilleur, s'il est possible d'en finer. A l'arriver a sa maison, il entra le premier, ou incontinent qu'il fut entré
85 il perceut noz deux amans, qui faisoient ung pou
d'ouvrage [17]. Et quand il vit sa femme qui avoit les
jambes levées, il luy dist qu'elle n'avoit garde de
user ses souliers, et que sans raison avoit traveillé
le cordoennier, puis qu'elle vouloit faire son peleri-
90 nage par telle maniere. Il hucha ses compaignons et
dist : « Messeigneurs, regardez comment ma femme
ayme mon prouffit ; de paour qu'elle ne use ses
beaulx neufs souliers, elle chevauche [18] sur son doz !
Il ne l'a pas telle qui veult. » Il prend ung petit
95 demourant de ce poussin, et luy dist qu'elle parfist
son pelerinage ; puis ferma l'huys et la laissa avec
son coustre [19], sans luy aultre chose dire ; et s'en
alla a la taverne, dont il ne fut pas tensé au retourner, ne les aultres foiz quand il y alloit, pource qu'il
100 n'avoit rien ou pou parlé de ce pelerinage que sa
femme avoit fait a l'ostel [19].

---

[17] *V.* qui sestoient mis a faire ung troncon de bonne (*sic*)
ouvraige
[18] *V.* chemine
[19] *V.* lostel avec son amoureux le clerc de sa paroisse

LA QUATRE VINGTS XIIIJᵉ NOUVELLE.

Es marches de Picardie, ou diocese de T[h]e-
roenne, avoit puis an et demy en ça, ou environ, ung
gentil curé demourant a la bonne ville, qui faisoit du
5 gorgias tout oultre. Il portoit la robe courte, chausses
tirées, a la fasson de court ; tant gaillard estoit que
l'on ne povoit plus, qui n'estoit pas pou [1] d'esclandre
aux gens d'eglise. Le promoteur de Therouenne, que
telles manieres de gens appellent dyable, fut informé
10 du gouvernement de nostre gentil curé, et le fist citer
pour le corriger et luy faire muer ses meurs. Il comparut a tout ses habitz courts, comme s'il n'eust tenu
compte du promoteur, cuidant par adventure que
pour ses beaulx yeulx on le deust delivrer [2] ; mais
15 ainsi n'advint. Quand il fut devant monseigneur
l'official, sa partie, le promoteur, lui compta sa
legende au long, demanda, par ses conclusions, que
ses habillemens et aultres menues manieres de faire
luy fussent defendues, et avec ce, qu'il fut condemné
20 en certaine emende [3]. Monseigneur l'official, voyant a
ses yeulx que tel estoit nostre curé qu'on luy bapti-
soit, luy fist les defenses, sur les peines du canon,
que plus ne se desguisast en telle maniere qu'il avoit
fait, et qu'il portast longues robes et [longs] [4] che-

---

[1] *ms* pour
[2] *V.* le delivrast
[3] *V.* c. a payer certaines amendes
[4] *ms* cours

25 veulx. Et avec ce, le condemna a paier une bonne
somme d'argent. Il promist que ainsi feroit il, et que
plus ne seroit cité pour telles choses. Il print congié
au promoteur et retourna a sa cure. Si tost qu'il fut
venu, il fist hucher le drapier et le parmentier, si fist
30 tailler une robe qui luy traisnoit plus de trois quar-
tiers, disant au parmentier les nouvelles de Therouenne, comment c'est assavoir [qu'il] avoit esté
reprins de porter courte robe, et qu'on luy avoit
chargé de la porter longue. Il vestit ceste robbe lon-
35 gue et laissa croistre ses cheveulx de sa teste et de
sa barbe, et en cest estat servoit sa parroiche, chantoit messe et faisoit les aultres choses appartenant a
curé. Le promoteur fut arriere adverty comment son
curé se gouvernoit oultre la regle, bonne et honeste
40 conversacion des personnes d'eglise, qui le ⁵ fist citer
comme devant. Et il y comparut es mesmes habitz
longs. « Qu'est cecy ? dist monseigneur l'official,
quand il fut devant luy ; il semble que vous vous
mocquez ⁶ des statuz et ordonnances de l'eglise.
45 Voiez vous point comme les aultres prestres s'abil-
lent ? Si ne fust pour l'honneur de voz bons amys,
je vous feroie affuler la prison de ceans. — Comment, monseigneur, dist nostre curé, ne m'avez vous
pas chargé de porter longue robe et long[s] che-
50 veulx ? Ne fays je pas ainsi que m'avez commendé ?
N'est pas ceste robe assez longue ? Mes cheveux
sont ilz point longs ? Que voulez vous que je face ?
— Je veil, dist monseigneur l'official, que portez robe
et cheveulx a demy longs, ne trop ne pou. Et pour
55 ceste grand faulte, je vous condemne a paier dix

⁵ *V. c.* des prestres lequel le
⁶ *V.* trompes

libres au promoteur, vingt blancs [7] a la fabrice de
ceans, et autant a monseigneur de Therouenne, a
convertir en son aumosne. » Nostre curé fut bien
esbahy, mais toutefois il faillit qu'il passast par la.
60 Il prend congé et revint a sa maison, et pensa comment il s'abilleroit pour garder la sentence de monseigneur l'official. Il manda le parmentier, a qui il
fist tailler une robe longue d'un costé, comme celle
dont nous avons parlé, et courte comme la premiere
65 de l'autre costé, puis se fist barbaier du costé ou la
robe estoit courte ; et en ce point alloit par les rues
et faisoit son divin office. Et combien qu'on lui dist
que c'estoit mal fait, si n'en tenoit il toutesfoiz
compte. Le promoteur en fut encores adverty, et le
70 fist citer comme devant. Quand il comparut, Dieu scet
comment monseigneur l'official fut malcontent. A
peine qu'il ne saillit de son siege hors du sens, quand
il regardoit son curé estre habillé en guise de mommeur. Si les aultres deux foiz avoit esté bien
75 rachassé, il le fut bien encores mieulx a ceste foiz, et
condemné en belles et grosses amendes. Lors nostre
bon curé, se voyant ainsi desplumé d'amendes et de
condemnations, dist : « Monseigneur l'official, il me
semble, sauve vostre reverence, que j'ay fait vostre
80 commendement ; et entendez moy, je vous diray la
raison. » Adoncques il couvrit sa barbe longue de sa
main qu'il estandit sus, et dist : « Si vous voulez,
que je n'ay point de barbe. » Puis mist sa main de
l'aultre costé, couvrant la partie tondue ou rase, et
85 dist : « Si vous voulez, longue barbe. Est ce pas ce
que m'avez commendé ? » Monseigneur l'official,
voyant que c'estoit ung vrai trompeur, et qu'il se

---

[7] *V.* livres

trompoit de luy, fist venir le barbier et le parmentier.
Et devant tous les assistens luy fist faire sa barbe et
90 cheveulx, et puis coupper sa robe de la longueur qu'il
estoit besoing [8] et de raison ; puis le renvoya a sa
cure, ou il se maintint et conduisit haultement, gardant [9] ceste derreniere maniere qu'il avoit aprinse a
la sueur de sa bourse.

---

[8] *V.* mestier
[9] *V.* h. en maintenant c.

LA QUATRE VINGTS XVe NOUVELLE.

PAR

PHILIPE DE LOAN. [1]

Comme il est assez de coustume, Dieu mercy, que
5 en pluseurs religions y a de bons compaignons a la
pie et au jeu [2] des bas instrumens, a ce propos,
nagueres avoit en ung couvent de Paris ung bon
frere prescheur, qui entre les aultres ses voisines
choisit une tresbelle femmelette jeune et en bon point,
10 et mariée assez nouvellement [3] a ung bon compaignon ; et devint maistre moyne amoureux d'elle, et
ne cessoit de penser et subtilier voies et moiens pour
pervenir a ses attainctes, qui, a dire en gros et en
bref, estoient pour faire cela que vous savez. Ores
15 disoit : « Je feray ainsi », ores concluoit aultrement.
Tant de propos luy venoient en la teste qu'il ne
savoit sur lequel s'arrester. Trop bien disoit il que
de langage n'estoit point de abatre, « car elle est
trop bonne et trop seure ; force est que, si je veil
20 parvenir a mes fins, que par cautele et deception je

---

1 *V.* monseigneur de villiers
2 *V.* p. communautes de r. y a de b. c. au moins quant
au j.
3 *V.* frere p. qui avoit de coustume de visiter ses
voisines. Ung jour entre les autres il choisit une tresbelle femme qui estoit sa prouchaine voisine jeune et
en b. p. et sentre aymoient de bon couraige et la jeune
femme estoit mariee n.

la gaigne. » Or escoutez de quoy le larron s'advisa,
et comment frauduleusement la pouvre beste il
attrapa, et son desir tresdeshoneste qu'il proposa
accomplir. Il faindit ung jour d'avoir tresgrand
25 douleur en ung doy, celluy d'emprès le poulce qui est
le premier des quatre en la main dextre. Et de fait
le banda et envelopa de draps linges, et le dora
d'aucun oignement tresfort sentent ; et en ce point
se tint ung jour ou deux, tousjours se monstrant aval
30 son eglise devant la dessus dicte, et Dieu scet qu'il
faisoit bien l'adolé⁴. La simplette le regardoit en
pitié, et voyoit bien a sa contenance que grand
douleur le martiroit ; et pour la grand pitié qu'elle en
eut, luy demanda son cas. Et le subtil regnard luy
35 compta si trespiteusement qu'il sembloit mieulx hors
de son sens que aultrement, tant sentoit grand doleur.
Ce⁵ jour se passa. Et a lendemain, environ l'heure
de vespres, que la bonne femme estoit a l'ostel seulette, ce patient la vient trouver, ouvrant de soye, et
40 emprès d'elle se met, faisant si tresbien le malade
que nul ne l'eust vu a ceste heure qui ne l'eust jugé
en tresgrand dangier. Or se viroit vers la fenestre,
maintenant vers la femme ; tant d'estranges conte-
nances⁶ faisoit que vous fussez esbahy et abusé a
45 le veoir. Et la simplette, qui toute pitié en avoit, a
peine que les larmes ne luy sailloient des yeulx, le
confortoit au mieulx qu'elle savoit : « Helas ! frere
Aubry⁷, disoit elle, avez vous parlé aux medicins
telz et telz ? — Oy certes, m'amye, disoit il, il n'y a
50 medicin ne cyrurgien en Paris qui n'ait veu mon cas.

---

⁴ *V.* la douleur
⁵ *V.* aultrement. Ce
⁶ *V.* manieres
⁷ *V.* henry

— Et qu'en disent ilz ? souffrerez vous longuement
ceste doleur ? — Helas ! oy, voire encores plus la
mort, si Dieu ne m'aide, car en mon fait n'a que ung
remede. Ei j'aymeroie a peine autant a morir que le
55 deceler. Car il est mains que bien honeste et tout
estrange de ma profession. — Comment ! dist la
pouvrette, et n'est ce pas mal fait et peché a vous
d'ainsi vous laisser passionner ? Vous [8] vous mettez
en dangier de perdre sens et entendement, ad ce que
60 je voy vostre doleur tant aspre. — Par dieu, bien
aspre et terrible est elle, dist frere Aubry [7] ; mais
quoy ! Dieu le m'a envoié ; loé soit il ! j'aray [9]
pacience, et suis tout conforté d'attendre la mort, car
c'est le vray remede de mon mal, voire excepté ung
65 dont je vous ay parlé, qui me gariroit tantost ; mais
quoy ! comme je vous ay dit, je n'oseroie dire quel il
est. Et quand ainsi seroit que je serois forcé a deceler ce que c'est, je n'aroie le hardement ne le vouloir
de le mectre a execution. — Et [10] par ma foy, dist [11]
70 la bonne femme, frere Aubry [7], il me semble que vous
avez tort de tenir telz termes. Et pour Dieu, dictes
moy qu'il fault pour votre garison, et je vous asseure
que je mectray peine et diligence de trouver ce qui
y servira. Pour Dieu, ne soiez cause de vostre per-
75 dicion ; laissez vous aider et secourir. Or dictes moy
que c'est, et vous verrez si je vous aideray ; si feray
par Dieu, et me deust il couster plus que vous ne
pensez ! » Damp moine, voyant la bonne volunté de
sa voisine, après ung grand tas d'excusances et de
80 refus que pour estre bref je trespasse, dist a basse

---

[8] *V.* p. si est en verite ce me semble v.
[9] *V.* il je prens bien la maladie en gre et auray
[10] *V.* nauroye point le vouloir de lacomplir. Et
[11] *V.* par saint martin

voix : « Puis qu'il vous plaist que je le dye, je vous
obeiray. Les medicins, tous d'un accord, m'ont dit
qu'en mon fait n'a que ung seul remede, c'est de
bouter mon doy malade dedans le lieu secret d'une
85 femme nette et honeste, et le tenir la une bonne piece
de temps, et après l'oindre d'un oignement dont ilz
m'ont baillé la recepte. Vous oez que c'est, et pource
que je suis de ma nature et propre coustume honteux, j'ay mieulx amé endurer et seuffrir jusques cy
90 les maulx que j'ay porté que en rien dire a personne
vivant. Vous seule savez mon cas, et malgré moy.
— Hola ! hola ! dist la bonne femme, je ne vous ay
dit chose que je ne face ; je vous veil aider a garir.
Je suis contente et me plaist bien pour vostre garison
95 et santé, et vous oster de la terrible angoisse qui
vous tourmente, que je vous preste le lieu pour bouter
vostre doy malade. — Et Dieu le vous rende, damoiselle ! Je n'en eusse osé requerir, vous ne aultre.
Mais puis qu'il vous plaist me secourir, je ne seray
100 ja cause de ma mort. Or nous mettons donc, s'il
vous plaist, en quelque lieu secret que nul ne nous
voye. — Il me plaist bien », dist elle. Si le mena en
une tresbelle garderobe, et serra l'huys, et sur le
lit se mist ; et maistre moyne luy leve ses draps,
105 et en lieu du doy de la main bouta son perchant dur
et roidde. Et a l'entrer qu'il fist, elle qui le sentit si
tresgros : « Comment ! dist elle, et vostre doy, comment peut il estre si gros ? je n'oy jamais parler du
pareil. — En verité, fist il, ce fait la maladie qui en
110 ce point le m'a mis. — Vous me comptez merveilles », dit elle. Et durant ces langages, maistre
moyne accomplit ce pour quoy si bien avoit fait le
malade. Et celle qui sentit et cetera, demanda que
c'estoit. Et il respondit : « C'est le clou de mon doy
115 qui est effondré ; je suis comme gary, ce me semble,

Dieu mercy et la vostre. — Et par ma foy, ce me
plaist moult, ce dit la dame, qui lors se leva. Si vous
n'estes bien gary, si retournez toutesfoiz qu'il vous
plaist : car pour vous oster de doleur, il n'est rien
120 que je ne face ; et ne soiez plus si honteux que vous
avez esté pour vostre santé recouvrer. »

LA QUATRE VINGTS XVJ^e NOUVELLE.

Or escoutez, s'il vous plaist, qu'il advint l'aultrehier a ung simple riche curé de village, qui par simplesse fut a l'emende devers son evesque en la
5 somme de cinquante bons escuz d'or. Ce [1] bon curé
avoit ung chien qu'il avoit nourry de jeunesse et
gardé, qui tous les aultres chiens du païs passoit
d'aller en l'eaue querir le vireton, ung chappeau si
son maistre l'oblyoit ou de fait apensé le laissoit
10 quelque part. Bref, tout ce que bon et sage chien doit
et scet faire il estoit le passe route ; et a [2] l'occasion
de ce, son maistre l'amoit tant, qu'il ne seroit pas
legier a compter combien il en estoit assoté. Advint
toutesfoiz, je ne sçay par quel cas, ou s'il eut trop
15 chault ou trop froit, ou s'il mengea quelque chose qui
mal luy fist, qu'il devint tresmalade, et de ce mal
mourut, et de ce siecle tout droit au paradis des
chiens alla. Que [3] fist ce bon curé ? Il, qui sa maison,
c'est assavoir le presbitere, dessus le cimetiere
20 avoit, quand il vit son chien de ce monde trespassé,
il se pensa que une si sage et bonne beste ne demourast [4] sans sepulture. Et pourtant il fist une fosse
assez près de l'huys de sa maison, qui dessus l'aitre,

---

[1] *V.* de villaige. Ce
[2] *V.* vireton et a
[3] *V.* froit toutesfoiz il fut malade et mourut. Que
[4] *V.* cure luy qui son presbitaire avoit tout contre le
cymetiere quant il v. s. c. trespasse il pensa que grant
dommaige seroit si s. et b. b. d.

comme dit est, respondoit, et la l'enfouyt et sepultura.
25 Je[5] ne sçay pas s'il luy fist ung marbre et par dessus
engraver une epythaphe ; si m'en tais. Ne demoura
pas gueres que la mort du bon chien au curé fut
par le village et les lieux voisins annuncée. Et tant
s'espandit que aux oreilles de l'evesque du lieu par-
30 vint, ensemble de la sepulture saincte que son maistre
luy bailla. Si le manda vers luy venir par une cita-
tion que ung cicaneur luy apporta. « Helas ! dist le
curé au cicaneur, et que ay je fait, et qui m'a fait
citer d'office ? Je ne me sçay trop esbahir que la
35 court me demande. — Quand a moy, dit l'autre, je[6]
ne sçay qu'il y a, si ce n'est pour tant que vous avez
enfouy vostre chien dedans lieu saint ou l'on mect
les corps des chrestians. — Ha ! ce pensa le curé,
c'est cela ? » Or a primes luy vint en teste qu'il avoit
40 mal fait, et dist bien en soy mesmes qu'il passeroit
par la, et[7] que s'il se laisse emprisonner qu'il sera
escorché, car monseigneur l'evesque, la Dieu mercy,
est le plus convoiteux prelat de ce royaume, et si a
gens entour de luy qui scevent faire venir l'eaue au
45 molin, Dieu scet comment. « Or bien force est que je
perde ; si vault mieulx tost que tard. » Il[8] vint a sa
journée, et de plain bout s'en alla devers monseigneur l'evesque, qui tantost comme il le vit luy fist
ung grand prologue pour sa sepulture saincte qu'il
50 avoit fait bailler a son chien, et luy baptisa son cas
si merveilleusement qu'il sembloit que[9] le curé eust
fait pis que regnier Dieu. Et après tout son dire, il

---

5 *V.* maison et la lenfouyt / je
6 *V.* fait qui suis cite doffice. Q. a m. d. le chicaneur je
7 *V.* fait et
8 *V.* comment. Il
9 *V.* chien et sembloit a louyr q.

commenda que le curé fust mené en prison. Quand le
curé vit qu'on le vouloit bouter en la boeste aux
55 caillouz, il requist [10] qu'il fust oy, et monseigneur
[l'evesque] luy accorda. Et devez savoir que a ceste
calonge estoient foison [de] gens de grand fasson,
comme l'official, les promoteurs, les scribe[s], notaires, advocatz et procureurs, qui tous ensemble grand
60 joye avoient du non accoustumé cas du pouvre
curé [11], qui a son chien avoit donné la terre saincte.
Le curé en sa defense et excuse parla en bref et dist :
« En verité, monseigneur, si vous eussez autant
cogneu mon bon chien, a qui Dieu pardoint, comme
65 j'ay, vous ne seriez pas tant esbahy de la sepulture
que je luy ai ordonnée, comme vous estes. Car son
pareil ne fut ne jamais sera [12]. » Et lors racompta
balme de son fait : « Et s'il fut bon et sage en [13] son
vivant, encores le fut il autant ou plus a sa mort.
70 Car il fist un tresbeau testament. Et pour ce qu'il
savoit vostre necessité et indigence, il vous ordonna
cinquante escuz d'or, que je vous apporte. » Si les
tira de son sein et a l'evesque les bailla, qui les
receut voluntiers. Et lors loa et approuva le sens du
75 vaillant chien, ensemble son testament et la sepulture
qu'il luy bailla.

---

10 *V.* c. il fut plus esbahy que ung canet et r.
11 *V.* j. menoient du cas du bon c.
12 *V.* p. comme jespoire ne fut jamais trouve ne s.
13 *V.* b. de son chien aussi pareillement sil f. bien s. en

LA IIIJ^{xx} XVIJ^e NOUVELLE,

PAR

MONSEIGNEUR DE LA[N]NOY.[1]

Ilz estoient n'a gueres une assemblée de bons compaignons faisans bonne chere en la taverne, et buvans d'autant et d'autel. Et quand ilz eurent beu et
mangé, et fait si bonne chere que jusques a loer
Dieu et aussi *usquez ad hebreos* la plus part, et qu'ilz
eurent compté et paié leur escot, les aucuns commencerent a dire : « Comment nous serons festoyez de
noz femmes, quand nous retournerons a l'ostel ! Dieu
scet que nous ne serons pas excommuniez : on parlera
bien a noz barbes. — Nostre Dame ! dist l'un, je
craing bien de m'y trouver. — Ainsi m'aist Dieu, dit
l'autre, aussi fays je moy : je suis tout seur d'oyr la
passion. Pleust a Dieu que ma femme fust muette ! je
buroye trop plus hardiment que je ne faiz. » Ainsi
disoient trestous, fors l'un d'eulx qui estoit bon compaignon, qui leur alla dire : « Et comment, beaulx
seigneurs, vous estes donc bien fort maleureux, qui
avez chacun femme qui ainsi vous reprend d'aller
a la taverne, et est tant mal contente que vous
buvez ? Par ma foy, Dieu mercy, la mienne n'est pas
telle ; car de boire que je face vous n'avez garde
qu'elle en parle ; mesmes, qui plus est, si je buvoie
dix, voire cent foiz le jour, si n'est ce pas assez a

---

[1] *ms* launoy ; *V. anonyme*

son gré. Bref, oncques je ne beu qu'elle n'eust voulu
que j'eusse plus beu la moitié. Car quand je reviens
de la taverne, elle me souhaitte tousjours le demou-
30 rant du tonneau dedans le ventre, et le tonneau avecques ; si n'esse pas signe que je boive assez a son
gré ? » Quand ses compaignons ouirent ceste conclusion, ilz se prindrent a rire et louerent beaucoup son
compte, et sur ce s'en allerent tous, chascun en sa
35 chascune. Nostre bon compaignon qui le compte
avoit fait s'en vint a l'hostel, ou il trouva pou paisible sa femme toute preste a tanser, qui de si loing
qu'elle le vit commença la souffrance accoustumée ;
et de fait, comme elle souloit, luy souhaitta le demou-
40 rant du vin du tonneau dedans le ventre. « La vostre
mercy, m'amye, dist il ; encores avez vous meilleur
coustume que les aultres femmes de ceste ville : elles
enragent de ce que leurs mariz boivent ne tant ne
quant, et vous, Dieu le vous rende, vouldriez bien
45 que je beusse tousjours ou une bonne foiz qui tousjours durast. — Je ne sçay, dit elle, que je vouldroie,
sinon que je prie a Dieu que tant vous buvez ung
jour que vous puissez crever. » Comme ilz se devisoient ainsi doulcement comme vous oez, le pot a la
50 porée, qui sur le feu estoit, commence a s'en fuyr
par dessus, pource que trop aspre feu avoit ; et le
bon homme, voyant que sa femme n'y mettoit point
la main, luy dist : « Et ne veez vous, dame, ce pot
qui s'en fuyt ? » Et elle, qui encores rappaisée n'es-
55 toit, luy respondit : « Si faiz, sire. Je le voy bien.
— Or le haulsez donc, Dieu vous mecte en mal an !
— Si feray je, dist elle ; je le haulseray ; je le mectz
a xij deniers. — Voire, dist il, dame, est ce la response ? Et haulsez ce pot, de par Dieu ! — Et bien,
60 dit elle, je le mectz a vij sols. [Est ce assez hault].
— Assez ! hault ! Hen ! hen ! dist il, et par saint

Jehan ! ce marché ne se passera pas sans trois coups
de baston. » Et il choisit ung gros baston et en descharge de toute sa force sur le doz de madamoiselle,
65 en disant : « Ce marché vous demeure. » Et elle commence a cryer alarme, tant que les voisins s'i assem-
blerent, qui demanderent que c'estoit. Et le bon
homme racompta l'ystoire comme elle alloit, dont ilz
rirent tresbien de celle a qui [2] le marché demoura.

_____

² V. r. trestous fors elle a q.

LA IIII^{xx}XVIIIe NOUVELLE

PAR

L'ACTEUR. [1]

Es metes et marches de France avoit ung riche
5 et puissant chevalier, noble [2] tant par l'ancienne
noblesse de ses predecesseurs comme par propres
nobles et vertueux faiz. De sa femme espousée avoit
une seule fille, tresbelle et tresadressée pucelle, eagée
de xvj a xvij ans ou environ. Ce bon et noble che-
10 valier, voyant sa dicte fille avoir attaint l'eage habile
et ydoine pour estre allyée et conjoincte par mariage [3], eut tresgrande volunté de la donner a ung
chevalier son voysin, tresriche, non [4] toutesfoiz noble
de parentage comme de richesses et puissances tem-
15 porelles ; avec ce aussi, eagé de lx a quatre vingts
ans ou environ. Ce vouloir rongea tant autour de la
teste du pere dont j'ay parlé, que jamais ne cessa
jusques ad ce que les allyances et promesses furent
faictes entre luy et sa femme, mere de la dicte
20 pucelle [5], et le dit chevalier, touchant le mariage de
luy avec la dite fille, qui des assemblées, promesses
et traictiez ne savoit rien, et n'y pensoit aucunement.
Assez prochain de l'ostel d'iceluy chevalier, pere de

---

[1] V. anonyme
[2] V. de f. entre les aultres y avoit ung c. riche et n.
[3] V. p. le sacrement de m.
[4] V. v. de joindre et d. a. u. ç. s. v. n.
[5] V. de la fille

la pucelle, avoit ung aultre jeune chevalier, preux,
25 vaillant et riche moyennement, non pas tant de beaucop comme l'autre ancien dont j'ay parlé, qui estoit
tresardent et fort embrasé de l'amour d'icelle pucelle ;
et pareillement elle, pour la vertueuse et noble
renommée de luy, en estoit tresfort enlassée [6]. Et
30 combien que a dangier parlassent l'un a l'autre, car
le pere s'en doubtoit et leur ostoit et rompoit les
moyens et voies qu'il povoit, toutesfoiz si ne les
povoit il forclorre de l'entiere et loyale amour dont
leurs deux cueurs estoient mutuellement entreliez et
35 embrasez [7]. Et quand fortune leur favorisoit tant que
ensemble les faisoit deviser, d'aultre chose ne tenoient
leurs devises que de pourpenser et adviser moien par
lequel leur souverain desir pourroit estre accomply
par legitime mariage. Or s'approucha le temps que
40 icelle pucelle deut estre donnée a ce seigneur ancien,
et le marché et traictié luy fut par son pere descouvert et assigné le jour qu'elle [le] devoit espouser,
dont ne fut pas pou courroussée ; mais elle se pensa
qu'elle y mectroit [8] remede. Elle envoya vers son
45 treschier amy, le jeune chevalier, et luy manda qu'il
venist celeement le plus [tost] qu'il pourroit. Et
quand il fut venu, elle luy compta les allyances faictes
d'elle et de l'autre ancien chevalier demandant sur
ce conseil de [9] tout rompre. Car d'autre que de luy
50 ne vouloit estre espouse. Le chevalier luy respondit :
« M'amye treschere, puisque vostre bonté se veult
tant humilier que de moy offrir ce que je n'oseroie
requerir sans tresgrand vergoigne, je vous remercie.

---

[6] *V.* entachee
[7] *V.* estoient e. et enlacez.
[8] *V.* donneroit
[9] *V.* c. affin de

Et si vous voulez perseverer en ceste bonne volunté,
55 je sçay que nous devons faire. Nous prandrons et
assignerons ung jour en ceste ville bien accompaigné de mes amys et serviteurs, et [10] a certaine heure
vous rendrez en quelque lieu que me direz maintenant ou je vous trouveray seule. Vous monterez sur
60 mon cheval et vous mainray en mon chasteau ; et
puis, si nous povons appaiser monseigneur vostre
pere et madame vostre mere, nous procederons a la
consummacion de noz promesses. » La pucelle [11] dist
que c'estoit bien advisé, et qu'elle savoit comment s'i
65 povoit convenablement conduire. Si luy dist que tel
jour et telle heure venist en tel lieu ou il la trouveroit,
et puis feroit tout bien ainsi qu'il avoit advisé. Le
jour de l'assignacion vint : si comparut ce bon jeune
chevalier au lieu ou l'on luy avoit dit, et ou il trouva
70 sa dame, qui monta derriere luy sur [12] son cheval,
puis picquerent fort tant qu'ilz eurent eloigné la
place. Quand ilz se trouverent aucun petit eloignez,
ce [13] bon chevalier, craignant qu'il ne traveillast sa
treschiere amye, rompit son legier pas et fist espan-
75 dre tous ses gens par divers chemins pour veoir si
quelque ung les suyvoit, et chevauchoit a travers
champs sans tenir voies ne sentiers le plus doulcement et debonnairement qu'il povoit, et chargea a
ses gens qu'ilz se trouvassent ensemble tous a ung
80 gros village qu'il leur nomma, ou il avoit intencion
de repaistre. Ce village estoit assez estrange de la
voye commune des chevaucheurs et chemineurs. Et

---

[10] *V.* amis et a
[11] *V.* laquelle
[12] *V.* m. sur
[13] *V.* place ce

tant [14] chevaucherent les dits amans qu'ilz vindrent
seuletz au dit village, ou la feste generale se faisoit,
85 a laquelle y avoit gens de toutes sortes et grand
foison. Ilz [15] entrerent en la meilleur taverne de tout
le lieu, et incontinent demanderent a boire et a menger, car il estoit tard après disner. Et la pucelle
estoit tresfort traveillée. Ilz firent faire bon feu et
90 tresbien appoincter a menger pour les gens du dit
chevalier, qui n'estoient encores venuz. Gueres n'eurent esté en leur hostellerie que veez cy venir quatre
gros charruyers ou bouviers plus villains encores,
et [16] entrerent baudement en cest hostel, demandans
95 rigoureusement ou estoit la ribauldelle que ung
ruffien nagueres avoit amenée derriere luy sur ung
cheval, et qu'il failloit qu'ilz bussent avec elle et a
leur tour la gouverner. L'oste, qui estoit homme bien
cognoissant le dit chevalier, bien sachant que ainsi
100 n'estoit que les ribauldz disoient, leur respondit gracieusement que telle n'estoit elle qu'ilz cuidoient.
« Par cy, par la, dirent [17] ilz, si vous ne la nous
livrez incontinent, nous abattrons les huys et l'en-
merrons par force et malgré vous [18] deus. » Quand
105 le bon hoste entendit et cogneut leur rigueur, et que
sa doulce parolle [19] ne luy prouffitoit point, il leur
nomma le nom du chevalier, lequel estoit tresrenommé es marches, mais pou cogneu des gens, a

---

[14] *V.* e. et hors la commune v. des chemins et t.
[15] *V.* c. quilz v. au v. ou la dedicasse et generalle f. du
lieu se f. ... de grande facon / ilz
[16] *V.* g. loudiers charretiers ou b. par adventure encores
p. v. et
[17] *V.* P. la mort bieu d.
[18] *ms* voz
[19] *V.* response

l'occasion que tousjours avoit esté hors du païs,
110 acquerant honneur et renommée glorieuse es guerres
et voyages loingtains. Leur dist aussi que la femme
estoit une jeune pucelle parente au dit chevalier,
laquelle estoit née et yssue de grand maison et noble
parentage. « Helas ! messeigneurs, vous povez, dist il,
115 sans dangier de vous ne d'aultry, estaindre et passer
voz chaleurs desordonnées avecques pluseurs aultres
qui a l'occasion de la feste de ce village, sont venues
et arrivées, et pour aultre chose non que pour vous
et voz semblables. Pour Dieu, laissez en paix ceste
120 noble fille, et mectez devant voz yeulx les grands
dangiers ou vous boutez. Et ne soiez ja si presump-
tueux de cuider que le chevalier la vous laisse mener
sans la defendre. Pesez, pesez voz vouloirs desrai-
sonnables et le [20] grand mal que vous voulez com-
125 mettre a petite occasion. — Cessez vostre sermon,
dirent les loudiers, tous alumez du feu de concupiscence charnelle, et donnez nous voye que la puis-
sions avoir [21] ; aultrement vous ferons honte et
blasme, car en publicque ycy nous l'amerrons, et cha-
130 cun de nous quatre en fera son bon plaisir. » Les
parolles finées, le bon hoste monta en la chambre
ou le chevalier et la bonne pucelle estoient, puis
hucha a part le chevalier, a qui il compta la volunté
des quatre villains enragez. Lequel [22], quand il eut
135 tout bien et constamment entendu sans estre gueres
troublé, descendit, garny de son espée, parler aux
quatre ribaulx, leur demandant tresdoulcement quelle
chose il leur plaisoit. Et ainsi, rudes et mal-
sades qu'ilz estoient, respondirent qu'ilz vouloient

---

[20] *V.* boutez / pensez a vos voulers et le
[21] *V.* p. sans violence a.
[22] *V.* a qui les nouvelles compta leq.

140 avoir la ribauldelle qu'il tenoit fermée en sa chambre, et que, si doulcement ne leur bailloit, ilz luy
tolliroient et raviroient a son grand dommage.
« Beaulx seigneurs, dist le chevalier, si vous me
cognoissiez bien, vous ne me tiendriez pour tel qui
145 maine par les champs les femmes telles que vous
nommez ceste. Oncques ne feiz telle folie, la Dieu
mercy ; et quand la volunté me seroit telle, que Dieu
ne veille ! jamais ne la feroye es marches dont je suis,
et tous les miens. Ma noblesse et netteté de mon
150 courage ne pourroient souffrir que ainsi me gouver-
nasse. Ceste femme est une jeune pucelle, ma cousine prochaine, yssue de noble maison. Et je vois
pour esbatre et passer temps doulcement, la menant
avec moy, acompaigné de mes gens, lesquelx, jasoit
155 qu'ilz ne soient cy presens, toutesfoiz viendront ilz
tantost, et je les attens. Et ne soiez ja si abusez en
voz courages que je me repute si lasche que je la
laisse villanner ne souffrir luy faire injure tant ne
quant, mais la defendray aussi avant et aussi lon-
160 guement que la vigueur de mon corps pourra durer,
et jusques a la mort. » Avant que le chevalier eust
finé sa parolle, les villains plastriers luy intrerom-
pirent en nyant premier qu'il fust celuy qu'il avoit
nommé, pource qu'il estoit seul, et le dit chevalier
165 ne chevauchoit jamais qu'en grand compaignie de
gens. Pour quoy luy conseillerent qu'il baillast la
dicte femme, s'il estoit sage, aultrement luy tolliroient [23] par force, quelque chose qui s'en puist
ensuyr [24]. Helas ! quand le vaillant et courageux
170 chevalier perceut que doulceur n'avoit point lieu en
ses responses, et que rigueur et haulteur occupoient

---

23 *V.* roberoient
24 *V.* ensuivir

la place, il se ferma a son courage, et resolut que
les villains n'aroient ja joissance de la pucelle, ou
il y mourroit en la defendant. Pour faire fin, l'un
175 de ces quatre s'avança de ferir de son baston a l'huis
de la chambre, et les aultres le suyrent, qui furent
vaillamment reboutez du chevalier. Et ainsi se commença la bataille, qui dura assez longuement. Combien que les deux parties fussent dispareilles, ce bon
180 chevalier vaincquit et rebouta les quatre ribaulx, et,
ainsi qu'il les poursuyvoit chassant pour en estre au
dessus, l'un d'iceulx, qui avoit ung glaive, se vira
subit et le darda en l'estomac du chevalier et le per-
cha de part en part, du quel cop incontinent cheut
185 tout mort, dont ilz furent tresjoieux. Ce fait, l'oste
fut par eulx contraint de l'enfouir et mettre en terre
ou jardin ²⁵ de l'ostel, sans esclandre ne noise ; aultrement ilz le menassoient tuer. Quand le chevalier
fut mort, ilz vindrent hurter a la chambre ou estoit
190 la pucelle, a qui desplaisoit moult que son amoureux
tant demouroit, et bouterent l'huis oultre. Et si tost
qu'elle vit les bourgois ²⁶ entrer, elle jugea tantost
que le chevalier estoit mort, disant : « Helas ! ou est
ma garde ? ou est mon seul refuge ? Qu'est il
195 devenu ? Dont vient que ainsi me laisse seullette ? ²⁷ »
Les ribaulx, voyans qu'elle estoit ainsi troublée, la
cuiderent faulsement decevoir par doulces parolles,
en disant que le chevalier estoit en une maison, et
qu'il luy mandoit qu'elle y allast avec eulx, et que
200 plus seurement s'i pourroit garder ; mais riens n'en
voult croire, car le cueur tousjours luy jugeoit qu'ilz

---

²⁵ *V.* lenfouir ou j.
²⁶ *V.* brigans
²⁷ *V.* v. quainsi me blesse le cueur et qui me l. ycy s.

l'avoient tué et murdry. Et commença [28] a soy dementer et crier plus amerement que devant. « Qu'est cecy,
dirent ilz, que tu nous faiz estrange maniere ? Cuides
205 tu que nous ne te cognoissions ? Si tu as suspeçon
sur ton ruffien qu'il soit mort, tu n'es pas abusée.
Nous en avons delivré le païs. Pour quoy soies toute
asseurée que nous quatre arons chacun ta [29] compaignie. » Et, a ces motz, l'un d'eulx s'avance, qui
210 la prent le plus rudement du monde, disant qu'il aura
sa compaignie avant qu'elle luy eschappe, veille ne
daigne. Quand [30] la pouvre pucelle se voit ainsi
efforcée, et que la doulceur de son langage ne luy
portoit point de prouffit, leur dist : « Helas ! mes-
215 seigneurs, puis que vostre mauvaise volunté est ainsi
tournée, et que humble priere ne la peut adoulcir ne
ploier, au mains aiez en vous ceste honesteté que [31],
puis qu'il fault que a vous je soie abandonnée, ce soit
premierement [32] a l'un sans la presence de l'autre. »
220 Ilz luy accorderent, jasoit ce que tresenvys. Et puis
luy firent choisir pour eslire celuy d'eulx quatre qui
devoit demourer avec elle. L'un d'eulx, lequel elle
cuidoit estre le plus begnin et doulx de tous, elle
eleut ; mais de tous estoit il le pire. La chambre fut
225 fermée, et tantost après la bonne pucelle se gecta
aux piez du ribaulx, en luy faisant pluseurs piteuses
remonstrances, luy priant qu'il eust pitié d'elle. Mais
tousjours perseverant en malignité, dist qu'il feroit
sa volunté d'elle. Quand elle le vit si dur et obstiné,
230 et que sa priere tres humble ne vouloit exaulser, luy

---

[28] *V*. tue / si c.

[29] *V*. a. tous chascun lung apres lautre ta

[30] *V*. e. Quant

[31] *V*. h. de couraige q.

[32] *V*. priveement

dist : « Or ça, puis qu'il convient qu'il soit, je suis
contente ; mais je vous supply que cloiez les fenestres, affin que nous soyons plus secretement. » Il
l'accorda bien envys, et, tantdiz qu'il les cloyoit, la
235 pucelle sacqa ung petit cousteau qu'elle avoit pendu
a sa cincture, se [33] trencha la gorge et rendit l'ame.
Et quand le ribauld la vit couchée a terre morte, il
s'en fuyt avecques ses compaignons. Et est a supposer
qu'ilz ont esté puniz selon l'exigence du cas piteux.
240 Ainsi finirent leurs jours les deux loyaux amoureux
tantost l'un après l'autre, sans percevoir rien du
joieux plaisir ou ilz cuidoient ensemble vivre et durer
tout leur temps.

---

[33] *V.* saincture et en faisant ung trespiteux cry se

LA QUATRE VINGTS XIXe NOUVELLE,

PAR

L'ACTEUR. [1]

En la bonne, puissant et bien peuplée cité de Jan-
nes [2], puis certain temps en ça, demouroit ung gros
marchant plain et comblé de biens et de richesses,
duquel l'industrie et maniere de vivre estoit mener et
conduire grosses marchandises par la mer es estranges païs, et specialement en Alixandrie. Tant vacca
et entendit au gouvernement de navires, a entasser
thesaur et amonceler grandes richesses, que durant
tout le temps, jusques a l'eage de cinquante ans, qu'il
s'i adonna depuis sa grande [3] jeunesse, ne luy vint
volunté ne souvenance d'aultre chose faire. Et comme
il fut parvenu a l'eage dessus dicte, ainsi que une
foiz pensoit sur son estat, voyant qu'il avoit despendu tous ses jours et ans a rien aultre chose faire
que cuillir et accroistre [4] sa richesse, sans jamais
avoir eu ung seul moment ou minute de temps ouquel
sa nature luy eust donné inclinacion pour penser
ou induire a soy marier, affin d'avoir generacion qui
aux grans biens qu'il avoit a grand diligence et
grand [5] labour amassez et acquis luy succedast, et

---

[1] *Dans V., la centième, sans le nom de l'auteur*
[2] *V.* gennez
[3] *V.* tendre
[4] *V.* q. cuider a.
[5] *V.* d. veille et a g.

après luy les possedast, conceut en son courage une
25 aigre et trespoignant doleur ; et [luy] despleut a
merveilles que ainsi avoit exposé et despendu ses
jeunes jours. En celle aigre doleance et regretz
demoura aucuns jours, pendant lesquelx advint que
en la cité dessus nommée, les jeunes et petiz enfans,
30 après qu'ilz avoient solennizé aucune feste accoustumée entr'eulx par chacun an, habillez et desguisez
diversement et assez estrangement, les ungs d'une
maniere, les aultres d'aultre, se vindrent rendre en
grand nombre en ung lieu ou les publicques et
35 accoustumez esbatemens de la cité se faisoient communement, pour jouer en la presence de leurs peres,
meres et amys, affin ⁶ d'en rapporter gloire, renomée
et loange. A ceste assemblée comparut et se trouva
ce bon marchant, remply de fantasies et de souciz ;
40 et voyant les peres et les meres prendre grand plaisir
a veoir les enfans jouer et faire soupplesses et apertises, aggrava sa doleur que par avant avoit de soy
mesmes conceu. Et en ce point, sans les povoir plus
adviser ne regarder, triste et pensif ⁷ retourna en sa
45 maison, et seulet se rendit en sa chambre, ou il fut
aucun temps faisant complainte en ceste maniere :
« Ha ! pouvre maleureux veillart, tel que je suis et
tousjours ay esté, de qui la fortune et destinée sont
dures, ameres et malgoustables ! O chetif homme,
50 plus que tous aultres recreant et las, par les veilles,
peines, labours et ententes que tu as prins et porté
tant par mer que terre ! Ta grand richesse et tes
comblés thesors sont bien vains, lesquelx· soubz
perilleuses adventures, en peines dures et sueurs, as

---

⁶ *V.* p. et m. et aussi a.

⁷ *V.* marry

55 amassé et amoncelé, et pour lesquelx tout ton temps
as despendu et usé, sans avoir oncques une petite
et passant souvenance [8] de penser qui sera celuy
qui, toy mort et party de ce siecle, les possidera, et
a qui par loy humaine les devray laisser en memoire
60 de toy et de ton nom. Ha ! meschant courage, comment as tu mis en nonchalloir ce a quoy tu devois
donner entente singuliere ? Jamais ne t'a pleu
mariage ; fuy l'as tousjours, craint et refusé, mesmement hay et mesprisé les bons et justes conseilz
65 de ceulx qui t'y ont voulu joindre [9] affin que tu
eusses lignée qui perpetuast ton nom, ta loange et
renommée. O bienheureux sont les peres qui laissent
a leurs successeurs bons et sages enfans ! Combien
ay je aujourd'huy regardé et perceu de peres estans
70 aux jeuz de leurs enfans qui se diroient trescureux,
et jugeroient [10] tresbien avoir employé leurs ans si
après leur decés leur povoi[e]nt laisser une petite
partie des grans biens que je posside. Mais quel
plaisir, quel soulas puis je jamais avoir ? Quel nom,
75 quelle renommée auray je après la mort ? Ou est
maintenant le filz qui maintiendra et fera memoire de
moy, après mon trespas ? Beney soit ce saint mariage
par quoy la memoire et souvenance des peres est
entretenue, et dont leurs [11] possessions et heritages
80 ont par leurs doulx enfans eternelle permanence et
durée ! » Quand ce bon marchant eust longue espace
a soy mesmes argué, subit donna remede et solucion
a ses argumens, disant ces motz : « Or ça, il ne
m'est desormais mestier, obstant le nombre de mes

---

8 *V.* une p. espace ne s.
9 *V.* induire
10 *V.* ingeroient
11 *V.* tenus

85 ans, tourmenter ne troubler de doleurs, d'angoisses
ne de pensemens. Au fort, ce que j'ay fait par cy
devant prenne semblance et comparaison aux oisel-
letz qui font leurs nidz et preparent avant qu'ilz y
pondent leurs œufs. J'ay, la mercy Dieu, richesses
90 suffisantes pour moy, pour une femme et pour pluseurs enfans, s'il advient que j'en aye ; et ne suis
si ancien, ne tant desfourny de puissance naturelle,
que je ne doye soucier ne perdre esperance de non
povoir jamais avoir generation. Si me convient arres-
95 ter et donner toute entente, veiller et traveiller, advisant ou je trouveray femme propice et convenable
a moy. » Ainsi son long procés finant, wida hors de
sa chambre, et fist vers luy venir deux de ses bons
soichons, navieurs comme [12] luy, ausquelx il descou-
100 vrit son cas tout a plain, les priant tresaffectueusement qu'ilz luy voulsissent aider a querir et trouver
femme pour luy, qui estoit la chose du monde que
plus desiroit. Les deux marchans, entendu le bon
propos de leur compaignon, le priserent et loerent
105 beaucop, et prindrent la charge de faire toute diligence et inquisicion possible pour luy trouver femme.
Et tantdiz que la diligence et enqueste se faisoit,
nostre marchant, tant eschaudé [13] de marier que plus
ne povoit, faisoit de l'amoureux, cherchant par toute
110 la cité entre les plus belles la plus jeune, et d'aultres
ne tenoit compte. Tant chercha qu'il en trouva une
telle qu'il la demandoit ; car de honnestes parens
née, belle a merveilles, jeune de xv ans ou environ,
gente, doulce et tresbien adrecée estoit. Apres qu'il
115 eut cogneu les vertuz et doulces condicions d'elle, il
eut telle affection et desir qu'elle fust dame de ses

---

[12] *V.* ses compaignons mariniers c.
[13] *V.* eschauffe

biens par juste mariage, qu'il la demanda a ses
parens et amys ; lesquelx, après aucunes petites
difficultez qui gueres ne durerent, luy donnerent et
120 accorderent. Et en la mesme heure luy firent fiancer
et donner caution et seureté du doaire dont il la
vouloit doer. Et si ce bon marchant avoit prins grand
plaisir en sa marchandise, pendant le temps qu'il la
menoit, encores l'eut il plus grand quand il se vit
125 asseuré d'estre marié, et mesmement avec femme telle
que d'en povoir avoir beaulx et doulx enfans. La
feste et solennité des nopces fut honorablement en
grand sumptuosité faicte et celebrée ; la quelle feste
faillie, il, mectant en obly et nonchaloir sa premiere
130 maniere de vivre, c'est assavoir sur la mer, fist tresbonne chere et prenoit grand plaisir avec sa belle
et doulce femme. Mais le temps ne luy dura gueres
que saoul et tanné [14] en fut. Car la premiere année,
avant qu'elle fut expirée, print desplaisance de
135 demourer a l'ostel en oysiveté [15] et d'y tenir mesnage
en la maniere qu'il convient a ceulx qui y sont lyez,
se oda et tanna [16], ayant si grand regret a son aultre
mestier de navyeur [17] qu'il luy sembloit plus aisé et
legier a maintenir que celuy qu'il avoit si voluntiers
140 emprins [18] a gouverner. Nuyt et jour, [aultre chose]
ne faisoit que subtilier et penser [19] comment il se
pourroit en Alixandrie trouver en la façon qu'il avoit
accoustumé. Et luy sembloit bien qui n'estoit pas
seulement difficile de soy tenir de navier [20], non han-

---

14 *V.* ennuye
15 *V.* oysance
16 *V.* ennuya
17 *V.* marinier
18 *V.* entreprins
19 *ms* pensez
20 *V.* abstenir de mariner

145 ter la mer, et l'abandonner de tous poins, mais aussi
chose la plus impossible de ce monde. Et combien que
sa volunté fust plainement deliberée et resolue de
soy retraire et revenir²¹ a son dit premier mestier,
toutesfoiz le c[e]loit²² il a sa femme, doubtant
150 qu'el²³ ne le print a desplaisance. Avoit aussi une
crainte et doubte qui le destourboit et donnoit empeschement a executer son desir, car il cognoissoit la
jouvence²⁴ du courage de sa femme, et luy estoit bien
advis que, s'il se absentoit, elle ne se pourroit con-
155 tenir ; consyderoit aussi la muableté et variableté de
courage femenin, et mesmement que les jeunes
galans, luy present, estoient coustumiers de passer
souvent devant son huys pour la veoir, dont il sup-
posoit qu'en son absence ilz la pourroient de plus
160 pres visiter et par adventure tenir son lieu. Et comme
il eut esté par longue espace poinct et aguillonné de
ces difficultez et diverses ymaginacions, sans en sonner mot, et qu'il congneut qu'il avoit ja achevé et
passé la plus part de ses ans, il mist a nonchalloir
165 et femme et mariage, et tout le demourant qu'il affiert
au mesnage. Et aux argumens et disputacions qui
luy avoient troublé la teste donna brefve solucion,
disant en ceste maniere : « Il m'est trop plus convenable vivre que morir. Et si je ne laisse et aban-
170 donne mon mesnage en brefz jours, il est tout certain
que je ne puis longuement vivre ne durer. Lairray je
donc ceste belle et doulce femme ? Oy, je la lairray !
Elle ait doresenavant la cure et soing d'elle mesme,
s'il luy plaist, je n'en veil plus avoir la charge.

---

21 *V.* remettre
22 *ms* challoit
23 *ms* quil
24 *V.* jeunesse

175 Helas ! que feray je ? Quel deshonneur, quel desplaisir sera ce pour [moy] s'elle ne se contient et
garde chasteté ! Ho ! il me vault mieulx vivre que
morir pour prendre soing pour la garder ! Ja Dieu
ne veille que pour le ventre d'une femme je prende
180 si estroicte cure ne soing dont aultre loyer ne salaire
ne recevroye que [25] tourment de corps et de ame !
Ostez moy ces rigueurs et angoisses que pluseurs
suffrent pour demourer avec leurs femmes ! il n'est
chose en ce monde plus cruelle ne plus grevant les
185 personnes. Ja Dieu ne me laisse tant vivre que pour
quelque adventure qui en mon mariage puist sourdre,
je m'en courrousse ne monstre triste. Je veil avoir
maintenant liberté et franchise de faire tout ce qui
me vient a plaisir. » Quand ce bon marchant eut
190 donné fin a ses treslongues devises, il se trouva avec
ses compaignons navieurs [26], et leur dist qu'il vouloit
encores une foiz visiter Alixandrie et charger marchandises, comme aultresfoiz et souvent avoient fait
en sa compaignie ; mais il ne leur declara pas les
195 troubles qu'il prenoit a l'occasion de son mariage.
Ilz furent tantost d'accord et luy dirent qu'il se feist
prest au premier bon vent qui survendroit. Les navires et bateaulx furent chargez et preparez pour
partir et mis es lieux ou il failloit [attendre] [27] vent
200 propice et oportun pour navyer [28]. Ce bon marchant
doncques, [ferme] et tout arresté en son propos,
comme le jour precedent, se [29] trouva seul après souper avec sa femme en sa chambre. Il luy descouvrit

---

[25] *V.* soing sans avoir louyer ne s. et ne en recevoir q.
[26] *V.* mariniers
[27] *ms* attrempe
[28] *V.* naiger
[29] *V.* p. celui doncques qui se devoit **partir** se

son intencion et maniere de son prochain voyage ; et
205 faindant que tresjoyeux fust [30], luy dist ces parolles :
« Ma treschere espouse, que j'ayme mieulx que ma
vie, faictes, je vous requier, bonne chere, et vous
monstrez joyeuse ; et ne prenez ne desplaisance ne
tristece en ce que je vous veil declarer. J'ay proposé
210 de visiter, se c'est le plaisir de Dieu, une foiz encores
le païs d'Alixandrie, en la fasson que j'ay de long
temps accoustumé. Et me semble bien que n'en
devez estre marrye, actendu que vous cognoissez
que c'est ma maniere de vivre, mon art et mon
215 mestier, auquel moien j'ay acquis richesses, maisons,
nom, renommée, et trouvé grand nombre d'amys
et de familiarité. Les beaulx et riches vestements,
aneaulx, ornements, et toutes les aultres precieuses
bagues dont vous este parée et ornée plus que
220 nulle aultre de ceste cité, comme bien savez, ay
je achatez du gaing et avantage que j'ay fait en mes
marchandises. Ce voyage, doncques, ne vous doit
gueres ennuyer, et n'en prenez ja desconfort, car [31] le
retour en sera bref. Et je vous promectz que si a
225 ceste foiz, comme j'espere, la fortune me donne cur,
plus jamais n'y veil aller : je y prendré congé a ceste
foiz. Il convient doncques que prenez maintenant courage, bon et ferme. Car je vous laisse la disposicion,
administration et gouvernement de tous les biens que
230 je posside ; mais avant que je me parte, je vous veil
faire aucunes requestes. Pour la premiere, je vous
prie que soiez joyeuse, tantdiz que feray mon voyage,
et vivez plaisamment ; et si j'ay quelque pou d'ymaginacion que ainsi le facez, j'en chemineray plus lye-
235 ment. Pour la seconde, vous savez qu'entre nous deux

---

[30] *V.* et a celle fin **q. t. en f.**
[31] *V.* ennuyer **c.**

rien ne doit estre couvert ne celé. Car honneur, prouffit
et renommée doivent estre, comme je tien qu'ilz sont,
communs entre nous deux; et la loange et honneur de
l'un ne peut estre sans la gloire de l'autre, neant plus
240 que le deshonneur de l'un ne peut estre sans la honte de
tous deux. Or je veil bien que vous entendez que je ne
suis pas si desfourni ne despourveu de sens que je ne
pense bien comment je vous laisse jeune, belle, doulce,
fresche et tendre, sans solaz d'homme, et que de pluseurs
245 en mon absence serez desirée. Combien que je cuide fermement que avez maintenant necte pensée, courage
chaste [32] et honeste, toutesfoiz, quand je cognois quelx
sont vostre aage, beaulté, et l'inclinacion de la secrete
et mussée chaleur [33] en quoy vous abundez, il me sem-
250 ble pas possible qu'il ne vous faille, par pure necessité
et contrainte, ou temps de mon|absence avoir compagnie
d'homme, dont je ne suis, la Dieu mercy, en rien|troublé.
C'est [34] bien mon plaisir que vous vous accordez ad ce
ou vostre nature vous forcera et contraindra; car je
255 sçay qu'il ne vous est possible d'y resister. Veez [35] cy
doncques le point ou je vous veil tresaffectueusement
prier, c'est que gardez nostre mariage le plus longuement en son entiereté que vous pourrez. Intencion n'ay
ne volunté aucune de vous mettre en garde d'aultruy
260 pour vous contenir et demourer entiere; mais veil que de
vous mesmes aiez la cure et le soing et soiez gardienne.
Veritablement, il n'est si estroicte garde au monde
qui peust destourber n'empescher la femme oultre sa
volunté a faire son plaisir. Quand doncques vostre

---

32 *V.* haytie
33 *V.* v. a. et linclinacion de la s. c.
34 *V.* dont cest
35 *V.* contraindra. V.

265 chaleur naturelle vous aguillonnera et [poindra] ³⁶
par telle maniere que pour vous contenir aurez perdu
puissance, je ³⁷ vous prie, ma chere espouse, que a
l'execution de vostre desir vous vous conduisiez pru-
dentement et subtillement, et tellement ³⁸ qu'il n'en
270 puist estre publicque renommée ; et que si aultrement
le faictes, vous, moy et tous noz amys sommes infa·
mes et deshonorez. Si en fait doncques et par effect
vous ne povez garder chasteté, au mains mettez peine
de la garder tant qu'il touche fame et commune
275 renommée. Mais je vous veil apprendre et enseigner
la maniere que vous devrez tenir en celle matere,
s'elle survient. Vous savez qu'en ceste bonne cité a
foison de beaulx jeunes hommes. Entre eulx tous,
vous en choisirez ung seul, et vous en tiendrez con-
280 tente et assovye pour ³⁹ faire ce ou vostre nature vous
inclinera. Toutesfoiz, je veil que, a faire l'election et
le chois, vous aiez singulier regard qu'il ne soit
homme vague, deshonneste et pou vertueux ; car de
tel ne vous devez accointer, pour le grand peril qui
285 vous en pourroit sourdre. Car, sans nulle doubte, il
descouvreroit et publicqueroit a la volée vostre secret.
Rien n'est tenu couvert, clos ne celé par telz gens ne
leurs semblables. Doncques ⁴⁰, vous elirez celuy que
cognoistrez fermement estre sage et prudent, affin
290 que, si le meschief vous advient, il mecte aussi grand
peine a le celer comme vous ; de ceste article vous
requier je tresaffectueusement, et que me promectez
en bonne et ferme leaulté que garderez ceste lecçon et

---

36 *ms* prendra
37 *V.* poindra je
38 *V.* p. et t.
39 *V.* c. pour
40 *V.* secret d.

retiendrez. Si vous advise que ne me respondez sur
295 ceste matere en la forme et façon que soulent et ont
de coustume les aultres femmes, quand on leur parle
telz propos comme je vous dy maintenant. Je sçay
leurs responses et de quelz motz sçevent user, qui
sont telz ou semblables : « Hé ! mon mary, dont vous
300 vient ceste tristece, ce courage troublé ? Qui vous a
ainsi meu a ire ? Ou[41] avez vous chargé ceste opinion cruelle, plaine de tempeste ? Par quelle maniere
ne comment me pourroit advenir ung si abhominable
delict ? Nenny ! nenny ! ja Dieu ne veille que je vous
305 face telles promesses, a qui je prie qu'il permette la
terre ouvrir qui me englotisse et devore toute vive,
au jour et heure que je n'y pas commettray, mais
auray une seule et legiere pensée a la commettre... »
Ma chere espouse, je vous ay ouvert ces manieres de
310 respondre affin que vers moy n'en usez aucunement.
En bonne foy, je croy et tiens fermement que vous
avez pour ceste heure tresbon et entier propos, ou
quel je vous prie que demourez autant que vostre
nature en pourra souffrir. Et point n'entendez que je
315 veille que me promettez faire et entretenir ce que je
vous ay monstré et aprins, fors seulement ou cas
que ne pourriez donner resistence ne batailler contre
l'appetit de vostre fraile et doulce jouvence[24]. »
Quand ce bon mary[42] eut finé sa parolle, la belle,
320 doulce et debonaire sa femme, la face rosée, se print
a trembler quand deut donner responses aux requestes que son espoux luy avoit fait. Ne demoura gueres, toutesfoiz, que la rougeur s'evanuyt, et print
asseurance, en fermant et appuyant son courage de

---

[41] *V.* mary qui v. a meu a dire ou
[42] *V.* marchant

325 constance. Et en ceste maniere causa sa gracieuse
response, combien que voix tremblant la prononçast :
« Mon [43] doulx et tresamé mary, je vous asseure
qu'onques ne fuz si espoventée, si troublée et evanuye
de [44] mon entendement, que j'ay esté presentement de
330 voz parolles, quand elles m'ont donné la cognoissance de ce qu'oncques je n'oiz ne aprins, voirement
qu'oncques n'euz telle presumption que d'y penser.
Et aultre opinion ou supposition ne puis de vous
avoir fors que me querez et contendez traveiller et
335 tenter ; car vous cognoissez [45] ma simplesse, jeunesse et innocence, qui est pour vous, ce me semble,
non pas moien delict, mais tres grand. Certainement [46] il n'est point possible a mon eage de faire ou
pourpenser ung tel meschef ou defaulte. Vous m'avez
340 dit que vous estes seur et savez vraiment que, vous
absent, je ne me pourroye contenir ne garder l'entiereté de nostre mariage. Ceste parolle me tourmente
fort le courage, et me fait trembler toute, et ne sçay
quelle chose je doye maintenant dire, respondre, ne
345 proposer a voz raisons ; ainsi m'avez tollu et privé
l'usage de parler. Je vous diray toutesfoiz ung mot
qui viendra de la profondesse de mon cueur, et en
telle maniere qu'il gist widera il de ma bouche. Je
requier treshumblement a Dieu et a joinctes mains
350 luy prie qu'il face et commende ung abysme ouvrir
ou je soye jectée, les membres tous erachez, et tor-
mentée de mort cruelle, si jamais le jour vient ou
je doye non seullement commectre desloyauté en
nostre mariage, mais sans plus en avoir une breve

---

[43] *V.* response. Mon
[44] *V.* t. de
[45] *V.* aprins ne pense / vous c.
[46] *V.* innocence / certainement

355 pensée de le commettre ; et comment ne par quelle
maniere ung tel delict me pourroit advenir, je ne le
sçaroye entendre. Et pource que m'avez forclos et
seclus de telles manieres de respondre, disant que les
femmes sont coustumieres d'en user pour trouver
360 leurs eschappatoires et alibiz forains, affin de vous
faire plaisir et donner repos a vostre ymaginacion,
et que voiez que a voz commendemens je suis preste
d'obeir, garder et maintenir, je vous promectz de
ceste heure, de courage ferme, arresté et estable opi-
365 nion, d'actendre le jour de vostre revenue en vraie,
pure et entiere chasteté de mon corps ; et si, que
Dieu ne veille, il m'advient le contraire, tenez vous
tout asseur, et je le vous promectz, je tiendray la
regle et doctrine que m'avez donnée en tout ce que
370 je feray, sans la trespasser aucunement. S'il y a
aultre chose dont vostre courage soit chargé, je vous
prie, descouvrez tout et me commendez faire et
accomplir vostre bon desir ; aultre rien ne desire que
de conjoindre noz deux vouloirs en ung, et de faire
375 le vostre, non [47] pas le mien. » Nostre marchant, oye
la response de sa femme, fut tant joyeux qu'il ne se
povoit contenir de plorer, disant : « Ma chere
espouse, puisque vostre doulce bonté m'a voulu faire
la promesse que j'ay requis, je vous prie que l'en-
380 tretenez. » Le lendemain bien matin, le bon marchant
fut mandé de ses compaignons pour entrer en la
mer. Si print congé de sa femme, et elle le commenda
en la garde de Dieu, puis monta en la mer. Lors se
misrent a cheminer et navyer [48] vers Alixandrie, ou
385 ilz pervindrent en brefs jours, tant leur fut le vent
propice et convenable ; ou quel lieu s'arresterent

---

[47] *V.* desire non p.
[48] *V.* nager

longue espace de temps, tant pour delivrer leurs
marchandises que pour en charger de nouvelles. Pendant et durant lequel temps, la tresgente et gracieuse
390 damoiselle dont j'ai parlé demoura garde de l'ostel,
et pour toute compaignie n'avoit que une petite jeune
fillette qui la servoit. Et, comme j'ay dit, ceste belle
damoiselle n'avoit que xv ans, pour quoy, si aucune
faulte luy advint, il semble qu'on ne [49] le doit pas
395 tant imputer a malice comme a la fragilité de son
jeune eage. Comme doncques le marchant eut ja pluseurs jours esté absent des doulx yeulx d'elie, pou
a pou il fut mys en obly. Et pour ce que sa doulceur,
beaulté et gracieuseté singuliers estoient cogneues
400 par toute la cité de long temps, si [50] tost que les
jeunes gens sceurent du departement de son mary,
ilz la vindrent visiter, laquelle au premier ne vouloit
wider sa maison ne soy monstrer. Mais toutesfoiz,
par force de continuacion et frequentacion quoti-
405 diane, pour le grand plaisir qu'elle print aux doulx et
melodieux chans et armonie d'instrumens dont l'on
jouoit a son huys, elle s'avança de venir veoir et
regarder par les crevasses des fenestres et secretz
treilliz d'icelles, par lesquelles povoit tresbien veoir
410 ceulx qui l'eussent plus voluntiers veue. En escou-
tant les chansons et dances, prenoit a la foiz si
grand plaisir que amours emouvoit son courage tellement que chaleur naturelle souvent l'induisoit a
briser sa continence. Tant souvent fut visitée en la
415 maniere dessus dicte, qu'en la fin sa concupiscence
et desir charnel la vaincquirent, et fut du dart amoureux bien avant touchée. Et comme elle pensast sou-

---

49 *V*. f. fist on ne
50 *V*. oubly si

vent comment elle avoit, si a elle ne tenoit, si bonne
habitude et opportunité de temps et de lieu, car nul
420 ne la gardoit, nul ne luy donnoit empeschement pour
mectre a execution son desir, conclut et dist que son
mary estoit tressaige quand si bien luy avoit acertené
que garder ne se pourroit en continence et chasteté,
de qui toutesfoiz elle vouloit garder et tenir la doc-
425 trine, et avecques ce la promesse que faicte luy avoit.
« Or me convient il, dist elle, user du conseil de mon
mary ; en quoy faisant, je ne puis encourir crime
aucun ne deshonneur [51], puis qu'il m'en a baillé la
licence, mais que je n'excede [52] les termes de la
430 promesse que j'ay fait. Il m'est advis et il est vray
qu'il me chargea, quand le cas adviendroit que rompre me conviendroit ma chasteté, [que] je eleusse
homme qui fust sage, bien renommé et de grand
vertu, et non aultre. En bonne foy, ainsi feray je,
435 mais que je puisse en non trespasser le conseil de
mon mary il me suffist largement. Et je tiens qu'il
n'entendoit point que l'homme deust estre ancien,
ains, comme il me semble, qu'il fust jeune, ayant
autant de renommée en clergie et science que ung
440 veil ; telle fut la lecçon, ce m'est advis. » Es mesmes
jours que se faisoient ces argumentacions pour la
partie de nostre belle damoiselle, et qu'elle queroit
ung sage jeune homme pour luy refroidir les
entrailles, ung tressage jeune clerc arriva de son eur
445 en la cité, qui venoit freschement de l'université de
Bouloigne la crasse, ou il avoit esté plusieurs ans

---

51 *V*. e. a d.
52 *V*. je ne ysse
53 *V*. renommee par les magistraux de la c. et avec eulx
    assistoit c. Il
54 *V*. avoit c. daler

sans retourner. Tant avoit vacqué et donné son
entente a l'estude, que en tout le païs n'y avoit clerc
de plus grand renommée ; tous les magistratz et
450 gouverneurs de la cité luy assistoient continuellement,
et avecques aultres gens que grans clercs ne se trouvoit. Il [53] avoit de coustumes depuis sa venue, et
jamais ne failloit, d'aller [54] chacun jour sur le marché, a l'ostel de la ville ; et au lieu ou le parlement
455 se faisoit, pour plaider les causes de pluseurs se
rendoit. Or estoit sa droicte voye de son ostel au dit
marché la rue ou la maison de celle damoiselle estoit
située et assise ; et jamais [55] ne povoit passer que par
devant l'huys d'icelle maison, puis qu'il prenoit son
460 chemin par ladicte rue. Il n'y avoit point passé que
cent foiz qu'il fut choisy et noté, et pleut tresbien sa
doulce maniere et gravité a la damoiselle. Et combien [56] qu'elle ne l'eust oncques veu exercer les faiz
de [57] clergie, toutesfoiz jugea elle tantost qu'il estoit
465 tresgrand clerc, mesmement qu'elle l'oyoit priser et
renommer pour le plus sage de toute la cité. Ausquelz [58] moyens elle le commença a desirer et ficha
tout son amour en luy, disant qu'il seroit celuy, si a
luy ne tenoit, qui luy feroit garder la [59] lecçon de son
470 mary ; mais par quelle façon elle luy pourroit monstrer son grand et ardent amour et ouvrir le secret
desir de son courage, elle ne savoit, dont elle estoit
tresdesplaisante. Elle s'advisa neantmains que, pource
que chacun jour il ne failloit point de passer devant

---

[55] *V.* de la ville et j.
[56] *V.* devant la maison de ladicte damoiselle a laquelle
pleut t. sa d. m. et c.
[57] *V.* e. loffice de
[58] *V.* clerc aulx quelz
[59] *V.* elle ficha t. s. a. en lui d. quil garderoit la

475 son huys, allant au marché, elle se mectroit au perron, parée le plus gentement qu'elle pourroit, affin
que au passer, quand il jecteroit son regard sur sa
beaulté, il la convoitast et requist de ce dont on ne
luy feroit refus. Pluseurs foiz la damoiselle se mons-
480 tra, combien que ce ne fust au paravant sa coustume.
Et jasoit ce que tresplaisante fust et telle pour qui
ung jeune courage devoit tantost estre .esprins et
alumé d'amours, toutesfoiz le sage clerc jamais ne
l'apperceut, car il marchoit si gracieusement qu'il ne
485 jectoit sa veue ne ça ne la. Et par ce moien la bonne
damoiselle ne prouffita rien en la façon qu'elle avoit
pourpensé et advisé. S'elle fut dolente et desplaisant[e], ja n'est mestier d'en faire enqueste ; et plus
pensoit a son clerc, et plus alumoit et esprenoit son
490 feu. A fin de piece, après ung tas d'ymaginacions que
pour abreger je passe, conclut [60] et determina d'envoier sa petite meschinette devers luy. Si la hucha et
commenda qu'elle s'en allast demander la maison
d'un tel, c'est assavoir de ce grand clerc ; et quand
495 elle l'aroit trouvé, ou qu'il fust, luy deist que le plus
en haste qu'il pourroit venist a l'hostel d'une telle
damoiselle, espouse d'un tel ; et que s'il demandoit
quelle chose il plairoit a la damoiselle, elle luy respondist que rien n'en savoit, mais tant seulement
500 qu'elle luy avoit dit qu'il estoit grand necessité qu'il
venist. La fillette mist en sa memoire les motz de sa
charge, et se partit pour querir celuy qu'elle trouva.
Ne demoura gueres que l'on luy enseigna la maison
ou il mengeoit au disner, en une grande compaignie
505 de ses amys et aultres gens de grand façon. Ceste
fillette entra ens, et saluant la compaignie s'adressa

---

60 *V*. p. les reciter c.

au clerc qu'elle queroit ; et [61] oyans tous ceulx de la
table, luy fist son message bien et sagement, ainsi
que sa charge le portoit. Le bon seigneur, qui
510 cognoissoit de sa jeunesse le marchant dont la fillette
luy parloit, et sa maison, mais [62] ignorant qu'il fust
marié ne qui fust sa femme, pensa tantost que, pour
l'absence du dit marchant, sa dicte femme le demandoit pour estre conseillée en aucune grosse cause,
515 comme elle vouloit ; mais ainsi ne l'entendoit il
comme elle. Il respondit a la [63] fillette : « M'amye,
allez dire a vostre maistresse que incontinent nostre
disner sera achevé, je iray vers elle. » La messagiere
fist la responce telle qu'il failloit et qu'on luy avoit
520 dit [64] ; et Dieu scet s'elle fut joyeusement recuillie
de la marchande qui, pour la grand joye et ardent
desir qu'elle avoit [65] de tenir son clerc en sa maison,
trembloit et ne savoit tenir maniere. Elle fist baloiz
courre par tout, espandre la belle herbe vert [66] par-
525 tout en sa chambre, couvrir le lit et la couchette,
desploier riches couvertes, tappiz et courtines ; et se
para et attourna des meilleurs attours et plus precieux qu'elle eust. En ce point l'attendit aucun petit
de temps, qui luy sembla long a merveilles, pour le
530 grand desir qu'elle avoit. Tant fut desiré et actendu

---

[61] *V.* au c. lequel elle demandoit et
[62] *V.* maison aussi bien que la sienne m.
[63] *V.* vouloit car ledit clerc scavoit bien que le bon mary
estoit dehors / et nentendoit point la cautelle ainsy
comme elle-toutesfois il dist a la
[64] *V.* encharge
[65] *V.* d. scait comme elle fut receue de sa maistresse quant
elle entendit les nouvelles que le clerc son amy par
amours devoit venir / elle estoit la plus joyeuse quon-
cques fut femme et pour la g. j. que elle a.
[66] *V.* b. verdure

qu'il vint ; et ainsi que elle l'appercevoit venir de
loing, montoit et descendoit de sa chambre, alloit et
venoit maintenant cy, maintenant la, tant estoit
esmeue qu'il sembloit qu'elle fust ravye de son sens.
535 En fin monta en sa chambre, et illec prepara et
ordonna les bagues et joyaulx qu'elle avoit attains
et mis dehors pour festoier et recevoir son amoureux. Si fist demourer en bas la fillette chambriere
pour l'introduire et le mener ou estoit sa maistresse.
540 Quand il arriva, la fillette le receut gracieusement, le
mist ens et ferma l'huys, laissant [tous] ses serviteurs dehors, auxquelx fut dit qu'ilz attendissent illec
leur maistre. La damoiselle, oyant son amoureux
arrivé, ne se peut tenir de venir en bas a l'encontre
545 de luy, qu'elle salua doulcement, le print par la main
et le mena en la chambre qui luy estoit appareillée,
et ou il fut bien esbahy quand il s'i trouva, tant pour
la diversité des paremens, belles et precieuses ordonnances qui y estoient, comme aussi pour la tresgrand
550 beaulté de celle qui le menoit. Si tost qu'il fut en la
chambre, elle se seyt sur une scabelle, auprès de la
couchette, puis le fist seoir sur une aultre joignant
d'elle, ou ilz furent aucune espace tous deux sans
dire mot. Car chascun actendoit la parolle de son
555 compaignon, l'un en une maniere, l'autre en l'autre ;
car le clerc cuidoit que elle luy deust ouvrir quelque
matiere grosse et difficile, et la vouloit laisser commencer ; et elle, d'aultre costé, pensant qu'il fust si
sage que, sans luy declarer ne monstrer plus avant, il
560 deust entendre pour quoy elle l'avoit mandé. Quand
elle voit que maniere ne faisoit pour parler, elle commença et dist : « Mon treschier amy et tressage
homme, je vous diray presentement pour quoy et la
cause qui m'a meue a vous mander. Je cuide bien
565 vous avez bonne cognoissance et familiarité avec

mon mary ; en l'estat que vous me voiez icy m'a il
laissée et abandonnée pour mener [67] a marchandise
es parties d'Alixandrie, ainsi qu'il a de long temps
accoustumé. Avant son partement me dist que quand
570 il seroit absent, il se tenoit tout seur que ma nature
me contraindroit a briser ma [68] continence, et que
par necessité me conviendroit a converser avec
homme. En [69] bonne foy, je le repute tressage homme.
Car de ce qu'il me sembloit adonc impossible advenir,
575 j'en voy l'experience veritable, car ma jeune aage,
ma beaulté, mes tendres ans, ne pevent souffrir que
le temps despende et consume ainsi mes jours en
vain ; ma nature aussi ne se pourroit contenter. Et
affin que vous entendez a plain, mon sage et bien
590 advisé mary, qui avoit regard a mon cas, quand il se
partit, en plus grand diligence que moy mesmes,
voyant que comme le[s] jeunes et tendres florettes se
sechent et amatissent quand aucun petit accident leur
survient, contre l'ordonnance et inclinacion naturelle,
595 par telle maniere consyderoit il ce qui m'estoit a
advenir. Et voyant clerement que si ma complexion
et condicion n'estoient gouvernées selon l'exigence de
leurs naturelz principes, gueres ne luy pourroye
durer, si me fist jurer et promectre que quand nature
600 me forceroit a rompre et briser mon entiereté, je
eleusse homme sage et de haulte auctorité, qui couvert et subtil fust a garder nostre secret. Ainsi est il
que en toute la cité je n'ay sceu penser homme qui
soit plus ydoine que vous, car vous estes jeune et
605 sage. Or m'est il advis que ne me refuserez pas ne

---

[67] *V*. p. aler sur la mer et m.
[68] *V*. n. et fragilite me c. a rompre et b.
[69] *V*. homme affin destaindre la chaleur qui en moy devoit
venir apres son partement. En

rebouterez. Vous voiez quelle je suis, et povez l'absence de mon bon mary supplier, car [70] nul n'en sara parler : le lieu, le temps, toute opportunité nous favorisent. » Le bon seigneur, prevenu et anticipé, fut
610 tout esbahy en son courage, combien [71] que semblant n'en feist. Il print la main dextre a la damoiselle, et de joyeux viaire et plaisant chere dist ces parolles .
« Je doy bien donner et rendre graces infinies a madame Fortune, qui aujourd'huy me donne tant
615 d'eur et me fait percevoir le fruit du plus grand desir que je povoie au monde avoir ; jamais infortuné ne me veil reputer ne clamer quand en elle trouve si large bonté. Je puis seurement dire que aujourd'huy je suis le plus eureux de tous les aultres. Car quand
620 je conçoy en moy, ma tresbelle et doulce amye, comment ensemble passerons noz jeunes jours joyeusement sans que personne s'en puist donner garde, je senglotiz [72] de joye. Ou est maintenant l'homme qui est plus amy de Fortune que moy ? Si ne fust une
625 [seule] chose qui me donne ung petit et legier empeschement a mectre a execucion ce dont la dilacion aigrement me poise, je seroie le plus et mieulx fortuné de ce monde. » Quand [73] la damoiselle oyt [74] qu'il y avoit aucun empeschement qui ne luy laissoit
630 desployer ses armes, elle tresdolente luy pria qu'il le declarast, pour y remedier s'elle povoit. « L'empeschement, dit il, n'est si gref ne si grand qu'en peu

---

70 *V*. s. et son lieu tenir voire maintenant se cest vostre bon plaisir c.
71 *V*. c. de ce que la bonne dame dist c.
72 *V*. senglantis
73 *V*. m. et me desplaist souverainement que je ne le puis amender. Q.
74 *V*. d. qui a nul mal ny pensoit o.

de temps n'en soie delivré ; et, puisqu'il plaist a
vostre doulceur le savoir, je le vous diray. Ou temps
635 que j'estoye a l'estude en l'université de Bouloigne la
crasse[75], le peuple de la cité fut seduict et meu tellement que par mutemacque se leva encontre le seigneur. Si fuz accusé avec les aultres, mes compaignons, d'avoir esté cause et moyen de la sedicion,
640 pour[76] quoy je fuz mis en prison estroicte ; ou quel
lieu, quant je m'y trouvay, craignant perdre la vie,
pource que je me sentoye innocent du cas, je me
donnay et voué a Dieu, luy promettant que, s'il me
delivroit des prisons et rendoit icy entre mes parens
645 et amys, je jeuneroye pour l'amour et honneur de
luy ung an entier, chacun jour en pain et eaue, et
durant ceste abstinence ne feroye peché de mon
corps. Or ay je par son aide fait la pluspart de
l'année, et ne m'en reste gueres. Je vous prie et
650 requier toutesfoiz, puis que vostre plaisir a esté moy
elire pour vostre, que ne me changez pour autre ; et
ne vous veille ennuyer le petit delay que je vous
demanderay pour paraccomplir mon abstinence, qui
sera bref faicte, et qui pieça eust esté faicte se je
655 m'eusse osé fier en aultry qui m'en eust peu donner
aide, car je suis quicte de chacun jeune que ung
aultre feroit pour moy comme se je le faisoye. Et
pource que je perçoy vostre grand amour et confiance
que vous avez fiché en moy, je mettray, s'il vous
660 plaist, la fiance en vous que jamais n'ay osé en
freres, parens ne amys que j'aye, mectre, doubtant
que faulte ne me feissent touchant le jeune ; et vous
prieray que m'aidez a jeuner une partie des jours

---

[75] *V.* grasse
[76] *V.* de la seduction et de mutematherie p.

qui restent a l'accomplissement de mon an, affin que
665 plus bref je vous puisse secourir en la gracieuse
requeste que m'avez faicte. M'amye doulce et entiere,
je n'ay mais que soixante jours, lesquelx, si c'est
vostre plaisir, je partiray en deux parties. Vous en
aurez l'une, et moy l'autre, par telle condicion que
670 sans fraude me promettrez m'en acquiter et justement ; et quant ilz seront accompliz, nous passerons
plaisamment noz jours. Doncques, si vous avez la
volunté de moy aider en la maniere que j'ay dit,
dictes le moy maintenant. » Il est a supposer que la
675 grande et longue espace du temps ne luy pleut
gueres ; mais, pource qu'elle estoit si doulcement
requise et qu'elle desiroit le jeune estre parfaict et
finé, pensant [77] aussi que trente jours n'arresteroient
gueres, elle promist de les faire sans fraude ne mal [78]
680 engin. Le bon seigneur, voyant qu'il avoit gaigné sa
cause, print congié de la damoiselle, luy [79] disant
que, puis que sa voye estoit, en venant de sa maison
au marché, de passer devant son huys, il la viendroit
souvent visiter. Ainsi se partit. Et la belle dame com-
685 mença le lendemain a faire son abstinence, en prenant regle et ordonnance que durant le temps de
son jeune ne mengeroit son pain et eaue jusques
après soleil couché [80]. Quand elle eut jeuné trois
jours, le sage clerc, ainsi qu'il alloit au marché a
690 l'heure qu'il avoit accoustumé, vint veoir sa dame, a

---

[77] *V.* la jeusne estre parfaicte et accomplie affin quelle
peust accomplir ses vouloirs et desirs avec son amoureux p.

[78] *V.* f. et accomplir s. f. ne sans decepcion ou m.

[79] *V.* cause et que ses besoignes se portoient bien p. c. de
la bonne d. qui ny pensoit nul mal l.

[80] *V.* recousce

qui se devisa longuement ; puis, au dire adieu, lui
demanda si le jeune estoit encommencé ; et elle respondit oy. « Entretenez vous aussi, dit il, et gardez
la promesse que m'avez faicte. — Tout entierement,
695 dit elle ; ne vous en doubtez. » Il print congé et se
partit. Et elle, poursuyvant de jour en jour en son
jeune, gardoit observance en la façon que promis
l'avoit, tant estoit loyale et de bonne nature. Elle
n'avoit pas jeuné huit jours que sa chaleur natu-
700 relle commença fort a refroider, et tellement que
force luy fut de changer habillemens, car les mieulx
fourrées et empanées, qui ne servoient qu'en yver,
vindrent servir au lieu des sangles et tendres qu'elle
portoit avant l'abstinence entreprinse. Au xv° jour
705 fut arriere visitée de son amoureux le clerc, qui la
trouva si foible que a grand peine povoit elle aller
par la maison. Et la bonne simplette ne se savoit
donner garde de la tromperie, tant s'estoit donnée a
amours et mis [81] son entente a appercevoir par tel
710 jeune le joyeux et plaisant delict qu'elle [82] attendoit
seurement avoir avec son grand clerc, lequel, quand
a l'entrer en la maison la vit ainsi foible, luy dist :
« Quel viaire est ce la et comment marchez vous ?
Maintenant j'apperçoy que avez besoigné a l'absti-
715 nence, et comment [83]. Ma tresdoulce et seule amye,
aiez ferme et constant courage ; nous avons aujour-
d'huy achevé la moitié de nostre jeune. Si vostre
nature est foible, vaincquez la par roiddeur et constance de cueur, et ne rompez vostre loyale pro-
720 messe. » Il l'ammonesta si doulcement qu'il luy fist

---

[81] *V.* sestoit abandonnee a a. et parfaictement m.
[82] *V.* e. a perseverer a celle j. et pour les joyeux et plaisans deliz quelle
[83] *V.* japercoy que faictes la[b]stinencç a regret et c.

prendre courage par telle façon qu'il luy sembloit
bien que les aultres xv jours qui restoient ne luy
dureroient gueres. Le xxv° [84] vint, auquel la simplette
avoit perduc toute coleur et sembloit a demy morte,
725 et ne luy estoit plus le desir si grand qu'il avoit esté.
Il luy convint prendre le lict et y continuellement
demourer, ou elle se donna aucunement garde que
son clerc luy faisoit faire l'abstinence pour chastier
son desir charnel. Si jugea que maniere et façon de
730 faire estoient sagement advisées, et ne povoient venir
que d'homme bien sage. Toutesfoiz, ce ne la demeut
point ne destourna [85] qu'elle ne fust deliberée et arres-
tée d'entretenir sa promesse. Au penultime jour, elle
envoya querir son clerc, qui, quand il la vit couchée
735 au lict, demanda si pour ung seul jour qui restoit
avoit perdu courage ; et elle, interrumpent sa parolle,
luy respondit : « Ha ! mon bon amy, vous m'avez
parfaitement et de bonne [86] amour amée, non pas
deshonnestement, comme j'avoie presumée de vous
740 amer. Pour quoy je vous tien et tiendray, tant que
Dieu me donnera vie, mon [87] treschier et tressingulier
amy, qui avez gardé et moy aprins et enseigné a
garder mon [88] entiere chasteté et ma chaste entiereté,
l'onneur et la bonne renommée de moy, mon mary,
745 mes parens et amys. Beneist soit mon cher espoux,
de qui j'ay gardé et entretenu la leçon qui donne
grand appaisement a mon cueur ! Or ça, mon vray
amy, je vous rends telles graces et remercie comme
je puis du grand honneur et bien que m'avez faiz,

---

84 *V.* vingtiesme
85 *V.* descouvrit
86 *V.* lealle
87 *V.* vie et a vous aussi pareillement m.
88 *V.* aprins m.

750 pour lesquelx je ne vous saroie rendre ne donner
suffisantes graces, non feroit mon mary, mes parens,
ne tous [89] mes amys. » Le bon et sage seigneur,
voyant son entreprinse estre bien achevée, print
congé de la bonne damoiselle, et doulcement l'amon-
755 nesta qu'il luy sourvint desoremais de chastier sa
nature par abstinence, et toutes les foiz qu'elle s'en
sentiroit aguillonnée. Par le quel moien elle demoura
entiere jusques au retour de son mary, qui ne sceut
rien de l'adventure, car elle luy cela ; si fist le clerc
760 pareillement.

---

[89] *V. g.* non **feroient** t.

LA Cᵉ ET DERNIERE NOUVELLE,

PAR

PHELIPE DE LOAN. [1]

S'il vous plaist, vous orrez, avant qu'il soit plus tard,
5 tout a ceste heure ma petite ratelée et compte abregé
d'un vaillant evesque d'Espaigne, qui pour aucuns
afferes du [2] roy de Castille, son maistre, ou temps
de ceste histoire, s'en alloit en court de Romme. Ce
vaillant prelat, dont j'entens fournir ceste derreniere
10 nouvelle [3], vint ung soir en une petite villette de Lom-
bardie. Et luy estant arrivé par ung vendredy assez
de bonne heure, vers le soir, ordonna son maistre
d'ostel le faire souper de bonne heure, et le tenir le
plus aise que faire se pourroit, de ce dont on pourroit
15 recouvrer en la ville ; car la mercy Dieu, quoyqu'il
fust et gros et gras, et ne se donnoit du travail que
bien a point, si [4] n'en jeunoit il journée. Son maistre
d'ostel, pour luy obeir, s'en alla au marché, et par
touts les poissonniers de la ville pour trouver du
20 poisson. Mais· pour faire le compte bref, il n'en peut
oncques recouvrer d'un seul loppin, quelque diligence
que luy et son hoste en sceussent faire. D'adventure,

---

[1] *V. anonyme, et la 99ᵉ nouvelle.*
[2] *V.* e. de castillie despaindray q. p. aucun affaire du
[3] *V.* ceste n.
[4] *V.* gras et en bon point et ne se donnast de mauvais
temps que bien a point et sobrement si

eulx s'en retournans a l'ostel sans poisson, trouverent
ung bon homme des champs qui avoit deux bonnes
25 perdriz et ne demandoit que marchant. Si s'en pensa
le maistre d'ostel que s'il en povoit avoir bon compte,
elles ne luy eschapperoient pas, et que bonnes
seroient pour dimenche, et que son maistre en feroit
grand feste. Si les acheta et en eut bon pris. Il vint
30 vers son maistre ses deux perdriz en sa main, toutes
vives, grasses, et bien refaictes, et luy compta
l'eclipse du poisson qui estoit en la ville, dont il
n'estoit pas trop joyeulx. Et luy dist : « Et que pourrons nous souper ? — Monseigneur, respondit il, je
35 vous feray faire des œufs en plus de cent mille
manieres ; vous aurés aussi des pommes et des poires. Nostre hoste a aussi de bon fourmaige, et bien
gras : nous vous tiendrons bien aise. Ayez patience
pour meshuy : ung soupper est tantost passé ; vous
40 serez demain plus aise, se Dieu plaist. Nous yrons
en la ville, qui est trop mieulx empoissonnée que
ceste cy ; et dimanche vous ne povez faillir de estre
bien diné, car vecy deux perdrix que j'ay pourveu,
qui sont a bon escient bonnes et bien nourries. » Ce
45 maistre evesque se fist bailler ces perdrix, et les
trouva telles qu'elles estoient, bonnes a bon escient ;
si se pensa que elles tiendroient a souper la place
du poisson qu'il cuidoit avoir, dont il n'avoit point ;
car il n'en peut oncques trouver. Si les fist tuer et
50 bien en haste plumer, larder et mettre en broche.
Lors le maistre d'ostel, voyant qu'il les vouloit rostir,
fust esbahy et dist a son maistre : « Monseigneur [5],
elles sont bonnes tuées, mais les rostir maïntenant

---

[5] *V.* broche quelque chose que son maistre dostel sceust
dire ne remonstrer trop bien disoit il. M.

pour le dimanche, il ne me semble pas bon. » Ledit
55 maistre d'ostel perdoit son temps, car, quelque chose
chose qu'il sceut remonstrer, si ne[6] le voulut il
croire ; car elles furent mises en broche et rosties.
Le bon prestre[7] estoit la plupart du temps qu'elles
mirent a cuire tousjours present, dont son maistre
60 d'ostel ne se sçavoit assés esbahir, et ne sçavoit pas
bien l'appetit desordonné de son maistre qu'il eust
a ceste heure de devorer ces perdrix, ainçoys cuidoit
qu'il le fist pour dimanche les avoir plus prestes au
disner. Lors les fist ainsy habiller ; et quant elles
65 furent prestes et rosties, la table couverte et le vin
apporté, oœufs en diverses façons habillez et mis a
point, si s'assit le prelat, et le *benedicite* dist,
demanda lesdites perdriz avec de la moutarde[8]. Son
maistre d'ostel, desirant savoir que son maistre vou-
70 loit faire de ces perdriz, si les luy mist devant luy
toutes venantes de la broche, [rendantes][9] une fumée
aromatique assez pour faire venir l'eaue a la bouche
d'ung friant. Et bon evesque d'assaillir ces perdrix et
desmembrer d'entrée la meilleure qui y fust ; et com-
75 mença a trencher et menger, car tant avoit haste que
oncques ne donna loisir a son escuyer, qui devant luy
trenchoit, qu'il eut mist son pain ne ses cousteaux
a point. Quand ce maistre d'ostel vist son maistre
s'attraper[10] a ces perdriz, il fust bien esbahy et ne se
80 peut taire ne tenir de luy dire : « Ha, monseigneur,
que faictes vous ? Estes vous Juif ou Sarrazin que

---

[6] *V.* Quelque chose que le m. dostel luy sceust r. toutes-
      fois ne
[7] *V.* prelat
[8] *V.* moustarde
[9] *ms* ardantes
[10] *V.* sarracher

ne gardez vous aultrement le vendredy ? Par ma foy,
je me donne grant merveille de vostre faict. — Tais
toy, tay toy, dit le bon prelat, qui avoit toutes les
85 mains grasses, et la barbe aussi, de ces perdriz ; tu
es beste, et ne sçais que tu dis. Je ne fais point de
mal. Tu sçais et congnois bien que par parolles moy
et tous les aultres prestres faisons d'une hostie, qui
n'est que de bled et d'eaue, le precieux corps de Jesus
90 Christ ; et ne puis [je] donc pas, par plus forte
raison, moy qui tant ay veu de choses en court de
Romme, et en tant de divers lieux, sçavoir par
parolles faire convertir ces perdriz, qui est chair, de
poisson devenir, jasoit [11] ce qu'elles retiennent la
95 forme de perdriz ? Si fais, dea ; maintes journées
sont passées que j'en sçay bien la pratique. Elles
ne furent pas si tost mises a la broche que, par les
paroles que je sçais, je les charmé tellement que en
substance de poisson se convertirent ; et en pouriez
100 trestous qui estes icy menger, comme moy, sans
peché. Mais pour l'imaginacion que vous en pouriez
prendre, elles ne vous feroient ja bien ; si en feray
tout seul le meschief. » Le maistre d'ostel et tous les
autres de ses serviteurs [12] commencerent a rire, et
105 firent semblant de adjouster foy a la bourde de leur
maistre, trop subtillement fardée et coullourée ; et
en tindrent depuis maniere du bien de luy, et aussi
maintesfois en divers lieux joyeusement [le] racomp-
terent.

ICY FINENT LES C. NOUVELLES NOUVELLES.

---

[11] *V.* c. en p. j.
[12] *V.* gens

NOTES ET COMMENTAIRES

Nouv. 1   Le titre et le nom de l'auteur sont restitués et mis entre crochets, d'après la table. Ils manquent dans G. et V.

Nouv. 1, l. 140   *ceruse,* Vér. *serreure.* Assibilation de *r* en *s* intervocal, trait particulier au domaine des ducs de Bourgogne. (Voir M. Roques, *Romania* 54 (1928), 565.)

Nouv. 1, l. 145   *Tenans le hoc en l'eaue,* ainsi que Vérard. Champion a rejeté cette leçon, et a remplacé *hoc* par *bec,* et a cité un exemple dans Godefroy et une définition de Cotgrave, dont le sens est tenir en suspens. Mais Godefroy donne aussi le mot *hoc* (IV, 481), avec ces exemples : « Et toutes les fois que mes gens et mainsnies vont querir yaue pour mon ostel au dit puis, ilz peuvent prendre le hoc du dit puis. » (Pièce de 1456) ap. Beauville, *Documents inédits sur la Picardie,* IV, 168. « Congres ne doivent rien se ilz ne sont peskiez a hoc » (1396, *Coustumier de Dieppe,* p. 211, Coppinger. *Hoc* veut dire « crochet » (cf. anglais *hook*), tenir le hoc en l'eau au sens propre voudrait dire laisser le crochet dans l'eau pour empêcher le seau de remonter, et au sens figuré, en effet, retarder, tenir en suspens.

Nouv. 1, l. 206   *meiser,* Vér. *penser.* Dans son glossaire, Ch. met un point d'interrogation après le mot, et ajoute : « contraction ou faute de lecture pour méditer. Il faut peut-être lire *muser.* » Desonay choisit la seconde hypothèse, mais Roques dit à propos de *meiser* : « Ne serait-ce pas plutôt *mairier* ou *mairer* « dominer, calmer » ? Le mari, d'abord fort en colère, a baissé le ton ; maintenant il se dominer, se calme, et réfléchit. » (*op. cit.,* 565.) *Meiser* serait donc un autre exemple de l'assibilation de *r.* (Voir la note plus haut.)

Nouv. 2, 1. 30 *ms avoient*. Corrigé d'après le texte de Vér.

Nouv. 4, 1. 82 Il s'agit de saint Trogan, très vénéré par les Ecossais (note de Ch.).

Nouv. 4, 1. 88 *ms baiser et accoler*. Corrigé d'après le texte de Vér.

Nouv. 5, 1. 4 Monseigneur Talbot. Sir John Talbot, créé comte de Shrewsbury, que l'on surnommait le chien de l'Angleterre, était presque aussi estimé des Français que des Anglais. Ce vieux soldat venait d'être tué, en 1453, à la rencontre de Châtillon (note de Ch.).

Nouv. 5, 1. 30 Les aiguillettes étaient le cordon ferré qui servait à lacer différentes parties de l'armure (Gay, *Glossaire archéologique*). (Note de Ch.)

Nouv. 6 Sur les histoires d'ivrognes qui divertissaient le duc, nous conservons une tradition qui a été recueillie par Courtépée, *Description générale et particulière du duché de Bourgogne*, t. 1 1774), p. 232. Se promenant à Bruges, un soir après souper, Philippe trouve sur la place un homme ivre et endormi. Il le fait transporter dans son propre lit. A son réveil, on rend les plus grands hommages à l'ivrogne et on lui passe l'habit du prince. On le grise de nouveau et il est ramené à l'endroit même où on l'avait trouvé. (Note de Ch.)

Nouv. 6, 1. 91 *il rencontra*, etc. Le sens est : il rencontra un chariot chargé de gens qui pour la plupart (comme il se trouva) avaient été présents à l'endroit où notre ivrogne s'était enivré. (Note de Ch.)

Nouv. 7, 1. 13 On fermait les portes de Paris dès la tombée du jour. (Note de Ch.)

Nouv. 11 « La nouvelle 11 vient de Pogge (*annulus*) et transforme l'histoire de l'anneau que Rabelais transcrira dans son *Pantagruel* (l'anneau de Hans Carvel). » Ch., Intro., XVII-XVIII.

Nouv. 11, 1. 23 L'envoi de chandelles de cire devant les images des saints était un acte fréquent de piété. (Note de Ch.)

Nouv. 14 Pour des variantes de cette nouvelle, v. Ch., Intro., p. xxxv.

Nouv. 19, l. 54 *ms* mon. Corrigé d'après le texte de Vér. *Nostre* est mieux, surtout en rapport avec le dialogue qui suit.

Nouv. 20, l. 9 *mal engin.* Est-ce rancune de Bourguignons envers les Français ? (Note de Ch.)

Nouv. 22, l.8 l'« assemblée de gens d'armes » a eu lieu a Bruges en 1455.

Nouv. 22, l. 25 *ms* soudaines. Corrigé d'après Vérard, qui donne un meilleur sens.

Nouv. 23 Vér. *M. de Commesuram.* C'est une faute d'impression de Vérard. Sur ce personnage, v. Ch., Intro., p. xxvi.

Nouv. 25 Philippe de Saint-Yon était le prévôt du Quesnoy en 1458. C'est évidemment lui-même qui est le juge de l'affaire qui nous est racontée.

Nouv. 26, l. 120 *ms* il ne mest pas advis. Corrigé d'après Vér.

Nouv. 26, l. 275 *A la fasson d'Alemaigne.* On pense au départ de Jeanne d'Arc. Nous la voyons, elle aussi, vêtue à la façon d'Allemagne, sur la vieille tapisserie à bestions reproduite entre autres dans la *Jeanne d'Arc* de Wallon. (Note de Ch.)

Nouv. 26, l. 144-5 *Ovide.* Allusion au *De remediis Amoris*.

Nouv. 27 La première des nouvelles françaises, cf. Intro., *supra*.

Nouv. 27, l. 15-16 Le « plus grand maistre de ce royaume » désigne Charles VII dont la réputation de galanterie n'était plus à établir. (Note de Ch.)

Nouv. 28 Le début, jusqu'au mot *racompter,* l. 15, est biffé dans le ms de Glasgow.

Nouv. 28, l. 14 L'allusion faite ici vise le livre latin de Boccace *De casibus virorum illustrium* dont il existait déjà des traductions françaises et de très nombreux manuscrits. (Note de Ch.)

Nouv. 28, l. 23 *ms* au mains, corrigé d'après Vér. *Au mains*
peut se justifier, mais la leçon de Vér. semble supé-
rieure.

Nouv. 31 Il y aurait lieu de citer, pour le commentaire
de cette histoire, toutes les aventures chevaleresques
où la première vertu, après le courage, est la discrétion.
(Note de Ch.)

Nouv. 32, l. 11 Il s'agit, selon Ch., d'Hostalric, dans la
province de Gérone, en Catalogne, sur la Tordera.

Nouv. 33, l. 99 *Baillé de l'oye.* Une expression semblable se
trouve dans la *Farce de Pathelin* que Champion et
Watkins ont relevée (v. notre intro.). Tous deux ont
cru trouver une influence de *Pathelin* sur notre recueil.
Par conséquent, la farce célèbre serait antérieure aux
CNN. Mais, en analysant l'expression dans les deux
textes, Mario Roques a exprimé des doutes sur cette
conclusion. « 'On m'a baillé de l'oie', dit le galant
trompé des *Cent Nouvelles,* « vous mangerez de mon
oie », dit Pathelin au drapier qu'il trompe ; le rap-
prochement se présente de suite à l'esprit, mais s'im-
pose-t-il ? Je ne m'arrête pas au fait que le reviseur
de Vérard n'a pas compris ou n'a pas retenu l'expression *bailler de l'oie,* si elle était dans son original ;
pourtant, s'il s'agit d'une allusion à *Pathelin,* c'est-à-
dire d'une expression assez nouvellement à la mode
en 1462 (?), il est curieux qu'elle n'ait déjà plus été
de mise en 1486 : on comprendrait mieux cette désué-
tude et la correction de Vérard s'il s'agissait d'une
expression plus ancienne.

Mais, à s'en tenir à l'expression même, ne faut-il
pas se souvenir que « promettre et bailler sont deux ».
Si l'on croit que l'expression vient de *Pathelin,* si elle
n'a pas d'emploi, ni par conséquent de sens, avant la
farce qui l'aurait mise à la mode, elle doit sa valeur
de « tromper » ou « être trompé » au fait que Pathelin
trompe Guillaume Joceaulme, en lui promettant de
l'oie et en ne lui en donnant pas. La belle gouge des

Cent Nouvelles Nouvelles n'a plus rien à promettre, son galant ne peut lui reprocher que d'avoir donné à plus de gens qu'il n'eût souhaité ; n'est-ce pas tout autre chose ? Si au contraire l'expression est plus ancienne que *Pathelin, bailler de l'oye* au sens de « tromper, se moquer de », *manger de l'oe* au sens d'« être trompé, se faire moquer de soi », ont pu être employés de façon indépendante par deux auteurs plus ou moins contemporains, et la présence de l'une ou de l'autre de ces formules chez ces deux auteurs ne permet en aucune manière de conclure à l'antériorité ou à l'influence de l'un sur l'autre. » (« Notes sur *Pathelin* », *Romania* 57 (1931), 556-7.)

Nouv. 33, l. 197   *ms* loyaulte. Puisque ce mot est à la fin de la phrase, nous l'avons corrigé d'après Vér.

Nouv. 33, l. 410-12   Nous possédons, dans les recueils manuscrits de poésies du XV⁰ siècle, plusieurs chansons satiriques et des rondeaux écrits dans ces circonstances. Voir Droz et Thibault, *Poètes et Musiciens du XV⁰ siècle*, 1924, p. 6. (Note de Ch.)

Nouv. 37, l. 19-20   La nouvelle 37 se rapporte encore aux tours joués par les femmes, à propos desquelles Philippe Pot allègue ici les textes qui font autorité. Les *Quinze Joyes* sont donc antérieures aux *CNN*. (V. Ch., Intro., p. xv.)

Nouv. 41, l. 119-21   La phrase est embrouillée dans le ms (v. les variantes), et nous l'avons corrigée d'après Vér.

Nouv. 42   L'année 1450 fut celle du grand pardon de Rome qui attira dans la ville beaucoup de pèlerins et d'aventuriers. (Note de Ch.)

Nouv. 42, l. 61   *mois du pape*. Martin V, en 1417, avait décidé que tous les bénéfices ecclésiastiques, séculiers ou réguliers, qui deviendraient vacants en quelque lieu que ce fût dans les mois de janvier, février, avril, mai, juillet, août, octobre et novembre seraient réservés à la disposition du pape. C'est ce qu'on appela les mois du pape. Cette disposition, acceptée par le gouvernement

anglais de la France, le fut ensuite par Charles VII
(J. Combet, *Louis XI et le Saint-Siège*, 1903, p. VII).
(Note de Ch.)

Nouv. 45, l. 31 Le ms n'est pas clair. Il semble que le
copiste ait mis « Il demouroit bien souvent bien jouscher
à cause, etc. ». Il ne s'agit donc pas d'une « addition...
contraire au sens » dont parle M. Roques (*Romania* 54,
p. 564), bien que le sens soit clair, et même meilleur,
sans le « au coucher ».

Nouv. 47 Ch. a noté que Leroux de Lincy, dans l'introduction de son édition des *CNN*, avait parlé d'une
aventure analogue à celle de cette nouvelle au sujet
de Nicolas Prunier, président au Parlement de Gre-
noble (v. Ch., intro., p. XVI, et la note 2).

Nouv. 49, l. 137 « comme il appartient a mon estat ». Le
tasseau doit être la marque du marchand d'Arras,
appliquée ici comme un signe d'infamie. (Note de Ch.)

Nouv. 50 Sur A. de la Sale, à qui est attribuée cette
nouvelle, v. l'introduction, *supra*, et aussi Ch., intro.,
pp. XXXVII-XXXIX.

Nouv. 52 La nouvelle 52 représente la tradition ancienne
des enseignements d'un père à son fils, que l'on
retrouve dans les contes tartares et la nouvelle 16
de Sacchetti (W. Küchler, p. 306). (Note de Ch.)

Nouv. 53 L'Amant de Bruxelles a raconté aussi la nouvelle 13, sous le nom de Monsiegneur de Castregat,
Escuier de Monseigneur. Sur ce personnage, v. Ch.,
Intro., p. XXVIII. Daprès Ch., ce « quiproquo d'épou-
sailles » et des causes de ce genre remplissent les
registres des officialités.

Nouv. 55 Il s'agit des années 1450-51. « La peste est
signalée ... en Dauphiné par les documents » (Ch.,
p. 278).

Nouv. 55, l. 121 « Nos cousines, etc. », ce sont les prosti-
tuées (V. Ch., p. 278).

Nouv. 57, l. 115 *de la houlette*. Equivoque sur le mot *houlier*. (V. Glossaire.)

Nouv. 58, l. 44   Voir la note à la nouv. 55.

Nouv. 59, par Poncellet, ou Poncelet. Ch. (Intro., p. XXV) a identifié ce personnage, en se référant à Chastellain, comme « un pauvre vallet clergaut ». John H. Watkins (*Modern Language Review*, t. 36, 1941) pense que c'est Jean de Ponceau du Poncelet, qui, le 16 sept. 1458, fut nommé par Philippe le Bon à un poste de 'valet de chambre' devenu vacant à la mort du poète Michault Taillevent, membre du cercle intime du duc, et 'rhétoricien' connu. Puisque la majorité des 35 noms sont ou des membres de l'aristocratie bourguignonne ou 'gentilhommes de la chambre de monseigneur', il est difficile, dit M. Watkins, de voir comment un tel « pauvre vallet clergaut » pourrait figurer parmi une si noble assemblée.

Nouv. 59, l. 211   « Pour ung plaisir mille douleurs ». Vieux refrain d'une chanson employé aussi comme proverbe. (Note de Ch.)

Nouv. 61, l. 139   L'addition de *le poing* semble s'imposer, bien que ces mots manquent également dans Vér. (V. les variantes.)

Nouv. 62   « La scène est très exactement datée du mois de juillet 1439, au temps où se tinrent les réunions de Bourguignons, d'Anglais et de Français, entre Calais et Gravelines, au château d'Oye pour traiter de la rançon de Charles d'Orléans ». (Note de Ch., *q. v.*, Intro., p. XXVII.) Jean Stotton, qu'il faudrait corriger en Stourton, d'après Ch., fut le gardien de Ch. d'Orléans, lors de la conférence tenue au château d'Oye (V. Ch., p. 278).

Nouv. 63, l. 108   « voir Dieu ceens ». La plaisanterie de Montbléru n'est qu'un calembour sur *séant* et *céans*. La représentation de Dieu assis sur l'âne n'est pas rare en Flandre. (Note de Ch.)

Nouv. 65, l. 32   « Le pèlerinage au Mont était beaucoup plus fréquenté par les Français que par les Bourguignons. Ce pèlerinage n'est pas mentionné dans les lettres de rémission de l'Audience » (Ch., Intro., p. XLVII, note 4).

Nouv. 67, l. 15 Sur la réputation des Parisiennes, voir la ballade de Villon sur le refrain : *il n'est bon bec que de Paris.* (Note de Ch.)

Nouv. 68 Chrestian de Dygoine est le même personnage qui a conté la Nouv. 46 sous le nom de Mgr de Thienges (V. Ch., Intro., p. XXVIIIJ.

Nouv. 69, l. 8 Il s'agit de la bataille de Nicopolis (1396), le roi de Hongrie était Sigismond de Luxembourg ; le « duc Jehan » désigne Jean sans Peur, alors comte de Nevers. l. 17, *Clayz Utenhoven.* Il fut fait prisonnier à la bataille de Nicopolis, mourut le 18 février 1458 (n. st.), l'année où Philippe le Bon et le dauphin visitèrent Bruges et Gand. (Notes de Ch.)

Nouv. 73 La variante de Vér. pour le nom du conteur est LANVIN, et non LAMBIN, comme le dit Ch.

Nouv. 74, l. 4-5 Il s'agit du patron de Philippe de Loan. Voir Ch., Intro., pp. XX-XXI.

Nouv. 75 « A Troyes, on avait été tour à tour Bourguignon et Armagnac... La ville s'était rendue à Charles VII, le 9 juillet 1429. Mais tout le pays d'alentour n'obéissait qu'au duc de Bourgogne et aux Anglais » (Ch., p. 279.)

Nouv. 75, l. 106 « Tu demoures trop Robinet ». « La chanson n'est pas autrement connue. Elle est à rapprocher de « Hé Robinet tu m'as la mort donnée » que chante, en 1437, Jenin le Racowatier quand on le mène à la mort sur le tombereau... » (Note de Ch., p. 279. Voir aussi Droz et Thibault, *op. cit.*, p. 6.)

Nouv. 77, l. 27 « aller a Mortaigne » était, selon Ch., une équivoque courante au XV⁰ siècle, l'équivalent de « mourir ».

Nouv. 81 On trouvera dans la chronique de Chastellain des récits de chasse analogues dans lesquels Philippe le Bon se perd dans la forêt et gite chez un charbonnier ; de même pour le dauphin Louis. (Note de Ch.)

Nouv. 81, ll. 135-6 La phrase est embrouillée dans le ms (v. les variantes), et nous l'avons corrigée d'après Vér.

Nouv. 82, ll. 34-5 Cf. Ch., Intro., p. XXXII, note 6. Il y avait, en effet, une chansonnette analogue à cette nouvelle.

Nouv. 85 Mgr de Santilly. Ch. pense que c'est un nom déformé, et qu'il faut lire *Santigny*. Voir son Intro., p. XLV.

Nouv. 87, l. 6 « C'est une façon plaisante de dire que l'aventure est récente. Elle se place en effet en 1455, au moment de la guerre d'Utrecht. » (Ch., p. xxxvii, note 5.)

Nouv. 87, l. 89 *planecte,* ainsi que Vér. Ch. donne *p[al]ecte,* mais la correction ne s'impose pas. Une *planette* est un outil. Il s'agit ici d'une plaisanterie gauloise sur le sens du mot outil, instrument.

Nouv. 89 « Thème analogue à une facétie de Poggio ; mais peut-être convient-il de signaler l'allusion à un grand hiver, antérieur à 1462, puisqu'un hiver rigoureux, celui de 1464, a servi de *terminus a quo* à M. Holbrook pour dater la *Farce de Pathelin* » (Ch., p. 280). Dans le même article, déjà cité dans la note à propos de la Nouv. 33, M. Roques a fait d'autres observations à l'égard de *Pathelin* et les *CNN* : « Antérieur à 1462, dit-il, parce que c'est la date que M. Champion accepte, comme d'autres érudits, pour les *Cent Nouvelles Nouvelles.* En fait cette date est hypothétique et l'on peut seulement dire que le célèbre recueil se place entre 1456 et 1467, comme je l'ai indiqué dans l'article de la *Romania* 54, p. 565. Ainsi nous ne serions pas très renseignés sur la date de ce grand hiver et nous ne saurions pas si nous devons ou non le distinguer de l'hiver de 1464 et de l'hiver auquel fait allusion Guillaume J. dans *Pathelin.* » S'agit-il d'un hiver précis ? « ... mes remarques à propos de *Pathelin* s'appliquent aussi bien à l'historiette des *Cent Nouvelles Nouvelles* : celle-ci a pu être contée cent fois et en n'importe quelle année, quelle qu'ait été la température de l'hiver précédent ; une historiette n'est pas nécessairement composée dans l'esprit d'une revue de fin d'année qui glose sur les faits des derniers mois. » (*Romania* 57, note à la page 555 et ff.)

Nouv. 90, ll. 4-5   « On remarquera le début de la nouvelle qui annonce chez le rédacteur le dessein d'en parfaire le nombre » (Ch., Intro., p. xxxiv).

Nouv. 92, l. 6   *confrarie de la houlette*. « Il y a ici un jeu de mot sur houlier, débauché, terme qui se trouve fréquemment dans les lettres de l'Audience du duc de Bourgogne. » (Ch., Intro., p. li, note 3.)

Nouv. 92, l. 115   Le *roi de Bordelois* est un autre souverain imaginaire, analogue au roi des ribauds. (Note de Ch.)

Nouv. 93, l. 14   Les vœux des femmes en travail d'enfant, ou à l'occasion d'enfants nouveaux-nés, étaient alors très fréquents. (Note de Ch.)

Nouv. 94, l. 94   *sueur de sa bourse*. Les amendes des officialités étaient alors considérables et formaient une partie des revenus des évêques. (Note de Ch.)

Nouv. 96, ll. 42-45   Allusion à la rapacité des officiers de justice des évêques dont les amendes constituaient de gros revenus. Les amendes pour réconciliation de cimetières sont fréquentes .(Note de Ch.)

Nouv. 97, l. 8   *usquez ad hebreos*, plaisanterie de clercs, il faut entendre « jusqu'à l'ébriété ». (Note de Ch.)

Nouv. 97, ll. 50-69   La plaisanterie roule sur les sens différents de « haulcer ». « Hausser le pot » signifie écumer ; faire un prix plus élevé ; « hausser la main », qui signifie battre. (Note de Ch.)

Nouv. 98   Analogue à une histoire en latin traduite en français. Cf. Ch., Intro., pp. li-lii.

Nouv. 99   Histoire racontée en latin, sous le titre de Marina, par l'humaniste allemand Albrecht von Eyb. Voir Ch., p. lii.

Nouv. 99, l. 446   *Bouloigne la crasse*, Bologne dite la plantureuse en Italie, où était la fameuse université de droit. (Note de Ch.)

GLOSSAIRE

N. B. Le premier chiffre renvoie au numéro de la nouvelle, le
deuxième, à la ligne.

A tant, atant 3, 41 ; 14,50 ; 16,152 ; 54,102 maintenant.
A tout, atout 3,105 ; 18,135 avec.
Abaiz *loc.* mener aux abaiz 29,92 ; 59,183 abois. Terme em-
prunté à la chasse du cerf.
Abbatre, abatre une femme 11,13 ; 95,18 la prendre de force :
abateur de femmes 22,45.
Abregeement 75,78 rapidement.
Abreger, *réfl.* 34,53 ; 99,36 se cacher.
Absolu 68,44 qui a reçu son pardon.
Abuser femmes 10,53 les tromper.
Abusions 37,22 tromperies.
Abustiner 48,88 partager
Acertener 32,326 rendre certain ; 99,422 assurer.
Acertes *loc.* bien acertes 10,24 certain.
Accoinct 33,219 familier.
Accoinster 11,16 faire la connaissance.
Accointance 1,202 connaissance.
Accoler 4,89 ; 49,33 prendre par le cou, embrasser.
Accordement 62,240 conciliation.
Accoustumance 73,64 ; 88,24 habitude.
Acever 75,16 ; 81,5 achever.
Acheter *loc.* se faire acheter 67,22 au figuré.
Achoison 30,179 occasion.
Achopé 43,43 pris.
Aconsuyvir 64,27 rattraper.
Acoucher (malade) 21,6 ; 51,15 se mettre au lit pour une
maladie.
Acquerre 43,11 acquérir.

Acquest 28,147 profit, avantage.

Adextré 25,44 entouré.

Adicte 21,28 accablée par la maladie.

Adnichiller 67,95 annuler un acte. Terme de la langue juridique.

Adolé 64,83 malade.

Adosser 26,487 mettre en arrière.

Adouber 26,488 ; 41,86 armer ; 54,38 ; 73,195 préparer, arranger ; 64,103 soigner.

Adressié, adrecié 28,17 ; 33,5 ; 59,8 instruit, adroit.

Advertance 23,48 avertissement.

Advisement 52,70 avis, conseil.

Adviser 62,222 ; 99,44 regarder, examiner ; 62,249 ; 88,79 ; 98,37 réfléchir, penser à.

Advoée 9,48 instruite.

Affaictié (messager) 56,35 simulé, dressé ; bourde affaictée 65,34 ; certaines matrones affaictées 60,32 mannequins.

Affermement 30,135 affirmativement.

Affiert 78,98 ; 99,165 il convient.

Affoler 39,152 ; 83,73 blesser.

Affre 75,127 peur.

Affubler 37,125 couvrir. Se dit au figuré « Je vous feroie affuler la prison » 94,47 ; affublé du doulx manteau de mariage 12,6 marié ; affulé 89,16 coiffé.

Aggresser 6,77 attaquer.

Agu 1,179 aigu.

Aguet *loc.* d'aguet 27,159 de dessein prémédité.

Aguillette *loc.* courir l'aguillette 9,66 courir après les filles ; aguillette a armer 5,30. *Voir la note.*

Agyos 14,117 façons, cérémonies.

Ahiert 83,53 *ps. ind. 3 d'*AHERDRE attaquer.

Ahurter *réfl.* 87,47 persister, persévérer ; *p. p. empl. comme adj.* 73,166, *f* 17,36 ; 21,144 obstiné, têtu, entêté.

Ainçois, ançois 4,13 ; 26,81 ; 31,43 ; 69,91 plutôt.

Ains que 16,64 avant que.

Aise *adv.* 18,106 facilement.

Aist 18,106 ; 30,163 ; 35,53 ; 44,96 ; 53,114 *ps. sbj 3 d'*AIDER.

Aitre 96,23 cimetière.

Alibiz forains 99,360 mauvaises excuses.

Amatir 99,593 se flétrir, mourir.

Ambassade 33,327 ; 39,59 ambaxade 21,14 toute commission.

Ambedeux 73,51 tous deux.

Amender 24,77 récompenser ; 60,52 ; 78,149 payer l'amende ; 78,103 s'enrichir, tirer du profit ; 77,7 ; 87,77 aller mieux.

Amer (l') de son vaisseau 59,209 l'amertume de son verre.

Amis *loc.* estre de noz amis 19,79 ; 20,109 ; 29,87 ; 41,137 ; 51,6 ; 73,132 ; 88,49 mari trompé.

Ammiracions 60,77 exclamations ; admiracion 60,105.

Ammonestemens 90,21 exhortations.

Amorse 82,36 appât.

Amplier 10,9 augmenter.

An *loc.* Dieu mecte en mal an 31,209 formule de malédiction.

Ancien 35,17 vieux.

Angaigne 37,146 chagrin, peine.

Angel 14,39 ange.

Angletz 73,157 les petits coins de la chambre.

Anticipé 99,609 prévenu.

Anuyt 15,68 aujourd'hui ; ennuyt 34,35 cette nuit.

Apensé *loc.* de fait apensé 96,9 exprès.

Apert *loc.* en apert 26,9 ouvertement.

Apertement 58,60 clairement.

Apertises 99,41 tours d'adresse.

Appati 32,61 abandonné par suite d'un arrangement, d'un pacte.

Appeau 30,79 appel.

Appenser *réfl.* 22,61 imaginer, se mettre en tête.

Appoinctement 1,111 ; 86,151 arrangement.

Appoincter 59,104 ; 59,144 ; 89,85 *réfl.* 61,62 ; 93,25 ; 98,90 préparer ; 62,247 ; 73,212 ; 86,149 ; 87,84 régler, arranger.

Aprinse 20,117 apprise.

Ara *fut. 3* d'AVOIR.

Araisonner 18,24 développer ses raisons.

Arbaleste : « Ne tenir serre... non plus qu'une vieille arbaleste » 49,9 offrir peu de résistance.

Arde *ps. sbj.* d'ARDOIR brûler.

Argent sec (avoir a) 91,21 payer argent comptant.

Arguer 99,82 parler.

Armes *loc.* armes accomplir 12,63 ; faire armes 46,103 ; faire merveilles d'armes 30,159 ; aller aux armes 9,100 faire l'amour. *Voir aussi* : l'assault amoureux sans armes 41,23 ; le jour des armes 9,53 le rendez-vous. L'équivoque sur « armer » inspire la nouvelle 41.

Arrester *réfl.* 26,352 ; 33,340 décider.

Aspry 1,224 âpre, aigri.

Assaillir 12,66 d'une manière équivoque. Voir ASSAULT, COMBAT, DAGUE, CUIRASSE, LANCE, FORTERESSE.

Assault *loc.* bailler l'arrière-ban d'assault 23,35 se dit d'une femme qui use de ses dernières coquetteries ; avoir ung assault 12,15 faire l'amour. Cf. ARMES. *Voir* 41,23.

Assavoir mon 26,473 locution toute faite, comme assavoir.

Asserrée 17,82 saisie.

Asseulée 24,72 isolée.

Asseur 85,53 assuré ; tresasseurement 31,81.

Asseverance 33,22 assurance.

Assiette : « Et pour assiette en lieu de cresson, elle lui dist... » 33,249 pour le rassurer, lui faire plaisir.

Assimply 6,74 hébété.

Assoté 11,12 ; 28,59 ; 37,25 ; 96,13 rendu fou, fou de.

Assovir 78,98 achever.

Assovy 16,13 ; 58,6 pourvu, doué *f* 99,280 contente, satisfaite.

Atelée 71,47 attelage, union de l'homme et de la femme.

Atinté 26,505 préparé.

Atour 33,357 sorte de coiffe ornée que les femmes portaient sur la tête.

Atrempé 19,8 ferme, solide, bien trempé.

Attainctes 4,132 ; 8,87 fins.

Attente (longue), locution toute faite désignant le refus amoureux.

Attraire 67,59 attirer, retenir.

Attrotter 46,79 arriver au trot.

Aucunement 23,31 un peu.

Audience 48,10 un rendez-vous ; bailler ou recevoir un tour d'audience 26,172 venir à l'audience, c'est-à-dire à la connaissance.

Aultier 53,29 autel.

Aultrehier (l') 96,2 dernièrement.

Aumosne amoureuse (demande d') 18,12 « à rapprocher des plaisanteries de Charles d'Orléans sur les mendiants amoureux » (Ch.).

Aumosnier 14,25 faisant de riches aumônes.

Aurfaveresse 7,47 femme d'un orfèvre.

Autant *loc.* boire d'autant et d'autel 7,17 ; 29,77 ; 40,40 ; 97,6 faire raison à tout le monde, le verre à la main.

Autel, *voir* Autant.

Autorisé 79,21 rendu célèbre.

Autretant 44,14 autant.

Aval 76,96 parmi, dans, en bas.

Avaler 40,80 descendre.

Avaler sans mascher 30,162 sans rien dire, sans broncher ; « il avala ceste premiere » 49,68, avec un mot sous-entendu féminin, même sens. Cf. en français moderne : « avaler une couleuvre ».

Averer 73,155 vérifier, contrôler.

Avertin 78,54 vertige.

Avironner 79,33 environner, entourer.

Avolenter *réfl.* 78,10 vouloir.

Avoyé 39,113 en train.

Ays percé du retraict 72,89 le siège de bois du cabinet d'aisance percé d'un trou.

Baculer 70,97 bâtonner.

Baée (gueulle) 92,15 place publique, au figuré.

Baguer 67,68 pourvoir d'un trousseau ; 78,109 faire des cadeaux.

Bagues 2,8 ; 32,316 ; 78,36 ; 99,219 bagages, biens.

Baille 29,17 lieu fermé de palissades, première défense d'une ville. Dit plaisamment d'une femme et de son sexe.

Bailler 9,36 donner ; bailler jour 9,36 donner un rendez-vous.

Balme 96,68 baume, au figuré des merveilles.

Balochoit 82,30 se balançait.

Balochouere 82,44 balançoire.

Baloiz 99,523 balais. « Elle fist baloiz coure partout » Elle fit nettoyer avec soin.

Banc (petit), le siège des accusés.

Bancq *loc.* s'en aller sur le bancq 93,59 aller au cabaret. « Dans le nord de la France le mot désigne à la fois la taverne et l'Hôtel de Ville. » (Ch.)

Bancquet (mettre le beau) sur la table 29,55 le service et aussi le repas ; bancqueter 65,87 manger.

Bancquiers 32,315 coussins, housses pour mettre sur les bancs.

Bandon *loc.* a bandon 67,49 à discrétion.

Bang, banq 7,33 la table de bois ; 85,92 l'établi de l'orfèvre.

Baptisement 70,51 baptême.

Baptiser 1,96 donner à qqn des noms injurieux.

Barbaier 94,65 faire la barbe.

Barbe du devant 12,105 les poils.

Barguigner 76,80 ; 91,20 marchander.

Barres : « comment il avoit prins le galant a ses barres » 61, 122 à son piège.

Bas 78,19 parties naturelles de la femme.

Bas instrumens 95,6 parties naturelles.

Basses fourches 25,84 entre-jambes.

Basset (en) 26,534 à voix basse.

Baston *loc.* savoir le tour de son baston 13,90 se dit d'un esprit ingénieux.

Baston 15,83 ; 46,102 membre viril ; « le baston de quoy on plante les hommes » 80,34.

Bataille (présenter la) 22,36 attaquer une femme ; attendre la bataille 28,98.

Baterie 38,185 action de battre.

Bature 30,113 moyen d'attaque.

Baudement 86,154 ; 98,94 hardiment.

Bec *loc.* joer bien du bec 18,36 faire des discours captieux.

Bedon 76,86 instrument de musique, employé ici pour désigner les parties naturelles de la femme.

Bée 26,259 attente ; payer la bée 81,113 attendre.

Begnin 98,223 doux.

Belles, belle *loc.* trouver en belle(s) 33,293 ; 46,40 trouver par un heureux hasard, par bonne fortune.

Beneisson 89,82 bénédiction.

Benoistier 44,252 bénitier.

Besoigne(s) : affaires, occupations en général, mais dans les *Cent Nouvelles,* le sens est surtout érotique : 10,48 ; 12,66 ; 13,27 ; 23,9 ; 26,74 ; 30,88 ; 38,82 ; 43,38. Voir BESOI-GNER.

Besoigner 8,74 s'occuper de ; 2,105 ; 17,115 ; 64,23 travailler ; 9,50 ; 18,20 ; 30,55 ; 35,54 ; 39,70 ; 50,31 ; 78,25 ; 87,114, besongner 65,96 faire l'amour.

Beste : « le mestier de la beste a deux dos » 20,52 l'amour ; « beste crestiane » 20,42 une femme.

Beurre *loc.* ravoir beurre pour œufs 3,154 être payé de retour.

Bienviengner 71,17 souhaiter la bienvenue.

Bigot (maudit) 14,198 l'ermite ; bigoterie 39,106 piété.

Bihès (de mauvais) 24,124 biais.

Blanc 26,427 monnaie sans valeur ; priser un blanc : ne pas estimer.

Blancs moynes 15,5 dominicains.

Blasonner 1,93 ᶜcritiquer, décrier ; « Vous blasonnez tres bien mes armes » 31,157 vous me couvrez de honte ; blasmer ses armes 86,122 même sens ; mettre en blason 34,7.

Bleu 73,131 « Craindroit tresfort estre du rang des bleuz ves-tuz, qu'on appelle communément noz amis ». *Voir* AMIS.

Boeste aux caillouz 96,54 prison.

Bon, avec le sens de benet, simple : « bon mary » 1,72.

Bon *loc.* faire bon 7,81 ajouter foi à.

Bonhomme, dans un sens défavorable. Littré a cité une lettre de rémission du XVᵉ siècle où bonhomme doit s'entendre de cocu.

Bonnes (de) 3,22 de bonne humeur.

Bont *loc.* bailler le bont 40,60 Equivoque sur un terme em-prunté au vocabulaire des joueurs de paume.

Bosquet 75,32 petit bois.

Bosses 55,119 les bubons de la peste.

Bouche *loc.* faire la petite bouche 35,55 se montrer difficile ; tenir bonne bouche 40,129, porter bonne bouche 39,14 ne pas parler ; faire bonne bouche 78,32 se régaler, s'amuser.

Bouchon *loc.* a bouchon 2,108 la bouche contre terre.

Boul 38,93 bouleau.

Bourdelois (le roi de) 92,115 souverain des mauvais lieux à Metz. Un autre était le roi des Ribauds, à Cambrai (*Voir la note*).

Bourdes 18,32 *et passim* mensonges.

Bourdon 15,75 membre viril ; « bourdon joustouer » 86,155.

Bourgois (les) 98,192 désignant des rustres.

Bourser 14,195 s'arrondir comme une bourse pleine.

Bout *loc.* de bout en bout : du commencement jusqu'à la fin ; mise sur le bon bout 71,19 en bonne disposition ; sur bout 26,420 sur pied.

Bouter *réfl.* 1,62 *et passim* se mettre.

Boyz 89,35 buis de la pâque.

Bras *loc.* en avoir tout au long du bras 76,28 en avoir plein les bras.

Brassée *loc.* faire une brassée 59,126 prendre dans ses bras, embrasser.

Brayes 52,112 culotte.

Brefment 51,41 bientôt.

Brefté 60,129 brièveté.

Brevet 37,176 résumé, petit livre.

Brichouart 65,125 membre viril.

Brigade 7,17 ; 68,16 compagnie joyeuse.

Broches 2,28 hémorroïdes.

Brouet 59,109 soupe à la viande.

Brouiller vostre parchemin 23,56 plaisanterie d'un clerc à sa maîtresse.

Brouiller 79,53 avoir le ventre embarrassé.

Brouilleries 64,23 affaires troubles.

Bruyt 2,13 ; 33,334 renommée, triomphe ; « mettre en bruyt » 14,9 publier ; « bruyant » 71,9 renommé.

Bucquer 88,33 frapper.

Buée (faire la) 45,31 la lessive.

Buffe 61,140 soufflet.

Buffet 78,53 sorte de dressoir sur lequel on disposait la vaisselle et les tasses de prix.

Buleteau 17,119 blutoir.

Buray 6,114 *fut. 1 de* BOIRE ; buroye 97,17 *cond. 1.*

Bureau de gris 49,82 drap ordinaire.

Busson 12,43 buisson.

Butin *loc.* tout a butin 31,220 tout en partage, suivant le cri des soldats.

Buvrages 79,8 breuvages.

Byhès 34,89. *Voir* BIHÈS.

Caigne (orde) 28,156 vilaine chienne.

Calonge 96,57 réclamation, demande en justice.

Calonger 76,35 demander en justice, réclamer.

Camus 64,107 désappointé.

Canonique verité 52,192 vérité indubitable.

Capitulé 33,391 chapitré.

Caqueter 2,43 ; 66,51 parler.

Car, dans le sens de parce que.

Cas 26,60 *et passim* se dit de toute affaire ; « son cas » : son histoire.

Casier 73,112 garde-manger.

Casse 14,84 cassé.

Castille 23,51 querelle.

Cautelles 14,110 ; 37,22 ; 95,20 ruses.

Ce, *graphie de* SE.

Ceans, ceens, seans : ici, dedans.

Celeement 4,42 ; 17,78 ; 38,97 ; 61,51 ; 98,46 en cachette.

Celer 1,101 cacher, dissimuler.

Ceruse 1,140 *graphie phonétique de serrure* (?). *Voir la note.*

Ces, *graphie de* SES.

Cestes 2,184 ces. Il faut probablement sous-entendre « lectres ».

Chaille *v.* CHALOIR.

Chaloir, Challoir *impers. : ps. ind.* chault 8,91 ; 18,96 ; 22,107 ; 24,24 ; 72,41 ; 88,86 ; *impf. ind.* chaloit 20,31 ; 34,142 ; challoit 33,56 ; 76,66 ; *prét.* challut 43,24 ; *cond.* chauldroit 17,42 ; *ps. sbj.* chaille 16,68 ; 21,152 ; 30,142 ; 36,54 ; 49,92 soucier.

Chaize a doz 29,59 siège à dossier réservé au maître.

Chambre *loc.* aller a chambre 21,19 au cabinet.

Chambre a parer 35,108 chambre de parement, chambre de réception.

Chandelle : allumer sa chandelle 73,94 prétexte pour s'introduire chez quelqu'un.

Change *loc.* faire le change 35,147 changer de femme.

Chanter la leczon 46,17 faire la leçon.

Chapelet de fleurettes 82,32 chapeau de fleurs.

Chaperon fourré 67,5 juge au Parlement de Paris portant le chaperon fourré.

Chaponnerie 59,103 poulailler.

Char 24,49 viande. Ici, plaisanterie sur la chair féminine.

Chareton, charreton 7,8 charretier, voiturier. « On trouve toujours cette forme dans les actes de l'Audience du duc de Bourgogne. » (Ch.)

Charge 39,30 commission.

Charger *réfl.* 6,93 sous-entendu de boisson, s'enivrer.

Charmer 100,98 transformer par des paroles magiques.

Charruyer 98,93 laboureur.

Chartre 69,14 prison.

Chasse (gente) : poursuite amoureuse.

Chastoy (hors de son) 25,68 gouvernement, châtiment.

Chat baigné (plus simple qu'ung), expr. proverbiale, penaud.

Chate moillée (faire la) 61,165 faire la malheureuse.

Chaudeau *loc.* gaigner le chaudeau 8,85 ; 29,53 ; faire le — 53,132 ; apporter le — 29,40 le chaudeau était la boisson réconfortante apportée aux nouveaux époux.

Chaufer la cire 92,38 attendre longuement. Cette locution s'explique par l'usage de sceller en cire les actes de l'autorité.

Chaulde maladie : plaisanterie sur la fièvre.

Chauldroit, chault *v.* CHALOIR.

Chault sur potaige 20,58 enclin à l'amour.

Cheance (dure) 27,60 comme malchance.

Chef : tête *loc.* a chef de peche 1,42 *et passim* ; — de pièce, de temps : au bout de quelque temps.

Chef *loc.* en venir a chef 3,252 ; 57,79 à bout.

Cher tenu 81,122 le chéri.

Chere 1,179 ; 29,112 ; 99,612 visage ; « sure et matte chere » 33,124 un visage affligé et sombre ; « bonne chere » 32,146 bon visage.

Chere (grande) 1,71 festin, fête.

Cherra 32,225 *fut. 3* de CHEOIR tomber.

Chetif 53,121 pauvre.

Cheval *loc.* faire du mauvais cheval 33,186 se montrer rétif.

Chevalet 5,59 petit cheval.

Chevance 2,10 ; 17,148 ; 43,23 ; 53,16 ; 68,15 biens, fortune.

Chevaucher 44,165 faire l'amour ; chevaucher sur son doz 93,93.

Cheviller le devant 3,95 plaisanterie sur laquelle repose l'action de la Nouvelle 3.

Chevir 14,26 ; 17,73 ; 57,71 venir à bout.

Chicheté 18,53 avarice.

Chiege 3,30 *ps. sbj. 3* de CHEOIR tomber.

Choisir 12,47 ; 44,10 ; 53,30 regarder, voir, apercevoir.

Chose 15,40 membre viril.

Chrestienner 22,89 baptiser.

Chula 75,121 celui-là. Forme du nord de la France.

Cicaneur 96,32 homme de chicane.

Cimbales (jouer des) 71,44 faire l'amour.

Cire (chaufer la), *v.* chaufer.

Clamer *loc.* clamer quicte 63,136 absoudre ; 99,617 proclamer.

Clergie 99,439 connaissances.

Cligne-musse 87,103 sorte de jeu où l'un ferme les yeux pendant que l'autre se cache. Cligne musette, Colin-Maillard.

Cloiez 98,232 *impér. 5* de CLORRE fermer.

Cloistre secrez (visiter les) 87,90 plaisanterie équivoque.

Cloyoit 98,334 *impf. ind. 3* de CLORRE fermer.

Cocquard *v.* Coquard.

Cognoissance 37,115 ; 44,45 avec le sens de reconnaissance.

Cognoistre 37,94 reconnaître.

Coillons 13,107 les couilles.

Collacion 32,224 discours ; 60,65 comme aujourd'hui.

College de femmes 80,60 l'assemblée des femmes.

Colons 88,97 pigeons.

Combatre (a madame) 16,42 avec un sens équivoque ; combattre 59,44 faire l'amour. *Voir* ARMES.

Combattants : gens qui font l'amour.

Comblement : à mesure comble ; a comble 33,198.

Commender 51,69 recommander.

Compaignon (avoir) 4,119 ; 33,41 ; 33,85 (estre) 73,21 même sens que LIEUTENANT, être trompé ; « faire compaignie », coucher avec.

Comparer 34,101 payer.

Comparoir 40,34 ; 49,77 ; 56,19 ; 67,25 comparaître, se rendre à un rendez-vous, plaisanterie sur le style parlementaire.

Compte 14,192 ; 28,79 ; 54,22 conte, histoire.

Compte (faictes vostre) 38,187 ; 43,61 concluez ; « n'est il pas de mon compte » 49,51 ne m'appartient-il pas ?

Compter 73,45 battre, par allusion « a faire receveur », sous-entendu de coups.

Compter 14,203 ; 16,149 raconter.

Comptouer 23,81 salle où l'on fait des écritures.

Conclu(d) 4,152 ; 33,255 ; 52,205 convaincu, terme de la langue juridique.

Conficture du retraict 72,78 excréments.

Conformer 20,11 confirmer.

Conforter 20,83 ; 95,47 réconforter.

Congyer 37,63 congédier.

Conjoyr 35,34 faire fête, faire un bon accueil à.

Connin 25,36 le sexe féminin.

Conquester 2,167 ; 31,124 conquérir, gagner.

Conseil (de) 60,43 en secret, à part.

Consequemment 73,187 consécutivement.

Consistoire 21,156 assemblée conventuelle.

Contendre 74,8 ; 99,334 tendre, chercher.

Contraire (veoir son) 36,35 ce qui lui est contraire.

Contremont 20,150 en l'air.

Contrepenser 33,340 discuter.

Convent, *graphie de* couvent.

Converser 75,10 ; 99,572 vivre.

Convive 32,72 festin, assemblée.

Cop, coup *loc.* a cest — 1,103, 31,58, pour cest — 7,25 alors ; a la — 70,10.

Coquard, coquart, cocquard 7,63 ; 26,434 ; 75,80 imbécile ; 27,200 ; 78,50 cocu.

Cordoannier 67,14 cordonnier.

Corne d'un chaperon 65,16 cornette.

Corner 26,584 jouer de la trompette pendant une danse.

Cornet a l'encre 23,41 les encriers portatifs des clercs étaient taillés dans une corne ; corne de vachier 86,57.

Cornette de veloux 31,73 chaperon qui cachait une partie du visage.

Corps saint 6,134 cadavre d'un chrétien.

Coste 23,20 le coude.

Cotte simple 1,147 *et passim* sorte de longue chemise, robe de dessous, parfois de satin.

Coulpe 4,102 faute ; battre sa coulpe 52,55 se frapper la poitrine en confessant ses fautes.

Coulx 11,5 cocu. *Voir* Coux.

Coupault 47,12, coupaut 71,67 cocu.

Coupler 70,86 prendre au corps, en venir aux mains.

Courage 1,187 cœur.

Courant (tout) : couramment.

Courre 12,46 ; 44,171 ; aller courre 31,42 courir les femmes.

Course (après ceste premiere) 29,29 sens plaisant. *Voir* Lance.

Court (tenu) 20,51 surveillé de près par ses parents.

Courtoisie (demander la) 65,69 solliciter une femme.

Cousin 19,144. *Voir* AMIS, même sens.

Cousine 55,121 ; 58,44 prostituée.

Coust (chier) 78,20 cher.

Couster bonne chose 64,53 coûter cher.

Coustille 6,37 couteau, épée.

Coustre 42,62 ; 93,9 gardien, sacristain et plutôt le bailli ou le clerc de l'église, en latin *custos*.

Coustrerie 42,12 charge de coustre.

Couvrechef de nuit 81,139 bonnet de nuit.

Couvrir un lit 30,22 faire la couverture.

Coux 4,90 ; 68,6 ; 72,25 cocu.

Coy 29,85 ; 53,40 tranquille ; *loc.* attendre de pié coy 28,140 ; 35,122 de pied ferme.

Coyement 9,89 tranquillement.

Craindroit 66,25 ; 73,131 *impf. ind. 3 de* CRAINDRE.

Crapaudes 58,69 injure adressée à une femme.

Crasse : Bouloigne la crasse 99,446 Bologne la plantureuse.

Crastine *loc.* prendre la longue crastine 85,21 faire la grasse matinée.

Cravanter 38,125 détruire.

Creance (a) : à crédit.

Credence 73,32 crédulité.

Cremoit 59,95 *impf. ind. 3* de CRIEMBRE craindre.

Cresson, *v.* Assiette.

Cretian 6,126 chrétien ; crestiane 20,42 chrétienne. *Voir* BESTE.

Crevasses 99,408 ouverture des fenêtres.

Crochette 14,121 petite crosse.

Crocquer 3,177 saisir.

Cruces 3,106 cruches.

Crueuse (tres) 26,142 très cruelle.

Cueur : cœur « n'avoit pas son cueur en sa chausse » 86,41.

Cuider 1,215 ; 6,84 croire ; *employé comme subst.* 23,10 croyance.

Cuigner 91,9 connaître charnellement, cogner.

Cuirasse 28,106 la peau ; « besoigner sur ... la cuirasse » 90,27 équivoque sur cuir.

Culetter la selle 81,233 courir à cheval.

Cuyre (lieu de) 34,19 on avait son jour chez le boulanger pour la cuisson, ce qui explique la plaisanterie.

Cy 49,120 ici.

Dague 38,105 membre viril.

Damp (cordelier, moyne, etc.) 2,156 titre donné aux religieux. *Voir* DOMINE.

Dangier 30,152 manque ; 87,109 domination.

Dangier, personnage allégorique du *Roman de la rose*, 13,32.

Dangier 37,130 garde, nom donné à une duègne.

Deable 70,35, dyable 70,31 le diable.

Debouté 32,13 chassé.

Debriser 2,98 briser.

Deceler 2,62 ; 35,62 ; 72,13 ; 95,55 révéler, raconter ; 9,26 dénoncer.

Deception 32,35 tromperie.

Deceute 18,148 trompée.

Decevable : trompeur.

Decevoir 33,101 *p. p.* deceu 32,117 ; 37,8 ; 41,66 ; *f.* 14,76 ; 15,99 tromper.

Deduction 34,8 narration.

Deduit : chasse ; un homme de deduit 52,60 celui qui aime la chasse.

Defaulte 32,31 faute.

Deffaicte 26,48 ; 90,58 perdue.

Deffaire ce poussin 93,81 mettre en pièces, manger.

Deffermer 27,95 ; 28,63 ouvrir.

Deffigurance 91,23 difformité.

Deffrayée 47,75 peureuse.

Deffuler 60,108 décoiffer.

Defroissié 34,88 frippé.

Degois 12,68 en gaieté.

Degrez (descompter les) 41,59 compter les escaliers en tombant à la renverse.

Delaté 34,62 qui a perdu ses lattes.

Demaine 7,45 ; 27,107 *ps. ind. 3* de DEMENER (s')agiter.

Demené 13,171 ; 33,177 ; 60,116 ; 62,248 le détail d'une affaire.

Demener 10,55 raconter en détail.

Dementer *réfl.* 98,202 se désoler.

Demeut 99,731 détourna.

Demourer 19,35 *inf. employé comme subst.* retardement.

Demourez 16,28 ceux qui étaient restés.

Denrées 20,94 ; 45,65 les génitoires.

Dents (dessous les) : se coucher sur le ventre, les dents contre terre ; joindre les dents ensemble 87,101 se baiser.

Departement 8,103 ; 42,9 départ.

Departir 34,15 distribuer, donner.

Deporter *réfl.* 40,12 ; 73,42 renoncer.

Derrain 8,20 ; 21,29 ; 33,274 dernier.

Derriere *loc.* tirer fort au train de derriere 23,28 équivoque : tenir le derriere coy 91,55. *Voir* COY.

Desarmer *réfl.* 6,33 ; 26,219 ; 39,27 défaire, se débarrasser : « se desarmer de sa robe » 68,60.

Desatourner 33,365 décoiffer, enlever son atour.

Desceu (au) 72,134, deceu 62,101 à l'insu.

Descombrer 56,115 ; 77,72 débarrasser.

Descompter *v.* DEGREZ.

Desconforter *réfl.* 77,79 s'affliger.

Descoucher 16,56 ; 30,76 sortir du lit.

Descouvrir 1,17 ; 37,123 donner sur.

Deservir 21,92 ; 26,165 ; 27,239 ; 30,113 ; 44,144 ; 92,74 mériter ; 42,13 faire marcher, diriger.

Desfourny 99,92 privé.

Deshaité 20,146 ; 90,43 ayant perdu la joie, la santé.

Deshouser 16,154 ; 72,53 enlever ses bottes, les houseaux.

Desirier 43,12 le désir.

Deslonger 76,87 détacher de sa longe.

Desmarcher 34,21 ; 91,48 reculer.

Desmarier 86,92 casser un mariage.

Desmouvoir *réfl.* 86,144 se débarrasser.

Desobligé 26,517 libéré.

Despartie 44,57 ; 67,69 le départ.

Despendre 99,26 ; 99,577 dépenser.

Despescher 6,71 ; 75,94 faire mourir ; 67,106 ; 79,43 débarrasser.

Despieça 31,103 ; 85,59 depuis longtemps. *Voir* PIEÇA.

Despillié 34,88 foulé.

Desplaisant : fâché.

Desplanché 34,61 déboisé.

Desplumé d'amendes 94,77 dépouillé par les frais de justice.

Despoiller 7,34 ; 14,191 ; 18,67 ; 20,179 ; 27,144 ; 35,117 dépouiller ; 38,103 quitter ses habits.

Desroy 1,55 désordre.

Desserrer 1,56 ; 71,67 ouvrir.

Desserte 34,129 ce qu'on a mérité.

Desservir 38,80 rendre un service, récompenser.

Dessiré 70,103 déchiré.

Destourber 71,49 ; 99,151 et 263 déranger, **gêner.**

Destourbier 13,33 ; 23,39 ; 26,101 ; 32,290 **embarras.**

Destourner 39.9 ; 56,53 s'écarter ; 49,20 donner sur.

Destresseux 2,78 qui met en détresse.

Destroict 47,97 ; 56,51 endroit resserré, passage étroit.

Destrousser 33,324 tirer d'une enveloppe.

Desvóyé 59,76 malade, en mauvaise santé.

Deulz 13,105 *ps. ind. 1* de DOLOIR *réfl.* s'affliger.

Devant : « Dieu devant » Dieu aidant.

Devant (d'une femme) 3,28 son sexe.

Deviser *réfl.* 9,80 causer.

Devises 1,59 discours.

Dieu 14,10 l'hostie.

Diez 18,107 ; 25,27 ; 46,52 *ps. sbj. 5* de DIRE.

Diseteux 43,44 pauvre.

Dismeur 32,104 celui qui lève la dîme.

Doer 99,122 doter.

Doint 26,160 ; 81,120 *ps. sbj. 3* de DONNER.

Dolez : « ne vous en dolez ja » 53,138 ne vous en affligez
   plus.

Doloser 20,174 se plaindre, gémir.

Domine (maistre) 76,35 titre donné à un curé. *Voir* DAMP.

Dommage (en) 7,59 expression juridique.

Donne 45,15 emprunté à l'italien *donna.*

Donné l'un a l'autre 58,8 amis semblables en tout.

Dont 63,57 d'où.

Donzelle 76,10 fille facile.

Dorer 95,27 mettre un onguent.

Dormeveille (faire la) 38,151 ; 63,76 faire semblant de
   dormir.

Dortouer 40,101 chambre à coucher.

Dos *loc.* mettre arriere dos 55,103 rejeter.

Doubte *f.* 6,58 ; 14,194 ; 61,34 crainte, peur.

Doubter 17,106 ; 18,95 ; 26,86 ; 30,66 ; 88,98 redouter,
   craindre.

Doubtive 14,143 incertaine.

Douloir *réfl.* 12,25 se plaindre.

Douyere, duycre 25,36 et 72 l'entrée, ici plaisanterie sur le sexe féminin.

Doy 11,39 ; 95,25 doigt.

Draps linges 95,27 bandage.

Duicte 36,9 ; 76,45 propre à.

Dureau : « marcha la dureau » 23,68 marcha hardiment.

Duyre 41,13 amener.

Duyt 13,133 il convient.

Dyable *loc.* de par vostre dyable 5,96 juron. *Cf.* l'expression anglaise « the devil take you », etc.

Eage 44,106 ; 47,129 ; 55,10 ; 82,10 ; 99,12 âge ; « estre sur ou en eage » être déjà vieux.

Eaue au moulin (faire venir l') 96,44 savoir trouver de l'argent.

Eclipse (de poisson) 99,32 disparition.

Efforcer 12,72 ; 25,27 ; 98,313 prendre de force.

Effrayement 51,52 avec effroi.

Effroy 4,75 ; 30,32 75,114 bruit, alarme.

Embastonné 4,128 armé d'un bâton.

Embrocher 82,12 par équivoque.

Embronché 53,57 caché, enveloppé.

Embusche 13,43 ; 24,27 ; 26,90 secret.

Embusché 2,57 ; 12,112 caché.

Embuscher *réfl.* 46,77 ; 49,19 se cacher.

Emende 43,59 ; 94,20 amende.

Empané 99,702 doublé.

Empapiné 73,210 barbouillé.

Empescher 10,33 ; 16,115 ; 26,31 ; 27,112 gêner ; 46,36 fort occupée.

Empoissonné 100,41 fourni de poisson.

Emprendre 26,238 ; 47,75 ; 53,8 entreprendre, et parfois prendre.

Emprés (de), 46,86 auprès de.

Emprinse 9,27 ; 27,42 ; 35,13 ; 37,29 entreprise, souvent amoureuse.

Emprint 13,60 *prét. 3* d'EMPRENDRE.

Emy 27,166 exclamation.

Encensé 72,77 parfumé.

Encepé 76,87 pris dans le piège, assimilé aux ceps qui retiennent les prisonniers.

Enchasser 4,15 ; 15,27 ; 31,129 repousser.

Enclorre *réfl.* 1,161 ; 28,61 ; 92,28 s'enfermer.

Encloueure 35,22 marque.

Enclume : « marteler sur enclume femenine » 85,82 plaisanterie sur l'orfèvre.

Encommencé 75,17 commencé.

Encontre 26,102 contre.

Encontrer 5,69 rencontrer.

Encoulper 78,42 confesser une faute.

Encourtiné 1,92 fermé par des rideaux.

Encueillir 64,24 accueillir.

Encuser 31,209 ; 75,49 accuser ; 66,54 révéler, exposer.

Endicté 5,49 instruit.

Enfardelé 63,55 empaqueté.

Enfermiere 21,117 infirmière d'un monastère.

Enferrer (une femme) 4,112 ; 76,58 la prendre.

Enflambé visage 1,180 visage enflammé de colère.

Engin 2,77 ; 46,31 ; 85,16 ruse ; engins d'une maison : les détours ; mal engin 20,9 ; 99,680 mauvaise foi ; 27,52 esprit.

Engranger 22,125 entretenir une femme, la recueillir chez soi.

Engreger 72,57 aggraver.

Enhurté 10,68 obstiné, butté. Même sens que AHURTÉ.

Enlangagée 67,15 prompte à la riposte. *Voir la note.*

Enlassé 98,29 épris, pris aux lacs, au figuré.

Enmy 14,61 parmi.

Ennuyt : aujourd'hui, et parfois cette nuit.

Enœiller 44,10 fair de l'œil.

Enortement 60,69 exhortation.

Enorter 12,57 exciter, exhorter.

Enquerre 12,91 ; 26,133 enquérir.

Ens 29,13 dedans.

Enseigne *loc.* oultre l'enseigne 24,14 ; 37,11 d'une manière plus qu'évidente.

Enseigneur 79,64 maître.

Enseignes (vives) 33,78 témoignages certains.

Enserrée 1,78 saisie. *Voir* ESSERRÉ.

Enseur 4,97 loin de.

Ensus 48,32 ; 81,117 loin de.

Ensuy 41,27 suivi.

Entaillé : « comme une droicte statue ou ung idole entaillé » 29,63 comme une statue.

Ententivement 2,123 ; 27,64 attentivement.

Enterinées 4,32 accordées, confirmées. Se disait des lettres.

Entiere 99,743 femme restée fidèle à son mari.

Entiereté 99,600 chasteté, fidélité conjugale.

Entonné (bien bas) 29,86 il a bien déchanté.

Entonné 79,24 appelé.

Entreacoler 16,147 se baiser. *Voir* ACCOLER.

Entregens 63,158 entregent.

Entreoyr 72,63 entendre.

Entrerompre 30,173 briser.

Entretant *adv.* 1,133 pendant ce temps ; — que *conj.* 3,174 ; 16,136.

Entretenances 26,493 ; 33,315 ; 56,34 entretiens.

Entretiennement 33,159 relations entre homme et femme.

Enviz, envys 81,188 ; 98,220 et 234 de mauvaise grâce, à contre-cœur.

Eracher 72,89 ; 99,351 arracher. *Voir* ESRACHER.

Errer 52,54 se tromper, s'écarter du bon chemin.

Erres 18,20 détours.

Escarlate 49,83 étoffe fine.

Eschargé 62,206 chargé.

Escharsement 3,21 chichement.

Eschassé 32,13 chassé.

Eschaudé 99,108 ardent.

Eschever 21,137 éviter.

Escient (a) 21,141 exprès, à dessein.

Esclabotures 26,418 éclaboussures.

Esclandre 18,131 ; 23,95 ; 46,16 scandale.

Esclandrie 18,148 déshonorée par un scandale.

Escoller 9,48 ; 37,139 ; 86,10 instruire.

Escondir, esconduir 15,11 ; 26,212 refuser.

Escorché 72,87 écorché ; 96,42 dépouillé.

Escot : « pour conclure de l'escot » 60,88 savoir qui paierait.

Escourre 27,244 secouer.

Escrier 26,28 publier.

Escriptoire (pescher en l') 23,58 équivoque érotique.

Escu 86,143 équivoque.

Eslonger 26,219 éloigner.

Esmaier 89,59 troubler.

Espace *m.* et *f.* 39,48 ; 60,126 un moment.

Espandre 16,25 répandre.

Espanter 18,88 ; 34,46 ; 88,15 ; 91,26 épouvanter. *Voir* ESPOENTER.

Espartent (s') 83,5 se répandent.

Esperon : « faicte a l'esperon et a la lance » 76,45 se dit d'une femme habile aux jeux érotiques. *Voir* REBOURSE.

Espies 24,60 ; 81,48 espions.

Espirituels (biens) 32,49 biens de l'esprit.

Espoenter 6,74 ; 61,77 épouvanter. *Voir* ESPANTER.

Espoir *adv.* 10,31 ; 14,182 ; 16,78 ; 18,70 ; 27,150 ; 42,32 ; 52,101 ; 58,17 ; 76,102 peut-être.

Esprins 17,91 épris.

Esracher 7,70 ; 70,127 ; 89,97 arracher. *Voir* ERACHER.

Esraillé 85,85 tiré.

Esserré 32,169 saisi d'effroi. *Voir* ENSERRÉE.

Estable 99,364 stable.

Estaindre 12,11 ; 85,102 éteindre.

Estains 19,15 étain. « Ce métal venait d'Angleterre dès l'antiquité. » (Ch.)

Esternu 29,83. « Le mot est rattaché, suivant cet exemple, par Godefroy à un sens figuré de « esternu », éternuement. On lit dans les *Actes des apostres* : « Vous estes de hault esternu ». » (Ch.)

Estire 23,46 lutte, combat, dispute, et par extension un combat amoureux.

Estoffe (de plus haute) 33,50 mieux fourni ; estoffé 80,55 viril.

Estoupes, estouppes, *loc.* avoir des estoupes en sa quenouille 9,139 ; 33,277 ; 52,105 image empruntée au travail de la fileuse. Eprouver des difficultés.

Estrain 56,116 ; 85,95 paille.

Estrains 60,103 serrés.

Estrange 9,65 ; 19,27 étranger ; 31,29 ; 35,156 ; 95,56 ; 98,81 éloigné.

Estrief 31,59 étrier.

Estrif 56,74 querelle, dispute, débat.

Estuves 1,199 les bains, souvent mal famés. *Cf.* Nouv. 66,17.

Esveillé : « plus esveillé qu'ung rat » 39,97.

Eur 27,28 bonheur.

Euvangile 71,5 Evangile.

Euvre (a la premiere) 22,42 dès le matin ; mettre en euvre 55,116 se servir de quelqu'un, avec le sens équivoque de « besoigner ».

Examiné 32,254 tourmenté.

Excusacion 18,19 protestation, excuse.

Excusance 39,61 excuse.

Exoine 34,26 excuse.

Exploicter 16,52 faire des promesses, des efforts.

Extimacion, *graphie d'*estimation.

Fabrice 94,56 la fabrique de la paroisse.

Façonner, fassonner (gens) 36,9 ; 41,14 les dresser.

Faictes pas 27,102 n'est-ce pas.

Faille 53,57 sorte de capuchon flamand.

Faillir 1,79 ; 20,74 ; 86,21 défaillir, finir, faillir ; *ps. ind. 3* fault ; *fut. 1* fauldray 20,136 ; 28,77 ; *3* fauldra « ... ne fauldra pas a sa journée » 9,52 il ne manquera pas au rendez-vous ; *cond. 1* fauldroye 38,18.

Fain 6,30 ; 70,69 faim, désir.

Fain 63,56 foin.

Faindre : feindre ; *impf. ind. 3* faindoit 66,16 ; *prét. 3* faindit 33,123 ; 49,18 ; 73,105.

Faire 53,100 faire l'acte amoureux ; faire cela 61,191 ; 95,14 ; faire la chose que savez 58,40 ; 68,10 même sens.

Fame 99,274 réputation.

Farser, farcer 18,121 ; 27,229 ; 38,51 ; 49,95 moquer.

Faulte 19,33 manque ; 77,43 crise.

Fel 79,25 méchant.

Fer, *loc.* tenir quelqu'un a fer et a clou 22,87 l'entretenir étroitement. Image empruntée au maréchal ferrant.

Ferir 5,113 ; 75,81 ; 98,175 frapper.

Fermée 44,41 résolue.

Fermer *réfl.* 98,172 se fortifier ; *tr.* 99,324 fortifier.

Ferrer 2,69 ; 13,93 ; 21,176 ; 67,35 dompter, se laisser faire.

Feu (avoir mieulx le) 33,308 être plus ardent.

Feu saint Anthoine (le) l'arde 33,105 formule courante de malédiction. Cette maladie était l'érésypèle. (Ch.)

Fiablement 44,70 en confiance.

Fiance 10,13 ; 33,32 ; 43,17 ; 99,660 confiance.

Fien 63,56 fumier.

Fiert 1,173 *ps. ind. 3* de FERIR.

Fievres (n'avoir jamais eu les) 24,130 ; 83,77 n'avoir jamais existé.

Fin, *loc.* « plus fine que moustarde » 76,16.

Finance 27,156 et 240 ; 69,38 rançon ; faire la finance de 35,31 ; 52,78 faire des arrangements.

Finer 6,79 ; 34,97 finir, mourir.

Finer 2,168 ; 38,28 ; 53,129 ; 55,25 ; 93,83 obtenir, acheter ; 48,31 ; 62,238 arriver au but.

Flambe 70,75 flamme.

Follastre 37,25 fou qui au Moyen Age est toujours représenté comme tondu et portant une massue ; « gentil folastre » 75,39.

Folye (la) 58,69 l'acte amoureux.

Fontaine (belle) 16,37 de l'eau ; fontaine de jouvence 53,63.

Forcenée 8,35 affolée.

Forclore 98,33 ; 99,357 empêcher.

Forfaire (une amende) 43,58 encourir.

Forger bien la matere 13,58 tromper quelqu'un par des mensonges ; forger le medicin 20,141 faire la leçon, travailler.

Forser 26,491 fortifier.

Fort (au) : à la fin.

Forteresse (d'une femme) : donner l'assaut a 29,11.

Fosse, *loc.* estre sur le bord de sa fosse 20,218 sur le point de mourir.

Fourches (basses) 25,84 « pendre aux basses fourches d'une femme », la connaître.

Fourny de tous les membres 20,92, *v.* MEMBRE. *Voir* FOURNIR 33,299.

Fourrager l'ostel, le manoir d'une femme 25,66 ; 29,25 équivoque.

Fourrer 75,112 charger.

Fraile 99,318 fragile, délicat.

Frain : frein, *loc.* ronger son frain 26,567.

Frez 13,10 ; 71,9 ; 76,12 ; 78,18 frais, gai. *Voir* FRISQUE.

Friant 78,18 ; 99,73 gourmand.

Frict (je suis) 33,334 perdu.

Fringuer 47,91 se dit des chevaux que le cavalier fait remuer.

Frisque 78,18 frais, gai, se rencontre fréquemment dans les documents du Nord de la France. (Ch.) *Voir* FREZ.

Froidures 89,62 périodes de froid (en hiver).

Froissie 26,572 traces.

Frotter 38,68 battre.

Fruictier 46,121 le jardinier qui s'occupe des fruits.

Fumer 41,116 se mettre en colère ; d'où fumeuse 8,49 colérique.

Furon 25,66 furet, membre viril.

Fust 86,60 la lance de bois des jouteurs.

Gage 27,87 gageure.

Gaigeure 27,101 gageure.

Gaitte 75,89 et 107 soldat qui prend la garde.

Galant 75,17 avec le sens de soldat.

Galée 69,62 galère, navire ; 36,58 compagnie plaisante.

Galiofle 45,67 vaurien (de l'italien *gaglioffo*).

Garde, *loc.* s'en donner garde 8,26 ; 28,84 ; 33,228 ; 52,53 ; 87,93 s'apercevoir, remarquer.

Garde robe 9,77 ; 27,106 pièce où l'on déposait les coffres contenant les robes.

Garenne 2,29 ; 25,88 sexe de la femme. Plaisanterie amenée par CONNIN, *v.* QUONIAM ; garenne de cons 66,45 équivoque sur connin ; garenne 7,59 la chasse réservée au mari.

Garin 83,99 homme qui a réponse à tout. .

Garin (prendre) 68,73 ; 78,31 décamper. Godefroy l'explique par « garnison ».

Garir 3,138 ; 87,30 ; 90,68 guérir.

Garison 11,8 ; 21,11 guérison.

Garnier 34,61 grenier.

Garnison 49,74 provision.

Gay : « plus gay que une mitaine » 42,115.

Gecter : jeter.

Geheyne 25,23 torture.

Genteté 2,11 et 185 gentillesse.

Gesine 22,79 couches.

Gilet (le) y ait part ! 8,118 exclamation.

Glatissoit 72,28 aboyait, chassait.

Gogettes, gohettes, goghettes 13,35 ; 48,62 ; 93,76 réjouissances, fêtes.

Gogues (estre de) 29,74 être en gaieté.

Gonne 46,87 le manteau d'un moine.

Gorge, *loc.* rendre gorge du bon temps 72,55 payer cher.

Gorgias, gorgyas 47,84 et 90 les élégants qui suivaient la cour ou la mode ; « faisoit du gorgias » 94,5.

Gouge 1,27 ; 22,63 ; 33,44 fille, femme portée à l'amour. N'a pas toujours un sens péjoratif.

Gourmander 83,70 s'abandonner à la gourmandise.

Goustable (mal) 99,49 âpre.

Gouvernement 15,58 pouvoir, influence ; 32,13 ; 61,58 ; 68,70 ; 94,10 conduite, comportement.

Grain 88,85 pas.

Gramment 2,63 grandement.

Grand (estre en) 62,93 être prêt à.

Graux 17,73 griffes, mains. *Voir* GRIFZ.

Gref 3,68, *f.* greve 87,16 grave ; grefté de mal 90,58.

Grever 1,238 accabler.

Grifz 23,69 griffes, mains. *Voir* GRAUX.

Grigneur 13,158 plus grand.

Gros 83,16 monnaie du Nord de la France équivalent à un sou ; « aussi gros d'or » 18,18 son pesant d'or.

Grouiller 31,142 gronder, grogner à la manière des chiens.

Guecte 46,43 gardienne.

Guerdon 39,16 récompense.

Guerdonner 26,566 récompenser.

Guet (aller volontiers au) 5,149 c'est-à-dire à contre-cœur. Ici, doit être entendu par antiphrase ; demy guet 62,87 prendre la moitié d'une garde.

Gueulle baée 92,15 gueule béante, la place publique.

Gueux (nostre) 20,143 notre paysan avare.

Habiller 100,64 préparer.

Haioit 62,50 ; 75,22 *impf. ind. 3* de HAIR.

Halle, *loc.* sans tenir cy halle de neant 92,82 marché nul.

Haloz 82,30 branches ou troncs d'arbres.

Hamelet 14,6 ; 89,4 petit hameau.

Hantise 46,13 ; 52,49 fréquentation.

Harier 7,66 assaillir.

Harnois (besoigner sur le) d'une femme 90,27 ; fourbir le harnois 90,34 même sens.

Hart au col (bouter la) 75,94 la corde.

Haulser 97,56 lever le couvercle de la marmite. *Voir la note.*

Hault de luy (du) 6,81 ; 47,117 de son long.

Haulte heure (de) 18,80 ; 31,53 de bonne heure.

Hausser 12,71 relever la chemise d'une femme ; hausser la couverture d'un lit 1,105.

Hausser 61,139 lever la main sur quelqu'un.

Hebreos : « *usque ad hebreos* » 97,8 équivoque sur *ebriosus,* jusqu'à être ivre.

Het 48,63 ; 64,20 ; 81,133 plaisir.

Heure (entendre l') qu'il est 24,38 comprendre de quoi il s'agit.

Hoc 1,145 crochet. *Voir la note.*

Hocher 91,42 secouer, connaître charnellement.

Hodé 10,104 ; 16,70 lassé, fatigué. « S'écrivait aussi « odé ». *Cf.* Godefroy, *ad v.* HODER ; le mot est wallon. » (Ch.)

Hoignard 11,15 grondeur.

Honnye 34,89 mal arrangée.

Horions 34,116 ; 86,60 ; 92,10 coups. « On trouve ce mot dans la bouche de Jeanne d'Arc. » (Ch.)

Hostellain 65,9 celui qui tient un hôtel. *Voir* OSTELLAIN 65,46.

Houlette (estre de la) 57,115 plaisanterie sur HOULIER, et la houlette du berger. Confrérie de la houlette 92,6. *Voir la note.*

Houllier 1,100 ; 34,96 débauché.

Hourdée 3,22 pourvue.

Hourder *réfl.* 18,134 se charger.

Houseaux, houseaulx 24,110 et 116 les bottes.

Housé 16,75 ; 89,47 ayant mis ses bottes.

Houssé 12,48 se dit d'un arbre étoffé.

Housser 49,92 ; 77,40 habiller comme une mule d'une grosse couverture.

Housserie 49,111 habillement.

Hucher 6,103 ; 30,100 ; 40,95 ; 73,109 ; 98,98 appeler.

Huée 79,28 réputation, le cri.

Humer 59,107 faire un bouillon.

Humet 59,120 mets liquide.

Huppiller 23,88 houspiller, mais avec un sens spécial. « Les « houspilleurs », gardes dont se plaignait Jeanne d'Arc, étaient donc bien des soldats anglais qui avaient voulu la forcer. » (Ch.)

Hurter : heurter, frapper.

Hutin 4,62 ; 92,84 la bataille, ailleurs le combat amoureux 311,18.

Hutiner 23,31 taquiner, lutiner.

Huy 11,10 aujourd'hui.

Huys 1,153 *et passim* porte.

Idole 29,63 statue.

Illec 6,10 ; 60,126 ; 62,159 ; 88,93 là.

Impareil 13,42 incomparable.

Impetrer 26,182 ; 27,10 ; 42,5 ; 65,61 obtenir.

Improveu 36,6 dépourvu.

Induce 30,127 délai.

Infortune *adj.* 47,24 malheureuse, infortunée.

Instrumens 64,117 parties génitales ; instrument naturel 80,45 ; instrumens accordés 71,38 par équivoque.

Introduire 86,10 instruire, faute de transcription ?
Inventoire 12,83 inventaire.
Ire, 1,191 ; 27,116 colère.

Ja 16,106 déjà.
Jamés (c'est ung) 32,103 très longtemps.
Jaserant 41,19 cotte de mailles, à la façon orientale.
Jasoit que : bien que, quoique.
Jeu d'amours 38,170 ; amoureux jeu 38,133 ; 41,18.
Jeu (elle a) 22,88 elle a accouché. *Voir* GESINE.
Jeuner de 29,88 éviter, se priver.
Jouer des cimbales 71.44 faire l'acte amoureux.
Jouste 28,145 équivoque sur l'image de la lutte et de l'amour.
Jouster 15,64 équivoque.
Jousteur 28,146 qui aime les joutes, les luttes amoureuses.
  Jouteur est dit plaisamment d'un amoureux devenu impuissant.
Joustouer : destiné à la joute.
Jouvence 53,63 jeunesse ; aller a la fontaine de jouvence :
  rajeunir.
Jus 54,56 ; 75,116 ; 86,52 à bas.
Justice 75,75 lieu où se faisaient les exécutions, là où se
  dressait la potence.

Labour 8,77 ; 45,37 travail.
Labourer 1,36 ; 55,67 travailler.
Laisser : *fut. 1* lairay 28,64, lairray 31,229 ; 99,171 ; *3* laira
  93,72, lairra 27,163 ; 28,68 ; 86,96 ; *4* lairrons 27,114 ;
  cond. 1 lairroye 33,93.
Lance 15,66 membre viril ; « fournir une pouvre lance »
  28,139 ; « mettre la lance en arrêt » 28,143 ; « rompre seu-
  lement une lance » 29,22 ; « rompre une seulle lance »
  35,135.
Langagier (beau) 83,13 parlant bien.
Langue a commandement (avoir la) 21,64 pouvoir parler.
Larrier 25,35 lande, terre en friche.
Las 76,76 lacet, piège à lacet.
Latin (entendre son) 13,25 qui comprenait son langage.

Laudes 23,19 compliments.

Lé (du) 26,44 du large.

Leans, leens : là-dedans ; par leans 1,154.

Ledanger 61,136, lesdenger 78,76 injurier.

Legende dorée 1,198 kyrielle d'injures. « Plaisanterie sur l'ouvrage célèbre de Jacques de Voragine, contenant les Vies
des Saints. » (Ch.)

Legier (de) 56,120 facilement.

Lendit 7,6 foire qui se tenait à Saint-Denis.

Let 22,113 laid.

Lez : côtés.

Lieu secret 29,27 ; 95,84 d'une femme.

Lieutenant 4,60 ; 16,80 ; 73,22 et 137 celui qui remplace le
mari auprès de sa femme ; la lieutenante 38,124 la rem-
plaçante.

Linceux 6,138 linceuls, draps.

Linge 45,23 fin ; draps linges 95,27 sorte de bandage.

Lisse 91,56 lice, chienne ; « laisser courre comme une lisse »
se dit d'une femme dévergondée.

Lit (estre le demi) 28,31 partager le lit ; « bailler la moitié
de son lit » 45,40.

Livre qui n'a point de nom (estre enregistré ou) 27,253 être
inscrit sur la liste des cocus qui ne sauront jamais qu'ils
ont été trompés.

Loist (ne) 21,138 il n'est pas loisible.

Lopin 83,46, loppin 100,21 morceau.

Los : louange, renommée. *Voir* LAUDES.

Loudier 1,95 ; 61,144 ; 75,21 ; 98,126 débauché, coureur de
filles. Injure courante.

Lourd en la taille 20,6 ; 41,11 bête.

Lourdoys (en) 20,181 à la façon d'un lourdaud.

Luycte 14,146 lutte : « A la tierce foiz va la luycte ». L'issue
apparaît à la troisième reprise.

Lyé 16,157 joyeux.

Lye *f.* 3,85 joyeuse ; treslye : très contente.

Lyeutte (de chemin) 31,20 une petite lieue.

Lysans 27,147, lisans 27,257 les lecteurs.

Lysit 5,56 *prét. 3* de LIRE.

Madame : la femme de Monseigneur, le seigneur du village.

Madamoiselle : titre donné à une femme noble et mariée.

Maignye 19,10 les gens de la maison.

Maille (donner) 29,71 donner rien. La maille était une monnaie de petite valeur.

Main (a la couverte) 64,91 couvertement, à la dérobée.

Main mise 56,24. « Il en eust prins vengence criminelle et de main mise » ; l'expression, d'après M. Champion, est toujours en usage dans le Nord de la France.

Main sequestre 26,523 en tierces mains, remettre dans les mains d'autrui.

Mains 1,183 moins.

Maistre 87,85 titre donné au médecin, au chirurgien ; *v. aussi* maistre moyne, curé, jacobin, prestre, etc., avec des intentions satiriques ou ironiques.

Malebouche 13,32 figure allégorique du *Roman de la rose*.

Malmeu 1,189 ; 50,37 poussé au mal.

Malsade 98,138 maussade.

Maltalant 32,118 ; 38,117 ; 57,85 ; 62,25 colère ; 1,222 volonté mauvaise.

Mandians (freres) 32,12 les frères mineurs.

Manoir : le lieu où l'on habite. Dit plaisamment d'une femme 29,25. *Voir* FORTERESSE.

Marchander 16,138 ; 64,40 ; 73,138 exercer le métier de marchand.

Marchant 17,57 un endroit où l'on fait du commerce.

Marche (esloigner de la) 33,407 s'éloigner.

Marché (boire du) 31,121 l'affaire conclue, il faut boire.

Marchissant 12,37 attenant.

Marescaucié 85,88 fixé comme l'animal que ferre le maréchal.

Mareschal (tenir le lieu de) 12,65 qui commande.

Matte 33,124 triste, mortelle. « Aujourd'hui le mot mat signifiie fatigué dans le Nord de la France. » (Ch.)

Matter 55,70 terme en usage chez les joueurs d'échecs. Epuiser, tuer.

Medicine laxative 59,101 l'amour.

Meffait present 43,42 flagrant délit.

Meiser 1,206 se calmer ; méditer (?). *Voir la note.*

Membre a perche 13,106 membre viril. *Voir* PERCHANT.

Membres (n'épargner les) qui en terre pourriront 13,157.

Mercier 3,79 ; 26,164 remercier.

Mercy 17,88 ; 86,76 grâce.

Merque 82,19 marque.

Merveilleux 34,57, *f.* 7,70 méchant étonnamment.

Meschef, meschief 2,72 ; 6,83 ; 29,12 ; 35,134 ; 99,290 mal ; *loc.* a quelque meschef que ce fust *passim* ; parfois la faute : « Si en feray tout seul le meschief » 100,103.

Mescheut (il) 49,5 il arriva malheureusement.

Meschine 17,13 ; 20,128 servante.

Meschinette 99,492 jeune servante.

Mescroire 3,196 soupçonner.

Meshuy 8,74 alors ; 1,224 ; 28,157 aujourd'hui.

Mesnager 1,154 vaquer aux soins du ménage.

Mesnagier 35,50 qui s'occupe du ménage, le mari.

Mestier 6,65 ; 20,139 ; 26,102 ; 30,151 ; 56,21 ; 99,488 besoin.

Metes 12,4 : 21,4 ; 98,4 frontières, limites.

Meures 18,14 mûres ; *loc.* estre rechassé des meures,; ramené des — 67,102. Le sens est : il sera corrigé comme les enfants qui vont à l'école buissonnière cueillir les mûres aux buissons et qu'on ramène en les battant à la maison.

Mignon 10,39 favori.

Mignot 68,40 mesure. On cachait alors l'argent dans des marmites, etc.

Mirer *réfl.* 26,588 considérer, méditer.

Mis 52,210 dépensé. « On disait alors MISES et RE-CETTES. » (Ch.)

Mistere, mystere 6,95 ; 10,146 ; 52,161 ; 60,115 l'aventure.

Mitaine 42,115 : « plus gay que une mitaine »,

Moien 26,471 ; 42,90 ; 44,44 ; 62,85 intermédiaire.

Molle (preste pour livrer le) 91,51 le moule à faire des enfants.

Mommeries 54,14 mascarades.

Mommeur 94,73 homme masqué qui fait des mommeries. « Le mot revient fréquemment dans les registres de l'Audience du duc de Bourgogne où il est question de gens qui allaient admirer les mommeurs. » (Ch.)

Mon (ce a) 33,387 c'est mon avis.

Moncelet 89,8 un tas.

Monseigneur : le seigneur du lieu.

Monstre : revue, *loc.* passer a monstre 15,88 passer en revue comme les gens d'armes ; faire monstre : mettre sous les yeux.

Monstre (a peu de) 81,225 discrètement, sans grand train.

Mont (a) 40,112 en haut.

Monter, *loc.* monter sur son chevalet 84,21 se mettre en colère.

Monter 26,538 monter à cheval ; — sur beste crestiane 20,42, *voir* CHEVAUCHER, RONCINER ; « il faut que vous montez sur elle et que vous la roncynez » 20,165 ; monter dessus 50,29 ; monter dessus le tas 76,81.

Monteure (bailler une) 92,30 faire monter sur lui.

Montoüer 47,88 montoir, borne qui servait pour monter à cheval.

More 82,16 mûre noire.

Mortaigne, *loc.* aller a Mortaigne 77,27 mourir, par équivoque.

Mort bieu (par la) : juron.

Moue 23,52 faire la moue, faire la grimace en signe de dédain.

Moult 2,46 et 86 ; 19,48 ; 40,64 ; 62,151 beaucoup.

Mourir sur bout 26,420 sécher sur pied.

Mousche : mouche ; « luy qui cognoissoit mousche en laict » 18,8 qui n'était pas un niais.

Mousseau 59,145 corriger en MORCEAU ?

Moustarde, *loc.* plus fine que moustarde 76,16.

Moustier 5,134 couvent.

Moyen 42,41 intermédiaire ; *v.* MOIEN ; « la maison du curé tenoit a la sienne sans moyen » 85,29.

Moyennant 40,127 au moyen de.

Moyennement (pas) 3,157 ; 19,89 ; 57,41 très.

Muable 60,80 inconstant.

Muableté 99,155 inconstance, disposition au changement.

Mucer, musser 73,116 ; 88,80 ; 99,249 cacher.

Muer ses meurs 94,11 changer ses façons de faire.

Mulette 31,53 petite mule.

Muser 26,465 ; 38,179 perdre son temps, et aussi penser, réfléchir.

Musettes (raccorder leurs) 71,60 équivoque.

Mutemacque 99,637 rébellion. « Le mot de miquemaque désigna une révolte contre l'impôt à Reims en octobre 1461. » (Ch.)

Nataulx 32,271 fêtes solennelles.

Nattées (chambres) 57,30 tendues de nattes.

Nave 19,129 navire.

Navier 99,144 naviguer.

Navieur, navyeur 99,99 et 138 navigateur.

Ne : non plus.

Neant plus 48,58 ; 49,8 pas plus ; loc. c'est pour neant 6,104 ; 50,40 en vain.

Neanté 54,73 manque.

Nenny 6,66 non.

Nesqu'un 83,53 non plus qu'un, comme.

Nesun, nesung 5,134 ; 33,300 ; 37,179 ; 51,59 aucun.

Nichil 28,108 rien ; loc. nichil au doz 20,44 les apparences sont brillantes, le fond manque.

Nobles 62,156 et 253 monnaie de Flandres.

Noeve 51,8 novice ; « neuf en fasson et en mariage » 20,50.

Noise 1,176 ; 27,99 tapage ; 26,36 bruit ; 10,64 ; 43,71 ; 62,25 querelle.

Noiseux 24,72 querelleur, entreprenant.

Nonchal(l)oir 81,250 ; 99,61 oubli.

Nonne (basse) 81,55 trois heures de l'après-midi.

Nopces (cheminer aux) 18,64 aller vers l'amour.

Notaire 23,74 ; 26,492 ; 36,74 notoire 2,186 être notaire d'une chose, y assister, en être témoin.

Note (la) 47,11 la renommée ; note (de musique) 71,61 avec une équivoque courante.

Noter 47,9 ; 73,38 remarquer.

Nou 57,55 nage.

Nouveau 57,128 original, hors du commun.

Noz : notre.

Nuncier 21,39 annoncer.

O 4,120 avec.

Oblacion 16,17 offrande.

Observance (freres mineurs dits de l') 32,12 Franciscains réformés.

Obstant 73,32 ; 99,84 à cause de.

Occire 6,72 ; 21,162 ; 50,38 ; 56,71 tuer.

Oder 99,137 fatiguer. *Voir* HODÉ.

Œil (avoir l') au vent 51,9 être coquette.

Œufs, *loc.* ravoir beurre pour œufs 3,154 œil pour œil, dent pour dent.

Oez, *v.* OIR.

Offerende : offrande ; « ... il alloit devant eulx a l'offerende » 26,201 il était le préféré.

Oignemens 2,74 onguents.

Oïr : *ps. ind. 1* oy 27,166 ; *3* oyt 3,49 ; *5* oez 95,87 ; *impér. 5* oez 54,28 ; 73,54 ; *impf. ind. 3* ot 53,56 ; *fut. 1* orray 62,91 ; *3* orra 54,78 ; 56,99 ; 78,113 ; *4* orrons 32,228 ; *5* orrez 28,70 ; 32,193 ; 44,211 ; 64,14 ; *6* orront 28,15 ; *cond. 3* orroit 61,73 ; 78,84 ; *prét. 1* oy 16,96 ; 95,108 ; oiz 99,331 ; *3* oyt 20,73 ; 27,43 ; 53,108 ; 70,144 ; 99,628 ; *impf. sbj. 3* oyst 29,84 ; 36,18 entendre.

Oiseux, oyseux 2,74 ; 3,151 ; 30,62 oisif.

Once, *loc.* il y a a dire une once 65,122 il y a un peu à dire.

Orde 26,576 ; 28,156 ; 31,209 ; 44,263 grossière, vilaine.

Ordoyer 68,32 salir, souiller.

Ores 16,120 ; 44,97 maintenant ; ores ... ores 95,15 tantôt ... tantôt.

Orinal 20,149 bouteille dans laquelle on urinait.

Orphenin 20,13 orphelin.

Orra, orrez, etc., *v.* OIR.

Ort (garçon) 22,113 sale enfant ; ors *m. pl.* 24,111.

Ost 75,21 troupe.

Oste 65,103 propriétaire d'un hôtel, l'hôtelier.

Ostel 13,154 maison.

Ot, *v.* OIR.

Ou 42,53 au.

Oultrage (n'avoir rien d') 65,113 il n'y a rien à dire.

Oultrecuidez (folz) 4,55 inimaginables.

Oustilz 3,83 ; 15,20 ; 45,56 membre.

Oustillé 15,57 ; 65,55 garni d'instrument naturel.

Ouvrer 3,87 travailler (sens érotique) ; *Cf.* OUVRAGE 9,42 et BESOIGNER 9,50.

Ouvrouer 86,84 ; 305,17 boutique. Est dit des parties naturelles d'une femme.

Oy 2,104 ; 5,72 ; 21,172 oui.

Oy, oyt, etc., *v.* OIR.

Oye (bailler de l') 33,99 tromper. *Voir la note.*

Paillace 16,39, paillasse 30,153 ; « la belle paillasse est en saison », c'est la saison de coucher sur la paille.

Pain 76,10, « tenoit a pain et a pot une donzelle », l'entretenait.

Paistre (chasser) 68,31 envoyer paître.

Palette 87,41 la casserole qui sert à recueillir le sang de la saignée.

Pancer 8,76 soigner.

Panier percé (avoir son) 28,141 se dit d'une femme aimée vigoureusement, image empruntée au jeu de la quintaine.

Paour 23,60 ; 55,103 ; 56,66 ; 61,171 ; 76,91 peur.

Papelars 32,108 hypocrites.

Paraffoler 20,122 affoler complètement.

Parain (nommer son) 1,75 dire son prénom.

Parbondy 76,96 bondi, sauté.

Parcevoir 26,26 ; 46,14 ; 67,21 apercevoir.

Parchemin (brouiller le) 23,56 équivoque.

Parchon 73,189 ; 92,112 partage. « Le mot se rencontre fréquemment dans les actes anciens à Lille. » (Ch.)

Parcreut 26,496 augmenta.

Pardedans, pardedens (en son) 38,118 ; 48,56 intérieurement.

Pardons (gagner les) 38,113 plaisanterie analogue à payer la dîme. (Nouv. 32.)

Parement (chambre de) 28,63 ; chambre à parer 35,108.

Parentage 98,14 parenté.

Parestoit 72,84 était complètement.

Parfait 28,108 conclusion : « mais du parfait, nichil ! »

Parfin (en la) 8,53 ; 26,220 ; 64,50 à la fin.
Parfond 11,33 ; 49,12 profond ; *adv.* 73,49.
Parforcer 6,77 forcer.
Parfournir 30,61 ; 35,52 ; 57,5 compléter.
Parlamenter 17,87 parler, converser.
Parlement 37,64 conversation.
Parmarcher 24,131 marcher.
Parmentier 94,29 passementier, tailleur.
Paroir 18,132 paraître.
Paroultrer 24,105 accomplir.
Parquet 25,46 le petit banc de justice, salle des accusés.
Part 73,176 le partage.
Partement 16,51 ; 19,56 départ.
Partie 80,23 partagée.
Partir 42,52 ; 77,13 le départ.
Partissons 73,171 partagions.
Partuer 20,182 détruire tout à fait.
Partyr 10,41 ; 35,150 ; 49,62 ; 73,188 ; 92,50 partager, donner en partage ; « vous ne seriez pas le mieulx party du jeu » 18,84 vous n'auriez pas la meilleure part.
Pas, *loc.* tout le beau pas ; venir le grand pas 46,86 en hâte, venir en hâte ; le pas de la mort 51,72 le passage.
Pasque blanche 89,26 le jour des Rameaux.
Pasques communiaulx 89,53 le jour de Pâques où l'on communie.
Pasques flories 89,27 les Rameaux.
Passer *réfl.* 10,136 ; 30,161 ; 65,138 se contenter.
Passer requestes 4,35 ; 48,20 ; 51,11 ; 87,49 agréer.
Passion (oyr la) 97,16 entendre de longues remontrances. *Cf.* LEGENDE DORÉE, SOUFFRANCE.
Passionner 95,58 tourmenter.
Paste, *loc.* porter la paste au four 34,132 ; 47,24 payer pour autrui.
Pastoure 21,147 conductrice d'un troupeau. Se dit d'une abbesse.
Patars 83,15 monnaie de cuivre, gros sou.
Pates (faire cheoir a) 54,39 tomber sur ses jambes.
Patiente : une amoureuse.

Patoys 20,200 langage d'un paysan.

Paulmé 69,88 ; 72,114 pâmé.

Paumoison 20,82 pâmoison.

Peche 1,42 pièce. *Voir* CHEF.

Péché : « remis avec les pechez oubliez » 26,345 complètement oublié.

Pelerin (bon) 5,152 se disait sans aucun sens spécial, individu.

Peleterie 26,568 mauvaise situation.

Pennes 68,49 pièces de drap.

Pennes (jusques aux) 82,49 jusqu'au fond, image empruntée à la flèche.

Pensemens 14,155 ; 99,86 pensées, soucis.

Penser 57,105 soigner. *Voir* PANCER.

Percée 40,92 trempée, pénétrée.

Percevant 46,19 ; 78,153 pénétrant.

Percevoir 6,99 ; 27,68 apercevoir.

Perchant 95,105 membre viril.

Perron 99,475 le balcon.

Personnage (faire son) 15,92 ; 18,33 ; 33,181 ; 44,102 ; 65,76 jouer la comédie.

Pertuis, pertus 2,124 ; 25,75 ; 30,34 ; 49,21 ; 72,77 trou ; pertuiser 34,62 trouer.

Pestilence 42,78 la peste.

Petit (ung) 30,138 un peu.

Peuple 79,33 gens.

Picotin 92,52 équivoque.

Picqué (estre) de l'amour 13,11 ; 48,9 être épris.

Picquer 4,117 ; 32,87 ; 65,44 sous-entendu de l'éperon ; 50,39 se sauver à pied en courant.

Pie 95,6 boisson.

Pieça 1,232 déjà ; 30,108, de pieça 1,51 ; 24,98 ; 65,49 ; depuis longtemps. *Voir* DESPIEÇA.

Pierrettes 23,21 petites pierres.

Piez : « vous ne saulterez a jamais d'icy sinon les piez devant » 32,159 vous ne sortirez que mort ; remis sur piez : rassuré.

Piez (le gracieux jeu des) 32,149 faire du pied.

Pigne 22,85 peigne ; *loc.* trousser pignes et miroirs, faire ses paquets.

Piller 64,102 prendre.

Planecte 87,89 outil, instrument, ici équivoque. *Voir la note.*

Plastrier 98,162 homme grossier, malpropre.

Pleger 29,88 ; 31,224 ; 59,159 tenir tête à quelqu'un qui boit à notre santé.

Plorerie 21,78 action de pleurer.

Ploy (en bon) 1,223 en bon pli, en bonne disposition.

Ployer 29,22 ; 39,21 ; 63,38 ; 98,217 plier ; ployer l'euvre 3,86 s'arrêter.

Pluc 78,42 ce qu'on a recueilli. « Le mot est dans Villon ... parmi les ballades en jargon ; il se rencontre assez fréquemment dans le bas langage du XVe siècle. » (Ch.)

Poignant 35,129 piquant, dur.

Poinct 99,161 piqué.

Point : « quand il vit son point » 3,178 ; 6,48 ; 48,17 sa situation ; se mectre en point 34,129 ; 46,90 se préparer.

Poise (il me) 9,128 il me pèse.

Poisson : « s'en revint devers son maistre a tout ce qu'il avoit de poisson, car a char avoit il failly » 24,49 se dit d'un entremetteur.

Porcionner 73,188 partager.

Porée (la belle) 83,32 ; le pot à la porée 97,50 pot au feu.

Possider 99,58 posséder.

Posterne 1,18 petite porte.

Pot (a pain et a) 76,10. *Voir* PAIN.

Potages (pour tous) 72,95 pour toute consolation.

Potaige (luxurieuse et chaulde sur) : *Voir* CHAULT.

Pou : peu.

Poulain 7,53 membre viril.

Pourchasser 30,43 ; 34,13 ; 56,85 ; 76,32 rechercher.

Pourchaz 10,49 ; 24,145 ; 37,29 ; 43,7 recherche.

Pourmener *réfl.* 3,11 ; 44,251 ; 58,52 ; 83,14 se promener.

Pourtendu 52,153 tendu.

Pourveance 22,12 provision.

Pourveue : « elle estoit ailleurs pourveue » 31,11 elle aimait ailleurs.

Poux 20,123 le pouls.

Preau 46,61 jardin d'un monastère.

Premiere (avala ceste) 49,69 avec un nom féminin sous-
entendu ; le sens est qu'il l'accepte sans protestation ;
laisse couler les choses.

Premisse 15,17 ; 24,34 ; 44,105 exorde.

Prensist 4,146 prît.

Preparatoires 64,67 **préparatifs.**

Preschement 17,141 sermon.

Prescher 53,98 exhorter ; se faire prescher : se faire prier
longuement.

Presse : « vous ne feriez ja presse de l'avoir » 22,112 vous
n'insisteriez pas tant pour l'avoir.

Preu 31,189 profit, bien.

Preude femme 1,188 ; 73,147 ; 78,78 prudente, honnête ironiquement. Le mot répond à prudhomme, qui est l'honnête
homme du xve siècle.

Primes (a) 96,39 d'abord.

Prins, *loc.* cy prins cy mis 29,28 ; 77,76 ; 81,96 ; 83,39 sur-le-
champ, immédiatement.

Prinsault (de) 1,74 *et passim* de prime abord. « Le mot est
caractéristique de la langue du rédacteur des *Cent Nouvelles.* » (Ch.)

Privé 62,117 confident, ami intime ; *adj.* 14,203 ; 31,14 ; 39,7 ;
40,26 intime, particulier.

Proches (de) 26,409 de près.

Procurer 27,241 plaider, servir de procureur.

Profondesse 99,347 profondeur.

Prologue 96,49 même sens que PREMISSE.

Promoteur 86,106 ; 94,8 le personnage qui faisait l'office du
ministère public dans un tribunal ecclésiastique.

Pute *adj.* pute veille 37,91 méchante vieille.

Puterie 47,15 mauvaise vie, débauche.

Putier 1,95 et 225 ; 9,119 débauché, injure courante.

Quans, quantes 25,89 ; 32,303 ; 33,119 ; 70,64 combien de.

Quaresme 88,48 carême ; « il sembloit qu'ilz voulsissent tuer
quaresme », c'est-à-dire, ce sont des gens déterminés qui

tueraient tout, même Carème, si maigre soit-il. « Il s'agit
sans doute d'un mannequin de Carnaval. » (Ch.)

Quaresmeaux (prendre ses) 33,231 se repentir.

Quarteron 30,30 un quart de lieue ; un quarteron d'enfants
91,43 une ribambelle d'enfants.

Quartier (prendre) 30,54 se loger ; prendre son quartier
41,108 ; 44,213 prendre sa place.

Querelle 37,32 recherche, prétentions.

Querir 5,69 ; 18,7 ; 27,178 ; 37,170 chercher ; a parfois le
sens de vouloir : « Je ne le vous quier ja celer » 31,95.

Querre 37,130 ; 40,88 ; 44,120 chercher.

Queste 8,78 recherche.

Queues 27,83 robes à traînes.

Quibus 78,27 argent.

Quis 27,178 cherché.

Quoniam 78,15 parties naturelles de la femme. Equivoque
sur le mot connin.

Quoy (de) 30,16 de l'argent. *V.* QUIBUS.

Racaner 79,59 braire.

Rachassé 94,75 poursuivi.

Racointer 33,375 ; 40,25 faire de nouvelles connaissances.

Racoler 20,231 prendre de nouveau dans les bras. *Voir*
ACCOLER.

Radde 30,83 vite ; radde du pyé 50,41 agile ; suivre trop
radde 30,146 trop vite.

Rade 38,82 dur, exigeant.

Radoubter 30,116 radoter.

Radresser 79,38 indiquer, prescrire.

Raffroigné 65,120 renfrogné.

Rafreschir 47,50 renouveler.

Raherce 30,171 semble formé sur HERCER, frapper, qui a un
sens grivois.

Rains, *loc.* ne pouvoir les rains traisner 58,46 être épuisé.

Raiz 12,30, raidz 19,127 rayons.

Ramentevoir 3,142 ; 22,29 ; 38,125 et 158 ; 63,118 rappeler.

Ramon 1,155 balai.

Ramonnée, *loc.* se trouver en place ramonnée 13,16 en lieu propre.

Ramponner 29,91 gronder.

Raroit 3,154 *cond. 3* de RAVOIR.

Rasibus 64,75 trancher à ras.

Rasiere 43,54, raisiere 43,50, rasure 43,47 mesure de blé.

Rastelée, *v.* RATELÉE.

Rataindre 26,573 ; 52,63 rattraper.

Rate 45,17 A rate de temps, au prorata, dans les comptes.

Ratelée 24,7 ; 33,251 ; 100,5, rastelée 72,129 ; 76,15 un conte, une histoire. Ce qu'on a ramassé avec un râteau.

Ratoille (se) 9,112 se réattelle.

Ratourner 33,363 remettre son atour.

Ravoir 40,81 ; 72,84 se dégager ; 27,216 s'en empêcher.

Raye 23,63 une ligne tracée sur le sol.

Rebourse a l'esperon 12,28 rebelle.

Reboutement 40,14 ; 69,28 action de repousser, de rebouter.

Rebouter 10,130 ; 26,450 ; 54,89 ; 98,177 repousser, dégoûter ; 47,129 ; 59,87 se mettre de nouveau.

Recaner 61,179. *Voir* RACANER.

Receveur 73,46 celui qui reçoit des coups.

Rechap 20,170 action de sortir d'un danger, d'une maladie.

Rechef (de) 1,158 ; 18,110 ; 33,168 ; 39,69 ; 67,44 ; 83,105 de nouveau.

Recheviller 3,118 fermer par une cheville, sens érotique. *Voir* CHEVILLER.

Rechignée (chere) 1,179 visage renfrogné.

Rechigner 80,15 faire triste figure.

Reclus 64,123 hermite.

Reclusage 14,58 hermitage.

Recoigner 3,63 cogner à nouveau.

Recorder 4,37 ; 19,46 ; 41,12 ; 77,16 se rappeler.

Recors (estre) 89,62 ; 90,25 se souvenir.

Recourre 11,8 recourir.

Recreant 1,187 ; 9,119 sans foi, terme injurieux ; 99,50 recru de fatigue.

Recreuz 5,47 épuisés.

Refroidement 59,27 refroidissement.

Refroider 67,51 ; 92,105 ; 99,700 refroidir.

Refroidir les entrailles 99,443 apaiser la chaleur du désir.

Registre d'honneur 35,19 est dit d'un chevalier.

Regnard 95,34 un homme rusé.

Rehouser 24,139 remettre les houzeaux, les bottes.

Rehucher 82,45 appeler de nouveau.

Rehurter 29,47 frapper de nouveau.

Religion 95,5 couvent.

Remainront 37,5 ramèneront.

Remanent 92,89 le reste.

Rembatre 23,62 mot composé sur battre, a le sens de combattre.

Rembourrer le bas 78,19 ; *v*. BAS, équivoque.

Remirer 36,76 considérer à nouveau, méditer sans cesse.

Remission 56,120 lettre de grâce.

Remparer un lit 38,142 le refaire.

Remuer droit 10,36 changer de coutume.

Renard 13,83 rusé.

Rencharge 4,114 reprise d'une femme.

Rencheoir 52,195 ; 65,139 retomber.

Rencontrer 59,46 accueillir.

Rencouller 88,96 roucouler.

Rencs (venir sur les) 4,67 s'avancer.

Rendir 76,17 courir.

Rengreger 67,25 aggraver.

Repaire 73,35 fréquentation.

Repasser 21,100 revenir à la vie.

Repatrier 42,32 renvoyer dans son pays.

Reprinse (sans) 4,22 sans crainte de vengeance, de poursuite.

Reprouché 4,134 décrié.

Requerre 6,62 ; 21,120 ; 44,94 ; 57,73 ; 90,22 requérir.

Requestes, *v*. PASSER.

Rescourre 47,121 secourir.

Rescripre 16,28 ; 22,81 ; 37,117 écrire une réponse.

Rescripsit 26,193 *prét. 3* de RESCRIPRE.

Resserrer 30,53 ; 31,78 refermer.

Resne : rêne, *loc.* tenir pas la resne 36,46 se dit d'une femme qui fait ce qu'elle veut de ses amis, employé ici dans le sens de membre viril.

Ressourdre 40,84 sortir de nouveau.

Retenance 26,189 service (pour les hommes d'armes en service)

Retollir 18,101 reprendre ce qu'on avait donné.

Retour 31,18 amourette ; 44,128 avantage.

Retraire 9,61 ; 86,22 aller se coucher, se retirer.

Retrait 70,72, retraict 72,47 cabinet d'aisance.

Reut 2,135 *prét. 3* de RAVOIR.

Ribauld, ribaulx 1,95 ; 30,158 ; 61,170 ; 98,137 homme de mauvaise vie, injure courante 75,47.

Ribauldelle 98,95 ribaude, femme de mauvaise vie.

Rien 26,490 ; 31,28 chose.

Risée 8,123 ; 25,78 ; 29,75 ; 33,275 ; 59,182 rire.

Risit 54,48, risirent 17,144 *prét. 3 et 6* de RIRE.

Riz 19,15 indiqué comme une marchandise dont l'Angleterre fournissait les autres pays.

Rober 5,139 dérober.

Roe 25,14 roue servant au supplice qui se trouvait le plus souvent dans les champs, à la sortie des villes ; faire la roe 58,52 faire des grâces pour plaire, comme le paon.

Roigneux 22,113 qui a la rogne, couvert de boutons.

Rompre trois lances 30,72 équivoque sur LANCES.

Rompture, ronture 14,114 ; 30,110 ; 73,129 rupture.

Ronciner 20,165 ; 44,240 ; 50,55 faire l'acte amoureux, chevaucher une femme. *Voir* MONTER.

Rote 5,58 compagnie de soldats.

Rouil 88,17 rouille.

Routier 88,26 en route.

Ruer 23,21 ; 86,52 jeter.

Ruffien 98,96 rufian.

Ruse (fermé en la) 6,32 il s'est mis en tête.

Sachant (homme) 35,17 ; 81,110 savant.

Sacqua 98,235 tira.

Saillir 3,240 : 12,44 ; 19,128 sortir.

Sains, saints, plaisanterie peut-être équivoque : « la devocion que monseigneur avoit aux sains de sa meschine de
jour en jour croissoit » 17,45 ; « j'ai si grant devocion
au saint » 18,51 je suis si épris.

Salade 4,64 casque.

Sanchié 38,149 calmé, guéri.

Saner 87,27 guérir.

Sang (quant il reut son) 2,135 quand il retrouva ses esprits.

Sangles 99,703 simples.

Saoul 10,138 ; 55,56 ; 77,17 ; 83,67 ; 99,133 saturé, las.

Sauldrez 75,34 vous ferez une « saillie », une sortie.

Sault, *ps. ind. 3* de SAILLIR, sortir.

Saulx 7,7 soule ; « charbon de saulx », forme picarde.

Sauvement 70,119 miraculeusement.

Savoir 46,71 connaître.

Savoir, sçavoir : *fut. 1* sceray 31,166 ; 44,246 ; *2* sceras
31,26 ; 61,140 ; *3* scera 27,94 ; 35,39 ; *4* scerons 52,137 ;
61,172 ; *5* scerez 51,67 ; *6* sceront 49,108 ; *cond. 1* saroie
26,257, saroye 29,100 ; *3* sceroit 61,166 ; *4* sarions 3,123.

Sayoit 24,61 sciait.

Scabelle 63,42 escabeau.

Sceray, scera, etc. *Voir* SAVOIR.

Se, *graphie de* ce.

Seans 1,163 et 171 *graphie de* CEANS.

Seaulmes (sept) 19,134 psaumes de la Pénitence.

Seclus 32,4 ; 99,357 exclu.

Seconde personne 1,93 l'épouse.

Secousse de verges : on battait les vêtements avec de petits
balais de bois.

Secretaire 56,12 ; 72,135 témoin, comme NOTAIRE.

Secretes 27,117 discrètes.

Seigner *réfl.* 27,158, signer 62,307 faire le signe de la croix.

Seing de la more 82,48 le signe de la mûre.

Semblans 33,253 tromperies.

Semonce 19,42 invitation ; « semonce de bataille » 28,87 invitation, appel à la lutte amoureuse.

Semondre 20,198 accueillir par des paroles ; 32,307 exhorter ;
83,23 inviter.

Semonner 29,94 ; 44,73 inviter ; semons 57,15 invité.
Senglotir 99,623 éclater en sanglots.
Sente 26,62 route.
Sentement 76,92 sentiment.
Seoir 1,130 ; 59,150 ; 99,552 asseoir.
Serain 6,6 soir.
Sercher 3,217 ; 38,119 ; 50,6 ; 73,157 chercher.
Serpente (vieille) 37,42 une duègne, une vieille femme.
Serre : « Elle ne tenoit serre ... neant plus que une vieille ar-
 baleste » 49,7. Se dit d'une femme ouverte à tous.
Serrer l'huys 32,324 ; 49,32 ; 71,32 ; 95,103 fermer la porte.
Serviteur 33,9 ; 81,15 un amant.
Ses, *graphie de* ces.
Seurement 47,34 assurément.
Si 3,221 oui.
Siecle 62,60 ; 96,17 ; 99,58 monde.
Siege (avoir sans) 24,75 se dit d'une femme que l'on obtient
 facilement.
Sien (garder le) 20,17 conserver ce que l'on possède.
Si que 24,92 jusqu'à ce que. « En usage particulièrement dans
 le Nord de la France. » (Ch.)
Siet 21,4 est situé.
Signifiance 52,156 signification.
Simple 3,212 ; 29,60 penaud.
Singe, *loc. prov.* « pour qui elle ne feroit neant plus que le
 singe pour les mauvais » 24,46.
Sire : « le sire des nopces » 52,120 le marié.
Soef, souef 18,137 ; 30,49 ; 64,97 doucement.
Soichon 99,99, soisson 93,71 compagnon.
Solaz 27,62 ; 99,244, soulas 99,74 plaisir.
Solent, *ps. ind. 6* de SOULOIR avoir coutume.
Solier 15,62 soulier.
Somme 26,369 ; 35,45 ; 85,19 sommeil.
Songer 38,43 rêver.
Sonner (mot) 8,39 ; 29,62 parler ; sonner de la musette
 75,103.
Sonnet 2,130 ; 18,139 pet.
Sorner 59,140 se moquer, dire des sornettes.

Sorte (compagnon d'une) : comme lui.

Soubrire 22,122 ; 77,22 sourire ; soubzriant 83,49.

Souef, v. SOEF.

Souffrance accoustumée 97,38 employé ironiquement dans le du mot PASSION.

Souffreteux 43,44 malheureux.

Souloir 2,39 ; 10,143 ; 46,49 ; 52,51 ; 67,35 ; 78,7 ; 97,39 avoir coutume.

Soupplesses (faire) 99,41 des tours de gymnastique.

Soupprins 14,52 ; 21,29 ; 33,368 ; 78,123, sourprins 39,134 surpris.

Sourdre 3,197 ; 12,18 ; 21,77 sortir, jeter en l'air 6,107.

Sourvenistes (vous) 43,79 survîntes.

Souvyne 24,96 sur le dos.

Subit 99,82 subitement.

Subtilier 91,11 ; 92,16 ; 95,12 ; 99,141 chercher subtilement.

Sueur de la bourse 94,94 argent.

Sure : aigre ; « une sure et matte chere » 33,124.

Sus (en) 23,43 ; 48,32 ; 68,31 loin de.

Sus, loc. 85,82, sus tost 61,152 vite ! mectre sus 64,108 reprocher ; 68,79 mettre en branle.

Susciter 90,55 réveiller, animer.

Suspeçon 98,205 soupçon.

Suspeçonner 18,25 ; 92,22, suspessonner 1,217 ; 33,264 soupçonner.

Suspeçonneux 7,29 ; 52,40, supessonneux 11,15, suspicionneux 73,217 soupçonneux.

Suspection 65,135 doute.

Suspicionné 73,12 soupçonné.

Suyvir 56,89 suivre.

Syeuz 77,35, ps. ind. 1 de SUIVRE.

Taille (lourd en la), v. LOURD.

Taillé de 23,9 apte à.

Talent 73,97 volonté, envie.

Tamburch 87,96 ; 92,122 bruit, forme du mot « tambour » dans le Nord de la France. (Ch.)

Tanné 86,168 ; 99,133 fatigué.

Tanser 8,65 ; 42,75 ; 97,37 tancer, gronder ; tancer a Dieu 39,117 s'entretenir avec Dieu.

Tantes 72,16 tant de.

Tantost 6,11 ; 21,8 ; 55,9 bientôt.

Tapinage (en) 24,59 en cachette, en tapinois.

Tappir 19,71 et 130 ; 73,89 se cacher.

Tas : « monter sur le tas pour veoir plus loing » 76,81 est dit plaisamment d'un homme qui fait l'amour.

Tasse 31,223 désignait le verre ; baiser la tasse 31,227 boire.

Tasseau 49,84 morceau d'étoffe servant de signe distinctif.

Taster 38,16 goûter, manger.

Tauxée 43,60 taxée.

Taye 50,25 grand-mère, aïeule.

Teneur 26,487 tenue, conduite.

Tenir sur 33,75 et 232 veiller sur.

Tenser 4,100 ; 93,98, tencer 78,76 ; 84,17, tancher 34,120 tancer, quereller en paroles. *Voir* TANSER.

Tensons 71,51 querelles.

Tente 3,258 sorte de ligne pour prendre les poissons. La forme de l'objet devait prêter à l'équivoque.

Tenter 75,27 éprouver.

Termes (tenir) 33,155 ; 38,61 entretenir.

Termes (mis en) 60,93 ; 85,30 convenu.

Terminé 83,74 arrêté.

Terrouer 67,16 région.

Thamis (jouer de) 17,67 ; thamiser de la fleur 17,62 ; Vérard : bulleter de la farine.

Thesaur 99,11 trésor.

Ticquet 83,86 diminutif de tique, parasite des chiens et des ovins.

Tiers, tierce (personne), dans le langage des amoureux signifie le témoin, la troisième personne.

Tirer pays, païs 26,538 ; 30,74 ; 81,76, tirer son chemin 6,13 s'en aller ; tirer a fin 20,169 faire mourir ; tirer au train de derriere, *v.* TRAIN ; tirer vers 23,83 s'approcher de.

Tixu 37,145 ; 68,47 la robe.

Tollir 21,139 ; 27,23 ; 54,60 ; 98,142 enlever ; *p. p.* tollu 76,91 ; *prét. 3* tost 33,208.

Torchée (avoir la teste) 53,124 recevoir des coups, des gifles. Torcher 66,54 gifler.

Toujour(s)més (a) 21,130 ; 34,109 ; 44,25, a toujours mais 62,64 pour toujours.

Tour de son baston, *v.* BASTON ; tour d'audience 26,172.

Tousdiz 58,39 toujours.

Tout oultre 34,12 entièrement.

Traict (faictes a) 64,94 d'un coup.

Train, *loc.* tirer au train de derriere 23,27 ; toucher au train de derriere 57,32 être enclin à l'amour, parler d'amour.

Tranché (mot) 18,41 net.

Travail (estre en) sous-entendu d'enfant.

Traveiller 34,34 ; 98,73 fatiguer.

Traynée, traynnée 61,168 ; 73,85, trainnée 72,131 la trace. L'image est empruntée au vocabulaire de la chasse.

Treille (hurter a sa) 15,51 frapper à sa porte, avec un sens équivoque.

Treille (faulse) 31,69 ; 49,39 ; 61,25 doit désigner une ouver- ture à treillage.

Treilliz 49,22 ; 99,409 la fenêtre protégée par des fils de fer.

Trespasser 5,137 ; 53,10 transgresser.

Tressault 9,51, *ps. ind. 3* de TRESSAILLIR.

Trestant 47,122 autant.

Trestous 6,101 ; 97,18 tous.

Treuve 62,281 découverte.

Triumphe 2,39 joie.

Tromper 31,212 se moquer.

Trousser 6,130 ; 22,63 ; 75,61 ramasser ; *loc.* trousser un compte (conte) 1,66 ; 18,113 ; des excuses 13,22 ; une fille 24,94 ; « tetin bien troussé » 35,131 ; 49,51 ; « trousser sa dame » 61,101.

Tumber 54,44 tomber, avec un sens équivoque.

Tymbre 21,60 cloche du couvent.

Tyne 37,169 petit tonneau.

Umbre (soubz) 26,72 ; 31,215 ; 42,35 ; 45,24 ; 60,9 sous prétexte.

Usance 92,19 usage.

Vache 22,103 ; 29,110 la femme, la mère.

Vague (homme) 99,283 aventurier.

Vaissel 2,133 vase, plat.

Va-luy-dire 24,47 messager.

Value 33,59 valeur.

Vaquer 19,17 être absent.

Varier 61,33 errer.

Vaulsist 52,23, *impf. sbj. 3* de VALOIR.

Veau 22,104 ; 29,110 l'enfant.

Veez cy, voici.

Veez la, voilà.

Vefvette 14,36 la petite veuve.

Veil 6,42, vueil 22,115, *ps. ind. 1* de VOULOIR.

Veil 99,440 un vieux.

Veille 3,53 ; 85,63, *ps. sbj. 1* et *3* de VOULOIR.

Veille 14,76 ; 32,303 vieille femme.

Veillotte 14,86 petite vieille.

Ventre (faire lever le) 22,6 engrosser ; petit ventre 13,108 le bas ventre.

Venue (en) 75,123 attaque.

Ver (trouver le) 41,122 trouver une réponse.

Verge 3,215 ; 26,149 bague, anneau.

Verges, balais de bois.

Vergoigne 98,53 honte.

Vesprée 61,23 le soir.

Vesquit 37,181 ; 77,56, vesquist 55,116 *prét. 3*, vesquirent 9,151 *6* de VIVRE.

Vestures 49,138 ; 62,20 vêtements.

Viaire 87,47 ; 99,612 visage.

Viander 64,28 manger.

Viensist 85,45, *impf. sbj. 3* de VENIR.

Vif, en général vivant ; faire la farse au vif 76,51 faire réellement la farce.

Villanner, villenner 4,122 ; 34,110 ; 98,158 injurier, offenser gravement.

Villanie (dire) 27,174 ; 38,190 ; 54,83 ; 78,71 dire des injures.

Ville (estre hors de), être sorti ; « le vouloir de sa dame fut hors de ville » 28,174 sa dame n'en avait plus désir.

Villette 100,10 une petite ville.

Virer 7,38 ; 9,116 ; 30,37 ; 66,30 tourner.

Vireton 96,8 bâton.

Visitacion 73,59 ; 87,46 visite.

Visiter 21,16 examiner.

Viste 9,103 rapide.

Vistement 1,146 ; 4,88 ; 51,51 vite.

Vitailles 73,117 victuailles.

Viveux 13,11 vif, éveillé.

Voer 52,139 faire vœu.

Voir 34,124 ; 48,70 la vérité.

Voire 11,13 en vérité ; voirement 16,144, 41,126 même sens.

Voirrée (chambre) 57,29 garnie de verrières.

Vois 14,51 ; 27,155 ; 31,74 ; 39,58 ; 66,116 ; 77,15 ; 93,51, voys 72,103 je vais.

Voise 6,63 ; 38,110 ; 68,56, voit 22,92, *ps. sbj. 3* d'ALLER.

Voit, *v.* VOISE.

Volée (crier a la) 27,162 ; 99,286 partout.

Volerie 26,391 chasse à l'oiseau.

Vouloir : *prét. 3* voult 2,105 ; 52,31 ; 60,37 ; 68,83 ; 88,64 ; *6* voulrent 52,124 ; *impf. sbj. 1* voulsisse 10,128 ; 44,67 ; 53,87 ; *3* voulsist 1,205 ; 8,31 ; 14,190 ; 53,130 ; 79,37 ; 87,33, voulsist 31,227, vousist 62,124 ; *5.* voulsissez 28,51 ; *6* voulsissent 6,96 ; 62,285 ; 88,48. *Voir aussi* VEIL, VUEIL, VEILLE.

Voyagier 35,5 voyageur ; forme régulière 41,5.

Voyant 45,60 ; 46,104 devant.

Wart (la) 26,95 la garde.

Wide 27,96 ; 83,60 vide.

Wider 73,79 ; 85,81 ; 86,47 ; 92,34 ; 99,97 partir, vider les lieux.

Ydoine 98,11 ; 99,604 propre à.

Yeulx (faire tres petiz) 7,21 fermer les yeux de sommeil ; prester ses yeulx 32,147 faire de l'œil, lever les yeux, regarder.

Ypocras 1,53 vin épicé.

Ypocrites (faulx) 32,36 les frères mineurs ; l'ypocrite pervers 14,156 l'hermite.

Yssir 27,137 et 196 ; 62,171 sortir.

Yssue 61,116 ; 62,264 sortie..

Yvre de dormir : « vous estes yvres de dormir » 30,117 vous êtes mal réveillées.

BIBLIOGRAPHIE SOMMAIRE

Editions modernes : Le texte de Vérard (1486), publ. par Leroux de Lincy, Paris, 1841.

Le manuscrit de Glasgow :

Les Cent Nouvelles nouvelles publiées d'après le seul manuscrit connu avec une introduction et notes par Thomas Wright, Paris (P. Jannet : Bibliothèque elzévirienne), 1858, 2 vol.

Les Cent Nouvelles nouvelles, publ. par Pierre Champion, Paris (E. Droz : Documents artistiques du XV᷎ siècle, t. 5), 1928, 3 vol.

Comptes rendus de l'édition Champion :

F. Desonay, *Revue belge de philologie et d'histoire* 8 (1929), 993-1027.

A. Långfors, *Neuphilologische Mitteilungen* 31 (1930), 111-12.

M. Roques, *Romania* 54 (1928), 562-66.

Articles :

Ch. R. Knudson, « Antoine de la Sale, le duc de Bourgogne et les Cent Nouvelles nouvelles », *Romania* 53 (1927), 365-73.

M. Roques, « Notes sur *Pathelin* », *Romania* 57 (1931), 548-60.

John H. Watkins, « A note on the Cent Nouvelles nouvelles », *Modern Language Review* 36 (1941), 396-97.

— « The date of the Cent nouvelles nouvelles », *Modern Language Review* 37 (1942), 485.

A consulter pour plus de détails bibliogaphiques :

R. Bossuat, *Manuel bibliographique de la littérature française du moyen âge* (Melun, 1951), pp. 401-409.

A Critical Bibliography of French Literature : Volume 1 *The Medieval Period*, éd. Urban T. Holmes, Jr (Syracuse University Press, 1947 ; enlarged edition, 1952, second printing 1964), pp. 204-207.

INDEX DES CONTEURS
(d'après les rubriques du ms de Glasgow)

TABLE DES MATIÈRES

TEXTES LITTÉRAIRES FRANÇAIS

dernières parutions

612. Gustave FLAUBERT, *Madame Bovary*, reproduction au trait de l'original de 1857 annoté par Gustave Flaubert, postface d'Yvan Leclerc, 2011, 524 p.
ISBN : 978-2-600-01451-9.

613. Claude d'ESPENCE, *Homilies sur la parabole de l'enfant prodigue (1547)*, édition établie par Simone de Reyff, Guy Bedouelle, Stéphane-Marie Morgain et Alain Tallon, 2011, 200 p.
ISBN : 978-2-600-01519-6.

614. Pierre CORNEILLE, *Cinna. Tragédie (1643)*, édition critique par Alain Riffaud, 2011, 248 p.
ISBN : 978-2-600-01541-7.

615. *Perceforest. Cinquième partie*, édition critique par Gilles Roussineau, 2 vols, 2012, CLXXII-1340 p.
ISBN : 978-2-600-01503-5.

616. Jean FROISSART, *Melyador. Roman en vers de la fin du XIV* siècle*, édition critique par Nathalie Bragantini-Maillard, préface de Michel Zink, 2 vols, 2012, 1992 p.
ISBN : 978-2-600-01439-7.

617. BÉROALDE DE VERVILLE, *Le Palais des curieux*, édition critique par Véronique Luzel, 2012, 784 p.
ISBN : 978-2-600-00915-7.

618. Jean de NOYAL, *Miroir historial. Livre X*, édition critique par Per Förnegård, 2012, 640 p.
ISBN : 978-2-600-01547-9.

619. Joseph BÉDIER, *Le Roman de Tristan et Iseut*, édition critique par Alain Corbellari, 2012, LXXXII-298 p.
ISBN : 978-2-600-01548-6.

620. Scévole de SAINTE-MARTHE, *Œuvres complètes. Tome II. Publications 1569-1572,* Le second Volume *(1573),* Canticorum Paraphrasis Poëtica *(1573),* Hymne de G. Aubert *(circa 1573),* édition chronologique avec introduction, notes et variantes par Jean Brunel, 2012, 752 p., 20 ill. n&b.
ISBN : 978-2-600-01521-9.

621. Robert LE CLERC D'ARRAS, *Li loenge Nostre Dame,* édition critique par Annette Brasseur, 2013, CLIV-144 p.
ISBN : 978-2-600-01593-6.

622. François de BELLEFOREST, *Le Cinquiesme Tome des Histoires Tragiques,* édition critique par Hervé-Thomas Campangne, 2013, CXVIII-808 p.
ISBN : 978-2-600-01569-1.

623. Scévole de SAINTE-MARTHE, *Œuvres complètes. Tome III.* «*Opera 1575*», *Publications 1575-1578,* Les *Œuvres (1579),* édition chronologique avec introduction, notes et variantes par Jean Brunel, 2013, 614 p., 29 ill. n&b.
ISBN : 978-2-600-01724-4.

624. Denis DIDEROT, *Satyre seconde. Le Neveu de Rameau,* édition critique par Marian Hobson, 2013, XLII-302 p.
ISBN : 978-2-600-01737-4.

625. *Testaments pour rire. Testaments facétieux et polémiques dans la littérature d'Ancien Régime (1465-1799),* édition critique par Pierre et Marie-Hélène Servet, 2 vols, 2013, 1792 p.
ISBN : 978-2-600-01640-7.

626. Guy LE FÈVRE DE LA BODERIE, *Hymnes ecclésiastiques (1578),* édition critique avec introduction de Jean Céard et Franco Giacone, texte établi et annoté par Jean Céard, appendices de Franco Giacone, 2013, 568 p.
ISBN : 978-2-600-01701-5.

627. Gerbert de MONTREUIL, *La Continuation de Perceval. Quatrième continuation,* édition critique par Frédérique Le Nan, 2014, 1192 p.
ISBN : 978-2-600-01722-0.

628. Gabriel CHAPPUYS, *Le secretaire (1588),* édition critique, présentée et annotée par Viviane Mellinghoff-Bourgerie, 2014, C-790 p.
ISBN : 978-2-600-01773-2.

629. François BONIVARD, *Chroniques de Genève. Tome III (1526-1563),* édition critique par Micheline Tripet, 2014, XIV-546 p.
ISBN : 978-2-600-01827-2.

630. Pierre de L'ESTOILE, *Journal du règne de Henri IV. Tome II: 1592-1594 (transcription Ms. fr.* 10299 *et* 25004 *de la BnF)*, édition critique publiée sous la direction de Gilbert Schrenck, édité par Xavier Le Person, glossaire établi par Volker Mecking, 2014, XXIV-552 p.
ISBN: 978-2-600-01774-9.

631. *Perceforest. Sixième partie*, édition critique par Gilles Roussineau, 2 vols, 2015, CXXXII-1436 p.
ISBN: 978-2600-01809-8.

632. Jacques YVER, *Le printemps d'Yver*, édité par Marie-Ange Maignan, en collaboration avec Marie Madeleine Fontaine, 2015, CLII-760 p.
ISBN: 978-2-600-01808-1.

633. Philippe de MÉZIÈRES, *Songe du Viel Pelerin*, édition critique par Joël Blanchard, avec la collaboration de Antoine Calvet et Didier Kahn, 2015, CLXIV-1756 p.
ISBN: 978-2-600-01835-7.

634. Scévole de SAINTE-MARTHE, *Œuvres complètes. Tome IV. Pædotrophiæ Libri III, Publications des années 1580-1587,* Poemata 1587*, Publications des années 1588-1592*, édition chronologique avec introduction, notes et variantes par Jean Brunel, 2015, 848 p., 55 ill. n&b.
ISBN : 978-2-600-01872-2.

635. René d'ANJOU, *Le Mortifiement de vaine plaisance*, présenté, édité et traduit par Gilles Roussineau, 2015, XLVIII-160 p., 17 ill. coul.
ISBN : 978-2-600-01950-7.

636. Sébastien MAMEROT, *Le Traictié des Neuf Preues*, édition critique par Anne Salamon, 2016, CCXLVIII-272 p.
ISBN : 978-2-600-01870-8.

637. Pierre de L'ESTOILE, *Les Belles figures et drolleries de la Ligue*, édition critique avec introduction et notes préparée par Gilbert Schrenck, 2016, XXXII-416 p., format in folio, 96 ill. n&b.
ISBN : 978-2-600-01619-3.

638. Gustave FLAUBERT, *Rêve d'Orient. Plans et scénarios de* Salammbô, édition et introduction par Atsuko Ogane, 2016, L-238 p., format in folio, 99 ill. coul.
ISBN : 978-2-600-01895-1.

639. Loys LE ROY, *Deux oraisons françoises (1576)*, édition critique par Richard Crescenzo, 2016, LXXVI-100 p.
ISBN : 978-2-600-04707-4.

640. Pierre de L'ESTOILE, *Journal du règne de Henri IV. Tome III: 1595-1598 (transcription* Ms. fr. 25004 *et* 13720 *de la BnF)*, édition critique publiée sous la direction de Gilbert Schrenck, édité par Marie Houllemare, glossaire établi par Volker Mecking, 2016, XXIV-344 p.
ISBN : 978-2-600-01916-3.

641. Scévole de SAINTE-MARTHE, *Œuvres complètes. Tome V. Derniers recueils poétiques 1596-1629*, édition chronologique avec introduction, notes et variantes par Jean Brunel, 2016, 776 p., 176 ill. n&b.
ISBN : 978-2-600-04711-1.

642. Théodore de BÈZE, précédé d'Antoine de SAINT-MICHEL D'AVULLY, *Réponse au gentilhomme savoisien ne se nommant pas, précédée de la Lettre d'un gentilhomme savoisien (1598)*, publiées par Alain Dufour, 2016, XXIV-160 p.
ISBN : 978-2-600-04747-0.

643. Antoine de SAINT-EXUPÉRY, *Vol de nuit*, édition critique par Monique Gosselin-Noat, 2016, CII-290 p., 13 ill. n&b.
ISBN : 978-2-600-04721-0.

IMPRIMERIE F. PAILLART, B.P. 30324, 80103 ABBEVILLE — (15635)
DÉPÔT LÉGAL : 1er TRIMESTRE 2017